广州改革开放实录

GUANGZHOU
GAIGE KAIFANG
SHILU

第二辑

中共广州市委党史研究室　编著

中共党史出版社
广州新华出版发行集团
广州出版社
·广州·

图书在版编目（CIP）数据

广州改革开放实录. 第二辑 / 中共广州市委党史研究室编著. — 北京：中共党史出版社；广州：广州出版社，2017.7
ISBN 978-7-5098-4208-9

Ⅰ. ①广… Ⅱ. ①中… Ⅲ. ①改革开放—研究—广州 Ⅳ. ①D619.651

中国版本图书馆CIP数据核字（2017）第142050号

出版发行 中共党史出版社 广州出版社
责任编辑 潘 鹏 蚁燕娟
复 审 韩冬梅 杨珊珊
终 审 李青建 高旭正
地 址 中共党史出版社：北京市海淀区芙蓉里南街6号院1号楼
（邮编：100080 网址：www.dscbs.com）
广州出版社：广州市天河区天润路87号广建大厦9-10楼
（邮编：510635 网址：www.gzcbs.com.cn）
经 销 新华书店
印 刷 广州市快美印务有限公司
（地址：广州市横枝岗路64号大院自编9号1-4层 邮政编码：510095）
规 格 787 mm × 1092 mm 1/16
字 数 550千字
印 张 36.75
印 数 1 ~ 2000册
版 次 2017年7月第1版
印 次 2017年7月第1次
书 号 ISBN 978-7-5098-4208-9
定 价 68.00元

编委会

主　任： 欧阳卫民

副主任： 李汉强　陈穗雄

成　员： 廖惠霞　贺红卫　张书英

欧阳湘　周艳红

编审组

主　审： 李汉强　陈穗雄

主　编： 周艳红

成　员： 余宏檩　王　刚　和　孟

陈英纳　黄　滢

目录

Contents

1 改革事业的深入与创新

2 特色行业及品牌的繁荣

3 改革大潮中的文化与科技

4 日新月异的城市建设

5 迅速腾飞的区域经济

6 各项事业改革的亮点与特色

1 改革事业的深入与创新

1992年春天，邓小平视察南方并发表重要谈话给改革开放重新注入了活力。广州开展了第二次思想大解放，率先探索社会主义市场经济，试点建立现代企业制度，对促进个体和私营经济发展进行理论创新和实践，带动广州改革事业的深入发展。南沙新区的开发和广州港的建设，为广州国家中心城市地位的确立奠定了坚实的基础。

广州改革开放的二次思想大解放与社会主义市场经济的探索和实践

■ 周艳红

20世纪80年代末90年代初，广州改革开放面临着新的问题与挑战。在邓小平视察南方并发表重要谈话后，广州进行了第二次思想大解放的讨论，进一步消除了“左”的思想以及小农经济意识的影响，将市场经济的观念植入人心，同时提出在15年内追赶“亚洲四小龙”、基本实现现代化的目标。在此环境下，广州转变观念，率先进行社会主义市场经济的实践，初步建立起社会主义市场经济体制，带动了广州经济的高速发展。

一、广州改革开放面临的问题与挑战

作为珠江三角洲地区的中心城市和我国改革试验区的中心城市，广州的改革与经济发展事关重大，不仅对华南地区的经济发展有着举足轻重的作用，而且对国家全局性的经济建设也产生重大而深远的影响。党的十一届三中全会召开以后，党的中心工作转到经济建设上来。广州得风气之先，在改革开放方面先行先试，被旧体制约束的生产力得到释放，促成了一次国民经济增长的高潮，1987年、1988年工业增长速度居十大城市首位。但是到1989年，受全国经济下滑的影响，广州的发展速度开始放慢。1989年广州市地区生产总值287.87亿元，比1988年增长7.16%；社会总产值617.19亿元，比1988年增长3.07%；国民收入205.17亿元，比1988年增长0.5%。比起1988年的地区生产总值增长的16.89%、社会总产值增长的

20.89%，以及国民收入增长的19.85%，速度下降很多。[①]这说明广州经济发展开始进入低谷，面临很多问题和挑战，主要表现在如下方面：

1. 改革的深度、广度不够，在郊县经济、国有企业及投资体制方面还未到位，一些领域的生产力仍受到束缚，潜力未充分发挥出来。这主要表现在国有大中型企业仍陷于或部分陷于旧经济体制的束缚中，未能真正发挥或完全发挥主力军的作用。广州国有企业很多，但是国有企业的“婆婆”太多，多个政府部门围着企业转，过多地干预企业的“内政”，以致束缚了企业的手脚。以广州钢铁厂为例，自1988年企业实行中外合资经营起，该厂每年出口创汇1000多万美元，但是要在港澳设点直接销售的计划却悬而未决，这直接影响到广州钢铁厂走上扩大生产的国际化道路。另外，广州还没有建立起一套全民投资机制，在居民中积聚起来的巨大的过剩消费能力未能转化为稳定的社会生产力。

2. 珠江三角洲先进县市给广州带来严峻的区域竞争压力。这主要是广州经济体制改革相对滞后形成的。20世纪80年代，广州市在经济体制改革方面取得了相当的进展，但周边地区主要是珠江三角洲其他地区，尤其是“广东四小虎”（指南海、顺德、东莞、中山四地）这些地区的经济体制改革更快，活力更大，从而给了广州巨大的压力。“广东四小虎”在城市基础规模与人口规模上虽然与广州无法相比，但自改革开放以来，它们通过不同的工业化路径，使得乡镇企业、私营企业和个体工商户如雨后春笋般生长起来，初步实现了农村的工业化，为具有中国特色的社会主义现代化闯出了一条新路。事实上，经过20世纪80年代的发展，相对于珠江三角洲的其他县（市）而言，广州的发展逊色很多，这说明华南地区正在形成一种新的区域竞争格局，广州的部分经济优势已经或正在消失，原有的劣势更加突显，如果不能顺应变化，深化改革，进一步发挥自身经济的优势，广州将难以有效地发挥华南中心城市的作用。广州要进一步发挥华南中心城市的作用，就要顺应变化，解放思想，转换观念，深化改革，率先进行社会主义市场经济体制的探索。

---

① 广州年鉴编纂委员会：《广州年鉴（1989）》，广东人民出版社1990年版，第69页；《广州年鉴（1990）》，广东人民出版社1991年版，第71页。

3. 广州的改革与经济发展进入了新时期，提出了新课题。体制改革需要由被动型向自主型转换，改革需要进一步深化。20世纪80年代，在消费资料严重匮乏的背景下，广州依靠传统加工业带动经济的发展。进入90年代，卖方市场已转向买方市场，消费资料加工业市场趋于饱和。这种形势表明，经济成长已由市场导向阶段转向创新导向阶段，新技术、新产业的开发已成为市场扩张和经济增长的决定性力量。广州要借助国际市场保持国民经济持续增长，推动产业升级，迫切要求进一步扩大开放，把外向型经济由被动间接型转向自主直接型。因此，必须进行外贸体制和市场经济体制改革，突破外向型经济的被动局面。

就在此关键时刻，1992年1月，邓小平来到广东过春节。与以往不同的是，此次邓小平将主要考察地点放在深圳、珠海及顺德等地，在广州只作了简单的停留。邓小平在视察南方期间，高度评价了深圳等地改革开放以来的成就，他谈道："1984年我来过广东，当时农村改革搞了几年，城市改革刚开始，经济特区刚起步。8年过去了，这次来看，深圳、珠海特区和其他一些地方，发展这么快，我没有想到的。"于是广州开始反思自改革开放以来的思路和措施，开始思考邓小平在南方谈话中的那段话："改革开放胆子要大一些，敢于试验，不能像小脚女人一样。看准了的，就大胆地试，大胆地闯。深圳的重要经验就是敢闯，没有一点闯的精神，没有一点'冒'的精神，没有一股气呀、劲呀，就走不出一条好路，走不出一条新路，就干不出新的事业。"①

邓小平的南方谈话给迷惘中的改革开放事业重新注入了活力，全国上下加快了改革开放的步伐。1992年3月9—10日，中共中央政治局在北京召开会议。会议讨论了邓小平南方谈话精神，就改革开放与发展等重大问题进行讨论研究，强调要抓住当前有利时机，加快改革开放步伐，要求各地改革开放胆子要大一些，要勇于创新，敢于试验，进一步解放思想，坚持实事求是，不断改革和发展生产力。自此，全国的改革开放进入一个新的发展时期。上海浦东的发展进入实质性的起步阶段，成立了全国首家证券

① 《邓小平文选》第三卷，人民出版社1993年版，第372页。

交易所，美国、英国、日本等国家的外资银行设立了上海分行，一个以上海为龙头，带动长江三角洲40多个城市发展的经济带正在形成。山东采取各种措施进一步改善外商投资环境，鼓励乡镇企业放开手脚走向国际市场。[①]

1992年3月底，广东省传达和学习邓小平南方谈话精神，紧接着，召开了由400多名县委书记以上干部参加的工作会议，形成全省进一步扩大开放的决定。从3月下旬起，广东省委书记谢非到广州、佛山、中山、江门、茂名、湛江等地调研，提出各地要解放思想，增强发展经济的危机感、紧迫感和责任感，对束缚社会主义生产力发展的东西，排除各种压力进行改革。谢非在调研中多次谈到，解放思想要有实际内容，认识发展差距，这也是思想解放的一个重要方面，只有以生产力发展为标准来解放思想，敢想敢干，真抓实干，才能真正解放和发展生产力，经济才有可能大发展。[②]

在此环境下，广州开始意识到，只有进行思想解放，深化改革，促进新一轮经济的大发展，才能在全国改革开放的大潮中激流而上，真正发挥广州中心城市的作用。

二、广州改革开放第二次思想大解放

1978年，真理标准大讨论把“实事求是是党的基本思想路线”这个原则确立起来，以思想路线的拨乱反正来推动方方面面的拨乱反正，把全党的工作重点转移到社会主义现代化建设上来，开创了有中国特色社会主义的道路，奠定了中国特色社会主义现代化体系的思想基础。随着改革的深入，中国进入社会大变革时代，严峻的考验一个接着一个，与时俱进、解放思想成为一个永恒的主题。面对改革开放的新机遇和新挑战，广州只有再次进行思想解放，重新审视长期形成的传统观念，使思想从不符合广州实际、不合乎发展规律的条条框框中解放出来，改变对企业等经济实体的管理方式，才能促进经济的进一步发展。

---

① 载《羊城晚报》1992年3月13日。

② 载《羊城晚报》1992年4月9日。

1992年4月20日，广州市召开工作会议，主要议题是“认真贯彻邓小平同志的重要谈话精神，解放思想，抓住机遇，加快改革开放的步伐，力争用15年左右的时间赶上‘亚洲四小龙’人均国内生产总值的平均水平，并且，两个文明建设要同步进行，把广州建设成为现代化的大都市”。为达到解放思想的效果，市各部、委、办，市总工会，团市委，市妇联，市科协的主要负责人，各区（县）委书记、区（县）长，以及国有大中型企业的负责人都参加了这次会议。

在会上，市委书记高祀仁作了《解放思想，抓住机遇，加快改革开放和经济建设的步伐》的主题报告。在报告中，他首先“自揭其短”，坦承广州与珠江三角洲先进县（市）在改革开放和经济建设上存在差距的根源在于广州思想不够解放。他认为，广州思想不够解放表现在以下几个方面：一是缺乏实事求是的精神，一事当前，不是从实践中找答案，而是习惯先从上级文件上找依据，对一些明显不切合实际的事情囿于没有明文规定而不敢突破；二是怕担风险，对一些虽然没有明文规定，但实践证明有利于发展社会生产力的事，不敢闯，不敢坚持；三是缺乏“敢为天下先”的勇力和气魄；四是对基层不放心，不放手，过分强调条条管理的特殊性，怕出乱子，该放的权不敢放，有的部门则采取实用主义态度，对本部门有利的就放，反之，能拖则拖；五是不善于用足、用好政策。这些表现归根到底是思想不如人家解放，要反对本本主义，条条框框，克服固步自封、墨守成规的思想，提倡勇于实践、大胆探索的创新精神，提倡开拓进取、发奋图强的竞争意识，提倡服从大局、服务大局的全局观念，提倡脚踏实地的实干精神。①

会议期间，与会代表就如何解放思想和加快改革开放进行广泛的讨论。与会的区（县）委书记们认为，广州市的发展速度之所以比不上珠江三角洲先进县（市），一个重要的原因就是机构重叠，审批环节过多，办事效率低，基层的创造性与主动性调动不起来。②广州市长黎子流在总结讲话中也指出，广州与珠江三角洲先进县（市）的差距是管理体制上的差

① 《广州确定经济建设目标》，载《羊城晚报》1992年4月24日第1版。

② 载《广州日报》1992年4月25日。

政府职能部门真正做到解放思想，敢于向下放权，引入市场化的现代管理观念，是改革开放的新要求。改革开放的严峻形势要求广州根据有利于完善企业的管理体制、有利于生产经营管理、有利于增强企业活力的原则建立决策快、运转灵、效率高的内部运行机制。广州要在20世纪90年代的改革中立于不败之地，就要简政放权，将市场的观念普遍植入人心从而转变政府职能，实现由计划向市场、由以行政手段为主向以市场手段、经济手段和法律手段为主以及由基层服务向服务基层的转变，杜绝"有利可图的事各部门争着管，无利、麻烦的事互相推诿"的行为，建立一套适应市场经济发展的宏观调控管理体系。广州的这次简政放权，增强了区（县）总揽经济全局的能力，不管涉及哪一级的管理权限，只要能放给区（县）的坚决下放，使区（县）拥有更大的自主权。因此转变职能成为1992年广州市直机关改革的重点，全市将4个方面的权力进行下放：一是经济计划方面，包括基建投资规模管理权、工农业生产计划和商业流通计划管理权等。1992年上半年组织32户工商企业"放开经营、综合改革"，进行试点工作，下半年将试点在各行业、各系统铺开。除建设、生产和经营条件需要国家和市综合平衡，或产业政策限制的项目外，总投资在2000万以下的项目，市属企业集团和大中型企业可自行决定项目建议书、设计任务书；市属企业集团、各大中型企业可自行决定总投资在500万元以下的基建项目和1000万元以下的技改项目的新开工。二是在外经贸方面，简化对外商投资项目的审批，要求做到"三个一"，即一次性提出修改意见，一个星期内起草发出批复文件，对符合条件的项目一天内发给证书，制定了《广州市外商投资企业管理规定》，依法保护和管理外商投资。三是财税、金融、物价、工商行政管理权。四是人事、劳动方面的管理权。

（四）进一步消除消极怠工、无所作为的思想，引入市场竞争的观念，提高工人的积极性和创造性

"用钱靠企业、治病靠国家、挣钱靠炒更[1]，上班一条虫、下班一条

① 炒更，来源于粤语，指业余时间（多为晚上）从事别的工作挣钱。

龙”，“企业亏损，干部、职工奖金照拿，工资照升”，这些是存在于当时国有企业中的一种普遍现象。这在一定程度上存在国有企业内部的分配制度是吃大锅饭的原因，但更是一种消极怠工、无所作为思想的表现。经过这次思想大解放，广州开始反思，珠江三角洲先进县（市）之所以在发展速度上超过广州，原因之一就是他们的企业全部在市场进行竞争，接受优胜劣汰的考验，并没有“等”“靠”的思想，领会到邓小平说的“不搞市场，连世界上的信息都不知道，是自甘落后”的真正含义，了解到在现代的市场竞争中，形势主要不是大的排挤小的，而是快的排挤慢的。只有引入这种市场竞争的观念，企业成为自主经营、自负盈亏、自我发展、自我约束的社会主义商品生产者和经营者，企业工人的收入与企业的利润直接联系在一起，从而提高工人的积极性和创造性，改进技术、降低成本，使产品适应市场的需要，才会在激烈的市场竞争中立于不败之地。

（五）实事求是地提出用15年左右的时间追赶“亚洲四小龙”的战略目标，坚定了广州改革开放的信心与决心

目标的提出，是邓小平南方谈话的要求，也是中央、广东省委的要求。大胆地提出这一目标，打破了社会主义国家不能向资本主义国家学习的僵化思想。长期以来，在对待资本主义的问题上，人们往往只看到或更多看到的是社会主义同它对立的一面，而很少看到社会主义学习、借鉴、利用它及同它合作的一面，这是认识的一种片面性，是不符合社会历史发展的辩证法的，不利于社会主义经济文化的发展和进步。为落实追赶“亚洲四小龙”的战略目标，中共广州市委还成立了“追龙小组”，并进行了系统的调查研究，了解到广州与“亚洲四小龙”存在着很大差距的主要原因是市场化程度低，产业结构调整缓慢，还了解到广州作为中心城市，未真正形成大商业、大流通、大市场的格局；作为区域性金融中心、科技中心、信息中心等，各方面的优势尚未发挥出来。在工业结构方面，“亚洲四小龙”能适应市场变化，及时推动工业结构升级，电子、电器、电信等高科技工业发展很快，而广州市的高新科技工业刚开始起步，工业产品的技术含量低，能耗、物耗较高，产业结构层次低。为此，广州市调整了相关政策，加快了广州社会主义市场经济发展的进程。

广州改革开放第二次思想大解放的讨论，是对广州改革开放以来思想的再次洗礼，清除了“左”的影响，打开了工作思路，破除了只考虑部门利益的习惯思维，扫除了“等部署、靠政策，怕负责任”的懦夫、懒汉思想。广州上下认识到退缩是没有出路的，必须抓住机遇，凡是有利于生产力发展的就大胆地干。经过思想解放，广州市计委、市体改委、市外经贸委、市经委、市科委、市建委、市商委、市人民银行、市财政局、市人事局、市劳动局等市属综合部门从转变政府管理经济的职能的角度出发，注意发挥市场调节的作用，纷纷制定了适宜经济发展的实施细则和操作程序，在转换企业经营机制，深化流通体制改革，推进股份制试点，扩大对外开放，推进科技进步，搞活金融、财税，加快住房制度、社会保障制度改革等方面制定了具体的实施办法。

广州改革开放第二次思想大解放与随之制定的追赶“亚洲四小龙”的战略目标促进了经济的良好发展，1992年上半年国民经济良性循环，工业生产增长较大，农业生产稳步发展，市场繁荣兴旺，物价基本稳定，财政金融形势良好。全市工业总产值达到283.85亿元，预算内财政收入24.23亿元，分别比1991年同期增长23.14%和21.09%；全市职工人均工资实际增长4.98%。在企业体制改革方面，进行“放开经营、综合改革”试点，落实企业各项经营自主权。在金融体制改革方面，确定了第一批向社会发行暂不上市股票的试点企业，同时大力开拓金融市场，增加融资规模。另外，还加大了利用外资的规模与力度，全市上半年实际利用外资3.28亿美元，出口商品总值达1036亿美元。[①]

三、进行社会主义市场经济的探索

20世纪90年代初的解放思想，落到实处就是进行社会主义市场经济的探索，建立社会主义市场经济体制。邓小平在南方谈话中谈到“计划多一点还是市场多一点，不是社会主义与资本主义的本质区别。计划经济不等

① 载《广州日报》1992年7月9日。

于社会主义，资本主义也有计划；市场经济不等于资本主义，社会主义也有市场。计划和市场都是经济手段”[①]。早在20世纪80年代中后期，广州得风气之先，进行了社会主义市场经济的初步探索，1988年初，广州经济社会研究院等单位提出一份《关于广东、广州实行社会主义市场经济的研究报告》：

本研究报告以一种新思路提出广东、广州改革开放综合试验应以建立社会主义市场经济为目标模式。

在观念上对市场经济进行再认识，是先于其他一切的首要工作，市场经济是与商品经济既相联系又有所区别的概念。市场经济是一种资源的组织和配置方式，指各种经济要素（商品、资金、劳动力、土地、科技、信息情报等）都商品化并通过各类市场进行配置。市场经济是商品经济比较发达的阶段才逐渐成熟和发挥主导作用的资源配置方式，二者的发展是基本同步的，任何社会制度都有资源配置方式的多种选择，市场经济既非资本主义的专有物，也不是导致社会生产盲目性和无政府状态的必然根源。

广东、广州实行市场经济的客观必然性在于：它是商品经济的必然要求，是经济高速度、高效益发展的保证，是发展外向型经济的需要，是结束新旧体制双轨摩擦的唯一出路，是实行一国两制的重要经济条件。

广东、广州实行社会主义市场经济，要在组织结构、运行机制、市场体系、动力结构等四方面建造新的模式，将通过两个战略阶段的努力，在本世纪末实行市场经济新秩序。

这个报告，曾报送当时中央领导同志，并且作为论文提供给全国经济体制改革理论研讨会，为广东、广州关于社会主义市场经济的先行探索留下很多有益的经验。[②]

但是到1989年，随着政治与经济形势的恶化，经济理论界纠缠于市场经济姓“社”还是姓“资”这个问题，有人认为计划经济是社会主义的本质特征，是与市场经济根本对立的、相排斥的，认为在社会主义的

---

① 《邓小平文选》第三卷，人民出版社1993年版，第373页。

② 苏星：《我对社会主义市场经济的认识》，载《燧石》1993年第2期。

中国不能搞市场经济，于是广州同全国一样，社会主义市场经济的探索受到各方面的阻力。

1992年10月，党的十四大召开，江泽民在报告中指出我国经济体制改革的目标是建立社会主义市场经济体制。他指出，改革开放10多年来，市场范围逐步扩大，大多数商品的价格已经放开，计划直接管理的领域显著缩小，市场对经济活动调节的作用大大增强。实践表明，市场作用发挥比较充分的地方，经济活力就比较强，发展态势也比较好。我国经济要优化结构，提高效益，加快发展，参与国际竞争，就必须继续强化市场机制的作用。我们要建立社会主义市场经济，就是要使市场在社会主义国家宏观调控下对资源配置起基础性作用，使经济活动遵循价值规律的要求，适应供求关系的变化，通过价格杠杆和竞争机制的功能，把资源配置到效益较好的环节中去，并给企业压力和动力，实现优胜劣汰，运用市场对各种经济信号反应比较灵敏的优点，促进生产和需求的协调。

10月17日，广州各界人士举行聚会畅谈十四大，一致认为党提出建立社会主义市场经济体制的决议顺乎民意，广州可以甩开膀子大干一场，促进经济建设再上一个台阶。市委书记高祀仁提出，广州要认真探索社会主义市场经济的体制和运行机制，通过探索，把广州经济纳入到社会主义市场经济的轨道上来，加快广州的现代化建设步伐，发挥广州中心城市的作用。①10月23日，中共广州市委召开常委会议传达贯彻十四大精神，要求认真学习和了解建立社会主义市场经济体制的意义，各部门、各单位要自觉摆脱计划经济的束缚，适应从高度集中的计划经济到社会主义市场经济的转变。

11月2日，中共广州市委召开六届二次全体会议，学习贯彻十四大精神，提出要围绕建立社会主义市场经济体制加快改革的步伐。会议认为，广州的基本目标是在全市范围内建立起包括多元化市场主体、多元化要素市场、规范化价格机制、较为完善的社会保障制度和间接调控系统等社会主义市场体系以及市场配置资源的经济运行机制。要实现上述目标，首先

① 载《广州日报》1992年10月18日。

要创造条件使企业成为自主经营的经济实体，打破行业垄断和独家经营，建立社会主义大市场，建立少环节、多渠道、快流通的经济大流通，放开价格，利用市场供求关系推动经济发展；其次要建立公开、公平、公正、平等的市场竞争环境，加快第三产业发展等。会议按照市场经济要求深化改革的基本思路作出以下几个方面的部署：（1）尽快完成企业经营机制的转换，在1993年底前全部国营企业都要按照《企业法》规定的新机制运行。（2）继续按照大商业、大市场、大流通的要求逐步建立起与国内外市场衔接的市场网络，调整发展消费品市场。（3）加快流通企业管理体制改革，从根本上打破行政垄断、独家经营，最大限度放开价格，大力形成整体配套的市场体系。（4）突出抓好金融改革，重点发展金融市场，尽快建立一套适应加快对外开放，加速发展外向型经济，全方位开拓市场的新机制。（5）创办一批具有较大规模、较高水平的“三资”企业，以此为引路人，借船出海，组建一批向跨国经营方向发展、以外贸企业为龙头的外向型企业集团。

进行社会主义市场化的各项配套改革成为广州1993年的工作重心。1月15日，广州市召开计划会议，提出1993年经济工作的指导思想是加速社会主义市场经济的培育和发展，坚持速度与效率的统一，促进经济结构调整。会议对广州20世纪60年代以来整个计划经济主要内容进行大砍大削，取消了如农业性生产、交通、主要商品购销、调划，利用外资等这些过去主要的计划本子，除人口、占有耕地等少数几个关系全局的指标实行指令性计划管理外，直接与企业生产有关的指令性计划基本取消，指令性计划大多变为指导性计划。这些决定使广州的经济体系在保持宏观总量指标的前提下开始增加微观个量指标，增强了适应市场经济变化的能力。

与此同时，为争取成为全国综合改革试点城市，广州加快进行建立社会主义市场经济新体制的改革探索，决定由市委牵头，从市委政策研究室、市计委、市政府研究室、市经济研究院等单位抽调8人组成调研起草组，谋划构思改革意见。调研起草组成立后，先进行了3天集体学习和讨论，在要求领会党的十四届三中全会精神及市委的贯彻要求，在准确分析广州面临的改革形势与广州改革的发展阶段、突出问题的基础上就一些基本观点达成共识。调研起草组认为，广州有必要也有条件在建立社会主义市场经济体制的改革中步子迈大一些，改革目标设定应快一些，体现广州敢为人先的精神，为全国改革开放提供经验借鉴。同时，立足广州，系统设计，重点突破，进而带动改革的全局，最终达到建立市场经济新体制的目标。随后，调研起草组分成若干小组，分别下去调研，集中交流汇总，梳理突出问题，在此基础上，研拟广州建立社会主义市场经济体制的总体思路与基本框架，报中共广州市委审核后组织起草。①

《广州市建立社会主义市场经济体制综合改革试点总体方案》（以下简称《方案》）随之制定，明确了广州到1998年初步建立社会主义市场经济新体制的目标任务。这一做法在全国是领先的。《方案》要求从5个方面来实现预期的改革目标：

1. 转换国有企业经营机制，建立现代企业制度。这是广州建立市场经济新体制工作的重中之重，是关系市场主体塑造的基础。《方案》要求从理顺产权关系入手，用2年时间基本完成国有企业改组为公司的工作，并提出5种改组的具体形式，明晰公司治理结构与收入分配原则，创新性地提出减轻国有企业债务、富余人员、社会负担3个方面的可行办法，明确要求在1995年以前建立起国家统一所有、政府分级监管、多元委托运营、企业自主经营的新型国有资产管理体制和运营机制。

2. 转变政府职能，建立健全宏观经济管理体系。重点在于政企分开，政府由管微观经济转向管宏观经济，首次界定市政府管理经济的8项职能；确定用2年时间逐步撤销行政性总公司和企业主管局，明确计划、财税、金融等改革任务，建立健全高效、灵敏、权威的宏观管理体系。强调科学划分市、区（县、市）事权，充分发挥多个积极性。

3. 以培育形成在国内外具有较大影响力的区域性金融中心、商贸中心、技术交易中心、信息交流中心和价格形成中心为取向，加快培育和发展现代化的市场体系。

4. 建立合理的个人收入分配和多层次的社会保障制度。在全国较早地探索实施个人账户与社会统筹相结合的保障办法。

---

① 全国政协文史和学习委员会：《十四个沿海城市开放纪实·广州卷》，中国文史出版社2015年版，第97页。

1993年，广州市经济体制改革研究会召开广州率先建立社会主义市场经济体制研讨会

5. 深化外经贸体制改革，进一步扩大对外开放，推动对外开放战略升级。

为确保全面与准确，1993年11月初，广州市经济体制改革研究会召开广州率先建立社会主义市场经济体制研讨会，参加会议的市委书记高祀仁、市长黎子流及各部门负责人，全国、广东省和广州市经济学专家与学者，对《方案》提出意见，进行完善与修改。

11月11—14日，中共十四届三中全会举行，全会通过了《中共中央关于建立社会主义市场经济体制若干问题的决定》（以下简称《决定》）。《决定》从中国的基本国情出发，把中共十四大决定的经济体制改革的目标和基本原则系统化、具体化，对社会主义市场经济体制若干重大原则、方针和内容作了说明。《决定》为我国的社会主义市场经济改革制定了大体的框架，更使广州探索社会主义市场经济之路的步伐更加清晰和明确，为接下来广州的改革提供了纲领性的指导。

11月底，广州将《方案》上报国家体改委。《方案》的核心内容是培育和健全社会主义市场经济体制，明确提出改革的目标是在1994年到1998年，用5年左右的时间基本完成经济市场化、市场现代化的体制转轨，将广州建成扩散和聚合能力较强的商品流、资金流、技术流、人才流、信息流的中心。同时提出市场体系的重点是生产要素市场，其中金融市场是突破口，并以此为龙头，活化资金，带动产权市场、房地产交易市场、劳动力市场、信息市场、技术市场等发展，此外，继续充实完善商品市场，健全新兴市场。

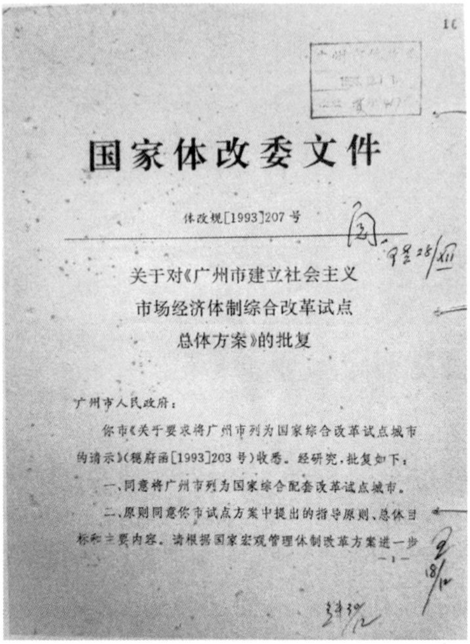
国家体改委文件

体改规[1993]207号

关于对《广州市建立社会主义市场经济体制综合改革试点总体方案》的批复

广州市人民政府：

你市《关于要求将广州市列为国家综合改革试点城市的请示》（穗府函[1993]203号）收悉。经研究，批复如下：

一、同意将广州市列为国家综合配套改革试点城市。

二、原则同意你市试点方案中提出的指导原则、总体目标和主要内容。请根据国家宏观管理体制改革方案进一步

—1—

1993年12月，国家体改委批复同意广州市列为国家综合配套改革试点城市

由于送交的《方案》实事求是，更重要的是广州具备了在建立社会主义市场经济体制中先行一步的能力，不仅较早地进行了经济体制深层次改革，综合实力在全国城市中居第三位，而且市场观念、竞争观念、自主观念等一系列新观念成为社会思潮的主流，普遍深入人心。1993年12月8日，国家体改委批复《方案》，同意将广州列为国家综合配套改革试点城市，原则同意广州《方案》中提出的指导原则、总体目标和主要内容。国家体改委认为，广州地处港澳与内地两种不同市场经济体制的结合部，率先建立新体制和新的运行机制，对广东省乃至全国都具有积极意义。通过多年的改革开放和经济发展，广州市在这方面积累了大量的经验，已经具备成为综合配套改革试点的基本条件和在建立社会主义市场经济体制改革中先行一步的能力。他们希望广州市认真贯彻落实党的十四大和十四届三中全会精神，结合广州市实际情况和方案所提的改革内容，抓好试点工作，使改革开放和经济发展迈上新台阶。[①]

随后，中共广州市委召开六届三次全会，审议并通过《中共广州市委

① 载《广州日报》1993年12月9日。

关于加快建立社会主义市场经济体制的若干实施意见》，广州实践和探索社会主义市场经济之行动正式启动。

四、社会主义市场经济体制在广州的初步确立

建立社会主义市场经济是一项复杂的社会系统工程，更是一个体制转换的过程，即在发展中寻求突破和创新，在体制创新中走规范的过程。《方案》提出，广州计划在1994—1998年间内初步确立起社会主义市场经济的体制，为此广州围绕建立一个开放、完备、有序、高效而有利于竞争的社会主义市场经济体制提出了一系列实事求是的配套改革措施。

（一）在社会主义市场经济探索和实践过程中，广州始终把改革政府管理体制、简政放权、加强宏观调控作为最主要的手段，逐步建立起适应现代市场经济体制的宏观调控体系

宏观调控是市场经济体制中不可分离的部分，广州在把握好总供给与总需求平衡的前提下，对所属区（县）企业和农民实行“归行政管理权于政府，还经营管理权于企业”的改革，实行政企分开。1994年，国家不再下达指令性计划，广州也只用指导性计划下达产品产量计划，到1995年，生产与流通领域完全取消了指令性计划，指导性计划也逐步减少。同时，广州市政府和各经济管理部门更加注重依据市场经济要求，通过制定产业政策实施办法、集中适量的主要物资、建立预警制度等措施，使宏观调控目标明确，调控手段协调有力，保障了社会主义市场经济体制的运行。

（二）加快国有企业的改革，将国有企业推向市场，建立现代企业制度

国有企业的改革是社会主义市场经济体制探索和建立过程中的最主要部分。为适应新的经济形势，广州加快了国有企业的改革，按照《中华人民共和国公司法》的规范要求转变公司体制，对国有企业的资产进行产权界定，把政府职能同国有资产所有者代表的职能分开，创造一个公开的、有序竞争的市场环境，通过资本调整来实现重组，使长期凝固、沉淀的国

有资本重新焕发活力；允许国有企业的产权在产权市场中流动与重组，将广州钢铁厂、广州造纸厂、广州珠江水泥厂等大企业与境外企业嫁接，重组了广重集团公司、广州无线电集团有限公司等，建立真正的企业法人制度，使企业成为合格的市场主体。

（三）实行放开经营、综合改革，深化市场竞争者和商业企业的改革，建立适应社会主义市场经济的流通领域

广州的流通领域改革自1979年放开水产品价格开始，经过十几年的发展，还是有部分物资处于国有垄断状态下。此次流通领域的改革，广州主要在以下3个方面进行：（1）打破国有商品的垄断，改变“三级批发一级零售”的流通管理体制，打开城门，将长途贩运合法化。（2）鼓励国有、集体、个体企业参与流通竞争，加强集市、专业市场、批发市场的建设，促进了省内外商品流通网络的形成，形成一个多成分、多形式、多渠道、少环节的开放型流通体系。（3）利用广交会的平台加强同世界各国和地区的经济贸易合作，建立多元化的出口市场，打进世界各地，全方位开拓国际市场。经过一系列的改革和建设，广州建立了一批立足广州、影响全国的各类批发市场，如中大布匹批发市场、白马服装批发市场、黄沙水产品批发市场，建立了相对稳定的“广货”批发销售中心。

（四）深化价格改革，促进了包括各种生产要素在内的社会主义市场的发育

价格的管理是社会主义市场经济的一个重要要素之一。广州的改革开放就是从放开价格开始，1984年11月，放开蔬菜价格，接着放开肉、禽蛋等大部分农产品价格，实行价格的“双轨制”[①]。为加快社会主义市场经济的建立，广州进一步下放物价管理权限，真正落实企业的定价自主权，同时综合运用经济、法律手段从宏观上调控物价，完善价格调节基金制定。1996年，广州三分之一的产品出口，绝大部分原材料依靠市场采购。

---

① 价格双轨制，指同一产品计划内部分实行国家定价，计划外部分实行市场调节价的制度。在中国一般指工业生产资料价格双轨制。

另外，广州还优化了劳动力资源的配置，促进劳务市场的发育，将市场机制引入投资领域，建设资金的运筹基本上采用自我筹集、自我偿还的积累形式，先是试行集资建桥、过桥收费的以桥养桥的改革，之后扩展为以路养路、以电养电、以通信养通信等多种筹集资金形式，形成了谁投资、谁得益和社会集资、有偿使用的投资机制，使广州的基础设施得到发展，解决了长期制约广州经济发展的基础设施建设滞后的问题。

（五）实行全方位扩大对外开放，促进社会主义市场经济与国际市场接轨

广州提出用15年的时间追赶“亚洲四小龙”的战略目标，就要在体制、市场以及生产要素配置等方面与国际市场接轨，引进资金、技术、设备，还要引进国际竞争机制、经营机制和管理办法，吸收和借鉴“亚洲四小龙”及国际市场经济规则、机制，选择一条市场导向的改革道路。为此，广州采取全面、整体开放战略，形成以黄埔港、南沙新港、黄沙新港等国际港口群、广州新白云国际机场和高速公路、铁路为进出口的国际门户和通道，以广州保税区、南沙开发区为开放前沿，以广州东南部国际大型综合经济区和广州经济技术开发区、天河高新技术产业开发区等为开放主体，以各区街、各市县镇的开发小区为开放纽带，以广州老城区为开放基础后方的多层次、多渠道、全方位的广州市区域整体开放新格局，使广州真正成为多功能的国际化城市。

在进行各项经济改革的同时，广州还对科技、分配制度，以及法律建设等进行一系列的配套改革。广州市提出科技兴市的战略，在政府宏观调控下按照市场规律配置科技资源，促进科技成果商品化、产业化、市场化、国际化、科技与经济一体化，形成促进科技进步的有效机制，提高科技进步对广州经济增长的贡献率。20世纪90年代，广州成立了广州社会保障协调委员会，全面推进和逐步完善以养老、失业、医疗保险为主体的社会保障制度。同时加快建立市场经济的法律体系，使广州的社会主义市场经济做到有法可依、有法必依、执法必严、违法必究，从而使企业、市场、政府的行为规范化、法制化。

思想的解放与社会主义市场经济的实践带动广州经济的大发展。通过

市场与计划的有机结合，尤其是充分发挥市场机制的基础性调节作用，广州市的经济平稳快速地发展。1993年，广州市的综合经济实力明显增强，继续在全国十大城市中保持领先地位，人民生活水平不断提高。全年全地区职工人均货币工资6272元，比上年增长30.88%，月平均工资首次突破500元，城乡居民储蓄存款余额447.9亿元，增长30.85%。1992—1996年，广州经济发展速度之快、总量增加之多是历史上前所未有的。1996年广州市地区生产总值达到1444.84亿元，比1992年增长94.25%，年均增长18.06%，综合经济实力直逼北京，1996年人均地区生产总值达到2.22万元，5年间年均增长17.36%，与亚洲中等发达国家和地区的差距逐步缩小。[①]由于市场经济的率先实践，在经济结构的调整方面取得了阶段性的进展，产业结构有所变化，1997年三次产业占地区生产总值的比重分别为5.19%、46.35%和48.46%，第一、第二产业比重略有下降，第三产业比重上升。以公有制为主体、多种所有制经济共同发展的基本经济制度确定。[②]同时以商品市场为基础，市场体系逐步完善，投资主体多元化的投资融资体系初步完成。到1998年，经过4年的探索，广州的市场机制在配置资源中日益明显地发挥基础性作用，经济发展的体制环境发生了重大变化；全方位对外开放格局基本形成，开放型经济迅速发展，对外经济关系发生了重大变化，初步构建起社会主义市场经济体制的基本框架。

（作者单位：中共广州市委党史研究室）

---

① 广州年鉴编纂委员会：《广州年鉴（1997）》，广州年鉴社1997年版，第62页。

② 广州年鉴编纂委员会：《广州年鉴（1998）》，广州年鉴社1998年版，第63页。

广州市建立现代企业制度试点工作回顾

■ 和　孟

1993年11月，党的十四届三中全会召开，通过了《中共中央关于建立社会主义市场经济体制若干问题的决定》（以下简称《决定》），提出了"转换企业经营机制，建立现代企业制度"的改革思路。广州市自1994年初开始，按照《决定》的要求，把握住广州的特点，进行了建立现代企业制度的试点工作，并逐渐形成了广州特色。

一、转换机制，提出建立现代企业制度的历史背景

我国经济体制改革采取"摸着石头过河"的方式，在实践中不断摸索着前进。按当时人们的说法，1990年左右，我国的国有企业出现了三分之一明亏，三分之一暗亏，只有三分之一盈利的局面。面对新一轮的国有企业的困境，必须解决深层次的问题，即改革国有企业的经营机制。

（一）南方谈话和《决定》提出了建立现代企业制度的思路

20世纪80年代末90年代初，外有东欧剧变、苏联解体的困扰，内有姓"资"姓"社"的纷争，特别是1989年北京政治风波之后，报刊上陆续出现批判"市场取向""市场化"的文章，僵滞的思想束缚了人们的手脚，许多人担心党的政策有变，都在等待观望，经济发展速度明显放慢。

1. 邓小平南方谈话。

面对徘徊不前的经济局面，邓小平于1992年初视察武昌、深圳、珠

海、上海等地，他一边走，一边讲，看似零散的话语却为中国社会主义现代化建设和改革开放指明了方向。

一是要“抓住时机，发展自己，关键是发展经济”[①]。邓小平在深圳时说：“我们的时间不多呀！”他要求深圳市委负责人，经济建设“要搞得快一点”。在南京时，邓小平又说：“要抓住时机，把经济搞上去，步子可以快一点。”[②]二是“看准了的，就大胆地试、大胆地闯”。“改革开放胆子要大一些，敢于试验”，“深圳的重要经验就是敢闯，没有一点闯的精神，没有一点‘冒’的精神，没有一股气呀、劲呀，就走不出一条好路。”[③]三是从根本上解决关于计划与市场的关系问题。邓小平指出：“改革开放迈不开步子，不敢闯，说来说去就是怕资本主义的东西多了，走了资本主义道路。要害是姓‘资’还是姓‘社’的问题。”[④]

在这样一个严峻的历史时刻，南方谈话冲破了党内的种种思想禁忌，揭示了社会主义的本质，对建设有中国特色的社会主义经济体制的核心任务作了系统的科学概括。南方谈话为党的第三代中央领导集体推进经济体制改革创造了条件。江泽民后来曾说：“小平同志晚年提出了许多十分重要的思想，特别是他1992年的南方谈话，澄清了当时困扰着人们思想的一些十分重大的问题，为我们这一代人创造了很好的条件。很多话，小平同志当时不说，我们这些人是很难说的。”[⑤]

2. 中央《决定》的最终提出。

针对国营企业存在的问题，1991年12月，在国务院第十二次全会上，李鹏总理提出：搞好国营大中型企业，必须转换企业经营机制。这是国家领导人和官方文件第一次正式提出“转换企业经营机制”问题。1992年7月，国务院颁发《全民所有制工业企业转换经营机制条例》。同年10月，党的十四大明确提出，我国经济体制改革的目标是建立社会主义市场经济体制，并要求围绕社会主义市场经济体制的建立，加快经济改革步伐。

---

① 《邓小平文选》第三卷，人民出版社1993年版，第375页。
② 《邓小平年谱：1975—1997》下卷，中央文献出版社2004年版，第1335—1341页。
③ 同①，第372页。
④ 同①，第372页。

⑤ 《江泽民文选》第三卷，人民出版社2006年版，第336页。

1993年11月，党的十四届三中全会通过了《决定》，标志着国有企业改革从转换经营方式等一系列表层措施进入到制度创新的深层变革。《决定》明确指出，建立现代企业制度，是发展社会化大生产和市场经济的必然要求，是我国国有企业改革的方向，是一种规范化、法制化的企业制度。现代企业制度以“产权清晰、权责明确、政企分开、管理科学”为基本特征，以理顺和重组企业产权关系为基础，以建立企业法人制度为核心，以公司制为主要形式，以实现政企分开和企业自主经营、自负盈亏、自我发展、自我约束为主要目标。在1994年4月颁布的《经济体制改革要点》中，国务院决定于当年组织一批国有大中型企业，按照《公司法》的要求进行建立现代企业制度试点，探索建立现代企业制度，积累经验，创造条件，逐步推进。

95

中共中央文件

中发〔1993〕13号

中共中央关于建立社会主义市场经济体制若干问题的决定

（中国共产党第十四届中央委员会第三次全体会议1993年11月14日通过）

为贯彻落实党的第十四次全国代表大会提出的经济体制改革的任务，加快改革开放和社会主义现代化建设步伐，十四届中央委员会第三次全体会议讨论了关于建立社会主义市场经济体制的若干重大问题，并作出如下决定。

一、我国经济体制改革面临的新形势和新任务

（1）在邓小平同志建设有中国特色社会主义的理论指

《中共中央关于建立社会主义市场经济体制若干问题的决定》

（二）广州市国有企业改革的现实困境坚定了建立现代企业制度的决心

广州的工业在中华人民共和国成立后进入了一个新的发展时期。经过29年的社会主义改造和建设，1978年广州工业总产值达74.93亿元，比1949年的2.34亿元增加72.59亿元。改扩建了许多重要工厂，发展了一批新型工业，广州逐渐发展成为一个门类齐全的工业基地，重工业从基本空白的状

态中发展起来。[1]但是广州国有企业的各种问题在20世纪70年代末期，已逐步暴露出来。为了搞活经济，1978年底至1993年10月，广州市国有企业大体经历了扩权让利、综合改革、承包经营3个阶段的改革。虽然经济体制改革不断深入，但是长期困扰着国有企业的政企不分、产权关系不明晰、自主权不落实、经营机制不灵活等问题，一直未能从根本上得到解决。至1993年底，广州市国有企业活力状况大致分为3种类型。

第一类是比较活。国有企业中属这类的约占27%，这类企业的主要特征是：领导班子坚强团结，富有开拓精神；企业中长远发展战略明确，经过系统、有效的技术改造，后劲较足；企业经营机制对市场适应力较强，内部管理扎实，经济效益稳步增长，有凝聚力。

第二类是活力一般。国有企业中属这类的约占43%。这类企业经济效益时好时坏，在微利亏损的边缘徘徊；技术改造投入乏力，设备、产品老化；企业机制虽有所改革，但未能彻底摆脱“工厂制”的老模式，市场应变能力差。

第三类是活力较差。国有企业中属这类的约占30%。这类企业历史包袱较重，生产设备陈旧，无适销的主导产品，内部管理混乱，运行机制老化，经济效益低下，生产难以为继，少数企业已到了资不抵债的地步。[2]

鉴于上述情况，按照建立现代企业制度的要求，针对不同情况，分别采取有效措施，加大力度推进企业改革，不仅是确立国有企业在市场经济中的主体地位的需要，也是再造广州工业新优势、振兴广州经济的需要。

① 《广州大跨越》，广东高等教育出版社1997年版，第57页。

② 《批转市经委关于广州市工业企业转换经营机制建立现代企业制度规划实施方案的请示的通知》，载《广州政报》1994年6月，第9页。

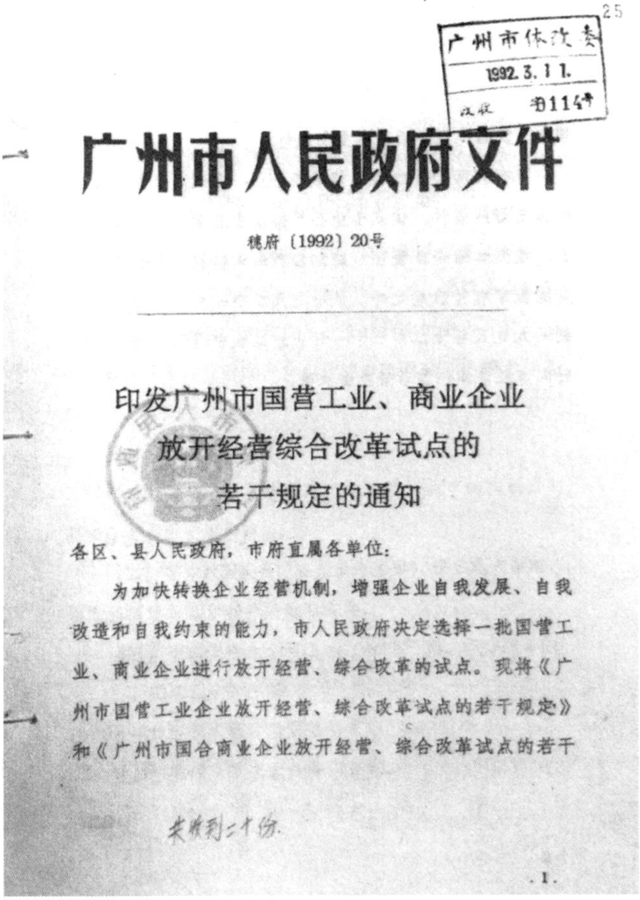

广州市人民政府文件

穗府〔1992〕20号

印发广州市国营工业、商业企业放开经营综合改革试点的若干规定的通知

各区、县人民政府，市府直属各单位：

为加快转换企业经营机制，增强企业自我发展、自我改造和自我约束的能力，市人民政府决定选择一批国营工业、商业企业进行放开经营、综合改革的试点。现将《广州市国营工业企业放开经营、综合改革试点的若干规定》和《广州市国合商业企业放开经营、综合改革试点的若干

·1·

1992年2月17日，广州市政府《印发〈广州市国营工业、商业企业放开经营综合改革试点的若干规定〉的通知》

（三）特困企业的解困转制为建立现代企业制度卸下了包袱

为探索用市场经济的思路，从根本上解决国有企业卸包袱、转机制的难题，1993年8月，广州市决定以广州第一棉纺厂等2批共40家企业为广州市解困、转制重点，并明确解困、转制必须以产权制度改革为突破口，通过产权要素流动，实现“资产重估、债务重整、股份重组”，甩掉包袱，加快转制，谋求发展。10月，广州市开始实施“一厂一策，解困转制”的系统工程，各主管部门的领导下厂帮助制订具体的解困方案，各厂方案上

报后，广州市政府授权各主管委办，组织财税、金融等有关部门逐一审批。这种主管部门有专人负责、各有关部门大力支持和配合的工作机制，较好地解决了企业解困、转制中有关改变土地使用性质、财税扶持及兼并、关闭企业的停息优惠等的政策问题，有力地推动了工程的顺利开展。

为了使困难企业能真正卸下历史包袱，广州市明确了5条政策：一是允许企业改变土地使用性质，可转让和开发房地产；二是开发收益除上缴中央的部分外，其余按先交后返还的办法，大部分返还给企业用于卸包袱和人员安置等；三是原有财税扶持政策的实际利益可延续到1995年底；四是允许在变现资产价值中划一部分用于建立内部基金、安置人员；五是市财政分3年安排3亿元资金作为解困启动资金，用于安置人员和产品结构的调整。

至1994年10月，被列入第一、第二批解困的40家困难企业，已全部制订出各自的解困方案，并已经市经委组织的审批，全面进入实施阶段，且摸索出转制、解困的多种形式。一是易地搬迁、脱胎再造。如广州钟表厂等7家企业实行全厂性易地搬迁，配合城市建设的总体规划，腾出黄金地段的旧厂房，发展第三产业，筹集到一笔能卸下历史包袱、使企业得以改造发展的资金。另有一些企业利用部分旧厂房开发房地产。二是转让股权、嫁资转制。大部分企业以转让股权的形式与外商外资合作，较好地解决了企业缺少改造资金的问题。广州奇星药厂主动与香港广永财务有限公司合资投入1亿元创办广州奇星药业有限公司，将原来单一国有资产的产权结构改造成与外资共存的复合产权结构，该厂还建立了多家独资或合资公司，使“奇星”成为一支庞大的“联合舰队”。三是关停并转、连环解困。对于那些产品无前景、扭亏解困无望的企业，则采取关闭停产、连环解困的方法。被誉为“广州国有企业解困、转制最难啃的猪骨头”的广州一棉厂、二棉厂、三棉厂，经过多方探索，在广州市纺织工业总公司的协调下，制订了三厂连环解困的方案。将这3个特困企业合并，成立一个有限责任公司，对这3个企业统一规划改造，统一卸掉历史包袱，统一人员安置，实现生产要素优化互补。四是多种渠道安置人员。在解困、转制过程中，广州市政府号召各解困企业坚持做到“小震动，大突破”，多渠道安置富余职工，解决好生活出路。如富余人员较多的广州无线电厂则拟定了11种办法供职工选择，3个月内妥善安置了1100多位富余职工，不仅使生产运转正常，还让全厂扭亏为盈。经转制、解困后的特困企业纷纷走出低谷，为下一步建立现代企业制度打下坚实的基础。

二、由点到面，开展现代企业制度的试点工作

在《决定》的号召下，中共广州市委、市政府结合广州实际，提出了“用5年时间基本建立起社会主义市场经济新体制”①。1993年11月24日，广州市长黎子流在广州重型机器厂主持召开市长办公会议，研究贯彻党的十四届三中全会精神，加快建立现代企业制度等问题。要求企业下大决心，不怕困难，抓紧推进，市有关部门要从总体上给予配合，在政策上给予支持，实行“特事特办”。12月21日，市委书记高祀仁在市委六届三次全会中提到：“国有企业的改革将从着眼于经营权的转移，深入到改革产权制度，理顺产权关系，建立现代企业制度。”②

（一）初步确定试点企业（1994年7—9月）

1994年3月25日，广州市十届政府第20次常务会议对广州建立现代企业制度的试点工作进行了详细的探讨，形成了统一的意见。与会人员一致认为：试点工作的目的在于探索适应市场经济要求的国有资产管理体制和运营体系，实现政企、政资分开，实现出资者所有权与企业法人财产权分离，使企业真正成为独立享有民事权利、承担民事责任的法人实体；要探索公有制与市场经济相适应的具体实现形式，使企业真正成为市场竞争主体，同时探索企业内部治理结构和组织管理制度，形成企业内部责权分明、团结合作、互相制衡的运行机制和国有资产保值、增值的有效途径。试点的目的不仅是造就一批新型的充满生机活力和具有更高效益的企业，更重要的是探索一条建立现代企业制度的路子。同时，要求试点企业必须

① 中共广州市委党史研究室：《中国共产党广州市历届代表大会及全会文献汇编》第二卷，广州出版社2011年版，第506页。

② 同①，第508页。

具备如下条件：一是领导班子素质好，改革意识强，管理基础较好；二是以国有大中型企业为主，以老企业为重点；三是以经济效益较好企业为主。试点企业的确定需由企业提出申请，主管局（总公司）推荐，主管委审定，并报体改委备案。另外，还对试点主要内容作了如下规定：一是建立和明确国有产权投资（运营）主体；二是完善企业法人制度；三是确立企业的组织形式；四是建立科学规范的公司治理结构；五是改革企业劳动人事、工资制度；六是健全企业财务会计制度；七是发挥党组织的政治核心作用，加强企业的民主管理。

此后，一系列改革方案和实施细则相继出台：5月3日，颁布《广州市工业企业转换经营机制建立现代企业制度规划实施方案》；7月11日，批转执行《关于在广州市建立现代企业制度试点的若干意见》；9月26日，拟订《广州市商业系统推行产权制度改革，建立现代企业制度的实施方案》。广州市的试点工作随着各项方案的出台陆续展开。各企业主管委按照相关要求分别召开了试点工作会议，部署试点工作。广州市工业系统国有企业按照“抓住两头，全面推进，重点突破”的总体思路，选择广州重型机器厂、广州钢铁集团公司、广东轻工业机械集团公司、广州味精厂、广州白云山集团5家生产经营状况好、有一定基础的企业，从建立法人产权制度入手，进行建立现代企业制度试点，并在此基础上，将全市第一批放开经营、综合改革的工业企业纳入建立现代企业制度的试点范围，使工业建制试点企业达18家。广州市商业系统选取了南大集团、南方面粉有限公司、东方酒店集团和友谊公司4家企业进行建立现代企业制度的试点。

与此同时，为了建立与现代企业制度相适应的宣传思想工作，中共广州市委宣传部对包括广州钢铁集团公司、广州重型机器厂、广东轻工业机械集团公司等现代企业制度试点单位在内的51家基层企业、42个主营局（总公司）进行了问卷调查。在调查收回的456份问卷中，对建立现代企业制度信心不足的有210份，占45.1%；对现代企业制度尚有疑虑的有152份，占30.2%；认为搞市场经济会出现一定的负面影响的有333份，占

73.9%。[①]针对这一问题，中共广州市委、市政府组织有关部门和试点企业有关人员进行培训：学习邓小平有中国特色的社会主义理论，不断提高相关人员研究和解决现代企业制度改革过程中出现的新情况、新问题的能力；学习社会主义市场经济和现代企业制度的基本知识；学习现代科学技术知识；学习现代管理知识，用党的十四届三中全会精神，统一思想，提高认识。在各试点企业，则加大宣传建立现代企业制度的力度，为推动现代企业制度的建立营造良好的舆论氛围。把社会舆论和过细的思想政治工作结合起来，针对转制建制过程中干部群众的疑虑和担心，做好释疑解惑的工作，把深入细致的思想教育和解决他们的实际困难结合起来，引导他们正确处理国家、集体、个人三者之间的利益关系，正确认识改革、发展和稳定的关系，识大体、顾大局、看长远，维护社会政治的稳定，保证现代企业制度试点工作的顺利进行。

1994年底，进展较快的广州重型机器厂改组成以资产为纽带的广州广重企业集团公司，初步形成了现代企业的公司架构。在清产核资的基础上，市有关部门分别授予广州重型机器厂、广州钢铁集团公司和广东轻工业机械集团公司等3家试点企业国有资产经营管理权，在其按有限责任公司模式完成集团化改造后，依法对本公司投资的全资、控股和参股公司的国有化资产实施经营管理。

（二）全面改组，按《公司法》规范运作（1994年10月—1995年12月）

该阶段以“产权清晰、权责明确、政企分开、管理科学”为准则，把企业的改革与企业的改组、改造和加强管理结合在一起。试点企业纷纷加快推进步伐，顺利完成界定产权、评估资产、改革实施方案审定等工作，全面进入实质性操作运转阶段。

1. 积极推进股份制，加快对国有大中型企业的公司化改造。

公司制是现代企业制度组织形式的典型特征。广州市对国有大中型

① 载《广州日报》1994年12月8日第2版。

企业进行公司制改组主要是从2个方面入手：建立法人产权制度和国有资产从无限责任变成有限责任制度。在清产核资、评估验证、界定资产产权、明确企业资产占有量及其归属的基础上，将试点企业分别改组为股份有限公司、有限责任公司或国有独资公司。广州市政府规定：对效益好、有股权转让优势的大中型骨干企业，要通过向外商出让股权的办法，吸引资金和技术，发展外向型经济，参与国际竞争；积极利用外资，对老企业实行股份制的嫁接改造；今后新办的企业或新上项目应尽量吸纳外资和社会资金，按混合型股份经济的模式来组建，建立“新开工项目法人责任制”。[①]在试点企业中，组建集团形成公司架构的有6家，组建有限责任公司的有9家[②]。对已改组为公司制的企业，严格按照《公司法》的要求进一步规范；对那些正在进行公司制改造的企业，则严格按照现代企业制度的要求，结合企业自身的特点，分别改组为不同类型的公司。总之，通过深化产权制度改革，使企业产权结构得以调整，国有资产保值、增值的责任得以明确，企业法人财产权得以落实。

广州重型机械厂是全国百家工业企业建立现代企业制度的试点单位和广东省、广州市首批试点单位之一，作为全部国家投资的国有大型企业，采用国有独资公司的模式，从建立组织制度入手，实行公司制改造。根据分厂、公司并存的现状，以产品门类和专业分工为基础，将企业的基本结构划分为“三个中心”[③]；按产品专业化生产的原则，调整合并组建了具有独立法人资格的12个子公司，把广州重型机械厂改组成“广重企业集团公司”。经广州市政府批准，“广重企业集团”和“广重企业集团公司”进行了工商登记，标志着责、权、利相统一的新型企业已经形成，并按照现代企业管理运行机制正式运转，仅仅用了2年时间就消化掉潜亏2000多

① 《批转市经委关于广州市工业企业转换经营机制建立现代企业制度规划实施方案的请示的通知》，载《广州市政》1994年，第10页。

② 《建立现代企业制度　增强国有企业活力》，载《广州日报》1995年8月18日第2版。

③ 即广重企业集团公司——投资（发展）中心，是法人资产所有权的拥有者，其主要职责是进行投资活动，选择经营者，收取投资效益，确保国有资产管理部门的收益部分的上缴；广重集团公司下属各子公司——经营中心，其责权主要是接受投资中心或其他投资机构的投资，是法人资产的经营者，对所有经营的项目进行规划、开发、组织生产、销售，获取最大的经营效益；子公司下属生产工厂——生产中心，是企业基层的产品生产单位。

万元，并跻身国家机械行业百强行列。

2. 以多种形式推动企业重组，组建大企业集团。

1994年广东省委、省政府提出实施集团战略，以此作为落实中央抓大放小整体战略的一个重要组成部分。1995年1月，广州工业经济工作会议召开，会议提出广州工业必须下大决心，选择一批有优势的国有大中型企业，建立一批实力雄厚的跨地区、跨国界的企业集团。通过采取产权改革与调整企业结构相结合的形式，鼓励试点企业以资产和技术为纽带，向具有规模经济和规模效益的大企业集团方向发展。广州市政府主要采取了6种形式：一是对发展前景好的企业，给予支持，加快内部裂变，迅速发展壮大。如东方宾馆通过开办新实业的办法，成立了鸣泉居度假村、东方儿童购物中心、装修咨询公司、越秀东方旅游公司、东方国际商贸、东方房地产开发等40多家独资或合资合作企业，使昔日经营单一餐旅业的宾馆发展成为投资及经营多元化的东方酒店集团。二是找准项目，找好战略合作者，引进资金、技术和管理理念，进行合资、合作。如广州味精厂将主体生产部分与法国奥桑公司合资，进行有限责任公司的改制，收到了良好的经济效益。三是以国有企业为主体，以国有资本与集体资本、民营资本互相交叉参股的形式，组成混合经济组织。广东轻工机械集团则根据公司拥有的轻工业机械产品技术优势和管理优势，以产权纽带为基础，组建了广东轻工业机械集团和广东轻工业机械集团公司。对原来企业所属子公司进行调整，理顺产权关系。通过国有资本与集体资本、民营资本互相交叉参股等多种形式新建了10个子公司和备件、运输、产品联销3个单独核算的经营部，从而逐步形成母子公司的体制和成本中心的科学的经营管理格局。1995年这些子公司的销售收入和利税已占集团公司总销售和利税的46%和36%。四是民营资本参股国有企业，把国有企业改造为股份制公司或改为民营企业，发展壮大企业。五是支持实力较强的骨干企业，对外实行联合、收购、兼并，实现企业聚变。1994年底，广钢集团提出：由广钢出资，控股广州市正在筹建的珠江钢厂，通过产权连接这个纽带，借助老企业的力量把新钢厂带起来。随后，在中共广州市委、市政府的大力支持下，广钢控股珠钢组建大企业集团的发展战略迅速付诸实施。接着，广钢又与澳大利亚合资成立了中澳不锈钢有限公司。广钢股份、珠钢和中澳不锈钢3个主体企业，加上6个培植而成的支柱企业，形成了广钢大企业集团“三头六臂十八罗汉”[①]的架构。六是运用行政手段，划拨国有企业资产，将分散的中小企业组成大企业，发挥行业引领作用。由广州服装厂、珠江衬衫厂、羊城服装厂、东强帆布制品厂组成的广州时装实业公司，1995年产值、销售、利税、职工人均收入均比1994年同期增长100%以上。[②]由于抓得早、抓得快、抓得实，如广州汽车集团、广州电梯企业集团、广州钢铁集团等一大批企业集团在市场经济的大潮中相继崛起。全市逐步形成先进制造业、现代服务业、基础产业、战略性新兴产业和优势传统产业五大产业板块，推动广州经济的大发展。调整重组后，广州市国资委监管的企业28家，总资产4912亿元。[③]企业集团的发展，壮大了国有经济，增加了财政收入，支援了城市建设，改善了人民生活，发挥了国有经济的主导作用。

3. 探索建立现代企业制度领导体制。

党的十四届四中全会《决定》指出：“国有企业建立现代企业制度，要坚持发挥党组织的政治核心作用，在实践中积极探索，逐步完善企业领导制度。”这就是建立有中国特色的现代企业制度领导体制的指导方针。为贯彻落实党的十四届四中全会《决定》，转换国有企业经营机制，建立现代企业制度，加强企业党组织建设，中共广州市委在六届四次全会上提出了《关于贯彻十四届四中全会〈决定〉的措施》（以下简称《措施》）。《措施》对企业领导体制建设的要求是：既要符合现代企业制度的基本要求，也要从企业领导者的实际出发，理顺“新三会”（即股东会、董事会、监事会）与“老三会”（即党委会、职代会、纪监会）的关系。“公司制企业党组织、董事会、经营班子的主要领导要尽可能采取交叉任职的办法，党委书记应依照有关章程和法定程序进入董事会，兼任董事长、副董事长或总经理，具备条件的，也可同时兼任董事长和总经理；党员董事和行政领导符合条件的尽量选进党委会，使党组织的政治核心

① 三头六臂十八罗汉，即3个主体企业、6个支柱公司、18个主要子公司。

② 《异地改造天地新》，载《广州日报》1995年12月6日第1版。

③ 黄挺：《我亲历的广东国企改革》，广东人民出版社2014年版，第55页。

作用、董事会的领导决策作用和经营班子的生产指挥作用都得到较好的发挥。公司制企业的监事会，由上级党组织推荐党委成员参加，并经推选担任召集人，依照法律法规和公司章程履行监督职责。”[①]各试点企业在进行公司制改造后纷纷开始探索和理顺符合自身发展实际的领导体制。

广州珠江实业总公司实行党组织领导成员与董事会成员交叉任职的办法，董事长由总公司的总经理、党委书记兼任，总公司的党委副书记、党委委员、纪委委员和其他行政领导也分别进入股份公司的董事会或监事会；职代会与股东会共同参与企业的民主管理，通过职代会选举产生工会组织的负责人，公司职工代表可以以股东代表的身份出席股东大会，行使相应股份的表决权；实行纪监会与监事会“合署办公”的办法，股份公司的监事会既有总公司的纪委副书记、工会副主席、审计部经理参加，也有股份公司的纪委委员和股东代表参加。

广重企业集团公司的公司制改造与党组织的组建工作同步进行，在实行新的领导体制的同时，建立了集团公司党委，让公司党委正、副书记和几个主要党委成员进入董事会。在处理“新三会”与“老三会”的关系时，则通过两个渠道加以解决：一是建立制度，明确党委参与重大决策的内容和“新三会”“老三会”各自的地位、作用和职责，并制订出各自开展工作的细则，让各自发挥作用，共同办好企业。二是领导成员交叉任职或兼职，如通过工会主席以职工代表的身份进入董事会任董事，纪委书记进入监事会任职，具备条件的党员董事、正副总经理通过选举进入党委会等做法，适应现代企业制度运行的要求。

广州钢铁厂、广州化工厂等企业则是在实践中逐步形成“大政工”格局：一是选拔具备“两手抓”素质的党政干部实行党委书记、董事长（或总经理）一身兼的制度，逐步建立起一支以专职人员为骨干，有行政管理人员、群众团体负责人、党员，以及职工中积极分子参加的新型政工队伍。二是通过打破政工队伍的封闭循环，有选择地对政工人员进行培训、锻炼，使政工人员既懂得思想教育规律和方法，又懂得生产经营，更好地

---

① 中共广州市委党史研究室：《中国共产党广州市历届代表大会及全会文献汇编》第二卷，广州出版社2011年版，第549页。

结合生产经营开展有效的思想政治工作。三是实行“一岗两责”制度。要求行政管理人员不仅要做好行政工作，完成生产经营指标，且要结合本职做好思想政治工作，调动职工群众的积极性。

乘着广州国有企业改革“大调整、大转制、大重组、大发展”政策的东风，全市建立现代企业制度试点企业，通过深化改革，转换经营机制，大大增强了企业的活力和竞争力。

（三）总结经验，启动全市面上企业建立现代企业制度工作（1995年12月—1996年6月）

1995年8月29日，广州市召开市属国有大型企业摆脱困境走向发展情况介绍会，向中央、广东省及广州市各新闻单位的记者介绍了广州国有企业的改革进程，推广广钢、广纸、广重、广氮、广东轻工机械集团、广州无线电集团、广州发电厂等7家企业以建立现代企业制度为主线，调整内部机构及资本结构，加强技术进步及内部管理，摆脱困境，走上振兴发展道路的成功经验。12月14日，中共广州市委六届六次全会召开，高祀仁代表中共广州市委对广州市1996年的经济工作提出了新的要求，即加大改革力度，加快建立社会主义市场经济新体制的步子，首要的一点就是加快建立现代企业制度的进程，做好各试点企业经验的总结、推广工作，推动市面上企业加快改革的步子。12月21日，中共广州市委、市政府召开广州市加快国有企业改革工作座谈会，高祀仁再次强调了广钢、广重等7家大型国有企业改革经验在全省、全国产生了强烈反响，要求各企业主管委积极发现典型试点企业，认真总结试点经验，写出试点工作报告。

1. 明晰产权，确定公有制在市场经济条件下的组织形式。

建立现代企业制度可以依据企业的不同情况，采取多种财产组织形式。试点企业探索公有制在市场经济条件下的微观形式方面，出现了以下几种模式：一是中外嫁接式。将国有企业、集体企业的部分或全部资产同外商资本“嫁接”，组建中外合资或合作的有限公司，如广钢、广纸、珠江水泥厂等大型国有企业的现代企业制度改革基本采取了这种模式。二是连环改制式。由两家或若干家国有企业、集体企业实行合并，资本重组成为股份有限公司或有限责任公司。三是裂变重组式。将大企业的分厂、车间和所属的公司，按照技术相近、业务相似、能相对独立运作的原则，打破原来的工厂制格局，重新组合成若干个子公司，形成母子公司结构的集团化有限公司。如广重集团公司、广东轻工机械集团公司。四是联合出资式。由两家或两家以上法人或自然人出资，组建新的股份有限公司或有限责任公司。如城建系统由6家企业出资组建的金城股份有限公司。五是海外募集式。广州市有3家企业（华凌冰箱、骏达汽车和花都市的路桥）的股票在香港和国外证券市场上市。

2. 调整组织机构，改革分配机制，充分调动劳动者的积极性。

树立起"广大员工是企业改革的主体力量"的观念，发挥广大职工的主观能动性，共同研讨促进企业发展的策略和措施，激发大家同舟共济的精神。在转制过程中，企业领导者设身处地地维护广大员工的切身利益，让每个劳动者在最合适的岗位上发挥最大的作用。

广州味精厂作为国家、省、市的建立现代企业制度试点企业，在长期的生产经营中认识到：广大职工是改革的主体，而不是改革的对象。要做好综合改革，必须全心全意依靠职工群众，充分发挥他们的当家作主精神，并使他们在改革中得到实惠。广州味精厂以"三承认"①为指导思想，以进一步搞活分配为突破口，继续推进3项制度改革，强化以人为本的激励机制，把蕴藏在广大职工中的潜能最大限度地挖掘和发挥出来，以达到"六高"②。在分配上实行"三挂钩，全浮动"的办法：把职工的收入与经济效益挂钩，与产品（工作）质量挂钩，与管理制度的执行情况挂钩，把工资、奖金和补贴捆在一起全浮动。在不突破工资总额的前提下，上不封顶，下不保底。在分配上，既敢于拉开差距，又注意建立企业内部的整体利益共同体，注意随着企业效益的增加从各方面提高职工的整体生活水平，使企业真正成为广大职工的"利益共同体"。对于有功人员，既给予经济上的奖励，又注意精神鼓励。在全国100多家味精生产厂家仅有16家盈利的情况下，广州味精厂的味精产量和利润在当时达到了历史最高水平。

---

① 三承认，即承认人的价值、承认人的差异、承认人的追求。

② 六高，即人员高素质、产品高质量、生产高效率、管理高效果、经营高效益、职工高收入。

珠江造纸厂发动全厂职工认真分析自身优势与劣势，在找到本厂的症结所在后，提出了“转变观念，依靠群众，眼睛看内，苦练内功”的转制目标，促使企业全方位适应市场经济。在经营机制上实行“一厂多制”，在分厂（车间）分别推行一条龙承包、包基数、超利留成制度，充分调动分厂（车间）的积极性。

广东轻工集团在改制过程中将机构设置改为事业部制，实行分权管理、契约授权、达标经营，在公司自上而下逐级签订经营责任书。在用工制度上形成了竞争上岗、择优聘用的岗位竞争机制和企业自主用工、劳动者自由择业的双向选择的劳动用工制度。在分配制度上采取“提高一头、稳住一片、网开一面”的方针，即对生产技术骨干尽量留住，对大多数员工尽量稳住，对一般人员网开一面，允许随时流动。公司掌握总的分配原则，允许分厂、子公司、部门自定分配形式。

新大新公司在组织机构上建立了层级管理制，实行商场经理负责制。商场经理有一定的经营自主权，公司一级的管理侧重于指导、协调、服务和监督，以及对一些重大的经营活动的控制和策划组织。同时在全市百货行业中率先推行干部聘任制，逐步形成了干部和专业人员考核、评议和聘任制度，使全公司1800多名员工人尽其才。在分配制度上则全面实行“联利计奖”办法，把全年的主要经济指标进行层层分解，按照实际业绩发放奖金和效益工资，把企业利益与员工的自身利益紧密挂钩。改革后的职工收入普遍提高3～5倍，成为广州市同行业职工收入最高的国有企业。

白云山集团公司以资产分级管理的思路进行改制，即实行政府（国资局）—企业集团公司（母公司）—企业的资产管理模式。国家只对国有资产按市场机制作原则性的管理，而对生产经营包括利润等不再进行管理。在财产的分配上，企业的经营者和劳动者拥有了相当一部分财产所有权。通过改制，白云山企业集团发展成为拥有一家主体企业（白云山制药股份有限公司）、近60家全资子公司、近30家合资联营分厂的企业集团。

3. 卸下包袱，妥善解决好富余人员安置问题。

由于多年来我国实行低工资、高就业率的劳动就业制度，以及社会环境对企业正常吞吐职工的制约，企业陷入沉重的冗员深渊。而国有企业，特别是中央直属的大中型企业都不同程度地存在机制老、退休人员多、富余人员难安置、社会福利负担重（如企业办社会）等问题，人员臃肿的阻力，往往会抵消企业驱动力。广州在处理富余人员安置问题方面主要进行了以下2种尝试。

第一，积极决策，帮助企业卸掉包袱。一是结合实际，抓住重点，确定妥善安置富余人员的5项政策。（1）对在本企业转制的原固定工，在工作期间患有严重疾病，经鉴定机构鉴定为难以坚持正常工作的人员，劳动合同医疗期要至少顺延至该类人员被纳入全市社会医疗大病保险之时。（2）凡是在法定退休年龄5年以内的，在本企业转制的原固定工，非严重违纪者，企业不得辞退；如属合同期满，也应与之续订劳动合同。（3）1995—1996年，中年以上，本企业工龄较长，在本企业改为合同制职工的原固定工，合同期满时，除了表现不好的或属于解困转制企业和“抓大放小”改革试点企业中无法消化的富余人员外，企业都应尽量与其续订劳动合同，的确无法续订合同的人员要事先报给劳动行政部门。（4）对确属解困转制企业无法安置的富余人员，企业在解除或终止该类职工劳动关系时，要一次性缴存定量的再就业促进基金。（5）对合同期满，在本企业转制的原固定工，企业不予以续订劳动合同，或提出续订合同的条件低于原合同，造成职工不签订劳动合同的，应该按广州市有关规定发给生活补助费。二是分离企业办社会的职能。将企业自办的房管、食堂、医院、学校、幼儿园、交通等后勤服务性单位逐步从企业中分离出去，将部门推向市场，服务社会，使其从福利型向经营型转变。广重企业集团、广钢等一批大企业的后勤部门走向市场后，不仅为企业创收，还为企业安置了大批富余人员。三是由市总工会成立职业介绍中心、失业职工就业再培训机构，本着“为政府分忧、为企业解难、为职工服务”的宗旨，在深化改革转换经营机制过程中，帮助企业富余人员重新上岗。

第二，试点企业千方百计将富余人员内部消化。广州造船厂在企业重组架构时，将组织架构分为上市和非上市部分。工厂的主要经营生产部分上市，组建为广船国际股份有限公司；原生活服务及少数生产经营单位为非上市机构，保留广船的法人实体。上市的广船国际与非上市的广船之间的关系，以综合服务合同的形式确定下来，每年上市公司将核定的服务费用提供给非上市机构。非上市机构所需经费的另外部分，则与国家股权代表者协议，由国家股红支付。广州氮肥厂以自愿为原则，在保证月收入不低于400元的前提下，让近400名年纪大、身体弱的员工离岗退养。对以往的外来临时工、合同工，合同期满后一般不再续约，腾出了上千个工作岗位，与此同时还想方设法开拓新的生产门路，量才使用安排厂内精简出来的富余人员上岗就业。广州无线电厂成立了由党委副书记挂帅的人才交流中心，充分了解该厂1000多名富余人员的个人情况，鼓励年轻、身体好的职工走向社会，迎接挑战，通过举办劳务集市等形式为其介绍工作；对有困难的职工，则采取保护政策，给其提供必要的生活保障，由企业养起来。在住房问题上，采取“不赶不收”的政策，即已离厂的职工，原已分配住房的不收回，未买房的仍可买。通过多管齐下的方式给予富余人员充分的个人自主选择权。

4. 注重党建，发挥企业党组织的政治核心作用。

中共广州市委、市政府非常重视试点企业的党建问题。在试点实施方案中已提出“企业中的党组织要发挥政治核心作用，保证监督党和国家方针政策的贯彻执行”[①]。1995年1月6日印发的《关于我市国有工业企业在建立现代企业制度中亟待解决的几个问题的意见和建议》中又再次提出：要根据党的十四大精神和十四届三中、四中全会《决定》的精神，充分发挥企业党组织的政治核心作用，以促进企业的改革和发展，推动社会的进步和稳定。这是企业加快转换经营机制、建立现代企业制度的重要保证。

广钢党委加强党的自身建设，充分发挥党组织和党员在发展经济中的战斗堡垒作用和先锋模范作用。在党员中，广钢党委实施了“保持党员本色”工程，要求每位党员掌握一门过硬本领，创出一项优异成绩，帮教一名后进职工，培养一名入党积极分子。同时还主动参与企业经营发展的决策，如党委主要领导与厂长一起研究，提出了引进市场经济理论，把分厂变成相对独立的模拟法人经营实体，以达到增强分厂活力，提高劳动生产率的目的。还针对全厂二级单位各自不同的情况提出不同的意见，相对独立的分厂实行一体化承包经营模式；产品互相衔接的分厂实行商品卖经营模

① 《关于在广州市建立现代企业制度试点的若干意见》，载《广州市政》1994年8月，第7页。

式；后勤、辅助单位搞多种经营模式，采取逐步自己养活自己等改革思路，推动了企业的内部改革。

广州卷烟二厂党委注重把党的建设同企业生产经营管理密切结合，在求真务实上下功夫。实行党支部工作目标管理，促进支部工作全面落实。制定了“思想建设和思想政治工作”“党的组织生活和三会一课制度”“党支部的领导核心作用和领导群众组织工作”三大目标项目，并将创建文明单位活动、党员责任区活动、领导班子团结、班组建设、生产任务完成、组织发展、党风廉政建设等15项工作纳入目标管理，作为检查考核内容，把各车间、部门党支部落实目标管理与经济责任制结合起来考评。同时领导工会、共青团、民兵等组织结合生产实际开展劳动竞赛活动。为了使劳动竞赛活动能适应新的形势要求，他们注意抓好3个结合：与企业的各项生产管理相结合，开展“百日安全无事故赛”；与加强班组管理相结合，开展“班组管理升级赛”；与精神文明建设相结合，开展“优质服务赛”等。

广州造船厂党委领导注意发挥职工代表大会的作用，每半年召开一次职代会，员工的生活福利待遇等重大事项都经职代会或职代会主席团讨论决定。公司各级工会组织在党委的领导下发挥自主独立的领导作用，发动职工参与民主管理，开展岗位练兵、技术比武、劳动竞赛、在岗位上多作奉献等各种活动，以促进企业的发展。

试点企业从抓好基层党建入手，逐步形成了党委统一领导、党政共同负责、党政工团齐抓共管，以专职政工人员为骨干、职工群众广泛参与的适应现代企业制度的思想政治工作新局面。

三、结合实际，走出一条符合广州特点的试点之路

根据十四届三中全会精神，按照“积累经验，创造条件，逐步推进”的要求，全国自上而下地开展了建立现代企业制度的试点工作。与国务院推行的国家层面的现代企业制度试点工作相比，广州的试点之路走出了自己的特色。

第一，结合实际确定试点企业范围。国家层面的试点企业在选取时

要重点选择大中型国有企业，在行业选择上要有代表性，应包括工业、运输、建筑、内外贸等企业。在选择效益较好、负担较轻、领导班子素质较高企业的同时，也选择了几家政策性亏损较严重，但有发展前景的企业。广州在选择试点企业时要求以国有大中型企业为主，以老企业为重点，适当选择个别中小型国有企业，同时主要考虑经济效益好的企业。在行业的选择上主要是工业企业和商业企业2种类型。

第二，灵活应变，增加试点企业数量。国务院在制定现代企业制度试点办法之初，就确定了在全国选取100家企业进行试点。而广州因为试点工作开始的时间比国家层面要早，没有可以参考的依据，于是采取逐步增加试点企业数量的办法。在制订工作方案之初，只有18家工业企业和4家商业企业列入试点工作，到1994年底，试点企业增加至34家，1995年底增加为46家。[①]1996年开始，全市具备建立现代企业制度的企业全部推行转换经营机制，建立现代企业制度。

第三，顺利完成现代企业制度试点工作。到1996年底，国家的百户试点企业中除一户解体，一户被兼并外，其他98户企业的方案均得到批复并进入实施阶段。98户试点企业中改为股份有限公司或有限责任公司的共46户，国有独资公司共50户，其余2户是按照先改组后改制的原则进行结构调整。[②]而广州的试点企业则坚持试点方案中对企业组织形式的要求，绝大部分企业都改组为有限责任公司或股份有限公司，并全部完成了现代企业制度的改制工作。

之所以会出现与国家政策的不同，主要是因为中共广州市委、市政府结合自身情况，走出了一条符合广州特点的试点之路。

广州是华南地区的一座老工业城市，老企业多、资金投入受限、生产技术落后、人员冗杂一直是广州大中型国有企业存在的现实问题。针对这些情况，同时结合毗邻港澳、华侨众多的区位优势，中共广州市委、市政府在进行现代企业制度试点工作时采取“不等不靠搞活国有企业，大胆

① 广州市人民政府办公厅：《广州市人民政府决策志（1991—2000）》，2012年版，第43页。
② 《对百户企业建立现代企业制度试点的认识与评价》，载《城市金融论坛》1997年7月。

试验探索改革路子”[①]的工作方针，将企业解困工作与现代企业制度试点工作充分结合。在方案制订之初，只安排效益较好、领导素质较高的企业作为试点，并在今后的工作中，逐步将解困后发展较好的企业列入试点名单，使试点企业数量不断增加，并利用大量引进外资的方式对试点企业的产权模式进行重组，至1996年6月，试点企业与社会主义市场经济体制相适应的现代企业制度的基本框架已初步形成。

为推进现代企业制度试点工作，中共广州市委、市政府做了大量卓有成效的工作，出台了一系列支持性政策和措施，协调解决了不少试点企业所遇到的各种问题，及时总结推广试点企业创造的好经验和好做法，为推进试点工作提供了良好的外部条件；各试点企业不畏艰难，进行了大胆探索，在实践中创造了宝贵的经验，探索出了前所未有的一些好路子。在各方面的共同努力下，广州市的现代企业制度试点之路走出了自己的特色，达到了预期的目的。

（作者单位：中共广州市委党史研究室）

① 《高祀仁在加快国有企业改革工作座谈会上的讲话》，载《广州日报》1995年12月22日第1版。

20世纪90年代广州促进个体和私营经济发展的理论创新与实践

■ 卢玉华

改革开放以来，广州市个体和私营经济发展迅速，增加了广州市商业、服务业和其他行业的经营网点，为待业人员提供了大量的就业机会，为国家创造了源源不断的税收，成为全市经济新的增长点。为更好地保护个体和私营经济的合法权益，促进个体和私营经济的快速发展，为个体和私营经济发展松绑加油，1993—1998年，广州市以政府规章和地方性法规的形式发布了3个规范性文件，在理论上进行创新，对个体和私营经济的地位与作用进行了大胆定位与明确评价，在实践中提出了一系列促进个体和私营经济发展的相关举措，极大地促进了广州市个体和私营经济的快速发展。这3个文件分别是：1993年7月，中共广州市委、市政府制定《关于加快个体和私营经济发展的决定》（以下简称《决定》）；1997年9月，广州市十届人大常委会通过的《广州市私营企业权益保护条例》（以下简称《条例》）；1998年7月，中共广州市委、市政府制定《关于进一步促进个体、私营经济发展的补充规定》（以下简称《补充规定》）。6年间所出台的3个文件，构成了一整套促进个体和私营经济发展的规章制度，为其后个体和私营经济的发展营造了一个宽松的环境。当时以如此气魄大规模出台促进和保护个体和私营经济发展的一系列文件，在全国范围内是第一次。而且，这一系列的文件不仅在实践中提出了一整套促进个体和私营经济发展的措施，还在理论上提出了不少具有前瞻性与独创性的创新理论。

一、南方谈话推动广州新一轮思想解放

进入20世纪90年代，广州的改革开放已经进行了10多年，对于进行改革开放这一根本性问题，反对的声音已经越来越弱，基本上政界和学术界都达成了共识，认为只有坚定地执行改革开放政策，广州才能有更广阔的发展道路和空间。而且，当时广州已经建立起了经济技术开发区，改革的历程已经打破了计划经济模式的条条框框，开始向社会主义市场经济逐步过渡。同时，虽然在改革开放前10年做了不少工作，但就如何扫除经济发展过程中的不合理因素，如何更快地发展经济、推动生产力的发展，很多人心中仍充满疑问。计划经济的影响，仍然渗透每一个经济部门和经济领域，甚至涉及文化、思想领域。要把计划经济完全转到社会主义市场经济的轨道，改革需要在深度和广度上不断拓展。

1992年，邓小平南方谈话发表后，又一次思想解放的浪潮在全国及南粤大地掀起，成为推动广州改革开放、经济社会迅速发展的强大动力。南方谈话解决了一些困扰人们已久的重大理论问题，如姓“社”姓“资”的问题，如何衡量经济发展、判断是非的标准等问题。但是，经济社会领域中相关问题的改革依然存在阻力，这就需要在新的理论指导下，不断解放思想，一步一步地抓紧贯彻落实。对于广州而言，当时比较核心且对于经济发展比较急迫的一个问题就是如何给个体经济和私营经济定位，以及如何加快个体和私营经济的发展。在当时的珠三角部分城市，甚至内地的一些城市中，非国有经济，包括个体经济和私营经济，无论从数量还是从所占经济比重来看，都比广州大，发展也更快。

在这种形势下，广州面临着不小的压力。广州历来都是个体经济和私营经济比较发达的城市，改革开放之初，广州的街头曾诞生了一批全国最早的个体户，改革开放进行了10多年之后，广州的个体和私营经济发展依然没有全面走上快车道。当时的市委很快就意识到这个问题，认为应当乘着邓小平视察南方的东风，从政策、法规等角度着手，推动广州个体和私营经济进入快速发展的轨道。

实际上，当时从全国到广州，对于个体经济和私营经济的发展，依然在思想和政策上存在着不少的禁锢，如强调国民经济中国有经济必须占

绝大部分比重，个体和私营经济的比重不宜过高，许多人认为个体和私营经济比重过大就不是社会主义了，比重一旦超过30%社会主义就变质了，等等。当时，个体经济在商业中是以零售业为主，在工业生产中以手工业作坊为主。在经营范围上也存在着诸多的限制，如个体和私营经济不能搞批发贸易，商业领域的个体户只能赚取批零差价，由国有百货公司将商品批发给个体户，个体户只能赚取不到10%的差价，不能从事利润更大的商品批发。所以，虽然当时广州的个体和私营经济已经有点规模，但限制得很死。在经营领域方面也有限制，如房地产等利润较大的行业，私营经济不能涉足，个体经济就更不用说了。在生产领域中的一些个体和私营企业只能挂靠在集体所有制企业里，不能单门独户地发展。而且，当时国家对外贸实行高度垄断政策，所有进出口业务、“三来一补”等，全部都由国有企业控制，个体和私营经济不能涉足外贸行业，不准与外商接触，搞合资，手头也不能有外汇。此外，在个体和私营企业工作的外来技术人员，由于没有编制，无法入户广州，职称评定、子女入学等方面的困难都没有办法解决，阻碍了相关企业引进并留住外来技术人才，不利于个体和私营经济的长期健康发展。

邓小平在南方谈话中强调：“判断改革开放姓‘社’姓‘资’，判断的标准，应该主要看是否有利于发展社会主义的生产力，是否有利于增强社会主义国家的综合国力，是否有利于提高人民的生活水平。”[①]对个体和私营经济的种种限制，对于个体和私营经济的发展，无疑造成了较大的阻碍。要想快速发展生产力，实现经济社会的协调发展，不加快发展个体和私营经济是不可能的。因此，必须充分发挥个体和私营经济的潜力，解放思想，打破各种阻碍其进一步发展的条条框框，给个体和私营经济松绑，把所有潜藏于人民群众内部的积极性和创造性激发出来，实现个体和私营经济的快速发展。正因为如此，才有了一系列促进个体和私营经济发展的规章制度的出台以及理论的创新。

时任中共广州市委书记高祀仁回忆，邓小平视察南方发表的重要谈话

① 《邓小平文选》第三卷，人民出版社1994年版，第372页。

2000年，广州市个体劳动者协会、广州市私营企业协会乔迁新址

中，要求广东20年赶上“亚洲四小龙”。中共广州市委、市政府、人大、政协几套班子交换意见后认为，广州作为广东省的省会城市，是全省的政治、经济、文化中心，必须在全省起重要的示范带动作用，作为贯彻邓小平同志视察南方发表重要谈话中对广东提出要求的一个具体措施。

随后，在中共广州市委的领导下，市委政策研究室开始起草赶上“亚洲四小龙”的工作方案，研究从哪起步，从哪突破。在讨论过程中，大家认为，在社会主义初级阶段，公有制经济和个体私营制经济是国家国民经济的两个方面，都是经济发展的外在表现。不管是公有制经济还是个体私营经济，都为国家和社会创造、积累财富，因而不存在姓“资”姓“社”的问题。这是学习邓小平南方谈话精神，结合广州市的具体情况得出的结论。公有制、私有制两个引擎同时发力，力量才能更大更强，除了要进一步发展公有制经济以外，还要加快发展个体私营经济。把公有制经济和私营经济两个积极性都调动起来，广州的经济发展速度就会加快，规模就会加大，就会在更广的领域、更深的层次加快发展。因此，中共广州市委决定制定规范性文件推动个体私营经济的发展。

同时，广州自古以来就是商埠，市民有经商的传统，与外界联系比较广，联系渠道也比较多，商业氛围和观念比较强，并有着丰富的港澳同胞及华侨华人的关系和脉络，有利于充分调动和利用国内外两种资源增强市场活力的能力。因此，广州市出台了《决定》，率先在全国提出个体和私营经济是国民经济的重要组成部分，是社会主义市场经济的主体之一。

二、《决定》的理论创新与实践效果

1992年，广州市工商行政管理部门放宽了个体工商户的经营范围和经营方式，允许符合条件的外地待业人员直接来穗经商办厂，还解决了个体大户、私营企业与外商合资合作、承接“三来一补”业务，到海外考察及设立经营网点的审批权限问题，为外向型个体、私营经济的发展创造条件。

1993年7月3日，中共广州市委、市政府联合发出《关于加快个体和私营经济发展的决定》，《决定》共分为14个方面，共69条。分别是：“一、放宽个体工商户和私营企业的经营范围；二、放宽个体和私营企业的财税政策和信贷政策；三、提高个体工商户和私营企业的设备折旧率；四、支持个体和私营企业扩大商品出口，对其商品出口收汇给予留成；五、鼓励个体工商户和私营企业开展横向经济技术联合，大力开办市场；六、对经营良好并达到一定创汇额的个体、私营企业给予自营进出口权；七、支持个体和私营企业者出国考察和从事经济活动；八、妥善解决个体和私营企业的生产经营场地；九、设立个体私营经济试验区；十、切实解决个体及私营企业技术人员的实际问题；十一、保护个体、私营企业及其职工的合法权益；十二、对个体工商户和私营企业要在政治上给予关心；十三、加强管理，保证我市个体和私营经济的健康发展；十四、加强领导，把个体私营经济纳入全市国民经济发展规划。”

在三个促进个体与私营经济发展的规范性文件中，《决定》中的理论创新程度是最突出的，它将个体和私营经济的崭新地位与重要作用给予了明确定位和充分肯定。这集中体现在《决定》开头的一段话：“个体和私营经济是国民经济的重要组成部分，是社会主义市场经济的主体之一。在社会主义初级阶段，坚持多种经济成分并存，在巩固、发展公有制经济的同时，发展个体经济和私营经济，是我们既定的方针。为了促进个体工商户和私营企业的发展，必须进一步放宽政策，放开经营，切实做到'政治上给予关心，资金上给予支持，技术上给予指导，合法地给予保护，高新技术产品税收给予优惠'。"①

在这段话中，理论上的创新与突破主要体现在两点。其一，在全国率先提出了个体和私营经济是国民经济的重要组成部分。这是广州的首创，当时在全国的正式文件中，尚没有将个体和私营经济视为国民经济的重要组成部分。直到1997年9月，中共十五大才在报告中正式提出"非公有制经济是我国社会主义市场经济的重要组成部分，对个体、私营等非公有制经济要继续鼓励、引导，使之健康发展"②的观点。而广州早在1993年就率先提出来，这是很不容易的。其二，提出个体和私营经济是社会主义市场经济的主体之一。这是一个新论点，因为当时中央一直提的是国有经济是社会主义市场经济的主体，个体和私营经济是有益的补充。如党的十五大报告中即提出："公有制为主体、多种所有制经济共同发展，是我国社会主义初级阶段的一项基本经济制度。"③而当时将个体和私营经济的重要性提到与国有经济并列的高度，共同作为社会主义市场经济的主体，其目的就是要承认个体和私营经济的主体地位，让这两种经济成分放开手脚发展。

《决定》公布后，引起了强烈的社会反响，新华社、《人民日报》发了内参，部分省、市、自治区的同志到广州来考察、了解情况，一些海外报纸也进行了报道。过了没多久，中央政策研究室调查组到广州了解情况和调研，但没有下结论。时任广东省委书记谢非在了解情况汇报后对广州出台《决定》给予了高度评价，认为广州应该杀出一条血路来搞改革，搞开放，搞建设。既然没有那么多钱拿出来改善人们的生活水平，就应该制定政策，通过政策调动广大人民的积极性，来改善人民的生活，来提高

① 中共广州市委、广州市人民政府：《关于加快个体和私营经济发展的决定》。

② 中共中央文献研究室：《中共十三届四中全会以来历次全国代表大会中央全会重要文献选编》，中央文献出版社2002年版，第428页。

③ 同②，第426页。

人民的生活水平。他曾说："广州发展个体私营企业和个体私营经济是对的，我也看了你们这个决定，与中央的精神和小平同志南方谈话的精神是一致的。"①

《决定》出台后，个体私营业主深受鼓舞，认为冲破了姓"社"姓"资"观念对人的束缚，各类个体私营经济将迅速发展。仅半年时间，工商业注册户数和注册资金就分别比1992年增长了71%和192.98%。个体和私营经济的发展，丰富了市场供应，增加了政府税收，提高了就业率，满足了市民生活多样化的需求，激发了市场的活力，各界群众对改革开放更有信心。因此，《决定》的实施在鼓励积极发展非公有制经济、促进经济和社会发展、提高人民生活水平等方面发挥了重要作用。

三、《决定》与《补充规定》为个体和私营经济发展助力

在《决定》颁布实施5年后的1998年7月，中共广州市委、市政府颁布《补充规定》，进一步落实和发展了《决定》精神。《补充规定》包括8个方面内容："一、支持、引导个体工商户和私营企业参与国有中小型企业的改革；二、鼓励私营企业参与高新技术产业开发等多种经营；三、鼓励下岗人员和大、中专毕业生到私营企业工作；四、给来穗开办个体工商户或私营企业中有突出贡献的外地人员申请入户；五、规范前置审批项目和审批程序；六、实行'缴费册'制度；七、对个体工商户和私营企业实行平等的信贷政策；八、加强对个体私营经济工作的统筹规划和服务指导。"在实践方面，《决定》与《补充规定》两个文件一起，从促进、保障个体和私营经济健康发展的目的出发，出台了许多切实可行的措施，使个体和私营经济逐渐走上与国有经济公平竞争、共同发展的轨道。

（一）成立个体和私营经济工作领导小组

按照《决定》的要求，成立广州市个体和私营经济工作领导小组，由

① 高祀仁：《广州率先提出加快个体和私营经济发展》，载《广州党史》2016年第4期。

一名副市长担任组长，计划、城建、商业、财税、规划、工商行政、人民银行、工商联等部门参加，其主要职责是研究制订个体和私营经济发展的整体规划，领导和规划个体私营经济试验区的全面建设等，同时要求，各区、县（市）也要相应成立个体和私营经济工作领导小组。成立专门的工作小组抓个体和私营经济，意味着个体和私营经济已被纳入广州市国民经济发展的整体规划之中，在全国范围内，当时并不多见。

同时，领导小组要求有关部门，根据发展社会主义市场经济的需要，对于阻碍个体和私营经济发展的地方性政策法规进行修改或废止。市工商行政管理部门制订了《广州市个体私营经济15年发展规划》。

（二）在政策上予以照顾

1. 鼓励个体和私营经济参与对外贸易。中共广州市委、市政府在政策上对个体和私营经济予以照顾、扶持，对个体工商户和私营企业出国出境申领护照提供方便，并要求市、区、县政府有关部门或团体组团出访应尽可能安排个别私营企业、个体工商户参加，“也可以由政府部门或团体牵头，专门组织个体、私营企业经营者出国进行经贸活动，出国手续由组团单位按因公外派的程序统一报批”。此外，当年内地往返港澳都需要专有指标，每年划定一定数量，专门用于广州市人员的往返港澳。以往这些指标基本都用于国有企事业单位人员、机关干部往返港澳，处理相关事宜。当时，这些指标都是相当宝贵的，为了支持个体和私营经济发展对外贸易，中共广州市委、市政府决定，“对有产品出口且涉外业务较多的私营企业，每年划出一定的指标，给予持有短期或长期多次往返香港的护照”[①]，以方便相关人员往返港澳，开展对外贸易和交流。

同时，根据这些文件，个体和私营企业参与对外贸易，所得外汇除上缴中央外，头两年广州不留用一分钱，全部用于企业的自身发展，即对个体和私营企业的商品出口收汇给予留成，规定：“一般商品出口收汇，除上缴中央百分之五十外，上缴市政府百分之十部分可免交二年。机电产

---

① 中共广州市委、广州市人民政府：《关于加快个体和私营经济发展的决定》。

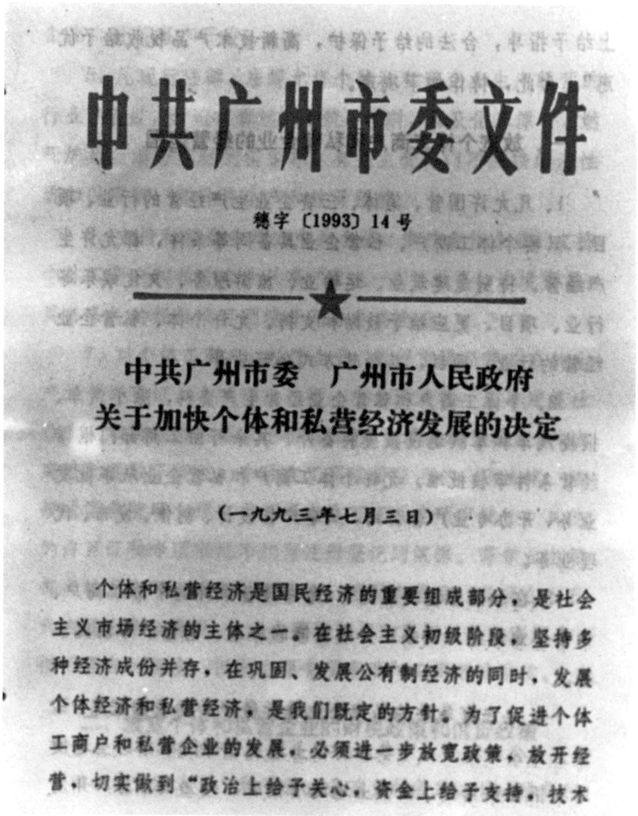

中共广州市委文件

穗字〔1993〕14号

中共广州市委　广州市人民政府
关于加快个体和私营经济发展的决定

（一九九三年七月三日）

个体和私营经济是国民经济的重要组成部分，是社会主义市场经济的主体之一。在社会主义初级阶段，坚持多种经济成份并存，在巩固、发展公有制经济的同时，发展个体经济和私营经济，是我们既定的方针。为了促进个体工商户和私营企业的发展，必须进一步放宽政策，放开经营，切实做到“政治上给予关心，资金上给予支持，技术

1993年，中共广州市委作出《关于加快发展个体和私营经济发展的决定》，在全国率先提出个体和私营经济是国民经济的重要组成部分

品、特殊工艺和特定技术产品出口收汇，除上缴中央百分之三十外，上缴市政府百分之五部分可免交二年。”①

2. 拓宽个体和私营经济的经营范围。个体和私营经济的限制基本被打破了，当时规定：“凡允许国营、集体、三资企业生产经营的行业、项目，只要个体工商户、私营企业具备同等条件，都允许生产经营。特别是建筑业、运输业、旅游服务、文化娱乐等行业、项目，更应给予鼓励和支持。”只要是国有经济能够参与的经营领域，个体和私营经济就可以参与

① 中共广州市委、广州市人民政府：《关于加快个体和私营经济发展的决定》。

经营，并允许个体和私营企业参加土地使用权招标和竞投，成立项目房产开发企业以及开设典当等。鼓励和支持个体和私营经济的发展，当时在政府各部门基本达成了共识。有了政策的扶持，广州的个体和私营经济有了一个更大的发展空间，步入了一个较快的发展阶段。

3. 努力为个体和私营经济从业者解决后顾之忧。个体和私营企业中的工程技术人员，许多来自外地，由于无法解决编制和户口问题，职称无法评定，子女入学存在困难，因而企业往往留不住人才。为了解决这一问题，中共广州市委、市政府决定在原人事局下辖的人才市场为他们专门设立一个交流中心，存放外来工程技术人员的档案，使其可以和国有企事业、机关单位的人员一样，参加职称评定，子女也可以到广州上学，出国护照也可以办理，调动时还可以将档案从交流中心转到新单位。这些政策的出台，解决了许多外来工程技术人员的后顾之忧，对个体和私营经济的稳定发展起到积极的作用。

同时，给来穗的个体工商户和私营企业主中有突出贡献人员申请入户提供便利，规定：在广州开办的个体工商户或私营企业，连续经营3年以上，并在3年内累计上缴税款40万元以上；或连续经营5年以上，每年上缴税款8万元以上的，可申请2—3人入广州蓝印户口；1年内上缴税款30万—40万元的，可相应申请1—2人入广州蓝印户口。[①]在当时大城市户籍控制非常严格的背景下，此规定对吸引人才落户广州发挥了重要的作用。

（三）在经济上给予扶持

1. 加大商业贷款扶持力度。由于大多数个体和私营企业主的原始积累比较少，中共广州市委、市政府加大力度，对个体和私营经济在贷款上予以扶持，提出要实行贷款优惠政策，允许并鼓励银行和信用社对个体和私营企业进行贷款。对于一些没有多少资产的企业，也可以放宽条件，提高贷款额度。并要求："各银行、农村信用社对个体工商户、私营企业的贷款要与国有企业一视同仁……个体工商户、私营企业以房

① 中共广州市委、广州市人民政府：《关于进一步促进个体、私营经济发展的补充规定》。

产、有价证券等财产作抵押或有担保能力和资格的企事业作担保的，应给予贷款。”[①]通过贷款优惠，解决了一大部分个体和私营企业发展过程中亟须解决的资金问题。

2. 在税收上给予适当优惠。为了支持个体和私营经济的发展，在税收上也给予许多的优惠。将个体和私营经济的税收减免幅度与集体企业相对应，提出：“个体工商户和私营企业减免税收的办法，可参照街道、乡镇集体企业中同类型行业、项目的减免税标准执行。”[②]对于规模较小的个体工商户、私营企业，税收上采取“双定”的办法，即业户自报纳税额，征询工商、个体劳协等部门意见后，由税务部门审查核定的办法。经营企业采取自报营业额的方式，自己申报上一年度的营业额，由税务部门审核后就不变了，今后就按此数额定税。

3. 强化激励机制，督促个体和私营经济加快技术进步的步伐。在相关文件中规定：“私营企业的折旧，房屋建筑类按年折旧率百分之六提取，机器设备、运输工具及其他类按年折旧率百分之十提取。”提高机器设备、运输工具的折旧率，以推动企业不断加快技术改造和技术进步，始终在激烈的市场竞争中赢得先机。

（四）建立个体和私营经济试验区

为了探索广州特色的个体和私营经济发展的新模式，为全市个体和私营经济的发展起示范作用，充分利用新开拓的发展空间，推进个体工商户和私营企业的生产经营上规模、上档次，在发展方向和管理机制上进行新的试验和探索，创立公平竞争的管理环境，中共广州市委、市政府根据《决定》的规划，在广州市白云区江高镇划定了约500亩区域，成立了个体和私营经济试验区。试验区内实行统一规划、统一政策、统一管理和统一收费，在企业类型上，以生产型、科技型和外向型的个体工商户与私营企业为主，兼顾商业、服务业等第三产业相关企业，在税收贷款等方面享受高新技术开发区的优惠政策。

① 中共广州市委、广州市人民政府：《关于加快个体和私营经济发展的决定》。
② 同①。

同时，决定由个体、私营以及外资等企业筹资设立合资（股份制）财务公司，专门办理试验区内个体工商户和私营企业的存贷业务，开拓新的筹资渠道，以提供个体和私营经济发展所急需的资金。这些政策的施行，使不少个体户和企业主大受鼓舞，大大促进了广州市新兴个体和私营企业的成长和壮大。

四、《条例》为个体和私营经济发展保驾护航

1996年6月27日，广州市第十届人民代表大会常务委员会第26次会议通过《广州市私营企业权益保护条例》，并经广东省八届人大常委会第31次会议审议批准，于1997年10月8日起颁布施行。这是我国第一部保护私营企业合法权益的地方法规。该条例虽名为私营企业保护条例，但将个体经济和私营经济并重，同时作为条例的保护对象。该条例的第24条即规定："个体工商户合法权益的保护，参照本条例执行。"因此，该条例是对个体和私营经济一视同仁进行保护和支持的地方性法规，也是广州市第一份对个体和私营经济的合法权益依法进行保护的法律文件。

《条例》共分25条，除明确规定私营企业应尽的义务外，还规定了私营企业享有自主经营权、劳动用工权、依法取得土地使用权、对财产的处分权以及知识产权等权益；私营企业有权拒绝任何部门和单位违反国家法

1999年12月，广州市召开加快个体私营经济发展研讨会

律、法规规定向其摊派的人力、物力、财力；禁止任何单位和个人侵占、哄抢、敲诈勒索或以其他手段侵犯私营企业的合法财产。同时，为了解决私营企业的内部纠纷，《条例》还规定禁止私营企业的股东、董事、监事、合伙人和职工利用职务之便从事损害企业利益的一切活动。《条例》的颁布施行，标志着私营企业第一次成为立法保护的主体，也标志着政府对非公有制经济开始迈出由政策支持转向法律支持的难得的第一步，同时，使广州市个体私营经济迎来了又一个发展契机。

《条例》主要从以下几个方面对个体和私营经济的利益进行相关保护。第一，确认了私营企业的财产所有权，并对其进行合法保护。《条例》第6条规定："私营企业对企业的合法财产（包括有形资产、无形资产）享有所有权。私营企业投资者对其所有财产依法享有处分权。"并提出："禁止任何单位和个人侵占、哄抢、破坏、敲诈勒索或以其他手段侵犯私营企业的合法财产。禁止任何单位和个人侵占、破坏私营企业的合法经营场所。国家因建设需要，征用、拆迁私营企业合法经营场所的，应按有关规定给予补偿或安置。私营企业对经依法登记的企业名称、注册商标、专利技术享有专用权，任何单位和个人不得侵犯和损害。"

第二，切实督促私营企业做好自身建设，规范私营企业股东及合伙人的经营行为，防止企业经营者损害私营企业的相关利益。《条例》第10条规定，私营企业的股东，不得有下列行为：（一）不按股东协议、公司章程或者合伙协议规定缴交各自应交的出资额；（二）在企业登记注册成立后抽逃出资；（三）未经股东会或者其他合伙人同意向外转让出资；（四）其他侵犯股东权益的行为。第11条规定："私营企业的董事、监事、合伙人和职工不得有下列行为：（一）利用职务上的便利，索取或者收受贿赂；（二）利用职务或者工作上的便利，侵占企业财物；（三）利用职务上的便利，挪用企业资金归个人使用或者借贷给他人；（四）将企业资金以任何个人名义开立账户存储；（五）擅自以企业资产为任何个人的债务提供担保；（六）擅自自营或为他人经营与其所任职企业同类的营业或者从事损害本企业利益的活动；（七）不依法办理企业变更登记，改变企业法定代表人；（八）泄露企业已采取保密措施的技术、生产工艺流程、经营策略等商业秘密；（九）损毁企业设备、工具、设施等财物，给企业造成损失；（十）法律、法规规定的其他属于侵犯企业权益的行为。”这些规定的出台，有利于私营企业严格按照《中华人民共和国公司法》的相关规定进行日常管理，最大限度地保护了私营企业的整体利益，有助于私营企业加强自身建设，向现代企业制度靠拢，从而促进私营企业的长远健康发展。

第三，《条例》从法规层面拓宽了私营企业的经营范围，取消了对私营企业经营范围的诸多限制。《条例》第12条规定：“私营企业享有自主经营权，任何单位或个人不得非法干预。私营企业有权依照国家有关法律、法规规定，决定企业的生产经营策略、利润分配方法、产品销售方式、产品或劳务价格、企业机构设置和管理制度。”同时，《条例》第13条规定：“私营企业可以从事除国家禁止经营的行业、项目以外的其他行业、项目的经营，可依法取得自营进出口权。其合法经营行为与其他经济性质企业受同等法律保护，其出具的合法票据具有法律效力。”第14条规定：“私营企业享有投资权。可以依法以企业的资产在国内外投资、入股办企业，自主决定与其他企业依法组建成立有限责任公司、股份有限公司、企业集团等。私营企业可以依法有偿取得土地使用权。私营企业依法购买或租赁、承包的企业，其所有权或经营权受法律保护。私营企业向银行申请贷款，银行应按国家规定的贷款原则办理。”

第四，《条例》为防止相关部门对私营企业合法经营进行干预，保障私营企业的健康发展，避免相关部门对私营企业滥用职权、违规收费，做出了切实的规定和保障。《条例》第16条规定：“私营企业有权拒绝任何部门和单位违反国家法律、法规规定向其摊派的人力、物力、财力。向私营企业收取的行政事业性费用，应按《广东省行政事业性收费管理条例》的规定执行。任何单位或个人不得以各种形式向私营企业强行推销商品。”第17条规定：“私营企业在其合法权益受到侵害时，有权向所在地有关行政管理部门和司法机关投诉、报案或起诉。有关行政管理部门和司法机关应根据法律、法规的规定予以受理。”同时，“侵犯私营企业合法权益，或行政处罚不当，给企业造成损失的，应依法承担赔偿责任。”并规定：“政府有关行政管理部门和工作人员违反本条例，侵犯企业权益的，上级行政管理部门应当责令其改正，情节严重的，由有关行政管理部门对主管人员和直接责任人给予行政处分。”

今天看来，当时广州提出的这些政策措施也许算不得什么，但在20世纪90年代初，人们的观念和思想解放的程度还远没有达到今天的水平，关于姓“社”姓“资”的争论也一直没有停止过，因此，当时广州出台这3个鼓励个体和私营经济发展的文件，是需要勇气的，也必须是解放思想以后才能提出来的。在当时全国的各大城市中，专门出台鼓励个体和私营经济发展的规定，给予各方面的政策性优惠，并制定单独的《广州市私营企业权益保护条例》，从政策和法律的层面呵护、支持个体和私营经济的发展，广州是第一个。

这3个规范性文件也构成了广州市发展个体和私营经济的一套组合拳，其中，《决定》是前提，提出了一系列创新理论，为之后各项措施的出台奠定了基础，为个体和私营经济的发展营造了宽松的理论环境，而《补充规定》进一步深化了促进个体和私营经济发展的各项措施，提供了一系列具有可操作性的方案，《条例》则是保障，为个体和私营经济的健康发展提供了法律上的保障。因此，这3个文件是一个密不可分、互为补充的有机整体。

而这3个规范性文件中的一些新提法，在此后的实践中也被证明是非常正确的，也是颇具前瞻性的，一些大胆的做法，如建立广州个体和私营经济试验区、成立广州市个体和私营经济工作领导小组等，在其后广州个体和私营经济的发展过程中，都发挥了重要的作用。数据显示，1994年，广州市的个体私营经济得到快速健康发展，个体工商户和私营企业户数分别比上年增长27.21%和44.78%[①]，3个规范性文件的发布，无疑为广州个体、私营经济的快速发展提供理论的创新和实践的机会，促进了广州浓厚商业氛围的形成，为广州经济的快速发展做出了不可磨灭的贡献。

（作者单位：广州市人民政府地方志办公室）

① 黎子流：《1995年广州市政府工作报告》，1995年3月10日。

南沙经济技术开发区的成立和早期建设

■ 中共南沙区委党史研究室

20世纪80年代末，随着沿海地区开放的进一步深化，在中央、广东省的指导与关注下，凭借各级政府给予的沿海地区优惠政策，经过一系列的理论研究和实地考察，1993年5月12日，南沙被国务院批准成立国家级经济技术开发区，享受开发建设、招商引资、经济管理等一系列优惠政策，从边陲小镇迅速发展成为一座滨海新城，在产业转型和体制改革等方面做出了有益探索。南沙经济技术开发区的成立和早期建设，推进了沿海地区扩大开放的进程，促进了包括番禺在内的周边地区的经济发展，并奠定了南沙新区的发展基础。

一、南沙早期开发的历史背景

从20世纪80年代末至21世纪初，短短10余年间，南沙从边陲小镇迅速发展为省级重点开放区、经济开发区，再发展为国家级经济技术开发区[①]，这得力于其优越独特的自然地理环境，同时也与当时广东省、广州市深化改革、扩大开放和经济发展的现实需求密切相关。

① “南沙”的地理概念、地理位置、范围和面积，在随后10余年间历经变化，本文各部分对此各有说明。

（一）南沙的自然地理环境和霍英东的商业眼光

位于广州市东南部的南沙地处珠江河口，拥有优越的地理位置，是珠江三角洲城市群与港澳联接的理想枢纽。党的十一届三中全会后，珠江三角洲借改革开放之先机，成为全国经济发展的先行地区和示范区，成为国内外商家投资的热土。1978年，香港实业家霍英东和国家旅游局局长卢绪章一同乘船沿珠江前往伶仃洋考察旅游开发，途经僻处番禺水网地带最南端的南沙，两人乘船转了一圈，发现这一片荒坡滩涂几乎无法登陆。然而经此“初遇”，霍英东便以敏锐的目光挖掘到南沙巨大的开发价值和发展前景，经过数次实地考察，他认为，“南沙在珠江三角洲占据着一个非常之优越的地理位置”[①]，是穗港澳金三角的中心，又是珠三角东西两岸的接合部，在联结珠三角和港澳地区上具有得天独厚的优势，“正似天造地设，妙不可言”；在水域条件上，南沙拥有整个珠江右岸唯一一段深水岸线，总长7公里，水深7～15米，泥沙回淤量少，是天然的深水良港，若是搞好基础建设，发展为重要的交通枢纽，南沙将会成为珠江河上的一颗明珠，为港澳和珠三角之间的人才、资源、技术交流互通架设桥梁，带动整个珠三角和广东经济的进一步腾飞。

由于珠江的天然分割，珠江三角洲被分为东西两大片。在交通因素的作用下，两千余年来，珠三角地区的城市发展推进过程始终以自西向东为主，改革开放前，几乎所有发展较快的城镇都坐落西部；直到改革开放后，以深圳、东莞为中心的东部走廊逐渐活跃起来。为了推动珠三角乃至广东地区的整体发展，当时霍英东着力于构建联结珠三角东西部的交通枢纽，他看准了这一历史性的结合点就在南沙。要使南沙真正成为未来推动大珠三角整体发展的关键节点，第一步是要解决原来阻隔封闭的状况，改善其与邻近地区的交通关系。此后10年（1978—1988年），霍英东先后参与投资了广州至珠海的4座大桥（即三洪奇、细滘、沙口和容奇大桥），还扩宽了中山的公路。接下来，他又参与建设洛溪大桥、沙湾大桥、大

① 冷夏：《霍英东传》，广东经济出版社1997年版，第649-650页。

石大桥，打通珠三角西走廊，打破南沙与四周广阔地域的交通阻堑，为南沙的开发奠定坚实的基础。他说："桥通、路通、财通……当整个交通网络建立起来以后，南沙将会以一个现代化、新型的贸易商港的面貌出现。"①

（二）广州发展外向型经济的迫切需求

1. 港城相依，变河港为海港。

1986年，广东省交通厅经过对整个珠三角的踏勘和论证，认为南沙所处的地理位置，是贯通珠三角交通的最佳地点，遂将开发南沙摆上议事日程。②作为华南地区的中心，历史上著名的港口城市，广州在经济社会发展、对外开放、贸易往来和文化交流等方面，都离不开广州港的带动和支持，广州港在其中发挥了重要作用，可以说以港兴城、港以城兴，港城一直在良性互动。随着1984年中央、国务院发出《关于批转〈沿海部分城市座谈会纪要〉的通知》，批准包括广州在内的14个沿海城市的进一步开放，改革开放进程得以深入推进，国际贸易迅速增长，广州港面临着崭新的挑战。首先，黄埔港是一个内河港，从海上到港口100多公里的人工航道水深不够，满足不了现代集装箱的运输要求，5万吨的船要进黄埔港，只能拣每天涨潮的时间缝隙；其次，黄埔港水位低浅，淤塞严重，拓展空间狭迫，无法发展成国际性海港，最后的命运只有萎缩。广州港的唯一出路就是走出去，到珠江口去搞深水码头，变内河港为海港，扩大开放，只有这样才能牢牢抓住发展外向型经济的难得机遇。所以交通部部长黄镇东对广州市政府领导说，广州要搞港口就要到南沙去，泊10万吨以上的船轻而易举。

2. 追赶"亚洲四小龙"。

1992年邓小平视察南方时发表的一系列重要谈话，掀起了新一轮改革开放的发展浪潮。邓小平到达深圳的第二天就对广东提出了明确要求和奋斗目标，力争用20年时间追赶"亚洲四小龙"。他在深圳去珠海的船上

① 霍英东：《岁月峥嵘，喜迎机遇》（霍英东于八届全国人大一次会议上的讲话），1993年3月。

② 王德业：《发展中的广州外商投资企业》，中国对外经济贸易出版社1992年版，第83页。

讲，“广东始终是中国改革开放的龙头”。当时的省委书记谢非和相关人员连夜核算，并从广东的实际出发，制定了一个珠三角经济区的规划，并向邓小平作了汇报：经过20年的建设，珠江三角洲完全可以在经济总量和人均GDP（地区生产总值）上达到台湾地区、香港地区、新加坡和韩国的水平。①

“抓住时机，发展自己，关键是发展经济。”②在追赶“亚洲四小龙”的大背景下，1992年7月1日，广东省向中央、国务院报送了关于《加快广东发展步伐，力争20年赶上亚洲四小龙的请示》，提出积极开拓海内外市场，建立多元化、开放式的市场网络，建立具有较强竞争能力、高效开放的国民经济体系和良好外向型经济运行机制③，作为广东20世纪90年代扩大开放的基本目标；中共广州市委、市政府亦作出《关于进一步深化改革，扩大开放的若干决定》，广州市决定用15年左右的时间，完成人均GDP（地区生产总值）赶上“亚洲四小龙”的战略目标，并采取一系列加快改革开放和经济建设步伐的政策措施④，而地理环境得天独厚，地处珠三角交通要冲，对带动港澳及珠三角临近地区经济发展有巨大潜力的南沙，则成为广州追赶“亚洲四小龙”进程的重要一环。

二、南沙经济开发区的酝酿

20世纪80年代末，在省市领导的目光瞄准南沙之时，面对小珠三角经济的飞速发展，顺德、南海、中山、东莞俨然已成广东 “四小虎”的状况，番禺市（今番禺区）政府亦将开发南沙视为追赶“四小虎”，实现经济新腾飞的重要引擎，所以将广东省交通厅开发南沙的议案提请霍英东，希望得到他的支持。筹谋已久的霍英东对此十分重视，随即和热心祖国建设的华资集团和我国驻港机构的有识之士多次考察南沙，深入调查研究。

---

① 欧阳淞、高永中等：《改革开放口述史》，中国人民大学出版社2014年版，第414-415页。

② 梁坚：《抓住时机，发展自己，关键是发展经济》，载《求实》1992年第4期。

③ 朱森林：《朱森林访谈录》，红旗出版社2011年版，第116页。

④ 黎子流：《广州加快经济社会发展步伐，力争十五年赶上亚洲“四小龙”》，载《技术经济与管理研究》1993年第3期。

霍英东认为，开发南沙，天时地利人和具备。论天时，广东有中央的改革开放政策可以先行一步，发展外向型经济，大气候有利于南沙开发；论地利，随着20世纪80年代以来发达国家的产业结构不断调整转移，我国沿海地区大力发展外向型经济，珠三角数万家“三资”企业、“三来一补”企业的产品和原材料进出口均需经香港中转，南沙具备优越的区位条件，是理想的转运港，可缓解香港货运码头的压力；论人和，南沙毗邻港澳，有利于获得港澳同胞和华侨的支持，霍英东对南沙的风土人情相当熟悉，有助于在南沙的开发和建设过程中扬长避短，提高建设效能。

1988年4月，综合开发南沙和沙滘地区第一次筹备会议在香港中华商会会址举行。霍英东基金会、恒基兆业地产有限公司、粤海企业集团有限公司与番禺市政府联合筹资，组成联合开发公司筹备小组，由霍英东担任组长。霍英东认为，南沙要根据国际经济贸易形势的发展进行高起点规划，建成功能齐全、配套完善的国际性现代化大商港。5月，联合开发公司小组着手进行可行性研究，先后邀请华南理工大学管理工程系及建筑设计院、中山大学管理学院及地理系、交通部第四航务工程勘测设计院有关专家、教授举行专题研讨和座谈会，进行大量调查、咨询和基础资料数据收集；并花重金聘请西班牙著名的城市规划专家理查德·鲍弗（MR. Ricardo Bofil），对南沙新城进行科学、完善的总体长远规划，于当年8月提出了《南沙新城总港图可行性研究》。规划显示，以虎门大桥为界，北边是港口货运区，是珠江流域最佳的航道及天然港池；南边是商贸、高科技、教育、文化和住宅区，将建设成为宜居而富于文化气息的商贸高科技区。

开发初期的南沙一片荒芜，四分是山地，二分是滩涂，一分是石塘，余下三分才是土地条件较好的屋村。[①]但霍英东基本没有占用耕地，而是向荒山、滩涂要地，吹沙填海。同时将乱石横卧、地势低洼的土地垫高，建设护岸工程，进行美化绿化工作。围绕建设客运港和货运深水港的开发核心，霍英东与番禺市政府联合成立虎门轮渡有限公司，筹划轮渡工程事宜，着意打造联结珠三角东西两片的汽车渡口和直通香港的货客运码头。

① 冷夏：《时局的生意——霍英东口述》，凤凰出版社2013年版，第236页。

1989年8月，虎门渡轮码头破土动工，市桥至南沙的高等级公路的建设亦同时起步。当时地质条件恶劣，一些工程打桩，桩打进去后，一漂浮就找不到了，可见开发初期技术难题之多，开发建设困难重重。

三、南沙经济开发区的成立

为了加快南沙的开发进程，1990年4月12日，广州市主要领导朱森林、杨资元、张汉青、邬梦兆等和有关部门人员前往南沙镇视察，召开现场办公会议，研究开发事宜。霍英东得到消息，也专程从香港赶往南沙，向广州市官员讲解开发南沙的一些具体想法。市委书记朱森林十分赞同和支持开发南沙的规划和设想，表示要将开发南沙当成一件大事来抓，争取将其建设成为全市乃至全省投资环境最好的地区之一，决定以番禺市政府为主，广州市计委、外经贸等部门联合参与制订近期、远期规划以及实施方案，以虎门汽车渡口为起点，推动港口和腹地的开发建设。

1990年6月，广州市划定原南沙镇及周边54平方公里的土地为对外开放区域和经济开发区。8月，代市长黎子流在九届政府第79次常务会议上正式宣布开发南沙，并成立南沙经济区管理委员会；同月，霍英东集团与番禺市政府签订联合开发的意向书，从南沙东部的沿海地区划出22平方公里用于投资建设，这一区域后来又被俗称为“小南沙”。①霍氏的目标，是搞好“香港与珠江三角洲地区的水路联系，使之连成一片，进一步发挥这个地区作为香港经济腹地的作用”，设想将南沙建设成为“香港与珠江三角洲之间的中转枢纽，利用珠江三角洲土地辽阔、劳动力资源丰富的优势，以补香港之不足”②，同时打通珠三角东西两岸，整合大珠三角市场，扩展南北腹地，推动地区经济社会文化的发展。南沙“大开发、大建设、大发展”的帷幕拉开。

1991年5月，虎门轮渡码头正式通航。它是国内第一座双层桥式汽车

① 林树森：《广州城记》，广东人民出版社2013年版，第479页。

② 霍英东：《建设番禺南沙，密切港澳粤联系》（霍英东在全国人大广东小组会议的讲话），1992年。

轮渡码头，通航以后，珠江口东西两岸至虎门海峡天堑变通途，珠海、中山、江门、台山、恩平、新会等市县前往深圳，可以不必再绕道广州，直接经虎门渡海，缩短近一半的路程，取此渡口来往珠江三角洲各地，路程亦大大缩减，使整个三角洲交通运输格局完全改观，日流车辆远超1万辆，引发了巨大的社会效益和经济效益。继虎门轮渡投入营运后，霍氏投资的虎门大桥和南沙至香港临时客运码头也相继动工。大桥从虎门过南沙，接南沙大道后即分两路，分别北往广州、南往珠海，这使得南沙成为珠三角高速公路网上不可替代的中心交汇点；客运码头则使南沙至香港的客运服务常态化，航班依托码头地处珠江口的优势，可在短时间内迅速抵达目的地。南沙的港口码头建设可谓是石破天惊之作，南沙作为连接珠江两岸和省港澳的交通枢纽开始崭露头角，冉冉上升，得到了海内外各界人士的密切关注。

当时的省市领导都对南沙开发十分重视，广州市在1991年出台《加快开发南沙经济区的15项优惠政策》和《关于南沙经济区减政放权的若干规定》。一开始为南沙“开绿灯”的优惠政策只有11项，常务副市长雷宇认为，11项政策还不够优惠，有些权限还可以下放南沙开发区。[①]所以，正式政策出台以后，南沙在项目审批权限、进出口经营权、基建规模和银行信贷规模以及税收政策等方面都享受优惠，同时被赋予了相当于广州市经济开发区的经济管理权限，提高了办事效率；前来投资的外商也可以享受沿海开放城市、珠江三角洲经济开放区的各项优惠政策。[②]

1992年，国务院同意开放南沙港为对外通商口岸，同年，南沙被列为20世纪90年代广东省扩大开放的3个重点区域之一，广东省委书记谢非亦明确表示要将南沙建成有特色的开发区，为广东20年基本实现现代化的目标提供经验。[③]1993年5月12日，南沙经济技术开发区得到国务院正式批准，由此诞生。

---

① 广州市地方志编纂委员会：《广州市志（1991—2000）》第三册，广州出版社2010年版，第229页。

② 广州市地方志编纂委员会：《广州市志（1991—2000）》第三册，广州出版社2010年版，第230页。

③ 张宝锵：《晴空一鹤排云上——张宝锵通讯特写录》，广州出版社2005年版，第321页。

四、南沙经济技术开发区的基础建设阶段（1993—1997年）

1992年11月21日，广州市政府通过广东省政府向国务院呈报《关于广州南沙经济技术开发区选址和规划面积的请示》。1993年5月12日，国务院批复同意设立广州南沙经济技术开发区（以下简称开发区），南沙成为当时32个国家级经济技术开发区之一。此前，杨尚昆、乔石、田纪云、邹家华、李铁映、朱镕基、叶选平、孙起孟等国家领导人曾先后到南沙视察，都认为南沙开发很有前途，副总理田纪云还手书横幅“展宏图、通四海”赠予开发区，加上霍英东的影响力和号召力，已经有不少财团把巨资投进这片热土，可见其发展前景极具吸引力。当时正值经济开发区模式推行第十年之际，国家为控制不断膨胀的投资规模，已经砍掉了不少经济开发区，驳回了不少省市的申请。在国家宏观调控偏紧、地区政策落差逐渐缩小的形势下，国务院仍为南沙大开“绿灯”，亦可见作为广东20年追赶“亚洲四小龙”的重要引擎，国家对其甚为重视。但实际批准的开发面积只有9.9平方公里，东以金沙路、金珠路、合成桥、金岭路为界，南以大岭村为界，西以蕉门水道、蕉门河为界，北以小虎沥为界，首期开发面积不得超过3平方公里①，这是在当时“一哄而上，遍地开花”的开发区热下作出的特殊选择。

1993年7月3日，南沙新城顾问小组成立，成员包括叶选平（全国政协副主席）、任仲夷（原广东省委书记）、梁灵光（原广东省长）、杨立（原广东省副省长）、刘念祖（市政协副主席）、郑康明（市外贸局副书记）、苗栓柱（番禺县委书记）、杨资元（副市长）、黄伟宁（副市长）。7月8日，南沙开发区委员会、开发区管理委员会和南沙经济开发总公司挂牌，行政上作为番禺市委市政府的派出机构。为了更好地理顺行政关系，同年撤销南沙镇建制，设立南沙街道办事处，与开发区委员会合署办公，两块牌子，一套人员，负责日常工作的组织实施；宏观管理、重大

① 《国务院关于设立广州南沙经济技术开发区和惠州大亚湾经济技术开发区的批复》（国函〔1993〕65号）。

问题的统筹、协调、决策的职能，则由市长黎子流和副市长陈开枝领衔的开发区领导小组承担。

为了适应国家银根紧缩的政策，开发区提出“一动，二定，三为主，四统一”的原则①，把土地作为最大的资金来源，紧抓土地资源，做好以地为本、以地生财这篇文章。开发区领导小组也高度重视招商引资和基础设施建设，建议开发区应做好“边规划、边招商、边建设、边见成效”的四个边原则，应以多渠道广泛筹集资金为主，要开拓思路，解放思想，要立足于利用外资，利用级差地租，招股招商，鼓励外商投资直接参与基础设施建设，采用“二八”式土地补偿办法，节省开发建设资金，缩短土地建设周期。②为充分发挥南沙经济技术开发区在追赶“亚洲四小龙”进程中的重要作用，广州市政府拨付2亿元资金，以缓解开发区资金缺口的燃眉之急。

开发区的初期建设，面临着管理权限的归属问题。开发区究竟是由番禺市政府还是广州市政府管理和领导，经过了几番动摇。1995年4月，广州市政府决定，开发区管委会行使县级市的经济管理权限，由广州市直接管理；霍英东合作开发的南沙东部，也享受开发区政策。同年5月，广州市政府改变了开发区由广州市直接管理的决定。经市长办公会议决定，开发区党委、管委会由番禺市委、市政府直接领导和管理。③

把开发区的管理权下放给番禺市政府，一定程度上削弱了广州市对开发区的规划控制权和资源配置权，但也是出于提高效率考虑。开发区得以放开手脚，短短数年间，与霍英东集团合作，在公路、能源、水电、通信、港口码头、教育卫生和酒店、商住楼宇等基础设施上投入大量资金，

① “一动”即区内土地实行动态价格，不同地点，不同用途，不同使用年限，价格不同。“二定”以项目类别、档次定地段，以项目规模需要定土地面积。“三为主”即以工业项目为主，以金融、信息、科技产业和基础设施为主，房地产开发以自我开发或联合开发为主。“四统一”即统一规划，统一征用，统一转让，统一管理。载广东省经济特区办公室：《广东省开发区工作会议材料汇编》，第17页。

② “二八”式土地补偿办法，指开发公司只需付承建开发的外商20%的工程建设款，其余部分用划拨土地的方式补偿。冯生成：《珠江三角洲中山、南沙开发区之启示》，载《特区展望》1996年第4期。

③ 王林生、王桢桢：《广州发展纪事》，广东人民出版社2012年版，第94页。

基本完成了城市基础的架构建设，形成良好的投资环境。首先，是大力搞交通建设，修桥、筑路、建轮渡，包括沙湾大桥、港前大道、进港大道、虎门大桥等，大大改善了南沙至周边地区的交通状况。货运是南沙开发中必须站稳的一只脚，另一只脚是客运，因此先后建成现代化进出口贸易平台粤港（南沙）物流中心、万吨级的东发码头、友荣船厂、新技船厂和南沙客运港。其中友荣船厂，已经能造出当时世界上最大最快的水翼船。其次，是优化美化南沙环境，先后修建了蒲洲国际花园、蒲洲高新技术开发园、南沙会议展览中心、天后宫、高尔夫球场、蒲洲海堤、岭南水乡一条街等，大大提升了南沙新城的城市品位。

在招商引资方面，开发区成立专门机构协调督办，实行一个窗口、一个图章、一揽子解决的办法，将竞争机制引入招商工作，用招标的办法加快引资速度，并且设立引资有功奖励制度。为了促进招商引资工作，开发区每年都会举办大型活动提高知名度，吸引外商前来投资。为了完善外商投资服务，开发区同时成立了外商投资协会、房地产协会、贸易促进协会，以此来捕捉商机，广泛联系海外各界人士前来投资，也使得外商有归属感。在政府的优惠政策下，开发区建设初期引进“三资”项目数百个，投资总额数十亿美元，香港建滔集团投资3万吨级石化码头化工区，世界500强企业如美国通用、德国巴斯夫、宝钢三井和日本名幸电子等项目落户南沙，项目大多是以国际市场为导向的高技术、高资金含量的外向型企业，设备技术都达到当时的世界先进水平。

为了引导和加快南沙的开发建设，开发区管委会于1996年向广州市政府提请《广州南沙经济技术开发区总体规划》。次年1月，在广州市十届政府第90次常务会议上，市政府对此规划讨论修改，指出南沙的总体规划要提高起点，要注意与珠三角、番禺市桥、东莞虎门、珠江管理区红岭分区的发展规划、布局的衔接；要加强开发区范围内的农村建设规划管理，控制好用地。总体规划面积为54平方公里，划分为7个功能分区：一是南部政治、文化、经济、金融、贸易、商住城市中心区；二是西部高新科技区，发展高新科技产业；三是西部工业区；四是北部工业区；五是进港路中部商住组团；六是东部商贸、金融、商住区，引进高层次、高新科技尖端、轻工加工产业，建立大学教育培训基地；七是东部港口区，发展货运、客运、旅游、商贸等。其基本定位是，建成以港口码头为中心，交通运输、工业加工和旅游服务齐发展，功能齐全、环境优美、文明发达、面向世界的现代化海滨新城。

开发区管委会同市政府提请总体规划再次引发了开发区管理归属之争。番禺市政府认为南沙开发区是番禺市管辖范围，总体规划不须向广州市人大报送。然而广州市政府认为，国务院批复同意设立“广州南沙经济技术开发区”而不是“番禺南沙经济技术开发区”，所以总体规划应报广州市人大常委会批准。此事引发中共广州市委、市政府思考如何有效行使对“广州南沙经济技术开发区”管辖和对番禺市的有效管辖问题。[①]广州要南拓、南沙要发展，目前这种行政体制显然不适合新形势的需要，必须从根本上解决问题。这次争论酝酿着开发区的发展思路和行政管理体制的转变。

五、南沙经济技术开发区的发展转型阶段（1998—2001年）

1998年又是南沙历史上的一道分界线。1998年，中共广州市委、市政府终于有了解决南沙管理体制的思路。在当年7月31日召开的广州市城市建设现场会议上，中共广州市委书记林树森向省委书记李长春等领导汇报，要求解决省委、省政府委托广州市代管的4个县级市的管理体制问题，建议将其撤市建区，扩大广州市管辖范围，为广州未来发展提供广阔空间。这个建议得到李长春的首肯。10月24日，广州市向国务院报送了关于要求广州代管的4个县级市撤市设区的请示。2000年5月21日，国务院批复同意。次年3月，李长春在视察南沙后，认为南沙将会是进一步推动珠三角开发建设的杠杆点。为贯彻落实这一重要指示，市政府明确提出实施“南拓”战略。[②]

① 广州市地方志编纂委员会：《广州市志（1991—2000）》第三册，广州出版社2010年版，第230页。

② 广州市地方志编纂委员会：《广州市志（1991—2000）》第三册，广州出版社2010年版，第231页。

撤市设区，从行政体制上彻底解决了广州市对广州南沙经济技术开发区和番禺区的管辖问题，同时也是广州市“南拓”战略的重要一环，使得番禺成为广州市的组成部分，使广州市的版图向南推进到海边，为“南拓”战略开辟了广阔空间。而随着广州城市规划“北优南拓，东进西联”战略的进一步明确，南沙开发成为广州空间和产业“南拓”的核心节点，成为配合广州东南部工业产业整体开发的关键环节，使得广州的发展思路也有新的调整。在2001年的一次对外新闻发布会上，市委、市政府正式对外宣布，广州将沿珠江口重点向南拓展，加快推进南沙开发。在大南沙建设临海工业和装备制造业等，即在“小南沙”的南面，以龙穴岛为依托，建设深水港区和临海工业区，在“小南沙”的北面，建设大型装备制造业（包括汽车）基地，将南沙地区建成广州的一个现代化新城，吹响了开发“大南沙”的号角。

所谓的大南沙，是相对于霍英东投资建设的“小南沙”而言的，总面积319平方公里，位置包括了番禺沙湾水道以南的整个区域，是两块完全不同的版图。中共广州市委、市政府对大南沙开发的决策是立足于不和霍英东的投资建设产生任何利益冲突的基础上进行的。在布置工作时，中共广州市委、市政府主要领导十分明确，“霍英东在‘小南沙’已开发近10年，投入数十亿元，他理想中的南沙新城就是作为香港的后花园，和‘大南沙’的发展策略和整体规划并不矛盾，两个积极性比一个积极性好，只能帮忙，决不干预霍英东在‘小南沙’的一举一动，我们可以在‘小南沙’的南边搞大港口，搞临港工业区，在‘小南沙’的北面搞制造业，中间‘小南沙’作为新城的中心搞服务业、高科技产业。‘小南沙’仍以第三产业为主”。①

南沙开发的思路转变，对于广州实现现代化港口城市的战略定位非常重要，广州市政府认为，应当用世界一流水平的标准来规划、开发、建设南沙，提升城市建设水平，要树立“大南沙”概念，统筹规划，综合开发，科学设定功能区域。不管是总体规划方案还是各项功能全区域规划方

① 林树森：《广州城记》，广东人民出版社2013年版，第479页。

广州南沙经济开发区东北部（小南沙）（2000年）

案都必须高起点、高水平、高要求，力争把南沙建设成为广州这座现代化中心城市的一个中心，“以产业带动，以项目起步”[①]，加快基础设施、工业、农业、第三产业发展和城镇建设。基本构想是，围绕将广州建设成为最适宜创业发展和生活居住的现代化中心城市这一目标，充分利用南沙地区优越的自然条件、深水岸线，以原南沙经济技术开发区为基础，形成南临伶仃洋、北至黄阁镇的大南沙开发范围，通过高起点规划、高标准建设，将南沙地区开发建设成为产业布局合理、经济辐射能力强、基础设施配套、自然环境优美的现代化生态型新城区。

2001年，广州南沙开发区建设指挥部成立，由广州市政府直接领导，全权负责南沙的开发建设。经过南沙管委会和霍英东集团在南沙土地上10余年的早期开发建设，南沙作为珠三角交通枢纽和关键节点，沟通珠三角东西两岸，成为珠三角重要的进出境通道和货物集散地，分担了广州的交通压力和香港的货运压力，有力地加速了珠三角地区人力资源、技术和原材料的流动，创造了良好的社会效益，为广州市开发“大南沙”的“南

① 《广州南沙地区开发规划纲要》，2002年广州市十一届政府第98次常务会议通过。

拓”战略实施提供了物质条件和经验积累，奠定了坚实的基础。

六、南沙经济技术开发区建设的历史经验与启示

南沙开发区早期建设的实践，在管理体制改革、产业转型、发展定位、基础设施建设等方面留下了许多珍贵的历史经验和启示，对广州未来的城市发展规划将产生有益的示范作用。

（一）明确发展定位：工业和生态并进

南沙最早的定位，是霍英东在1988年正式提出的对南沙的建设构想，他希望最终将其建设成一个有着国际港口的海滨新城。当时，霍英东对引进的项目都要求经过严格筛选，注重吸收高科技、高附加值项目，做到有污染项目决不引进，保证南沙建成现代化海滨城市时，仍是头上蓝天白云，脚下青山绿水。

1993年开发区成立，南沙的开发思路发生第一次转变，即做到“三高四边”，高起点规划、高标准建设、高效能管理，可以一边开发，一边招商，做到一边建设、一边见成效，重点发展交通枢纽、港口贸易、工业加工、旅游服务四大功能区域，建成一座以深水港为中心，交通运输、工业加工、旅游服务综合发展，功能齐全、环境优美的现代化海滨城市，不以劳动密集型的短平快项目求发展，大力发展第三产业，适应世界经济结构的转变。

1998年后，为适应广州的“南拓”战略，南沙的开发思路发生第二次转变，即以“高、精、新技术”为先导，把南沙建设成为对外开放港口；以技术密集型对外加工工业为主，协调发展商业、旅游业和转口贸易，集交通、加工业、旅游、贸易商港为一体的现代化海滨港口城市。

南沙早期开发的10余年间，发展定位在工业区、生态区、服务区之间多次摇摆，反映了南沙力求在工业发展和环境保育之间取得平衡的尝试，最终广州明确了开发区的建设思路。开发南沙，不仅意味着建立一个高科技密集的工业加工区，或者是一个交通中转的媒介，而是要联结香港，建设番禺，支持珠江三角洲及广东经济发展，要使开发区为周边地区服务，

为产业转型升级、为广东经济与国际接轨服务。“南拓”战略的核心，实际上是希望利用开发区丰富的土地和深水港资源发展临海工业，这在当时引发许多争议，支持和反对的声浪相互激荡。反对的声音认为，一座理想中的海滨新城，会在襁褓之中就遭遇工业污染的不良影响。实践证明，拘泥于一种思路，限于一个框架的发展是没有生命力的。在发展思路上，应因地制宜，各有特色，既要充分利用开发区在地理经济上的“硬”优势发展航运、物流和工业，也要充分利用金融、旅游、自然资源等“软”优势，发展产业功能区，打造功能定位独特的金融商务区，整合开发区森林公园、海滨、湿地等生态和景观资源，优先发展生活服务、休闲养生等产业。既可以利用港口为龙头发展工业，也可以旅游业为突破口带动其他项目开展，实现经济效益和生态效益的双赢。

（二）厘清管理层次，提高效率

南沙开发区建设早期，虽名为国家级开发区，但仍由番禺市代为管理，致使规划建设方面出现多方面摩擦，体制不完善，广州市所给的15条优惠政策和12条减政放权政策不能真正落实到位。从1995年开始，市政府就开始考虑厘清南沙开发区的管理层次问题，制定南沙开发区管理条例，并建立协调领导小组。但开发区的管理归属权则经过几番博弈，先是考虑赋予开发区县级市的经济管理权限，由广州市直接管理，后来为提高效率，加快建设，仍将其划归番禺政府管理，同时赋予开发区享有相当于广州市的建设征用土地审批权，南沙54平方公里内的所有单位的建设项目统一由南沙开发区建委审批等11项政策。最终经过1998年以后的撤市设区，理顺了广州市、番禺、南沙开发区之间的管辖关系。

开发区内的管理体制的特点体现在“精简、高效、统一”六字上。开发区领导人员精干，下面只设1个主任，3个副主任，实行委员制进行决策和咨询；下面只设“两委办”“外经办”“组织人事办”“国土办”“建委”等职能部门，体现小机关大服务的原则。“精简”表现在人员精干，办事高效，杜绝拖拉作风；“高效”表现在实行一幢楼办公、一条龙服务、一揽子解决问题的办法，减少环节；“统一”表现在实行党政企三位一体制度，重大问题党委集体决策，实行一支笔管钱管地，实现高效能管理。

（三）加快引资步伐，改善投资环境

南沙开发区的诞生和发展，都恰逢国家采取紧缩的财政政策之时。在宏观调控的大气候下，国内金融市场不完善，融资渠道不畅，为了加快引资步伐，开发区加强宣传力度，重点做好招商引资工作，完善基础设施建设，以招商引资的主题，把南沙的整体形象宣传和各项具体宣传结合起来，达到加大宣传力度和招商力度的目的。一方面，对“三资”企业，继续“三让”（让利益、让市场、让股权），在地价问题上更进一步，做到特事特办，灵活变通，客商满意，以保护外商投资的积极性，努力做到招商、安商、富商。从“起点高、技术新、规模大”着眼，吸引有影响的跨国公司、大财团、大项目落户南沙。进一步改善投资环境，尤其是软环境，努力做到以最少的环节和最高的效率为外商提供完善、优质的服务。由于外商更加注重加工项目的效益，因此基础设施项目外商的投资数目较少，开发区与一些国外的大财团沟通，鼓励他们投资于基础设施项目，并对基础投资项目给予更优惠的政策，采取“请进来、走出去”相结合的方式，吸引外资投资基础项目。另一方面，吸引内资联合开发。采用股份合作方式进行基础设施建设，共同开发，共同受益，内资投资于工业项目时，也动员其投入基础设施。要以项目带开发，开发一片、建设一片、收益一片，滚动发展。

除制定引资优惠政策以外，开发区还加强基础设施的配套完善，加快金融、信息、海关、联检等社会软环境的建设。管理人员面对的大多是外商，必须不断提高自身素质，不仅要懂管理，还要懂外语和计算机，因此开发区着力打造在工程技术、工商管理、财务、商检、外贸、外语等方面业务能力强的稳定的人才队伍。兴办开发区是复杂的系统工程，既要突破传统体制的束缚，又要学习世界的先进技术、管理经验，同时还要积极参与国际市场竞争，与国际管理接轨。只有在各方面做好引资保障，开发区的总体目标才能得到始终如一的贯彻。

广州港改革建设的发展历程与经验启示

■ 中共黄埔区委党史研究室

广州港作为我国唯一一个历经两千年而至今长盛不衰的港口，是我国对外贸易的重要口岸和国家综合运输体系的重要枢纽，是带动广东省乃至华南地区经济发展的重要推力，为区域经济社会发展提供了极为重要的保障。中华人民共和国成立后，尤其是改革开放以来，广州港肩负起振兴区域经济和扩大国家对外开放的历史使命，逐步发展为现代化机械作业的世界级港口。在改革开放政策的支持，以及广州港人的奋斗下，广州港港口布局不断完善、港口生产稳步增长、服务水平不断提升，实现了由“河口港向海港的转变”，在新时期国家走出去的“一带一路”的战略背景下，必将发挥更大的作用。

一、广州港情况概览

（一）地理位置优越

广州港处于珠江三角洲地区的中心地带，其经济腹地以广州、佛山、东莞等珠江三角洲地区为主，辐射广东省其他地区、江西 、湖南、广西、贵州、云南、四川等地。 珠江三角洲地区经济发达，属外向型经济，产品以出口为主。广州港背靠佛山、中山、江门、肇庆等制造业基地，是广佛经济圈和珠三角西翼城市通向海洋的必由之路。珠江三角洲地区各城市由于产业分工的不同，相互之间形成了产业密集带和产业链。 在地理位置差异的影响下，形成了珠江东岸港口以香港港和深圳港为主，珠江西岸港口以广州港为主，其他港口处于支线、喂给港地位的格局，使深圳港、香港港和广州港在货物流向上各有优势和劣势，形成了相互合作、互补的关系。

为了加快广州港在珠江西岸的发展，广州市政府根据“南拓”的发展战略，选址南沙，新建大型深水集装箱码头和物流发展园区，将广州港发展重点由内河向出海口迁移，彻底改变广州港发展的瓶颈问题。南沙港区的建设标志着广州港由河口港向海港的战略转型，是广州港发展的历史转折点，一个重要里程碑。

广州港横跨珠江三角洲东西两岸，岸线资源长达 400 公里，水域陆域宽阔，港口纵深陆域开阔。2006年南沙港区南沙作业区面积约 62.2 平方公里，作业区陆域面积约为 53.1 平方公里，岸线总长度 68.5 公里，其中深水岸线长度 35.4 公里，17.1 公里作为江海联运码头。

广州港口由广州市辖区内河港和海港两部分组成，海港部分拥有内港、黄埔、新沙和南沙4个港区。南沙港区是珠江出海口，位于珠江三角洲的几何中心。船舶由国际航线进入南沙港内泊位的时间短；距离区域内的集装箱箱源生产地加权平均[①]距离最近，运输时间最短。

广州港位于珠江三角洲的几何中心，珠三角主要城市几乎都在广州港附近 100 公里范围内。公路、铁路网络密集，河道纵横交错，内河航运发达，沟通了广州港与珠三角地区以及整个“泛珠三角”区域。[②]

（二）改革开放前历史发展沿革

自古以来，广州就是我国对外贸易的重要口岸，对外交流源远流长。自秦汉时期形成广州古港以来，广州港在我国对外贸易中的地位早就举足轻重，是我国古代“海上丝绸之路”的始发港之一。唐宋时期广州港是世

① 加权平均值：即将各数值乘以相应的权数，然后加总求和得到总体值，再除以总的单位数。加权平均值的大小不仅取决于总体中各单位的数值（变量值）的大小，而且取决于各数值出现的次数（频数），由于各数值出现的次数对其在平均数中的影响起着权衡轻重的作用，因此叫作权数。因为加权平均值是根据权数的不同进行的平均数的计算，所以又叫加权平均数。

② 邓进乐：《广州港综合竞争力分析》，载《中国港口》2006第2期。

界上最长的远洋航线的始发港，清朝中后期广州是唯一的对外口岸。民国时期，局势动荡，广州港受当时局势影响，发展缓慢。中华人民共和国成立后，党中央把广州作为对外交往的窗口城市，百废待兴的广州港迎来新的机遇。

1. 恢复扩建阶段。

1949年10月广州解放，广州市军事管制委员会专设交通接管委员会，成立市军管会航务处，统一接受管理广州地区航运、港口工作。1950年6月交通接管委员会接管该局及黄埔港的原交通部直属广州港工程与广州材料储运处，同时接收粤海关港务课（管理港口水上船舶交通），成立“交通部广州区航务局”统一管理以上4个单位的工作。同年9月，“交通部广州区航务局”改称“交通部广州区港务局”，归交通部领导，由广州市政府代管指导，成为广东省港航、政企合一的管理机构，在广东省内设汕头、海口、湛江3个分局和东江、西江、北江、江门、梧州、北海、榆林、汕尾、黄埔9个办事处。黄埔办事处接管黄埔港区，并设立“广州区港务局黄埔筑建局”专责黄埔建港工作。①

广州港港口经过整治和修复，陆续恢复生产。此时广州港港口设施虽然简陋，但在抢运国家经济建设急需的进口物资和支援解放战争中，充分显示了它在华南沿海和远洋运输中的重要地位。从1953年起，广州港的建设拉开帷幕。在黄埔外港区，陆续建了中码头和黄埔大码头等几个万吨级泊位。此外，还对出海巷道进行大规模疏浚，使万吨级货轮直达黄埔港区，由此港口的通行能力得到提高。20世纪50年代的黄埔港已经发展成为华南第一大港，与30多个国家的港口建立了运输业务往来，是珠江三角洲及中南、西南、赣南、闽南等地区物资的主要集散地。

2. 改造续建阶段。

广州（内港②）、黄埔（外港③）相距25公里，历史上黄埔深水湾港湾

① 黄伟：《广州港与黄埔港历史上三次合并》，载《黄埔文史》第10辑。

② 内港与外港相对而言，港口距海较远之部分。

③ 外港：不具港口或没有良好港口的都市，以附近较好的港口为其港口，则此港口即为该都市的外港。如黄埔为广州的外港，吴淞口为上海的外港。

宽敞以碇泊海轮为主，市区内港进出航道浅，沿江堤岸码头多停泊内河航运较小船只。因而内外港区，先后有不同的管理体制，曾分别成立中央和地方两个港务局，随着管理体制改革下放和机构变动，管理机构亦先后合并分开。

1958年7月，广东省人民委员会根据中央体制下放的精神，决定将黄埔港务管理局、广州港务局、广州港务监督合并组成广州港务局，由广州市人民委员会领导。同年8月1日广州港务局正式成立，黄埔港务管理局则改为黄埔港务局，直属广州港务局领导。1961年4月，黄埔港务局从广州港务局辖下划出，改为交通部直属建制企业，改称“黄埔港务管理局”，归广州海运管理局领导。

经国务院批准，于 1957 年起中国出口商品交易会每年春秋两届在广州举行。中国出口商品交易会成为中国发展对外贸易的一条重要渠道和展示中国社会主义建设成就的重要窗口。广州与海外的经济贸易活动日益频繁，使广州经济获得迅速恢复和发展，成为全国对外贸易的中心。广州港的货运量也随之增长。

至20世纪60年代中后期，广州港通过“土洋”相结合的办法，不断对港口的装卸设备和设施加以改造及大力建设，如增加大型龙门吊、机动搬运车等，使广州港的机械设备逐步达到装卸半机械化的水平。“至20世纪60年代中期，广州港的年吞吐量已达700万吨”[①]。至此，黄埔港成为华南海运中心，华南沿海海运干线的起点和终点。随着外贸事业的发展和院外任务加重，物资货运和到港船舶密度迅速增大，黄埔港的通过能力与货物集散需求日益不适应，船货压港情况严重。[②]

3. 曲折缓慢发展阶段。

1968年12月30日，广东省革命委员会将广州、黄埔两港合并，组建广州黄埔港务管理局，由华南水运公司领导。直至1970年2月28日，广东省革命委员会在广州黄埔港务局的基础上成立广东省港务管理局，由广东省交通战线直接领导，接管广东省内各港口，其中广州地区的黄埔、芳村、

① 罗伟忠：《广州港奏响改革开放强音》，广州港集团有限公司内部资料。

② 广州市黄埔区地方志编撰委员会：《广州市黄埔区志》，广东人民出版社1999年版，第194页。

河南、新风、东风作业区为广东省港务管理局直属企业。黄埔外港与广州内港同时分开管理。1971年9月黄埔作业区改称广东省港务管理局黄埔港务局，由省港务管理局直接领导。1972年8月，广东省港务管理局黄埔港务局划归交通部直接领导，后改称交通部黄埔港务管理局，实行交通部和广东省双重领导、以交通部为主的领导体制，直至1987年12月止。①

“文革”期间，广州港处于曲折发展之中，港口管理机制运行不正常，装卸生产有所减缓，港口设施建设缓慢。1973年国家开始投资建设黄埔新港区，港址位于老港区下游，东江口西面的墩头基上。1975年12月建成第一期工程，共5个万吨级以上泊位和驳船泊位；建成4万平方米的仓库，5.8万平方米的堆场。②

黄埔新港区鸟瞰图

① 黄伟：《广州港与黄埔港历史上三次合并》，载《黄埔文史》第10辑。
② 广州市黄埔区地方志编撰委员会：《广州市黄埔区志》，广东人民出版社1999年版，第194页。

二、改革开放时期广州港的改革与发展

改革开放以来，广州城市经济逐步发展，一定程度上也影响广州港发展的速度和水平。广州港从稳步发展阶段进入跨越式推进发展阶段，货物吞吐量持续增长。1999年广州港成为我国第二个货物吞吐量跨入亿吨大港。2004年广州港集团有限公司（以下简称广州港集团）成立，开启了广州港有史以来港口建设发展较快的时期。2015年，广州港完成货物吞吐量5.2亿吨，集装箱吞吐量1762.5万标准箱，广州港货物吞吐量和集装箱量均位列全国沿海港口第四，位列世界第六和第七。[①]国际航运通达世界80多个国家和地区的350多个港口，是我国与欧洲、非洲、大洋洲、北美、东南亚、中南半岛等地区运距最近的大型贸易口岸。

2013年广州港南沙港区集装箱年吞吐量突破1000万标准箱

① http: //www.gzpgroup.com/jtgk/jtjj/201404/t20140428_320.html 广州港集团网页集团简介。

（一）内部体制改革促进广州港的稳步发展

1984年，中央作出进一步开放包括广州在内的14个沿海城市的决定。1985年，根据对外开放的进程，中央决定开放珠江三角洲等3个对外开放经济区。为了加快外向型经济发展步伐，中共广州市委、市政府提出“以外经外贸为导向”的发展战略，并采取了系列措施发展外向型经济，为外商创造良好的“软硬环境”。其中包括加强基础设施建设，抓港口码头建设；简政放权下放产品的进出口等项目审批权；鼓励外资投向港口建设等。广州市发展外向型经济的经济发展战略不断推动广州港重心顺着江水道外移近海。

1987年1月国务院办公厅转发《关于港口管理体制改革的会议纪要》，交通部将黄埔港下放给广州市管理。因此，从1987年1月起，黄埔港务管理局实行由广州市和交通部双重领导，以广州市领导为主、交通部为辅的管理体制。同年12月18日，广州市实行“一城一港”体制，广州港务管理局和黄埔港务管理局合并，组建成为政企合一的广州港务局。新港务局负责港口的行政管理，并组织领导广州港的生产与建设。其职能具体体现在：“负责全港范围有关船舶调度、引航指泊、航道锚地管理、港口规划、岸线审批、专用码头管理、港口规费征收、吞吐量统计等一系列港政管理工作；根据国家、交通部和广州市的有关规定，具有岸线工程审批、码头经营许可证审批等十项审批权和三项核准权。”[①]两港合并的其中一个重要工作目标是组建的广州港务局必须扩大港口管理权限。中央下放给广州市的港口方面的权力原则上都下放给港务局；市里原有的权力，能够下放的也下放给港务局，这样更好地发挥港务局的行政管理职能的作用，增强港口活力。

20世纪90年代，广州港务局为了适应我国对外开放的需要和自身的发展，广州港大力进行内部体制改革。

① 陈晓：《广州港港口体制改革之我见》，载《综合运输》2002年4月，第39页。

1. 经营管理体制改革。

1994年之前，广州港主要实行的是厂长经理负责制。以厂长经理负责制为核心，港务局实行了政企分开、简政放权及企业承包经营责任制等各项改革。1996年前，广州港务局内部的基层单位是企业独立法人，单独缴税。根据局下达的生产任务和财务指标组织生产，在完成局下达的财务指标后，余留资金在局监督下自行使用。为适应市场经济的发展，1996年4月，局颁布《广州港务局深化内部管理体制改革，向集团化经营过渡实施方案》，确定了全局核心层单位30个，其中生产经营性单位15个，非生产经营性单位7个，紧密层单位8个，同时取消了大部分基层单位法人资格。实施集团化经营后，为调动基层单位的积极性，加强对外联营和拓展多种经营业务，在设计集团模式时，设立了二级投资主体，使基层单位仍有一定的法人权限。经营管理改革加强了企业内部管理能力，理顺了对外融资、信贷、资金调拨等利益关系，消除了企业内部各自为政、管理不严、消极竞争、资源分散的弊端，促进了广州港生产和建设的发展。广州港务局经营管理体制的改革，为广州港的发展提供了新的动力。

2. 经营模式改革。

广州港打破我国原有大型港口企业独资经营的模式，采取多种经营和合资经营相结合的方式。1993年，广州港制定《关于坚持一业为主，多种经营，加快我局多功能发展的意见》。该意见出台后至1995年，港口多种经营集体企业发展至149家，经营范围涉及船代、货代、汽车运输、机械安装、工程设计、建材、造船等多种项目。注册资金4000多万元，从业人员2000多人，营业收入和利润分别占港务局收入的22%和21%，成为广州港的主要经济支柱之一。广州港由单一的装卸运输向“一业为主，多种经营”的多功能方向转化。

1993年，港务局颁布《广州港利用外资和横向经济联合项目审批管理办法》规范管理。1999年，合资企业发展到19家，因合同期满或经营不善终止合营6家，2000年为13家。

表1　1991—2000年广州港务局经济效益统计表[①]

单位：万元

年份	营运收入	利润	交税金
1993	51093.83	11896.07	2775
1994	80002	12502.72	4103.58
1995	120979.82	10079.27	4473.89
1996	127615.32	471.46	4116.67
1997	11704.42	652.15	4100.91
1998	115055.97	1004.92	4742.93
1999	128944.59	2020.38	5134.35
2000	145399.83	2838.5	5532.64

3. 人事体制改革。

1995年10月，广州港务局取消以前国有企业职工终身制，按照国有企业合同用工制度进行改革部署，实施全民所有制职工转合同制职工的方案，“全局签合同的人数达17446人，占应签合同人数的99.7%”[①]。曾经的“铁饭碗”被认为是国营企业的传统优越性所在，也是其内部机制僵化累赘的症结。合同用工制度的出台，打破了企业职工的“铁饭碗”，解除了企业和工人的“终身劳动契约”，企业可以辞退职工，职工根据效益领取工资，大大调动了职工的积极性。

4. 激励机制建立。

1990年开始，交通部不再分配港口货源计划，港口货源由市场调节，形成新的货源调配制度。1995年后，随着新沙港区一期工程10个3.5万吨级泊位陆续投入使用，货物需求量增大，加上周边深圳、蛇口、中山等港口相继建成投产，造成货源分流，导致广州港货源不足，生产发展速度放慢。1996年起，广州港加强货源组织，建立起领导与干部职工、机关业务部门与基层业务部门、专职组货人员与兼职组货人员相结合的组货机制。

① 广州市黄埔区地方志编撰委员会：《广州黄埔区志》，广东人民出版社1999年版，第十篇第一章第三节，载中国地情网，网址：http：//www.gd-info.gov.cn/books/dtree/showbook.jsp?stype=v&paths=17779&siteid=hpq&sitename=黄埔区地情网.

从1996年开始，煤炭、石油、粮食、矿石、化肥、糖等六大货类以广州港务局机关业务部门组货为主，其他货类由基层自行组货。为落实组货，1998年在局和属下生产单位业务人员中实行组货目标责任制，成立主要货类专责小组，建立激励机制和实行奖励。同时，根据港口运输市场变化及时调整港口包干费和进口货物运输价格。这些措施不仅稳定了老货源，而且开辟了新货源。1996—2000年，煤炭、石油、粮食、矿石、化肥、糖等六大货类年货源平均分别保持在2409.5万吨、2588.4万吨、551.2万吨、349.9万吨、180.5万吨、158.6万吨。①

新时期、新发展，广州港务局善抓机遇、及时调整，一方面深化内部管理体制和经营运行机制改革，理顺关系；另一方面在港口结构和布局方面实施快速调整，加快出海巷道和深水专业码头的建设，提高了货运装卸能力。20世纪90年代的体制改革，促进了广州港的港口建设发展。这时期广州港港口建设主要以新沙一期、出海航道一期浚深、淡水河危险品码头以及液化气码头等工程为重点。在这些工程中，新沙一期工程作为国家的重点工程，设计年通过能力1060万吨，总投资21.11亿元。它于2000年5月通过国家正式验收，它的投入使用为广州港的通过能力新增了1060万吨。

表2　1991—2000年广州港务局完成固定资产投资统计表②

单位：万元

年份	1991	1992	1993	1994	1995	1996	1997	1998	1999	2000
投资	20566	28965	28606	54464	33617	35596	25476	31776	46102	40897
原值	102971.6	110801.6	121528.4	136869.6	222035.7	360202.3	365865.7	377761.2	387794	427077.8
净值	78640.8	81823.9	88081	95498.5	171428.7	282764.8	272596.1	268692.4	263875	292221

① 广州市地方志编纂委员会：《广州市志（1991—2000）》，广州出版社2010年版。http：//www.gzsdfz.org.cn/dfz/index.jsp？pdfname=%E7%AC%AC%E4%BA%8C%E5%86%8C%EF%BC%88%E5%85%A8%E6%96%87%EF%BC%89

② 广州市黄埔区地方志编撰委员会：《广州黄埔区志》，广东人民出版社1999年版，第十篇第一章第三节，载中国地情网，网址：http：//www.gd-info.gov.cn/books/dtree/showbook.jsp?stype=v&paths=17779&siteid=hpq&sitename=黄埔区地情网.

（二）广州城市南拓发展南沙港促广州港建设跨越式推进发展

20世纪90年代中期，经济全球化、区域一体化以及改革开放新格局给广州经济发展带来新的机遇与挑战。在此背景下，广州经济在进入“九五”时期后增长速度明显放缓。[①]广州受到体制转轨的制约因素影响，与所管辖的番禺等4个县级市关系没有理顺，例如港口，位于广州的黄埔是内河港，而位于番禺的南沙港口深水岸线比其优越得多，广州如不及时将门户港口迁至南沙，将势必影响发展。为此，2000年，广州开始城市总体发展战略规划工作，明确提出“西联、东进、南拓、北优”的城市发展战略规划。按照这个规划，2000年花都和番禺两个县级市撤市建区，广州版图扩充到海边，使广州真正成为沿海城市。从2002年起，广州加快向现代化大都市迈进的步伐，有计划地拉开了城市布局的序幕，其中南部发展以南沙港为中心的港口工业和造船业。[②]

从2000年开始，广州港务局配合中共广州市委、市政府实施的“南拓”战略，启动了南沙港区工程建设。南沙港区工程的建设和南沙港的投入使用，实现了广州港由内河港向深水海港的飞跃，突破了广州港发展面临的瓶颈，并使广州港的布局得到优化。今日广州港分为广州内港区、黄埔港区、新沙港区和南沙港区。南沙港区的建设使广州港“城以港兴，港为城用”的作用日益凸显，且从根本上提升了广州和广州港在我国外向型经济发展中的战略地位，带动了广东省乃至华南地区的经济发展。

1. “政企合一”的困局。

南沙港的建设，使得企业自身发展的问题进一步凸显。2001年11月，按照《关于深化中央直属和双重领导港口管理体制改革意见的通知》精神，国务院对中央直属和双重领导港口管理体制启动有史以来最大的一次改革，广州港于第二年的12月整体下放到广州市，但没有实行政企分开，因此使得广州港的发展面临了一些问题：

一是“政企合一”的双重身份。广州港务局是广州市人民政府的直

① 廖惠霞、欧阳湘：《广州改革开放历程》，广东经济出版社2008年版，第273页。

② 同①，第380页。

属机构，行使港口的行政管理职能。但是广州港区域跨越五市，其行政管理上存在不协调的地方。同时，广州港务局又是一个企业法人。这种既当“裁判”又当“运动员”的双重身份，不利于公正履行行政管理职能和促进公平竞争。二是以广州市政府领导为主、交通部领导为辅的“双重领导港口”体制。由于国有资产的绝大部分是中央政府投资形成的，因此广州港由交通部代表中央政府进行管理。广州市政府负责任命其领导班子成员及制定发展战略规划。尽管如此，由于地方政府未介入实质性的管理，其积极性能否持续令人存疑。三是财政管理上的“以港养港”办法。沿用“以国家审定的计划为依据，实行以收抵支，财政包干。收大于支的，核定上交份额；支大于收的，由国家补充一部分基建投资；收支平衡的，不交不补”，这种管理办法不利于企业投资建设发展。同时，由于“双重领导港口”的建设项目由交通部代表中央政府直接管理，而地方港口与货物码头建设项目则按建设规模实行分级管理，客观上造成码头建设总体失控。四是港口规模大而主业不精，劳动生产率不高，企业包袱沉重。企业合同制职工多，离退休人员多，各类部门基本参照政府机构设置，齐全而庞大，管理费用占经营总收入的比重相当大。此外，企业承担社会的职能，办有医院、学校等，负担沉重。①

如何解决企业发展困境？广州港顺应时代发展，勇于解放思想，坚持改革、发展、创新，实施政企分开改革，推动国有企业分离办社会职能，实现集团化管理。

2. 实施政企分开改革，推动广州港集团治理结构完善。

2004年2月26日，广州港务局根据中央、广东省关于深化港口管理体制改革的精神，按照广州市人民政府《印发广州港务管理局组建方案和广州港集团有限公司组建方案的通知》（穗府〔2003〕59号）要求，对广州港管理体制进行自中华人民共和国成立以来最为重大的一次改革。这次改革，按照“政企分开，一港一政”的原则，分别成立新的广州港务局和广州港集团有限公司。广州港务管理局依据“一港一政”“港航合一”的原

① 胡荣海：《广州港体制改革模式探讨》，载《中国水运》2001年第4期，第9页。

则，履行原广州港务局港政管理职能、原航务管理局航政管理职能，受广州市人民政府委托行使对港政、水路运输行业和广州港航道的管理权利。

履行企业职能的广州港集团有限公司，则按照现代企业制度的要求进行改制，成立具有法人资格、并由广州市人民政府授权经营广州港国有资产的有限责任公司。广州港集团有限公司按照现代企业制度设立董事会、监事会，法人治理架构。主要职责是受广州市政府授权经营广州港的国有资产，依法从事港口装卸、仓储等港口生产经营业务。

据此，广州港务管理局和广州港集团有限公司的成立，标志着广州港管理体制进入一个新的历史发展期，实现“一港一政”，明确职能，理顺关系，加强港口行政事务的统一管理，建立连接高效、运转协调、行为规范的港航行政管理体系，促进港口企业建立现代企业制度。广州港集团有限公司推动集团化经营，寻找新的经济增长点，大力发展集装箱业务，引入外资合作，促进国际航线、航班的开辟，巩固了货源，增强了广州港的活力和竞争力。

3. 推动主辅分离，实行辅业改制。

广州港集团有限公司根据中央《关于进一步推进国有企业分离办社会职能工作的意见》精神，加快“主辅分离、辅业改制”改革的步伐，按照“成熟一个、操作一个”的原则，先后对一些社会职能进行逐步分离。根据《广州港务管理局组建方案》，原广州港务局办学校属地移交黄埔区管理，由广州港集团有限公司与市教育局、市财政局、黄埔区政府制订具体移交方案。学校移交后3年过渡期内按照市政府《关于同意市属国有企业办中小学管理体制改革实施方案问题的批复》（穗府函〔2000〕11号）的精神对黄埔区给予补助。

“2006年完成港湾医院移交广州医学院管理工作；2007年完成集团所属两所幼儿园改革工作等。”①广州港集团对社会职能的剥离，是深化内部体制改革、实现资源优化配置的需要，是广州港主业做精、做强的举措，这对于广州港产业结构的调整优化无疑是有利的。广州港经过“政企

① 中华人民共和国交通运输部《中国交通运输改革开放30年》丛书编委会：《中国交通运输改革开放30年——综合卷》，人民交通出版社2008年版，第144页。

分开”后，原来由“政企合一”身份所带来的问题逐一得到解决，使得广州港真正成为市场自由人，能轻松、自主参与市场竞争。

2004年是广州港体制改革的第一年，改制后的2005年，广州港的货物吞吐量由2004年的2.15亿吨攀升到2.5亿吨。2007年，“完成港口货物吞吐量3.43亿吨，同比增长13.4%，连续3年港口货物吞吐量保持全国沿海港口第三，世界第五；集装箱吞吐量再次实现大跨越，突破900万TEU[①]大关，累计完成集装箱吞吐量926万TEU，同比增长39.1%，增长速度领先全国其他主要港口，连续3年保持全国沿海港口排名第五位、世界排名跃居第十二位”[②]。

三、广州港对华南地区发展的贡献及推动作用

改革开放以来，随着华南地区特别是广东省经济的腾飞，也随着广州港在历次改革中不断发展壮大，广州港已从传统的运输枢纽港转变为国家综合运输体系的重要枢纽，成为带动珠三角地区乃至华南地区经济发展的重要推力。

（一）助推珠三角地区经济发展

改革开放以来，以珠三角地区为中心的广东成为我国对外开放的前沿阵地，经济得到快速发展，而其中广州港的作用功不可没。广州港的发展，推动了以外向型经济为基础的珠三角地区商贸、临港工业以及相关产业的发展，还保障了能源、原材料等大宗货物的运输，提升了以广州为核心的珠三角经济区的对外辐射力和竞争力。[③]

---

① TEU是英文Twenty-foot Equivalent Unit的缩写。是以长度为20英尺的集装箱为国际计量单位，也称国际标准箱单位。通常用来表示船舶装载集装箱的能力，也是集装箱和港口吞吐量的重要统计、换算单位。

② 《华南最大的国际贸易港——广州港》，广州港集团有限公司内部资料，第4-5页。

③ 广州黄埔区地方志编撰委员会：《广州黄埔区志》，广东人民出版社1999年版，第十篇第一章第三节，载中国地情网，网址：http：//www.gd-info.gov.cn/books/dtree/showbook.jsp?stype=v&paths=17779&siteid=hpq&sitename=黄埔区地情网.

表3　1994年十类物资的铁路、公路、水路运输情况[①]

单位：万吨

物资	铁路运输	公路运输	水路运输	合计	水运占总量比/%
煤炭及制品	429.10	20.42	2131.63	2581.15	82.58
石油及制品	128.80	0.06	2143.30	2272.16	94.33
金属矿石	134.60	3.44	856.78	994.82	86.12
钢铁	381.80	42.03	232.62	656.45	35.4
矿建材料	368.00	10.82	495.07	873.89	56.75
水泥	232.50	4.30	132.70	369.50	35.90
木材	57.50	5.01	44.80	107.31	41.75
非金属矿石	123.40	20.44	231.89	375.73	61.72
化肥及农药	88.40	0.45	119.88	208.73	57.43
粮食	277.90	0.37	462.02	740.29	62.41

从表3可以看出，华南地区能源运输的一半以上都是通过广州港中转或装卸的。广州港作为华南地区最大的港口，优越的地理位置使它在能源运输和装卸等方面比公路和铁路都具有优势，从而说明广州港对促进该区域经济发展的作用不可替代。

（二）促进珠三角地区经济社会对外开放

港口作为区域开放的门户，对于区域经济参与国际经济大循环起着举足轻重的作用。广州港作为华南地区第一大港，在国内外具有巨大的影响力，它与世界其他大港，如加拿大温哥华港、美国圣地亚哥港、瑞典哥德堡港等多个世界著名港口，都缔结为友好港口。港口之间的交流与合作，对促进广州及珠三角地区对外开放和经济发展有着积极的意义，如广州港港口货物吞吐量逐年递增。大量货物通过广州港实现了进出口，由此扩大了珠三角等区域所需的国外原材料和商品进口，满足了地区的经济社会发展需求。与此同时，又有大量产品通过广州港出口国际市场，这样“一

① 温欣明：《浅论广州国际大都市建设与广州港的发展》，载广州港科学技术协会、广州港务局科技处：《广州港务局科技论文选集》第一辑，1996年12月，第95页。

来一往”，既扩大了珠三角地区的影响力，也促进了区域的外贸发展。可见，广州港对珠三角地区发展的重要性。

（三）促进珠三角地区产业结构的调整

鉴于广州港在华南地区的影响力，珠三角地区产业结构的调整，无不依托广州港才能实现突破。

珠三角地区作为我国对外开放最早的区域之一，自改革开放以来产业结构发生了较大变化，在此以广州为例加以说明。首先，从三次产业的结构比例变化来看。1979年广州的第一、二、三产业结构比为10.57∶55.33∶34.10[①]，到2008年则变为2.04∶38.94∶59.02。两相对比可以发现，第一、二产业结构下降比较明显，但其总量在增大。2008年第二产业地区生产总值为3198.96亿元，总量是1979年的100多倍。第二产业中的工业实现跨越式发展，从“十五”计划以来，明显地呈现出由轻型化向重型化发展的趋势。2008年第三产业地区总产值为4849.14亿元，是自1979年以来产业结构比例中唯一增加的产业，总量是1979年的240多倍。其次，从三次产业内部的结构比例变化来看。如第二产业，技术水平不断提高，2008年实现工业高新技术产品总值3981.30亿元，在工业总产值中占比超过30%。第三产业内部也发生了变化，物流、旅游等以港口为依托的现代服务业成长较快。由此可知，广州港的发展对推动珠三角地区产业结构的优化升级作用明显。[②]

（四）推进珠三角地区现代工业的集聚和发展

“八五”时期的1991—1995年里，广州通过加快对黄埔港区的建设和改造，相继建成了10个万吨级码头，集装箱专用码头，粮食、煤炭等专业泊位。这些集装箱和专业泊位的投入使用，使得广州港成为当时全国三大集装箱枢纽港之一，华南地区煤炭、粮食、化肥和杂货集散中心，从而为

① 《广州统计年鉴》。

② 《广州市2008年国民经济和社会发展统计公报》，载中国广州政府网，网址：http：//www.gzfinance.gov.cn/gzgov/s2885/200903/188642.shtml，2009年3月31日。

以广州为中心的珠三角地区的建立和发展现代化工业提供了前提条件和运输保障。广州经济技术开发区能成为广州吸引和集聚现代工业、现代服务业，利用外资和出口创汇重要区域，与广州港的推动密不可分。天河科技园、南沙资讯科技园等能推动珠三角地区现代工业和服务业的发展，很大程度上是因为拥有广州港这一巨大的运输资源。

进入21世纪后，伴随着南沙港区的建设，南沙区现代制造业的发展步入快车道。南沙区现已初步形成北部的汽车和装备工业、中部的高新技术产业、南部港口的物流和临港工业的临港格局。2006年，南沙经济技术开发区凭借广州港这一重要的运输条件，生产总值达到210亿元，比2005年增长47.3%；外贸进出口总值达到39.4亿美元，比上年增长41.7%，其中出口17.2亿美元，比上年增长34.4%。[①]通过这些数据可以看出，广州港对其直接经济腹地珠三角地区的经济发展起到了巨大促进作用，为该区域的工业和服务业走向现代化提供了强有力的运输保障。

四、广州港改革发展的成功经验及启示

广州市与广州港都拥有悠久的历史，二者是"城以港兴、港为城用"的共生共荣关系。一方面，广州城市的发展依托广州港以及港口贸易的发展，其空间形态演变、经济和文化氛围随着广州港的发展而不断繁荣。另一方面，广州城市的发展又推动了广州港的设施建设和航运功能的完善，逐步提高广州港对外贸易、互联互通的经济效益。

（一）有效发挥港口发展对城市发展的促进作用

港口发展对城市空间形态演变、城市经济发展起促进作用，表现在两方面：一是从量的方面讲，港口的发展可以直接或间接地促进毗邻城市经济总量的增长，有效地扩大其经济规模；二是从质的方面讲，港口的发展

① 《2005年广州市南沙区国民经济和社会发展统计年鉴》《2006年广州市南沙区国民经济和社会发展统计年鉴》，载中国广州南沙政府网站，网址：http：//www.gzns.gov.cn/zwxxgk/tjxx/201701/t20170119_338791.html。

可以促进城市经济空间布局的优化，推动产业结构的优化升级。以广州市为例，港口作为第三产业中交通运输行业的重要组成部分，产生国民收入并创造就业机会，为国家、地方税收增加财富。2000年广州港务局完成固定资产投资40897万元，利润2838.5万元。广州港在城市区域经济发展中起到连接水路运输、客货集散的作用，发挥重要的运输功能，从而间接地为地方经济建设做出贡献。重要生产原料水路运输所占比重超过50%。改革开放后，对外开放政策的实施大大促进了广州城市的规划与建设，广州工业加速向新区和郊县扩散迁移，同时广州港外港区大规模扩张深水港设施，促进了广州城市快速发展的步伐。

改革开放后，伴随着广州港外港区大规模扩建深水港设施，广州市的工业布局也加速向新区（如高新技术开发区和南沙新区）和郊县扩散迁移，从而也带动广州城市规划与建设，使广州步入城市快速发展阶段。1984年以后，广州市总体规划方案在空间结构上基本是向东延伸、向南拓展，通过组建黄埔开发区、广州经济技术开发区和南沙经济区，实现与广州港区、黄埔港区和南沙港区的对接，既促进了城市功能区的合理布局，也发挥了产业集聚的效应。

此外，城市滨水区景观的变化与港口码头设施建设也密切相关。海港技术与运输方面的变化使得货物处理方式更新，空间上对陆上用地需求增大，码头需要重新布局，完善港口区位布置，改善与陆上交通网络的联系；经济上货物吞吐量增大导致装备由劳动密集型向资本密集型转变，港口劳动力减少，对滨水地带、船舶、海员的服务需求减少；生态环境上对休憩、娱乐设施的需求增加，需要保证公众能接近滨水区，改善景观美感。广州市滨水区土地利用方式和功能的改变，在很大程度上改变了珠江沿岸城市的景观格局，这说明港口码头设施布局的变化导致了城市景观的变化。

（二）有效发挥港口城市经济对港口发展的辐射作用

以广州市为核心的珠三角城市群的经济发展在一定程度上决定了广州港发展的速度和水平。以广州市为例，改革开放后，广州市作为华南重镇，其战略定位为广东和华南的经济中心、外贸中心、旅游中心和科技中心。广东省作为我国改革开放的排头兵，其外贸经济占有重要地位。由此，在20世纪80年代末，广州市确立了以外经外贸为导向，以工农业为基础，以科技进步为依靠，以轻纺工业和第三产业为重点，把广州建设成为具有强大的内外辐射能力、高度文明、多功能的社会主义现代化城市的发展战略。

广州市发展外向型经济的经济发展战略推动了广州港重心顺珠江水道外移近海。在这样的发展战略指导下，港口获得迅速发展，港口设施快速建成。新港港区、黄埔港区和南沙港区先后掀起深水港口设施建设高潮。至2016年，广州港拥有各类码头泊位792个，其中万吨级以上泊位59个，年吞吐量超过4亿吨。经过长期经营与建设，广州港不仅地区生产总值剧增，作为第三产业重要行业的港口运输业也持续增长。广州港现已发展成由内港港区、黄埔港区、新沙港区和南沙港区组成，跻身全球亿吨行列的世界大港。

从1978年起至今，广州港历经几次改革，每次改革都让广州港在困境中奋起，在奋起中不断发展壮大。经过几十年的发展，广州港已从中华人民共和国成立初期落后的港口发展成为如今国际化、现代化、专业化、多元化的大港。从广州港在改革开放历程中的发展来看，港口作为城市生产力配置的重要资源，其特殊地位和所具有的辐射功能对促进区域经济发展，特别是港口腹地经济发展的作用是不言而喻的。当然，区域经济增长和现代化建设也为港口不断扩张和持久繁荣提供了物质保证，“城以港兴，港倚城旺”便是它们相互依存关系的写照。当前我国的航运事业正值蓬勃发展时期，希冀在新的历史起点上，广州港在“世界大港，服务世界”的理念下，充分发挥自身优势，克服劣势，勇于迎接挑战，抓住跨越式发展机遇，可以预见，广州港在科学的轨道上能实现又好又快的发展。

2 特色行业及品牌的繁荣

产业的发展是推动城市经济社会发展的重要动力。改革开放以来，广州市按照“稳定提高第一产业，调整优化第二产业，大力发展第三产业”的思路，不断推动产业的协调发展，产业体系建设取得显著成效，形成了一批在全国享有广泛知名度的特色行业和品牌企业。

广州汽车产业从薄弱到集群化格局的初步形成

■ 王 刚

汽车产业具有产业链长、关联度高、就业面广、带动作用强的特点，是推动国民经济和社会发展的重要动力。就城市发展而言，汽车产业的发展是衡量一个城市工业化水平和现代化水平的重要标志，对于提升城市经济实力具有重要意义。改革开放以前，广州汽车产业基础比较薄弱。改革开放后，中共广州市委、市政府着力培育发展汽车产业，以轿车为重点，在与外资合作的广州标致由盛转衰后，成功重组广州轿车项目，引进本田，奠定了广州汽车产业发展的坚实基础。至2004年，又先后引进东风乘用车和丰田，一大批零部件及关联企业也相继成立，广州构筑起具有鲜明特色的汽车产业集群①，成为全国三大轿车生产基地之一，汽车产业成为广州一张响亮的“名片”。

一、广州汽车产业的早期发展

中华人民共和国成立前，广州汽车行业局限于修理汽车和制造简单的

① 产业集群是指在特定领域中，在地理上集中且有相互联系性的企业、专业化供应商、服务商、相关产业的厂商以及相关的机构所构成的群体。产业集群可以通过地域的邻近性来提高分工效率，降低因频繁交易和远距离运输而产生的过高成本。产业集群有利于提高专业化程度；有利于聚集人才和加速创新；有利于促进产业链的延伸，提高产业的波及效应和规模效应，增强竞争力，形成地域品牌。世界上绝大多数国家汽车产业都是通过产业集群的方式来加快发展的，如美国的底特律、德国的斯图加特、日本的丰田等。

配件，市内行驶的汽车主要依赖于从美国、英国、日本、德国等国进口。中华人民共和国成立后，广州才逐步发展自己的汽车制造工业。

（一）客车制造

1955年，广州客车厂开始用进口汽车底盘装配木铁结构的华南牌客车。1963年，首批用国产底盘的全金属骨架结构的越秀牌大客车在广州客车厂装配成功，并投入批量生产，从此广州结束了公共汽车长期使用进口客车的历史。从1973年起，广州地区客车制造业以国产解放牌、东风牌和黄河牌汽车底盘为基础，以中档普及型车型为主，开始批量开发和生产各种大型客车和长途客车。但由于国内客车生产企业较多，竞争比较激烈，广州地区生产的客车销售量不大，客车厂只能勉强维持基本运营。

（二）货车制造

1966年9月，同生机器厂（1968年12月更名为广州汽车制造厂）成功试制红卫牌3.5吨载货汽车，1969年开始投入小批量生产。1980年，由于从国外进口的货车数量逐步增加，红卫牌载货汽车因竞争力不足而停产。此间，广东省第一汽车制配厂生产的南粤牌4吨载货汽车，在生产了285辆后，也因为同样的原因而停产。同期建立的羊城汽车厂生产的1.5吨、2吨轻型载货汽车，由于注意适应市场需求，不断调整产品结构，改进车型，重视质量，继续获得一定发展。

（三）汽车配件制造

为推进汽车配件制造业的发展，1965年广州市成立了汽车配件工业公司，下辖12个厂社，职工近 3000人，专门生产汽车配件。1969年，广州市汽车配件工业公司改为广州汽车配件厂，此后，随着企业生产设备的不断增加，除个别工序外，基本上实现了半机械化生产，产品质量不断稳定和提高。1972年，以广州汽车配件厂为基础，组成广州市汽车工业公司，经过技术改造并不断优化产品结构，产品档次和技术水平都有较大提高，主要产品有起动机、发电机、万向节、汽车灯具等①。

至改革开放初期，广州在客车、货车、汽车配件制造等方面积累了一些经验，具备了一定规模，培养了一批人才，为广州汽车产业的进一步发展奠定了基础。但在产品结构上，轿车产品处于空白状态；另外，就全国范围内来看，广州汽车产业技术水平不高，规模不大，基础较为薄弱。

二、广州汽车产业的成长发展

改革开放后，广州汽车产业进入成长发展阶段，除了继续推进客车、货车、汽车配件制造等方面的发展以外，以轿车为重点，着重发展轿车制造项目。20世纪80年代，广州汽车制造厂与法国标致汽车公司等合作成立广州标致汽车公司，生产合资汽车，在全国较早迈出了建立合资汽车企业的步伐。广州标致汽车公司成立后，一度发展态势良好，但随后逐渐陷入低谷，直至严重资不抵债。在努力挽救无效后，广州市政府决定更换合作伙伴，法国标致汽车公司等股东退出，广州标致项目失败。

（一）广州标致的成立

改革开放后，随着人们生活水平的提高，汽车的市场需求越来越大。20世纪80年代初，鉴于中国轿车市场存在巨大潜力，广州市着意于引进外资合作发展轿车项目，先后与丰田、通用、福特、日产、克莱斯勒、现代、起亚等20多家外国汽车公司进行接触，并提出两点基本合作条件：第一是必须合资，不能只局限于技术引进；第二是至少三分之一的产品由合资方负责销往国外，从而使合资企业达到外汇平衡。但大部分外国公司对于与广州合作发展汽车项目信心不足，只是想把自己已经过时的车型的技术转让给广州，从广州赚取技术转让费，不愿意负责三分之一产品的外销任务。经过多次谈判，法国标致汽车公司与广州汽车制造厂达成了协议。

1985年3月15日，广州汽车制造厂与法国标致汽车公司、中国国际信

① 广州市地方志编纂委员会：《广州市志·卷五（下）》，广州出版社2000年版，第17-24页。

托投资公司、法国国家巴黎银行在花园酒店隆重举行签字仪式，合资组建广州标致汽车公司。1985年7月，华南最大的汽车合资企业——广州标致汽车公司正式成立，这是中国汽车工业的第三个中外合资项目（前两个项目分别是1984年1月成立的北京吉普、1985年3月成立的上海大众）。广州汽车制造厂、法国标致汽车公司、中国国际信托投资公司、国际金融公司、法国国家巴黎银行五方股东的股比分别是46%、22%、20%、8%和4%。广州标致的地址设在广州黄埔横沙，合同期为20年，总投资预计为60757.38万法国法郎，注册资本为2400万法国法郎。生产规模在第一期工程期间为年产1.5万辆504PU轻型货车，其中返销0.5万辆。

（二）广州标致由盛转衰

广州标致汽车公司的首台产品于1985年9月28日问世。1986年10月10日，广州标致505SW（8座）旅行车正式投产，由于该车型性能良好，当年生产的900多辆车销售一空。至1987年底，广州标致汽车公司共组装504系列汽车1000余辆，505系列汽车3000余辆，合计4000余辆。1988年11月，广州标致被定为我国“三大三小”（“三大”是指一汽、东风、上汽3大轿车基地；“三小”是指北京吉普、天津夏利、广州标致三个小型轿车基地）轿车生产总体布局中的一员。

1989年9月11日，广州标致投产了505SX（5座）轿车。该车加速性能良好，内饰美观，座位舒适，跑高速公路时稳定性较好，一度在国内市场供不应求。在当时，一汽奥迪的产量很小，上海桑塔纳的生产规模也不大，夏利、捷达和富康还未问世，全国的轿车产量都不高。所以，广州标致汽车的投产，特别是505轿车的问世，不仅在广东，就是在全国也产生了很大的影响。广州标致505轿车一出现就成了市场争抢的“香饽饽”，其知名度不亚于奔驰、宝马，有的单位一订货就要两三百台。1990年4月27日，国家计委《关于广州标致公司第二期技术改造工程可行性研究报告的批复》批准了广州标致第二期工程，同意在第一期1.5万辆轻卡的基础上，增加1.5万辆轿车产量，产品为505SX轿车（5座）和505SW旅行车（8座），一、二期总纲领年产3万辆。到1991年，广州标致在国内轿车市场的占有率达到16%[①]，市场前景颇受看好。1992年，广州标致产量达20404辆；按照1992年的利税总额排序，广州标致居全国100家最大交通运输设备制造业第9位；在1992年中国500家最大工业企业之中，广州标致排名第58位[②]。1993年2月2日，以广州标致为主体的骏威投资有限公司在香港成功上市，一次性融资超过4亿港元，表明了市场对广州标致的看好，广州标致成为全国较早进入资本市场的汽车企业之一。

广州标致汽车公司装配线一角

1993年6月下旬，由于经济过热，中共中央、国务院下发《关于当前经济情况和加强宏观调控的意见》，提出了加强和改善宏观调控的16条措施。国家采取收紧银根、控制投资的宏观经济政策，使国民经济发展放缓，汽车消费需求下降，已经过热的汽车市场由旺转淡，国内轿车市场逐渐疲软。加上当时进口汽车数量增长及走私汽车的冲击，上海桑塔纳、一汽奥迪、天津夏利、北京吉普等产品都相继出现积压，而基础薄弱的广州标致情况尤其突出。1993年，广州标致生产汽车20800辆左右，

① 中国汽车工业协会、中国汽车工业咨询委员会：《中国汽车工业史（1991—2010）》，机械工业出版社2014年版，第52页。

② 朱艳兰：《广州标致案例研究》，华南理工大学硕士学位论文，2000年，第11页。

是广州标致历史上产量最高的一年，但只销售了12000辆左右，到年底积压了8000多辆[①]。

1994年3月，国务院发布《汽车工业产业政策》，要求合资汽车厂提高国产化率，同时对进口汽车及零部件征收高额关税。这使得大量依靠进口零部件的广州标致被课以高额关税，成本难以下降，再加上广州标致的产品质量、销售体系、内部管理等一系列问题逐渐凸显，广州标致开始走下坡路，车辆持续大量积压，资金周转困难。为了降低库存积压，1994年，广州标致只生产8000辆左右汽车，销售量也只有8000辆左右，总的库存仍没有降下来。1995年，生产8000多辆，而销售只有7000多辆。1996年，生产4898辆，销售3132辆，市场占有率仅0.7%[②]。产量上不去，使得生产成本居高不下，销售价格难以下降，进而造成销售更加困难，产量越来越小，最终形成恶性循环，"高成本、低销量"成为该公司的突出问题。1994年，广州标致开始出现亏损，亏损额达6800万元；1995年亏损加剧，多达3.2亿元，此后每况愈下[③]。到1997年法国标致最后退出的时候，广州标致负债29.6亿元，严重资不抵债。

（三）更换轿车项目合作伙伴

为了扭转广州标致的被动局面，广州方面强化了管理及销售措施，同时计划推进实施第三期工程，准备引进法国标致的405新车型，扩大生产规模至年产15万辆轿车。但是，由于广州标致产量少、车型老、质量不稳定、维修服务差、配件贵及法国标致的合作态度不积极等诸多原因，未能取得明显成效。就在广州标致每况愈下之际，与广州标致几乎同时起步的国内其他汽车企业却发展迅猛。上海大众的桑塔纳从3万辆起步，至1996年已经达到20万辆的产销规模，占据了中国轿车市场60%—70%的份额；同为"三小"之一的天津夏利，1992年形成3万辆的规模，1996年达到15万辆规模[④]。广州标致的亏损，让国家汽车行业主管部门产生了广州是否有能

① 姚斌华、韩建清：《见证广州汽车十年》，广东人民出版社2008年版，第11页。
② 朱艳兰：《广州标致案例研究》，华南理工大学硕士学位论文，2000年，第13页。
③ 同①，第12页。
④ 同①，第20页。

力发展汽车工业的疑虑，省、市也有部分领导和群众对此有看法。

虽然广州标致合资项目的失败使得广州汽车工业暂时跌入低谷，但作为我国轿车“三大三小”成员的机会来之不易，如果不解决广州标致失败的问题，广州将失去发展汽车工业的市场机遇。在这一阶段，广东省内的惠州、湛江等城市也在积极争取汽车项目，如惠州的熊猫汽车及东风本田汽车零部件项目、湛江的三星汽车项目等。在力量分散的情况下，广东省委提出广东发展汽车工业要以广州为中心，统一了大家的思想认识，增强了广州重振汽车工业的信心。针对法国标致不愿增加投资，消极对待广州标致三期工程15万辆规模的建设，对广州标致所背债务又不承担风险，广州汽车工业很可能被拖垮的情况，1996年4月27日，中共广州市委书记高祀仁主持召开市委常委会议，同意市汽车办提出的《关于调整广州轿车工业发展战略的意见》。会议决定调整发展战略，更换外方合作伙伴，并成立轿车工业领导小组，负责领导更换合作伙伴的各项工作。根据市委的决议，广州方面采取了“三管齐下”的策略：一是抓紧与法国标致谈判，为了使广州标致免于破产，希望他们明智地把股份转让给广州，否则将给法国标致造成数亿元的损失，并对其声誉造成巨大负面影响；二是抓紧与国外各汽车厂家接触，选择一个理想的新合作伙伴；三是积极向国家主管部门汇报，希望更换合作伙伴的工作得到批准，消除行业主管部门认为广州没有能力搞好汽车工业的疑虑，保住广州轿车制造项目的“户口”。

1996年7月，高祀仁率团赴法国欧宝公司考察，实地调研其经济、技术实力和推荐的新车型，与欧宝展开谈判。同年9月，市长林树森赴北京汇报有关情况，争取到国家主管部门对广州轿车项目更换合作伙伴工作方案的初步同意。1996年底，根据工作需要，市政府调整领导工作分工，由副市长张广宁专门负责汽车工业。此后，广州一方面加速向国家、广东省和有关部门的汇报，争取上级支持；另一方面，紧锣密鼓开展“货比三家”的工作：继续深入与欧宝公司谈判，寻求更有利条件；加强与韩国现代公司接触，并于1997年3月由广州市副市长伍亮、张广宁率团赴现代公司考察；根据上级部门的指导意见，开始与日本本田、东风汽车公司接触，并逐步进入高层会谈。此外，1997年6月，根据国企改革的要求，为整合广州汽车工业资源，强化合作基础，以市机电局属下的骏达汽车企业集团、市交委属下的羊城汽车集团公司、市公用事业管理局属下的广客汽车集团公司、市汽车工业办公室属下的广州安迅投资公司等为基础，组建了广州汽车集团有限公司，为更换合作伙伴搭建经营机构方面的平台。

（四）广州标致退出市场

鉴于连续数年亏损以及在关系广州标致生死存亡的三期工程建设规模上中方与法方存在严重的分歧，经过艰苦的谈判，法国方面终于同意撤资。1998年2月22日，国家外经贸部批准法国标致汽车公司、中国国际信托投资公司、国际金融公司和法国国家巴黎银行等4家股东退出广州标致。法国标致汽车公司以1法国法郎的价格把其在广州标致22%的股权全部转让给广州方，中国国际信托投资公司、国际金融公司和法国国家巴黎银行的退出问题也同样得到解决，法国标致等4家股东正式退出广州标致。

其后，广州标致汽车公司更名为广州轿车有限公司（以下简称广轿公司），其股东股权重组为广州汽车集团有限公司占股20%、广州汽车集团公司占股46%、香港安迅实业有限公司占股34%。广轿公司全部继承广州标致的权益和义务，并继承所有的债务和债权，成为广州标致到广州本田、东风本田的桥梁和缓冲。广州本田公司和东风本田公司成立以后，两个新公司用11.1亿元向广轿公司购买广州标致原来的旧厂房、机械设备等固定资产，并给广轿公司5亿元用于偿还债务。广轿公司的29.6亿元债务，除了新公司解决16.1亿元以外，还有13.5亿元，除去本田公司支付8.3亿元的“入门费”，剩余债务5.2亿元，由广轿公司用积压的汽车等剩余资产变现偿还。

（五）广州标致失败的原因

广州标致的失败，原因是多方面的，既有法国标致的原因，也有广州标致自身方面的原因，主要有以下几点[①]：

1. 车型落后，没有及时改进。20世纪80年代，中国的轿车品种很少，处于卖方市场，产品供不应求，尽管标致505轿车存在外形不够美观、

① 胡象生：《跨越崎岖：从广州标致到广州本田》，广东省立中山图书馆藏内部资料，第61-67页。

质量不稳定、油耗较大等缺点，但凭借加速性能良好等优点，在中国仍然比较畅销。随着时间的推移，国内轿车品种不断增多，技术不断进步，不少车型比标致好，广州标致逐渐失去竞争力。比如，上海大众于1994—1995年推出了桑塔纳2000，在后续产品的考虑上，走在了广州标致前面。

2. 生产规模不大，是广州标致陷入困境的重要原因。同时期的上海桑塔纳虽然车型也落后，但其生产规模大，生产成本低，遇到滞销可以降价。而广州标致规模小，成本高，难以降价。从1985年起，广州汽车工业的总投入大约33亿元，其中广州标致汽车公司15亿元，配套企业18亿元。而上海桑塔纳整车厂和配套厂的总投入，截至1995年已达103亿元。投资力度不够，制约了广州标致生产规模的扩大。上海桑塔纳起步没有比广州早多少，而发展速度比广州快得多，投资力度大、生产规模大是一个很重要的原因。

3. 法国标致的战略失误。法国标致的眼光不够长远，比较注重一些短期利益，具体表现在：（1）只占22%的小股，不肯大投入，其股份主要用中方应给的技术转让费和法国设备入股。（2）总想控制企业，指望CKD[①]赚钱。在法方出任总经理期间，凡是进口设备，他们都坚持买法国的，尽管其他国家的设备质量好、价格低，总经理也不同意。（3）法国标致对第三期工程，既不否定，又不推进，谈了3年也没有签合同，这说明其既不想放弃中国市场，但又信心不足。

4. 国产化慢，配件贵。国产化慢，使得汽车配件较贵，进而影响了广州标致的销售。上海桑塔纳的国产化率1994年底就已经达到87%，生产规模又大，所以整车生产成本低，产品降价的空间大，销售有优势。而广州标致的国产化率1995年底才达到80%的验收要求，实际上还有很大的“水分”。广州标致国产化慢的原因，主要是法国标致为了通过CKD赚钱，在推进国产化方面不积极。当然，广州标致的配套企业投资力度小，技术水平低，也影响了国产化的进展。

5. 销售体制不合理。广州标致投产后，其产品的销售由骏达集团下

① CKD（Completely Knock Down）是贸易专用名词，指全散装件组装，进口或引进汽车时，汽车以完全拆散的状态进入，之后再把汽车的全部零部件组装成整车。

属的轻型汽车公司负责销售70%，广州标致汽车公司商业部负责销售30%，两家公司各自建立销售网点，没有统一的策略措施。在产品畅销时，争指标，争提车；在产品滞销时，就互相推诿，甚至竞相压价。

此外，售后服务水平低，维修网点少；管理跟不上，专业人才缺乏；争取广东省政府和有关部门的支持不够等也是广州标志失败的原因。

广州标致项目的失败，为广州汽车产业的发展留下了沉痛的教训，但"三大三小"的定点资格让广州汽车有了重新发展的"入门券"，也培养了一批现代轿车工业人才，为后来广州轿车项目的重组打下了一定基础。

三、广州汽车产业的多元发展

经过多方比较，广州选择与日本本田公司合作，成立了广州本田汽车有限公司。广州本田成立后，实现快速发展，进而带动了东风乘用车、广州丰田、广州五十铃客车等整车项目及零部件企业落户广州。至2004年，广州汽车产业不断壮大，集群格局初步形成，成为全国重要汽车基地。

（一）广州本田的崛起

经过反复考察和谈判，广州最终从欧宝汽车、现代汽车、本田汽车中挑选了本田作为广州轿车项目的外资新合作对象，由本田投入2亿美元用于处理广州标致债务和购买股权，在最新车型、商务条件以及技术转让费等方面给予优惠。同时，根据国家汽车行业主管部门的指导意见，引进东风汽车公司参与广州汽车项目。经过商谈，广州轿车项目变成"一个项目两个公司三个伙伴"，即广州与本田成立整车公司（双方各占股50%），东风与本田成立发动机公司（双方各占股50%）。1998年5月7日，广州本田汽车有限公司、东风本田发动机有限公司的合同、章程在花园酒店隆重举行签字仪式，标志着广州轿车项目更换合作伙伴的工作基本完成。1998年7月1日，广州本田汽车有限公司和东风本田发动机有限公司正式成立。广州轿车项目重组工作的完成，盘活了原广州标致汽车公司的资产，减少了各方股东的损失，稳定了广州轿车生产的定点地位，对重振广州汽车工业起到重要奠基作用。

1998年5月7日，广州本田汽车有限公司、东风本田发动机有限公司的合同、章程签字仪式在花园酒店举行

在借鉴广州标致经验教训的基础上，广州本田在引进车型、扩大生产规模、加强销售方面做了很多努力。（1）引进最新车型，起步就与世界同步。为了改变原标致车型落后的产品导入战略，广州本田直接导入了本田在全球同步的战略车型——雅阁，当年的雅阁轿车是在北美刚刚上市的最新98款。接着，广州本田先后导入了奥德赛、飞度、思迪等车型，这些都是与本田在全球同步发展的最先进车型。（2）采取“四位一体”的4S销售模式。所谓4S销售模式，即集整车销售（Sale）、零部件供应（Spare parts）、维修服务（Sevice）、信息反馈（System of information-feedback）四种功能于一体，均由特约销售店提供服务。该模式满足了顾客的多元化消费需求，深受顾客欢迎，非常成功地促进了广州本田汽车销售量的增长，为广州本田的发展做出了重要贡献。（3）注重产品质量的管理。在大力推进产品的国产化时，严格执行产品的技术标准和质量标准，不因为国产化而降低产品的技术水平和质量标准。经过严格的质量管理，广州本田产品质量非常可靠，经检测在本田的海外工厂中首屈一指。（4）采取滚动发展模式。区别于上海通用的大投入、大产出的汽车投资发展模式，广州本田从初始盈利起，便没有再向股东要钱追加投入。此后的广本，靠的是自己的盈利再投入。在工厂、车型、销售、售后、沟通、战略等各方面要素集成之后，广州本田开辟了一条从3万辆到5万辆，再到12万辆、24万辆的跨越式发展道路，不断进行

滚动式发展。（5）采用合资双方对等的管理制度。合资双方在董事会所占董事数按股比商定并派员组成。董事长由广州汽车集团公司出任，副董事长由日本本田出任，并设1名总经理和3名副总经理（其中1名为执行副总经理），负责企业的日常经营管理工作。总经理由本田提名，执行副总经理由广州提名，另2名副总经理分别由广州和本田提名。从总经理到部长、科长层面，所有事项必须双方签字才能生效。这种对等的管理制度，促进了合作双方的沟通和信赖，是企业快速发展的重要条件。

按照少投入、快产出、滚动发展的模式，广州本田迅速发展。在原广州标致的基础上，广州本田的员工艰苦努力，日夜奋战，仅仅9个月时间，就出色地完成了350多项改造工程，使改造后的工厂面貌焕然一新，与国内同行业相比，投资和时间都节省50%以上。1999年3月26日，广州本田第一台雅阁轿车正式下线；11月26日，雅阁轿车达到40%的国产化率并通过国家鉴定验收。当年生产出的1万辆汽车，凭借先进的技术、优越的性能和合适的定价，迅速在市场上热销，用户纷纷排队订购。该年度，广州本田汽车公司完成工业总产值24亿元，销售收入23.9亿元，上交税金9.9亿元，比原计划提前3.5年开始盈利①。2000年，广州本田汽车公司实现年产3万辆轿车的目标，实际产销轿车32228辆，轿车产值超过90亿元（含税），利税超40亿元，成为中国汽车行业第一家年产销2.0升以上中、高档轿车超3万辆的企业，也是第一家起步时生产能力得到百分之百发挥的企业②。从2000年起，广州本田边生产，边改造，滚动发展，产能从3万台到5万台，再到12万台、24万台，实现翻倍式的增长，从公司成立到形成24万辆产能，只花了6年时间；同时产量先后于2002年突破5万台，2003年突破10万台，2004年突破20万台，呈现几何级数的增长。

广州本田的快速发展，对广州汽车产业的重振及向前发展产生了重要促进作用：（1）提升了广州的汽车制造业地位。广州本田轿车产品达到国际先进水平，多项指标在全国同行业中排名居前，重新树立了广州汽车制造业在全国的地位，带动了广州乃至广东省、全国一批零部件企业及相

① 广州年鉴编纂委员会：《广州年鉴（2000）》，广州年鉴社2000年版，第122页。
② 广州年鉴编纂委员会：《广州年鉴（2001）》，广州年鉴社2001年版，第110页。

关企业的发展，对推动广州乃至广东汽车工业的发展起到重要促进作用。（2）发挥了积极示范作用。在广州本田发展良好的基础上，2002年，广州汽车集团与日本本田、东风汽车公司合作的本田（广州）轿车出口基地项目正式获国家批准。这是我国首个轿车产品全部出口的生产基地，是广州市汽车工业，也是中国汽车工业对外合作的重大突破。另外，广州本田产生的示范作用增强了广州市场对跨国汽车企业的吸引力，对日产和丰田的进入产生了促进作用。（3）促进了广州汽车制造业空间多元集聚发展。广州本田的进入，带动一批配套产品供应商在广州东部进行投资与生产，如与台湾全兴集团合资的广州骏兴汽车零部件有限公司、与日本东京座椅技术株式会社合资的广州提爱思内饰系统有限公司等先后成立，仅广州经济技术开发区就集聚了近40家汽车零部件生产企业，投资5亿美元以上①，形成了以广州本田为中心的东部汽车产业聚集区，开创了广州汽车产业集群发展的模式。

（二）广汽集团的优化重组

广州本田的成功使广汽集团的经济技术实力得到很大增强，但是除了广州本田盈利之外，客车、轻型车、零部件等企业，都处境困难，甚至亏损。如果不开展改革重组，对内部的企业结构进行优化，困难企业就有可能拖累集团的进一步发展，从而影响广州整个汽车行业的向前发展。从1999年开始，广汽集团以扭亏脱困为目的，以资产重组为核心，以结构调整为重点，以深化企业内部改革为动力，推动了集团改革重组的全面铺开和顺利进行。

一是组建广州汽车工业集团有限公司。2000年6月8日，广州汽车集团有限公司和广州五羊集团有限公司（下辖广州摩托车集团和永大集团）联合重组，成立广州汽车工业集团有限公司，成为集汽车与摩托车生产、科研开发、投资融资、营销贸易、商品进出口、房地产开发于一体的大型、多元化企业。广州汽车工业集团是广州市工业系统产业化调整重组的四大国有企业集团之一，重组后拥有全资和控股企业104家，资产总额近200亿

① 张房有：《产业集群与广州汽车工业》，载《汽车工业研究》2004年第1期，第24页。

元，成为广东省、广州市重点扶持发展的大型企业集团。二是重组客车业务。广州原有广州客车厂、广东省客车厂、广州汽车制造厂等多家客车企业，合计年产客车3000多辆，职工6000人左右。但这些客车厂技术相当，产品档次不高，市场竞争力不强。2000年3月，广汽集团利用广客集团的一部分资产与日本五十铃公司合资成立了广州五十铃客车有限公司，专门生产高档客车。同时，对亏损严重、资不抵债的其他客车企业进行关闭重组，于2000年7月组建了骏威客车有限公司。骏威客车成立后，加大力度实施产品开发，扭转了广州客车行业大面积亏损的局面。三是成立零部件公司。将骏达集团所属的18家有改造发展前景的零部件企业分离出来，于2000年8月成立汽车零部件公司。新成立的零部件公司，积极开展对外合作，专门为广州本田等企业进行零部件配套，规模逐步扩大，效益快速增长。四是组建广悦资产管理公司。2001年2月9日，广悦资产管理公司正式成立，其主要任务是托管在改革重组中分流出来的前景无望、债务较重、一时难以注销的企业。广悦资产管理公司成立后，在清理资产、处理债权债务、安置人员等方面发挥了重要作用。五是成立商贸公司。广汽商贸公司于2002年1月成立，一方面开展广汽集团下属企业专卖店的经营工作；另一方面不断拓展新业务，积极开展进出口贸易、整车物流、汽车出租、房地产开发等业务，营业额和经济效益不断提高①。

经过改革重组的广汽集团，在组织结构、产品结构、资产结构、人才结构等方面都发生了重大变化，有效资源得到合理配置和优化，正常运行的企业逐步实现赢利，改革取得了阶段性成果。广汽集团实力的进一步增强，为广州汽车产业的深化发展奠定了基础。

（三）东风乘用车在广州的发展

20世纪90年代初，成立于广州花县（今花都区）的京安云豹汽车有限公司，主要从事面包车、轿车、越野车等的组装，厂房面积达到5万平方米，发展初具规模。然而在20世纪90年代后期，国家加大宏观调控，对

① 巫细波：《广州汽车产业自主创新与升级研究》，经济科学出版社2015年版，第34页。

CKD严格控制，京安云豹公司发展受限，效益不佳。而此时东风汽车公司有扩展南方事业的意愿，鉴于国家对新增整车生产企业管控非常严格，在寻求扩张的过程中，将目标锁定了京安云豹汽车。

2000年，东风汽车公司、京安云豹公司与台湾裕隆汽车公司（日产持有25%股份）下属的JETFORD INC三方在深圳共同组建了风神汽车有限公司，以代工的方式委托京安云豹公司生产蓝鸟轿车，销售量达3000多辆，盈利 5000 多万元，实现了“当年成立，当年出车，当年销售，当年盈利”。经过协商，2001年9月，东风汽车公司与台湾裕隆汽车就京安云豹的资产重组和风神汽车的增资扩股等事宜达成一致。2001年12月，东风汽车公司与台湾裕隆汽车公司在花都共同组建了广州风神汽车有限公司，注册资本5.2亿元，东风汽车公司、台湾裕隆汽车公司分别持有60%和40%的股份。2002年，广州风神汽车有限公司成功完成对京安云豹汽车公司的整体收购和重组，同时汽车产销量达到4.1万辆，销售收入达到115亿元①。由于风神汽车的发展态势良好，日本日产汽车公司对花都的兴趣日益浓厚。2003年，东风汽车与日产汽车合资成立东风汽车有限公司，同年，东风汽车有限公司旗下的乘用车公司（2005年改名为东风日产乘用车公司）在花都成立，风神汽车公司并入东风汽车有限公司乘用车公司，这样日产也得以顺利嵌入广州市场。2004年5月，投资18亿元、产能15万辆的东风汽车有限公司乘用车公司花都新工厂竣工投产。为推动日产乘用车贴近中国市场，开发更适合中国市场的汽车，2004年12月，第一期计划总投资3.3亿元的乘用车研发中心在花都奠基，它是日产在海外建立的第三个研发中心，显示了日产对中国汽车市场的重视和信心。同月，为进一步推进国产化，投资30亿元、年产36万台发动机的东风乘用车公司发动机工厂在花都动工兴建。在2004年，该公司相继推出了“04款阳光”“蓝鸟·至尊”和“天籁”等车型。尤其是9月份推出的“天籁”，3个月合计销售11571辆，两个月订单就超过2万辆。2004年，该公司共实现利税总额14.7亿元②。

东风汽车有限公司乘用车公司落户广州，具有积极的意义：（1）解

① 姚斌华、韩建清：《见证广州汽车十年》，广东人民出版社2008年版，第268页。

② 广州年鉴编纂委员会：《广州年鉴（2005）》，广州年鉴社2005年版，第201页。

决了京安云豹汽车的遗留问题，盘活了花都西城开发区2000多亩土地和积淀的不良资产。（2）促进了广州汽车产业的发展壮大，吸引了众多国际著名的汽车零部件供应商和配套企业前来投资，进一步完善了广州汽车工业的整体布局。（3）促进了花都区工业经济的发展，推动全区工业总产值不断增加。（4）推进了花都的城市发展战略转型。汽车产业的发展促进了花都汽车产业集聚区的形成，汽车产业集聚区与皮革皮具产业集聚区、临空产业集聚区等一起发挥作用，从战略上优化了花都产业格局，使花都从一个农业型地区向工业化地区转变，推进了广州的城市与产业空间结构向北拓展。

（四）广州丰田的成立

广州本田、东风汽车有限公司乘用车公司的发展，进一步提升了广州汽车制造业在全国乃至全球的地位，也强烈地刺激着日本丰田公司在中国的发展战略。在北方与一汽合作的丰田公司在促成一汽重组天津汽车、兼并四川丰田之后，有效避开了中国汽车产业政策规定的外国公司在同类车只能投资两个地点的硬性规定，开始调整发展战略，思考着向南方发展，准备在南方再成立一家合资汽车企业，实现战略的南北纵深发展。

在丰田公司准备向中国南方拓展的时候，广州也正在寻找第二家轿车合作伙伴。为进一步增强实力，至20世纪末，上汽、一汽、东风、北汽等国内汽车集团均发展有2个或2个以上的大型国外汽车企业合作伙伴，竞争力得到提升。考虑到一个广州本田不足以支撑广州汽车的发展，风险过于集中，为提升广州汽车产业在全国的竞争力，广州希望再发展几个合资项目。但广州与本田合作时，曾协议所有本田项目的发展都要放在广州，广州也不再选择其他的合作伙伴。直至2001年，本田首先提出想与东风在武汉合作一个新项目，广州方面同意了本田的要求，同时也提出另外找一家合作伙伴，以增强广州汽车发展的后劲，并开始与宝马、福特、奔驰等公司进行接触。

2003年上半年，丰田公司中国代表处总代表服部悦雄来到广州，开始了与广州市政府、广汽集团的首次接触。由于双方都有合作的意愿，各自也具备一定的合作实力，谈判进展得比较顺利。在整车项目的谈判过程中，丰田答应另外将一个发动机项目也落户广州。仅仅1年左右时间，2004年2月14日，广州丰田发动机项目签订了合同和章程，并很快成立公司和开工建设。2004年6月30日，广州丰田整车项目的合同、章程。同年9月1日，广州丰田汽车有限公司正式成立，11月开始动工建设。

广州丰田项目强化了汽车制造业作为广州三大支柱产业之一的地位，对广州汽车产业的发展具有重要意义。（1）标志着广州区域内汽车制造业整体布局的初步完成。广州丰田落户南沙，是广州汽车工业对外合资战略的升华，极大地促进了丰田相关配套企业的进入，使广州初步完成了三大日资汽车生产基地的战略布点。凭借丰田在品牌、资金、技术和管理方面的全球领先优势，广州汽车在全国的地位进一步提升，推动了广州乃至广东汽车产业空间布局的优化，也促进了广州与周边城市汽车产业的协作互动。（2）促进了广州汽车制造业融入全球生产体系[①]。广州丰田发动机公司是丰田设在中国的第一个发动机出口基地，丰田将广州丰田发动机项目定位为丰田海外出口基地，有利于广州丰田融入丰田汽车全球生产网络体系。（3）推动南沙产业水平提升与经济发展。广州丰田落户南沙，奠定了广州南部汽车产业集聚区的形成基础，优化了南沙产业结构，有力地带动了南沙经济的发展。

（五）广州汽车产业集群的初步形成

至2004年，广州汽车制造业初步形成了“发动机—整车—零部件”三位一体的生产链条，汽车销售、汽车金融等行业也协同发展，汽车产业集群化格局初步形成。

1. 从企业的业绩来看，形成了以广州汽车工业集团有限公司、东风汽车有限公司乘用车公司为主导的格局。2004年，广州汽车制造业完成工业总产值634.16亿元，实现利润101.05亿元，全年汽车产量27.64万辆[②]。其中，广州汽车工业集团有限公司完成工业总产值 405.50亿元，实现利润54.91亿元，生产汽车209720辆[③]，分别占全市汽车工业总产值的63.94%、

① 林先扬：《全球化下汽车制造业区位选择与区域发展：以广州汽车制造业发展为例》，广东人民出版社2010年版，第164页。

② 广州年鉴编纂委员会：《广州年鉴（2005）》，广州年鉴社2005年版，第200页。

③ 同②。

全市汽车工业利润总额的54.34%和全市汽车总产量的75.88%。在2004年经济效益综合评价中，通过与全国15家汽车企业集团对比，广州汽车工业集团有限公司的全员劳动生产率、成本费用利润率、流动资金周转率、总资产贡献率、净资产收益率、销售利润率、资产增加率、工业经济效益综合指数等8项指标排名第一[①]。2004年，全市汽车工业实现利税总额153.04亿元，其中东风汽车有限公司乘用车公司实现利税14.7亿元[②]，占全市汽车工业利税总额的9.6%，位居前列。

2. 从产品结构上看，形成了六大产品板块。分别是以广州本田、东风乘用车、广州丰田三大公司为主的轿车板块；以广州骏威客车有限公司和广州五十铃客车有限公司为主的客车板块；以广州汽车集团汽车零部件公司为主的零部件板块；以羊城汽车为主的轻型卡车板块；以广州摩托车集团为主的摩托车板块和以广汽商贸公司为龙头的服务贸易板块等。这些板块的构成，显示出广州汽车行业主业突出、链条完整、协调发展的特点。

3. 从地域来看，形成了东部、北部和南部三大汽车产业聚集地。随着本田、日产、丰田三大公司的项目相继落户广州，以日本技术、日系产品带动的组团式发展格局逐渐显现，相互竞争、相互合作、资源共享的广州汽车产业集群逐步形成。在三大日系整车的带动下，广州汽车零部件及配件制造业发展势头良好，增速加快。2004年，全市规模以上汽车零部件及配件制造业工业总产值、工业增加值、利润、利税分别为61.79亿元、14.82亿元、7.18亿元和9.78亿元[③]。汽车零部件企业从零散分布逐渐发展成为三大集聚区，即主要为广州本田汽车配套的东部黄埔、增城集聚区，主要为东风乘用车配套的北部花都集聚区和主要为广州丰田配套的南部南沙集聚区。同时，由于产业集群带来的规模优势、资源优势和配套优势逐步凸现，广州汽车产业园迅速发展，花都汽车城、南沙黄阁汽车城等重要汽车产业集聚地雏形初现。

---

① 周巍：《透视广州汽车产业集群》，载《经济日报》2006年2月24日第7版。

② 广州年鉴编纂委员会：《广州年鉴（2005）》，广州年鉴社2005年版，第201页。

③ 同②，第200页。

总体来看，这一时期的广州汽车产业不断发展壮大，2002年成为广州三大支柱产业之一，2003年跨入全国三大轿车生产基地行列，为推动全市经济社会发展做出重要贡献。2004年，全市规模以上汽车制造业完成工业总产值634.16亿元，实现工业增加值181.41亿元，主营业务收入达617.15亿元，实现利润101.05亿元，利税总额为153.04亿元，年末资产总额381.93亿元[①]，汽车产业成为广州经济发展的重要引擎。同年，汽车制造业与电子产品制造业、石油化工制造业三大支柱产业共完成工业总产值2234.82亿元[②]，拉动了广州工业快速增长，同时对广州实现重工业产值首次超过轻工业产值[③]、优化广州工业结构也起到积极作用。

四、广州汽车产业发展的经验与启示

广州汽车产业以薄弱的基础起步，从广州标致到广州本田，再到集群化格局的初步形成，走出了一条从小到大、从弱到强的发展道路，其经验和做法值得认真总结和思考。

（一）坚持开放发展

坚持开放发展，与外国汽车企业合资合作是广州汽车产业发展的重要动力[④]。改革开放初期，国内整个汽车产业水平不高，缺乏发展汽车工业的资金、技术、人才，广州要发展汽车工业，就必须与国外一些知名汽车企业进行合作。在这种历史条件下，与法国标致合作生产汽车是广州在汽车领域实施开放发展战略的体现。20世纪90年代后期，在广州标致经营困难并严重资不抵债的情况下，面对外界产生广州是否有能力发展汽车的疑虑，广州坚持了继续开放发展的汽车产业发展道路。按照市场化及“货比三家”原则，通过艰难的谈判，选择与本田公司合资成立广州本田，成功更换轿车项

① 广州年鉴编纂委员会：《广州年鉴（2005）》，广州年鉴社2005年版，第200页。

② 同①，第198页。

③ 2004年广州市实现工业总产值5749.48亿元，其中轻工业产值2679.50亿元，重工业产值3069.98亿元，轻重工业产值比例为46.6∶53.4。

④ 杨再高：《广州汽车工业10年发展成就与展望》，载《汽车工业研究》2009年第8期，第40页。

目合作伙伴，保住了广州轿车制造的定点资格，为重振广州汽车产业奠定了坚实基础。在广州本田快速发展的基础上，东风乘用车、广州丰田等整车项目及相关零部件企业落户广州并不断发展，广州市汽车产业迅速崛起，一跃成为广州市的支柱产业，广州也成为全国三大轿车生产基地之一。从广州汽车产业的发展历程看，坚持开放发展是一条重要的成功经验。

（二）坚持集群发展

产业集群不仅构成当今世界经济的基本空间构架，也是一个国家或地区竞争力之所在。在广州本田整车项目投产及滚动发展之后，广州就比较注重零部件配套、汽车服务业（如商贸、研发、物流等）、汽车关联产业（如钢铁、乙烯等）等产业链的构建，一方面继续吸纳整车企业落户广州发展，形成日系三大整车齐聚广州的发展格局；另一方面通过整车厂的龙头带动和辐射，推动日系三大汽车厂零部件供应商及关联企业在三大整车厂周边集聚发展，促进了广州东部、北部和南部汽车产业基地的发展壮大，使广州汽车产业集群格局初步形成。实施产业集群化发展战略，提升了广州汽车产业的发展后劲和整体竞争力。

（三）坚持推进产业升级

改革开放初期，广州的商业比较发达。在工业方面，轻工业占主导地位，重工业相对落后。改革开放后，根据中国轿车消费需求越来越大的新形势，为把握市场先机，优化产业结构，增创广州经济发展新优势，中共广州市委、市政府高度重视汽车产业的发展，决定把汽车产业作为广州的主导产业来抓，并专门成立了汽车工业领导小组，着力推进汽车产业的发展，使广州汽车产业逐渐成为广州经济发展的重要引擎。回顾广州汽车产业的发展历程，紧跟市场变化、不断推进产业升级转型的发展理念，助推了广州汽车产业不断壮大，推动了广州经济不断增长。

（作者单位：中共广州市委党史研究室）

广州白云山制药股份有限公司的建立和发展历程

■ 谢香梅

从1973年创建单一生产型的广州白云山农场制药车间到1979年发展成为生产、经营和科研相结合的立体型企业广州白云山农场制药厂，1986年定名为广州白云山制药总厂，再到1988年发展成为集团式企业广州白云山企业集团公司。直至1992年12月，白云山集团下属的白云山制药总厂、化学制药厂、中药厂、外用药厂等几家独立分厂经市政府批准改组为广州白云山制药股份有限公司，并于1993年在深圳正式挂牌上市①。白云山人秉承着“爱心满人间”的宗旨，用“艰苦奋斗、求实进取、改革创新、爱心和谐”的创业精神，乘着党的政策春风，探索出一条成功的发展道路。

一、广州白云山农场制药车间的创建

广州白云山制药总厂创业伊始基础薄弱、困难重重。开荒的知青们在中央政策的号召下，从两口铜锅起家，齐心协力克服层层困难，用勤劳的双手创建了企业的雏形——广州白云山农场制药车间。

（一）中央政策的号召

20世纪50年代毛泽东指出：“农村是一个广阔的天地，在那里是可以

① 《广东省志》编纂委员会：《广东省志》（1979—2000），方志出版社2014年版，第522页。

大有作为的。”[①]这成为那时知识青年上山下乡的口号，之后中国共产主义青年团开始鼓励和组织年轻人到农场参加垦荒运动。60年代在“文化大革命”的影响下高考停止，全国许多中学毕业生无法进入大学，又无法被安排工作，中国共产党意识到需要寻找一个办法将这些年轻人安置下来，以免情况失去控制，因此全国开始有组织地将中学毕业生分配到农村去接受贫下中农的再教育。从1971年开始，知识青年在农村的许多问题不断暴露出来，为了解决这些问题，中国共产党开始在城市中将部分工作分配给下放的知识青年，广州也开始陆陆续续地将一些工作岗位安排给下放的知识青年。

（二）知青为制药车间开荒

1973年，因为当时城市公园、游览区的花圃中的花花草草，统统被戴上了“封资修”帽子，代之以一个个中草药圃。而种植最多的就是穿心莲。为了给这些穿心莲“作嫁”，二十几个知青被安排来到白云山山脚，他们扛着最原始的工具——锄头、铁铲、竹篸，在这块处女地上披荆斩棘，硬是用双手把一座几百平方米的山冈铲平，在这里建立了一个制药车间，广州白云山农场制药车间便应运而生了。当时白云山农场接受广州市医药公司的建议，通过交换折价，买下了这间破厂房，这帮下乡的知青从磨刀湖作业区来到这里成为这个车间的第一批职工。

（三）初渡难关开启创业之路

一开始制药车间没有宿舍、厨房、水源、蒸汽、道路……可想而知，摆在创业者面前的道路是极其艰辛的。职工们将两间150平方米的小房改造成唯一的宿舍，可是还是有许多人没有地方住，有些职工只好晚上摸黑骑自行车回家，有些职工就在地上铺上草席，盖上麻袋对付休息；制药车间后勤的同志就在车间门口摆上几块砖头当厨房来煮饭解决职工的夜餐问题；全厂职工扛着最原始的工具不计个人得失利用晚上时间挑灯夜战，

① 毛泽东：《〈在一个乡里进行合作化规划的经验〉一文按语》，载《建国以来毛泽东文稿（第五册）》，中央文献出版社1997年版，第527页。

促使提炼车间早日上马；为了保障生产和生活的用水，大家一起动手挖水井；制药车间没有蒸汽，职工们就想方设法借用农机厂的蒸汽来提炼中草药；没有国家的投资，职工们自筹资金30万元，用仅有的老旧设备试制出第一个产品“穿心莲糖衣片”。正是白云山人坚韧拼搏的创业精神，使制药车间在艰苦的条件下建立起来。1973年制药车间的产值已达24万元，利润4万元。白云山人从此踏上真正的创业征程。

1973年，广州白云山农场制药车间靠两口铜锅、两台老式压片机起家

二、广州白云山制药总厂的成立与发展

党的十一届三中全会胜利召开，犹如一阵春风，吹遍了大江南北，也掠过了白云山山脚。全会关于解放思想，搞活经济的方针，使广州白云山农场制药车间终于能按经济规律办事，尊重科学，重视人才，把政治工作和经济手段结合起来，充分调动广大职工的积极性，促进生产发展，从而取得较大的经济效益，使制药车间真正步入发展的快车道。

（一）打赢前哨战

广州白云山农场制药车间是属于白云山农场农字头的小车间，国家没有投资，一分一厘都得靠自己筹谋。没有投资就等于没有资金保障，没有原材料就会“巧妇难为无米之炊”，整个产供销系统严重脱节。1976年，车间出现了原料不足、燃料不足、资金短缺、科技力量短缺的新问题，更致命的是车间的管理层没有下大力气去抓生产，也不重视发挥技术人员的作用，整个制药车间生产管理混乱，濒临停产。

在这种局面下，白云山农场党委把这个重任交给新上任的厂长贝兆汉。贝兆汉向白云山农场党委提出了由制药车间自己“组阁”的建议，迈出改革的第一步。得到农场党委的同意，车间在没有国家计划内的原料供给的情况下，厂领导班子带队到新丰、五华、饶平等地去收购穿心莲，并建立了一些中草药种植基地，解决了原材料供应不足的问题；燃料供应不足，厂领导班子想方设法带着职工们到火车站扫地脚煤，再派人到千里之外的煤矿拉煤解决燃料问题；缺乏技术人才，厂里想方设法多渠道挖掘技术人才。

1976年10月粉碎“四人帮”和“文化大革命”结束后，党中央开始着手对各条战线进行拨乱反正，对知识分子的拨乱反正成为重要的突破口，“知识分子是工人的一部分”得到重申和强化。制药车间在制定“技术治厂，管理治厂”的办厂方针下，坚决落实党的知识分子政策，充分调动知识分子的积极性。自1977年开始，大胆招收在社会上还没有人敢用但实际上对药厂有用的人才来厂组成一个能出谋划策和培训技术力量的“智囊团”，给予他们信任和重用，使他们放开手脚施展才华，在生活上给予他们关怀照顾：补助技术书刊资料费，颁发科研奖金，解决住房问题。如制药车间大胆起用在“文革”中受过冲击的苏医生，他运用多年积累的制药经验，组织新药品试制，不断研制出新的药品并投入生产；再如50年代大学毕业的张药师，调到制药车间后，放下了历史包袱，在研制出口产品胱氨酸的工作中用液氨代替液碱和固碱，在国内首创密闭水解工艺，并试制成功。人才得到重视了，制药车间的生产技术也相应得到了大幅的提升，质量也就有了新的突破。

1978年，制药车间生产的大宗产品“穿心莲片”因为质量问题被退货300箱，导致企业资金周转困难。制药车间面对困难，组织技术力量开展糖衣片剂质量攻关，研制出了穿心莲片含量测定方法和制定了内脂标准，这个标准后来被采纳为广东省的标准。通过这次技术创新，遭遇退货的产品变成畅销产品，这次难关的渡过正是车间重视人才和科研工作的见证。同年制药车间生产的感冒清因疗效显著，被用户誉为“一粒清”，当年生产量就达1000万片。感冒清、肝复宁等产品也开始打入国际市场。制药车间这架一度锈蚀的机器，终于在全体职工的血和汗润滑下变得灵动起来，一个濒临破产的烂摊子渐渐变得生机盎然。

1978年底制药车间的产值已经翻了几番，上缴利润达60万元。看着车间一派欣欣向荣的发展景象，车间领导信心百倍地为车间谋划发展蓝图，可是传统销售习惯、销售秩序、僵化的思想和官商的作风这些无形的枷锁再次成为制药车间发展的致命桎梏。制药车间虽然是国营企业，但却是制药行业外的农字头的企业，没有国家供应的原材料、燃料，没有国家统购包销的产品，用的是高价水、高价电、高价煤，生产、供应和销售以市场调节为主，而且医药商业部门由于种种客观原因不再收购制药车间的药品，制药车间领导班子到医药商业部门寻求帮助，请求收购药厂的产品，但是受到医药商业部门的婉拒。而且制药车间被医药行业列入另册，医药会议也不给代表名额。同时，各地穿心莲草大丰收，拉进制药车间的原料达到了100万担①，比原计划多出了40万担，穿心莲药品积压近100万元的，导致资金无法周转，制药车间再一次被逼到了悬崖边。这时制药车间实行史无前例的自产自销模式，把本来就为数不多的供销人员送到全国各地，通过他们的走南闯北，将积压的穿心莲全部推销出去，同时还带回许多激动人心的订货单，制药车间又一次死里逃生，并迎来了大发展的春天。经过这一战，1979年，制药车间在全国各省市建立了380个销售网点，正式建立起以销售为中心的总体经营体系，从生产型企业转为生产经营型企业，成为第一个拥有全国销售网络的制药企业。1979年9月，经上

① 担，重量单位，1担=100斤=50千克。

级检验合格后换发了生产药品的营业执照，广州白云山农场综合制药车间正式更名为广州市白云山农场制药厂（以下简称药厂），企业站稳了发展的脚跟。

（二）国家政策红利促企业发展

1979年7月，国务院发出了《关于按照五个改革管理体制文件组织试点的通知》，要求各省、市、自治区和有关部门在少数国营工业、交通企业实行扩大企业自主权试点。8月11—23日，广东省委、省革委会在广州召开工业交通增长节约工作会议，决定在全省交通企业中，选择100家企业作为第一批进行扩大企业自主权的试点，选择300家企业试行利润留成。广州工业系统首先选取了包括广州市白云山农场制药厂在内的34家企业开展了扩大企业自主权的试点。扩权的主要内容是：调整国家与企业的分配关系；扩大企业财权；实行按企业实现利润核定留成比例，提取职工福利金、奖励金和生产发展基金；允许企业对留成资金自行安排使用，并使企业的经营效果与企业和职工的物质利益直接挂钩①。从此，药厂正式迈开了实行承包责任制的脚步。

1980年，广东省委第一书记、省长习仲勋视察药厂，参观了片剂车间，对药厂提出了三点要求：一是解放思想，好好利用国家改革开放的政策；开拓市场要打破清规戒律，面向全省、全国建立自己的销售据点；二是要招贤纳士，广招人才，特别是要注重招揽社会上的人才；三是照顾好职工和知识分子，关心职工生活，让他们对企业有归属感。在习仲勋的指示下，药厂制定了“爱厂、兴利、求实、进取”的白云山精神，并且着手开展厂区规划，招揽人才，成立研究所。②

自1980年起农垦系统经国务院批准实行定额利润，超利润分成的财政包干政策。得益于这个包干政策的推行，在白云山农场的支持下，从1980年起药厂实行定额利润，超利润分成的财政包干政策，以1979年的利润为基点，利润定额上交，每年递增15%，完成定额部分80%上交；超额利润

① 廖惠霞、欧阳湘：《广州改革开放历程》，广东经济出版社2008年版，第31页。
② 《霍厂长忆习仲勋同志考察白云山制药厂》，广药集团供稿。

部分30%上交，30%作为企业扩大再生产基金，40%作为职工福利和奖励基金。从1980年起，药厂生产效益连年翻一番，1984年总产值达1.39亿元，利润1530万元，分别比1979年增长13倍。1979年夏天，新建的针剂车间投产，新厂区在一号山破土动工，同年8月，片剂车间建成投产。药厂负责人说："全靠党给我们正确的政策，我们在人、财、物、产、供、销等方面都有实实在在的自主权"①。新产品从1976年的8个发展到1979年的34个，平均每年增长60%，产值增加到542万元，利润77.02万元，分别比承包经营前的1976年增加了六倍和五倍。国务院负责人到该厂考察时，认为药厂的主要经验有3条：一靠政策，二靠人才，三靠经营管理②。

有了国家领导层面的认可，药厂全面开展各项招揽人才的工作。自1979年开始，每年在国家调整分配大学毕业生计划时，向省计划部门正式提出申请报告，具体讲述缺乏技术人员情况，千方百计争取大学生分配名额，争取对技术部门在人才分配问题上给予帮助，直接向高等院校争取分配走读的大学毕业生。药厂开展技术协作，让学校、科研单位的智力成果为工厂服务，通过技术协作，促使科研成果尽快转化为工厂的产品，使工厂得到经济效益，增强了竞争实力。厂里不仅在科研上、生产技术上重用知识分子，而且切实地为知识分子解决后顾之忧。厂里利用提留的资金，为知识分子盖起了比一般职工宿舍条件优越得多的"药师楼"，就连新分配到厂的大学毕业生，一进厂也被安排住在条件优越的集体宿舍。厂里还为科技人员解决夫妻两地分居和家属"农转非"的问题，并对科技人员子女的就业问题作出妥善安排。

（三）横向联合和对外合作使企业壮大

改革开放以来，其他制药厂家也逐渐发展起来，广州市白云山农场制药厂遇到了激烈的竞争。厂领导班子意识到要想脱颖而出必须在加强对内横向联合和对外多方面合作上下功夫。

① 《白云山制药厂扩权四年面貌大变》，载《广州日报》1984年2月7日第1版。

② 广州市经济体制改革领导小组：《在改革、开放中前进——广州市六年来改革、开放情况和深入改革的设想》，1985年3月6日。

1. 横向联合由浅入深。

1983年，药厂药物研究所成立，标志着企业正式从“生产经营型”转变为“生产、经营、科研型”。科研工作有了新的突破，药物研究所积极和大专院校、科研单位建立科技协作关系，共同研究科研项目。和广州医学院共同研制的尿糖、尿蛋白、尿隐血试纸，填补了国内的空白，获得广州市科技成果二等奖、广东省科技成果三等奖。这一年，药厂新成立了白云山兽药厂、滋补品厂、医药电子器械厂、护肤品厂、塑料餐具厂、运动医药实验厂、美术工艺装修厂等28家分厂和公司，药厂迈开横向联合的第一步。1984年，政府主管部门把人、财、物、产、供、销6个方面的30多项权利下放给企业。医药市场实行开放政策后，药厂先后同省内外10多个地区和单位在原料供应、中间体生产方面进行跨行业、跨部门联合联营。

随着改革开放的深入，一些经营不善的企业不断要求加入“白云山”。1984年，药厂提出把白云山农工商公司下属的连年亏损的农科所吸收过来，利用它建设兽药厂。主管部门答应了药厂的要求，将农科所改建为兽药厂。1985年3月，药厂兼并了作为制药厂原料、半成品加工店的微利企业金宝岗农场。另外，为白云山装修的装修队被接收并发展成为建筑装修工程公司；成立了白云山阳春分厂和白云山斗门分厂；成立了白云山粤中彩印厂；成立生产一次性使用的纸质、塑料卫生餐具的餐具厂；创办了白云山宝膳酒家。药厂充分发挥了横向经济联合的作用，实现了企业的扩大与发展。1986年，成立“广州白云山制药总厂”，并分设28个分厂和公司，形成了有特色的集约化企业，一跃成为全国第三大制药企业[①]。

2. 全国首推“五包”政策。

在国内的很多厂家开始实行“三包”[②]政策的时候，药厂首创向医药界实行“五包”的优质服务，即包产品运输中损耗、包产品降价损失、包产品超过有效期的库存损失、包淘汰药品的损失、包质量问题造成退货的损失。另外，在国家宣布淘汰药品和部分药品降价后，药厂履行承诺，坚

① 广州市地方志编纂委员会：《广州市志·卷五（上）》，广州出版社1998年版，第410页。

② “三包”是指企业对所售商品实行“包修、包换、包退”的简称。指商品进入消费领域后，卖方对买方所购物品负责而采取的在一定限期内的一种信用保证办法。对不是因用户使用、保管不当，而属于产品质量问题而发生的故障提供该项服务。

持向购买者负责，不出售次品，不转嫁各种损失给消费者，严格依靠优质的产品为企业赢得无数信誉，良好的信誉投资促使药厂的横向联合得以迅猛发展。

3. 成立全国首个企业公共关系部。

一个企业要寻求发展，必须向社会提供好的产品和良好的服务，要有一个良好的企业形象，要关心社会的发展和人类的命运。药厂于1984年明确提出了“信誉投资”方针，并在全国国营企业中率先成立了公共关系部，负责企业形象的塑造和产品的推广宣传，协助搞活经营，搞活企业。

公共关系部策划了一连串有创意和成效的公关活动，营造了和谐、协调的内部环境和外部环境，凭借公关的理论知识，在企业内部建设方面，取得了显著的成效。药厂把加强和广大用户的联系，促进产品销路作为公关活动的重要内容来抓，通过加强与商业部门的联络巩固市场。接着又抓了新市场的拓展工作，在全国各地创建了几千个销售网点。在公共关系部的支持和指导下，这些网点的业务开展得有声有色，加强了与当地工作的联系、交流和沟通。药厂牢牢地把握住竞争的脉搏，在企业形象塑造方面，先行先试。“爱心满人间”是药厂公关工作所确立的总目标和总体形象。药厂通过爱职工、爱客户、爱用户、爱大众，用爱去赢得质量、品种、效益、客户和市场。药厂还自编了《白云山医药》杂志和《白云山医药信息》小报。强有力的公关宣传，使药厂美名远播，形象深入人心。

多项改革新举措给药厂的发展带来了黄金时期：从1980年至1984年，产值、利润、税金以接近翻一番的速度发展，1984年产值达15404.03万元，创利1510.85万元。药厂在社会上广泛挖掘人才，招揽人才，使药厂成为当时广东省新产品最多、产值最大、发展速度最快、经济效益最好的一家药厂。从1983年下半年到1984年，中央人民广播电台、《人民日报》《光明日报》《南方日报》《广州日报》《羊城晚报》等电台、报纸先后介绍了该药厂的改革创新经验。中共广州市委、市政府于1984年11月22日在药厂召开现场会，向全市推广药厂的先进经验。药厂的改革发展举世瞩目，先后有几十个国家和地区的元首和友人来到药厂参观访问。

4. 厂长责任制为企业扩权。

1985年后，广州开始逐级下放权限，扩大企业自主权，推行多种形式的经营责任制，其中之一便是推行厂长（经理）负责制，实行厂长（经理）任期目标责任制。改革侧重“简政放权”“扩权让利”“放水养鱼”，为企业扩权创造了外部条件，使企业向相对独立的经济实体转变。1987年，广州市白云山制药总厂实行了厂长负责制和厂长任期目标责任制，并建立了全厂实现任期目标的连锁网络体系，先后对管理、经营、计划、分配体制进行了改革，确立了以“一长三师”（厂长、总经济师、总会计师、总工程师）为主体的管理体制，实行了产供销一条龙的管理方式。厂长负责制的推行标志着药厂的承包经营责任制向更高层次发展，1987年各项经济指标均比上年大幅增长，工业总产值达33632.37万元，比上年增长35%，出口创汇361万美元，比上年增长80.5%，职工年均收入1935.84元，比上年增长8.18%①。药厂先后与国内14个省、市的44家单位实行横向经济联合，使企业发展成为一个覆盖生产经营药品、滋补营养品、医疗器械、生化制品、塑料餐具，商业服务，文化体育，建筑地产等多行业的多元化、立体化的集约企业。同时与国内多家科研单位、大专院校开展共同研制科研项目、技术转让、付科研费作补偿、按产品纯利润比例分成等方式的合作。药厂按专业化的原则和多家单位联合办厂。药厂还与河南、山西、宁夏、四川、湖南、北京、沈阳等18个省、市的24个医药商业部门实行跨地区的工商联营，扩大了商品销售市场。

5. 兼容并收促企业集团化效果初现。

1988年10月，药厂根据中央和省、市政府对亏损企业可以采取兼并的指示和上级公司的亏损企业由公司自行消化的精神，兼并了产品不对路、连年经营亏损、负债累累的白云无线电厂，并清理整顿新成立白云山电子工业公司。一些中外合资的企业也在药厂出现：与港商合办的深圳东方白云药业有限公司、与日本客商合办的日星白云山有限公司，以及在香港

① 广州市人民政府办公厅调研室：《广州经济》，中山大学出版社1988年版，第211页。

开办的香港中国宏兴药品有限公司等。除了对外联合、扩大外，药厂还在“一业为主，多种经营”的总体思想指导下，建立起多元化、立体化的生产经营体系，实现企业自身的联合扩大，大胆地进行经济运行机制和管理体制的变革，先后设立了多家分支企业：广州白云山兽药厂、滋补品厂、医疗电子器械厂、东方白云药业有限公司、汽车修配中心等。

通过兼容并收后，药厂一下子壮大起来了，对这些兼并的子单位药厂采用集团经营的方式，把整个“白云山”分成3个层次：一是直属分厂，实行统一计划，统一经营，统负盈亏，各分厂向“白云山”承包利润；二是独立分厂，实行独立核算，自负盈亏，全面承包经营；三是联营企业，实行协同计划，协同经营。这种集团经营带来了3个好处：一是生产要素可以优化组合；二是生产指挥可以全盘统一的计划，大家协同动作，全盘统筹，减少了经营管理等方面不必要的损耗；三是生产潜力可以开发释放出来。这些分厂、子公司互相服务，互相依存，休戚相关，共同分析市场形式，研究对象，协调行动，初步形成了具有中国特色的集约式企业。1988年上半年总产值同比上一年增长达53.44%，尤其是12家自负盈亏的独立分厂增长更快，达到183.34%。白云山制药厂几年来的实践证明，发展跨地区、跨部门的横向经济联合企业，能真正摆脱条块不合理的行政干预，使企业成为独立的商品生产者和经营者，从而增强企业的活力，使商品、资金、物资、技术、设备等生产要素能够在国家计划和政策指导下，按照社会主义商品经济的规律，顺畅地横向流动，在企业之间展开优胜劣汰的竞争①。

6. 对外合作助推企业发展。

在多方位做好横向联合工作的同时，药厂利用广州对外开放的特殊条件，引进资金和技术，谋求生产的全面发展。从1981年开始，药厂先后从日本、德意志联邦共和国引进了自动制丸机、胶囊填充机、水丸自动生产线及一批先进检测仪器。厂领导班子到香港、日本学习，引进了我国第一台自动制丸机并成功生产出活心丹。

① 《冲破条块分割　促进生产发展》，载《南方日报》1986年4月25日第1版。

广州白云山制药总厂一分厂的片、丸剂瓶装生产线

为了扩大产品在国外的销售，使外贸工作有进一步的发展，药厂于1983年9月建成外贸大楼并投入使用，同时它组建了外贸车间，65种药品进入国际市场。同年投资10万元，安装并使用了我国第一条片剂包装自动线。1984年10月与瑞士满迪药厂合作，引进了国外生产新型广谱杀菌外用药及伏碘系列产品的必要设备，填补了国内的空白。

在引进外资、技术、设备的同时，药厂还开展与外资合营的工作。与日本的宇宙樱花医疗器材公司合资联营医疗器械厂；与亚洲最大的香料公司合办护肤用品卫生厂；与广东省外贸局、香港东伟贸易有限公司在深圳合办东方白云制药有限公司。

药厂还抓紧对外的经济贸易，组织产品打进国际市场，出口创汇。1982年建立了专门的外贸车间，并抽调厂内技术熟练的工人到该车间工作。该厂生产的优质产品“感冒清”“咳特灵”“肝复宁”提供给外贸部门出口后获得好评。在此基础上，药厂采取补偿贸易等形式，引进国外先进的技术和设备，提高出口产品的生产水平。与此同时，药厂还抽调一批技术人员，收集国内外医药科研成果，供本厂采用，并开设了来料、来方加工出口产品的业务，促使产品不断升级换代，产品“中国活心丹”“金钱龟精”“强力五鞭丸”“牛黄清热丸”“中国花蛇丸”进入国际市场后成为畅销货。

为了搞活外贸，拓展业务，扩大出口，药厂积极争取外贸自主权，得到了上级部门的支持。1985年3月，广州市人民政府穗府办〔1985〕41号文批复，同意药厂建设为自营进出口业务的工厂。这样药厂就获得了直接经营本厂生产的产品的出口和本厂生产所需要的原材料及技术生产设备的进口业务，直接承办补偿贸易和对外加工装配业务。因此，药厂成为国内第一个获得外贸自主权的制药工厂，为产品进入国际市场创造了条件。

（四）精神文明建设与企业发展相辅相成

随着改革开放的推进，社会主义精神文明建设成为社会关注的焦点，广州作为改革开放的试验田，坚持物质文明和精神文明一起抓，两个文明协调发展。从1984年开始，市委、市政府每年都树立一两个精神文明建设的典型，药厂成为两个文明协调发展的佼佼者。“爱厂、兴利、求实、进取”——这是白云山制药厂所倡导的“白云山人精神”。厂领导切切实实地关怀着职工，他们尽一切努力提高职工的物质生活水平，同时又丰富职工的精神、文化生活[①]。在党的精神文明建设的感召和广州市的推动下，广州市白云山农场制药厂全厂上下振奋精神，团结一致，以改革开拓的精神，开创企业发展的新局面。

1. 建立企业精神。

企业精神是企业内部全体成员共同认可的价值体系。它指导和协调全体成员的行为，造就着共同的追求。企业精神的形成，有助于企业强化凝聚力，增强发展活力，减少内部成员由于缺乏共同的行为准则而造成的内耗。在发展生产的同时，药厂紧紧抓住社会主义精神文明建设，把形式多样的思想政治工作贯穿于管理活动的全过程，促进了企业精神的形成[②]。按照习仲勋的要求提出的“爱厂、兴利、求实、进取”白云山人精神，在药厂以后的发展历程上得到了很好的诠释：爱祖国、爱社会主义，是每个人都应该做到的，它早已经写入我国的宪法，而作为它的引申义，

① 林晰：《建立自己的“企业文明”》，载《人民日报》1987年2月6日第2版。

② 《白云山制药厂的企业精神》，载《亚太经济时报》1987年9月1日第1版。

对于社会主义经济实体而言，就是爱厂、爱企业；智力就是金钱、信息就是财富、人才就是资本，兴利就是争取国家利益、集体利益、个人利益；求实、进取就是以清醒的头脑，实实在在地进行社会主义现代化建设，同时，表现出对成功的追求和不满足。这8个字也是白云山人特有性格和精神境界的体现，是进行社会主义精神文明建设的一个中心环节。

2. 承办全国第一支企业足球队。

中华人民共和国成立后30多年，中国体育事业取得了辉煌的成就，足球运动也有了很大的发展。但是由于底子薄，国家还不可能拿出一大笔体育经费来支持足球运动的发展，现行管理体制也束缚了广州足球运动的发展。1984年国庆前，药厂和广州市体委达成协议：原来由广州体委管辖的广州足球队，今后除了在技术业务方面仍然由体委负责指导外，经济上由白云山制药厂承包由白云山制药厂冠名。10月，全国首届足协赛在湖北省黄石市拉开了战幕，随着运动员进行曲的雄壮节奏，广州足球队改名易帜，队员们穿着印有白云山制药厂标志的运动服，雄赳赳、气昂昂地走进了绿茵场。20世纪80年代的中国，第一支由企业承办，以企业名字命名的球队终于诞生了[①]。出资承包广州市足球队，这在当时是属于国内首创，也冲破了体育部门多年来关门办体育，独家惨淡经营的被动局面，不仅推动了群众体育的发展，丰富了职工的文化生活，而且促进了企业生产的发展和经济效益的提高，他们的做法受到了省、市领导的重视，在全国体育工作会议上也受到了赞扬。

3. 成立全国第一个企业歌剧团。

药厂于1984年成立广东省第一个歌剧团——白云轻歌剧团，这是由企业出资兴办的艺术团体，主办单位是广州市白云山农场制药厂，这也是我国第一个由企业兴办的省级专业文艺团体。该艺术团的诞生使广东省告别了长期以来没有歌剧团的历史。白云轻歌剧团的演出得到社会各界的高度评价和肯定。剧团自1984年成立以来，走遍大江南北，先后演出了3台歌剧、9台轻歌舞晚会，观众人数达200多万，1986年该团演出的大型歌

① 何乃谦、林伟燊：《广州足球为何易帜》，载《南风窗》1985年第5期。

剧《十五的月亮》在全国歌剧汇演中获表演大奖。白云轻歌剧团的实践证明，企业兴办自己的专业艺术团体是可能的，它有助于正在逐步形成的企业文化[①]。

4. 举办全国第一个企业文化沙龙。

1986年，广州白云山制药总厂为了强化民主管理，增强职工参与管理的意识，在业余时间自发组织每周一次的“文化沙龙”活动，参加人员上至厂长、书记，下至普通工人，大家在“文化沙龙”活动中高谈阔论，畅所欲言，各抒己见，在释放工作压力的同时为企业的发展出谋献策。形式多样的“文化沙龙”活动不仅促进工厂的发展，同时使企业变得更加有“人情味”，让大家切身体会到厂是众人的，厂的事便是众人的事，厂的兴衰荣辱关系到每个人的切身利益，鞭策着白云山人大胆地去追求，去探索，去开拓。参与就是“爱厂”，参与就是“兴利”，为了“兴利”，出于“求实”。药厂举办“文化沙龙”当时在全国属于首创，它的产生不仅为职工们提供了一个“民主参政、民主议政、民主治厂”的宽松、和谐环境，更是进一步助推药厂精神文明建设的大步向前发展。白云山制药厂的“文化沙龙”，正是从更高的层次培养职工新的品质，它是加强精神文明建设，用新的思想、观念代替旧的思想观念的小舞台，是企业进步的缩影[②]。

5. 重视党务工作。

以爱赢得爱，使药厂多年的“爱心效应”取得了较好的回报，企业处处盛开精神文明花：在1985年制定了“企业文化”发展战略，经过多年的发展，形成了独特的企业文化；“爱厂、兴利、求实、进取”是“白云山人精神”。当一些企业在繁忙的生产经营中忽视了党务工作的时候，这些企业就会在许多事情上失去平衡，甚至迷失方向。药厂的领导班子清醒地认识到这一点，坚持了党委在企业生产工作中的核心作用，这也是他们取得成功的基础之一。经中共广州市委批准，药厂于1985年7月召开了党员代表大会，成立了党委，选举产生了党的纪律检查委员会，并成立了40

① 一帆：《白云轻歌剧团在京演出受到好评》，载《经济时报》1988年9月4日第1版。

② 哲夫、剑光：《参与、进取、自信——白云山制药厂“文化沙龙”印象记》，载《企业家报》1986年12月24日第1版。

个党支部；7月22日，成立了厂团委，使企业广大党员、团员有了自己的家。同时药厂党委对于新党员的吸收，这一系列举措坚持实事求是的原则，条件成熟一个，吸收一个。至1990年，药厂党委表彰优秀党员和党务工作者422人次，表彰先进支部33个（次），经民主评议和登记，合格党员占98.6%。重视党组织的建设给药厂的发展提供了无限的原动力。1987年初，在天津召开的全国职工思想政治工作研究会第三届年会，宣布了中共中央宣传部、国家经委、全国总工会《关于表彰1986年度全国思想政治工作优秀企业的决定》，有97家企业受到了表彰。其中有广东省的广东玻璃厂、广州市卫生处理厂和广州白云山制药厂3家企业[①]。广州白云山制药厂还被中共中央宣传部评为思想政治工作优秀企业。1990年5月，药厂的先进事迹在广州市举办的6个精神文明建设先进单位事迹展览上展出。

三、广州白云山企业集团的诞生和成功上市

（一）企业集团的诞生

在改革开放的大潮中，广州工业企业的横向经济联合迅速发展，企业集团也开始出现。1987年1月31日，中共中央政治局委员习仲勋在广东省顾委副主任许士杰、中共广州市委副书记张汉青等的陪同下，再次视察白云山制药厂。习仲勋肯定了白云山制药厂依靠改革开放政策，依靠科学技术和科学管理、依靠干部和工人的创新进取精神搞活药厂的巨大成就的同时，寄语白云山药厂思想要更加开放，向集约化、多元化发展。不要满足现状，否则就容易击垮。[②]在此精神指示下，1988年秋，以白云山制药厂为主体通过“对外兼并、自体繁殖”，组建成广州白云山企业集团公司，经营制药、食品、化工、制衣、玩具、印刷、房地产、电子、兽医、商业等11个主要行业。集团公司建立起工、商、技、贸、金融等一条龙的运作机制，跻身于全国500家大型企业行列[③]。以广州白云山制药总厂为主体，

① 《中宣部等表彰97个思想政治工作优秀企业我省三家企业榜上有名》，载《南方日报》1987年2月26日第1版。

② 《习仲勋在广州视察》，载《广州日报》1987年2月1日第1版。

③ 广州市地方志编纂委员会：《广州市志·卷五（上）》，广州出版社1998年版，第68页。

17个分厂、分公司为核心层，广泛联合科研、金融、商业、建筑和服务等单位共同组成的广州白云山企业集团公司宣告成立，广州白云山制药总厂厂长贝兆汉任集团公司董事长兼总经理。

1989年至1990年，全国经济步入低谷徘徊期。白云山集团公司也不能幸免，遇上了市场疲软、外单位拖欠债务多（1亿多元）、资金短缺等困难。在困境中，白云山企业集团公司推进治理整顿、深化改革，以技术进步为依托，集中力量调整产品结构，使企业从速度型向效益型方向发展。同年，白云山企业集团公司兼并了与原金宝岗林场同属一个管理区的亏损企业磨刀湖作业区，并且由原来被兼并企业金宝岗林场负责接收消化。

企业兼并作为调整企业组织结构的一种新形式，得到了理论界和企业界的认可。通过企业兼并，白云山企业集团公司增加了新的地盘、厂房、劳动力和分厂，转入固定资产1000万元，职工近1500人，扩大了再生产，增强了整体实力和发展后劲。从1985年起，企业一年上一个新台阶。发展至1990年，集团已经成为拥有7400多人、50家分厂（公司），年企业总产值7.57亿元的现代化大型企业，1986年便成为全国三大制药厂之一，在1989年全国500家最大工业企业中排行第259位①。

（二）成功上市

1992年初，中国人民银行总行召开部分省、市股票市场试点工作座谈会，提出要扩大股票发行试点范围。3月24日，广州市人民政府市长办公会议决定广州医药行业的广州白云山制药总厂、广州敬修堂药厂和广州羊城药厂以及其他行业的企业共10家作为向社会公开发行股票试点企业，要求按照国家有关规定，抓紧做好资产评估等各项准备工作。同年9月，广州市体改委发文同意全市4家工商企业（包括广州医药行业上述3家企业），先实行职工内部持股，逐步过渡到股市上市②。1992年11月，广州

① 贝兆汉、罗隽：《“白云山”企业兼并初探》，载《南方经济》1991年第2期。

② 广州市地方志编纂委员会：《广州市志（1991—2000）》第四册，广州出版社2010年版，第312页。

白云山企业集团有限公司将广州白云山制药总厂和几家分厂资产重组，成立广州白云山制药股份有限公司，经评估确认净资产折合为9000万股国家股，募集1800万股国家股和1800万股职工股，总股份为1.08亿股。该公司1993年11月在深圳证券交易所上市，发行3600万股（A股），筹集资金2.45亿元，是当时广州市首批国企上市公司之一①。

1993年3月23日，广州市市长黎子流主持召开市九届政府第146次常务会议。会议同意广州白云山制药股份有限公司、东方宾馆股份有限公司等6家企业作为广州市首批向社会公开发行股票企业，提请市委常委会讨论通过后，报国务院有关部门审批。同年，经中国证监会等部门批准，广州白云山制药股份有限公司、东方宾馆股份有限公司等5家企业成为广州市第一批向社会公开发行股票并上市的公司。

1993年组建上市公司后，“白云山”品牌在全国产生了相当大的影响

1993年，广州白云山制药股份有限公司公开向社会发行股票并上市

① 广州市地方志编纂委员会：《广州市志（1991—2000）》第四册，广州出版社2010年版，第313页。

力。广州白云山企业集团有限公司于1992年、1993年连续被评为全国工业百强企业、全国百家知名企业和全国中药行业优秀企业；1993年实现销售收入近22亿元，利润总额2.5亿元①。

四、从制药车间到股份公司的成功经验和启示

广州白云山制药总厂，这个在改革开放中崛起的工业企业，在探索不断向前发展的道路上，以其赫赫功绩而名播遐迩。该厂成绩的取得，主要是靠党的政策、识才用才、技术创新、好品质和全方位的信息网络。

（一）坚决贯彻落实党的方针政策

广州白云山制药总厂虽属农字头的企业，不属于国家计划内、系统内和体制内的单位，却取得了举世瞩目的成绩。这一切都得益于国家的政策红利。1979年国家推行扩大企业自主权试点工作；1980年农垦系统经国务院批准开始实行定额利润，超利润分成的财政包干政策；1984年国家把人、财、物、产、供、销6个方面的30多项权利下放给企业；1985年广州开始推行厂长（经理）负责制；1986年3月，国务院发布规定，提出“扬长避短”，形式多样，互利互惠，共同发展的横向联合原则；1992年广州市人民政府决定包括广州医药行业的广州白云山制药总厂在内的等10家企业作为向社会公开发行股票试点企业；伴随药厂发展的落实党的知识分子政策。另外还有一个有利条件，就是药厂的主管部门少，且主管部门白云山农工商联合总公司对药厂充分放权，企业可以放开手脚大胆进行改革，充分利用承包责任制带给企业的高度自主权。在上级主管部门以及国家、省、市领导的支持下，药厂克服了层层困难，走过了20年的艰辛历程，企业的价值在成功上市的瞬间得到全面的升华。

① 广州市地方志编纂委员会：《广州市志（1991—2000）》第四册，广州出版社2010年版，第318页。

（二）大力引进人才，激发企业活力

广州白云山制药厂正是从打破“左”的偏见，不拘一格广招人才起步的。凡是愿意为社会主义服务，为白云山制药厂做贡献的知识分子，白云山制药厂都一视同仁，一律欢迎。在创业初期，该厂虽然像海绵一样大量地吸收职工，但是发展仍然缓慢。当时只有一个技术员、一种产品，由于产品单一、质量不高，导致了1976年濒临破产的局面。新的厂领导班子总结了过去生产上不去的经验教训，分析出主要原因在于缺乏科技人员。厂领导班子下大力狠抓科技人员的队伍建设。在没有国家分配科技人员的指标的情况下，药厂把眼光移向社会，挖掘当时流落在社会各个角落家庭出身不好，个人背着沉重的历史包袱的闲散科技人员，并大胆启用这些技术人员，使这些技术人员得以施展拳脚屡创佳绩，同时也印证了“落实党的知识分子政策，充分调动知识分子的积极性，是顺利地进行社会主义现代化建设的极为重要的保证”[①]这一论述的重要性。药厂还通过厂外培训和厂内培训两种形式来提高全厂职工的文化科学技术水平；和外单位开展科学、技术合作，互通有无，互补不足，不断挖掘各方面的人才资源为企业所用；制定《白云山制药厂评定业务技术职称方案》来落实知识分子政策并调动全厂技术人员的积极性。正是这些多种多样的识才用才方案使企业得以持续并迅猛发展。

（三）坚持技术创新，促进企业发展

药厂从创立到上市的20年间锐意提高企业的科学技术水平，保证新产品、产值和利润都是逐年增加的，而且步子很大。药厂重视新产品的研发工作，每年研制成功新产品的产值保证占当年总产值的30%左右。如1982年，用在科研成果上的奖金共有2万元，而这一年仅新产品投产给工厂创造的价值就达1000万元。新产品的成功研制也为企业的发展带来质的飞跃，如1984年的数据与1976年相比，产品品种增加了24.5倍，产值增加了

① 《落实知识分子政策的榜样》，载《南方日报》1984年7月15日第1版。

151.4倍，利润增加了103.4倍。技术的创新也为提高产品质量发挥了重大作用。1978年药厂发生大宗产品“穿心莲片”被退货300箱的事故，正是技术创新帮药厂渡过了难关，使遭遇退货的产品变成畅销产品。药厂每年还投入大量资金用于更新技术设备等基本建设，每年投产的新药品不少于6个，平均每年增加品种20个以上。药厂还制定《白云山制药厂科研、新产品、技改技革成果奖励方案》，通过精神上和物质上的奖励来鼓励广大干部和职工开展科学研究和技术改革。正是通过多方面地提高、改善科学技术水平，企业获得长足的进步并成功向多元化、立体化发展。

（四）注重品质，打造企业品牌

质量好坏，是一个企业能否创出名堂、闯出天地的关键。为了抓好质量关，药厂借鉴国内外先进企业的全面质量管理方法，制定了《白云山制药厂质量管理实施方案》《白云山工艺技术管理工作条例》等相关的质量管理文件；建立了从原材料进仓到产品出厂的一系列规章制度，在主要车间实现了全封闭生产；成立了质量控制小组，形成了一支从厂部到班组环环相扣的质量检验队伍。通过多种途径保证了产品的质量，为药厂赢得了可贵的信誉。药厂不仅争创名牌，还实行全面质量管理创企业的牌子，创白云山的牌子。“五包”优质服务正是对好品质最好的体现，是药厂重视质量管理且对自家的产品质量信得过的充分体现，“五包”也使其他商业部门解除了后顾之忧，大量地购进药厂的产品，反过来也鞭策药厂加强企业的内部管理，不断提高产品的质量。作为一种成功的信誉投资，“五包”服务不仅密切了药厂与商业部门的关系，而且也赢得了用户的信赖，使产品畅销国内外。

（五）抓住市场信息，提高企业效益

多方位的信息渠道使药厂能长期立于不败之地。药厂早在20世纪80年代就在企业内部成立了商情科，负责专门收集国内商品信息，同时成立了情报研究室，专门收集处理国内外先进科技信息。药厂通过商业部门建立了多个销售点，这些销售点成为了信息网。通过这张信息网，销售人员、科技人员走出去掌握市场信息，市场需要什么就生产什么，做到了产品适销对路。药厂还通过报刊、电台，大量发布广告，通过好的产品和好的广

告，指导人们消费。药厂正是利用信息时代的有效传播，使消费者对药厂的产品有了直观的认识，从而为药厂赢得了广阔的市场。

经过20年迂回曲折的创业及发展，广州白云山制药总厂在改革开放大潮中靠两口铜锅起家，屡次将发展中的阻力化为企业进步的动力，创造了由小车间发展成为广州市第一批成功上市企业之一的不平凡业绩。20年的白云山人奋斗历程，在广州工业企业改革发展史上谱写了辉煌的篇章，他们无疑是时代的弄潮儿和佼佼者，其创造的宝贵经验与做法，为其他企业的改革发展提供了一个借鉴学习的范本。

（作者单位：中共白云区委党史研究室）

广州房地产业的起步与发展（1979—2002年）

■ 贺红卫　徐　敏

房地产是房产和地产的合称。房地产业是以土地和建筑物为经营对象，从事房产和地产开发、建设、经营、管理以及维修、装饰和服务的集多种经济活动为一体的综合性产业。在实际生活中，人们习惯于将从事房地产开发和经营的行业称为房地产业。中国房地产业的发展以土地有偿使用、房屋商品化、住房制度改革三大政策为基础，而广州房地产业的起步和发展，是中国房地产业发展的一个缩影，其经历了长期的原始积累和萌芽，并在1979年到2002年曲折的探索中逐步发展壮大起来。

一、广州房地产业的早期发展

（一）近代以来广州房地产业的萌芽

广州房地产业最初经历了非常漫长的缓慢发展，到全国解放前夕，是房地产业的资本主义经营方式时期。清道光二十年（1840年）第一次鸦片战争后，外国人相继在广州买地建房，创办教会、学校和医院[①]，地主豪绅、官吏、买办出于依附帝国主义势力的需要，也纷纷在广州落脚。商业贸易快速发展吸引了大规模的人口流入，使得房屋和土地的需求迅速扩大，城市住房空前紧张，殖民主义者、冒险家们和一些民族资本家独资、

① 东山区国土资源和房屋管理局：《东山区房管志》，广州图书馆（广州人广馆）内部馆藏资料，2002年版，第31页。

合资兴建和经营房地产，广州城市房地产业应运而生。进入20世纪以后，随着政局动荡，广州房地产业经历了盛衰交替的反复阶段。

（二）中华人民共和国成立后广州房地产业的缓慢发展

1949年10月14日广州解放后，广州房地产业进入以整顿秩序，解决和改善市民居住问题为重点的缓慢发展阶段。

1. 土地和房产的国有化。

土地方面。和全国一样，广州城市土地实行国有化政策，开始采用无偿、无期限、无流动的使用制度，土地所有权和使用权高度集中，通过行政划拨手段配置土地资源。这在一定程度上造成了乱占、多占土地的情况屡禁不止，导致土地浪费严重的问题。

房产方面。将国民党政府所有房产及其党政军要人的房产、一些不法分子的房产和属于国外的房产，分别以没收、接管、征用、抵偿、收购等不同方式转为社会主义国家公有房屋。同时，对少量合法经营的私有房产，也在1950年以后就开始逐步进行社会主义改造，大体上可分为两步：

第一步是成立广州市房地产交易所，开展托管业务。房产的产权不变，国家按月付给房主一定的租金，把私人的房产经营纳入国家计划经济的轨道，改善了房屋租赁关系。1952年2月15日，经广州市人民政府批准，将1950年成立的负责房屋托管和交易的市房地产交易所归并到新成立的广州市房地产信托公司（后改为广州市房地产公司）。

第二步是对资本主义私有房屋实行赎买政策。在保留极少数私有房主自住房的前提下，大量的私有房产通过公私合营、定息赎买的办法变为公有房产。至1958年底，资本主义私有制被消灭，广州房地产业作为一个独立行业已不复存在，从而实现了城市房地产公有制，建立了以公有制为主体的城市房地产经营模式和管理体制。

在那段时间，广州抢修了大批危旧破房，也有计划地进行了新住宅区的建设。比如，为安置归国投资的华侨，适应华侨和港澳同胞在广州购房置业的需要，1955年组织归国华侨成立“华侨新村筹建委员会”，同时组建了华侨房屋建筑服务公司（2001年由珠江实业集团归口管理），于1955年5月动工建设全国第一个华侨新村，1958年建成，新建侨房568个单元，

华侨新村今貌

其中独院别墅177幢。除此之外，还建成了建设新村、西村的工人新村以及万松园、冼家庄新村等新住宅区[①]。

2. 房地产业的集中计划经济时代。

1958年至1978年12月十一届三中全会前夕，广州房地产业进入了集中计划经济阶段。对于生产性的房地产，国家有计划地投资建设，无偿拨给企业和单位使用；而非生产性的房地产及职工住宅，也由国家统一负责、统一建房、统一分配使用。

由于当时社会实行的是“低工资制”，相应地，住房的租金也普遍偏低，政府采取了“以租养房”的方针。但实际上，在计划经济体制和住宅所有制单一化的影响下，回收的低廉的租金尚不够房屋的维修费用，广州每年要拿出一大笔钱用于补贴住房的维修和管理费用，再加上房屋建设只有投入没有产出，由此带来的沉重负担渐渐难以承受，结果导致大量的住宅投资无法收回，资金无法实现良性循环，房屋再生产步履维艰，城市职

① 戴治国：《广州房地产总览》，改革出版社1997年版，第40页。

工的住房日益紧张，也使得本来就紧缺的城市建设资金捉襟见肘，城市开发建设面临着严重的资金短缺的困难。而且，当时在土地使用上是“吃大锅饭”的状况，致使城市土地资源未能得到合理的利用，造成土地利用率低，用途结构不合理，土地浪费较普遍，非法买卖及转租、转借、转让土地的情况较为严重①。

在“以租养房”难以为继且拖累建设资金的情况下，住房成为困扰广州城市发展的重要难题。1978年12月召开的中国共产党第十一届中央委员会第三次全体会议吹响了改革开放的号角，广州房地产业成为改革最先触动的一个领域。

二、广州房地产业的起步

（一）试点引进外资和土地有偿使用，商品住房市场化

1. 有地没钱，试点引进外资建设东湖新村。

1979年，根据当时的用地红线，广州市划出大沙头3块相连的地块共约14万平方米给东山区开发。但是，彼时的广州缺乏建设资金，国家和单位投资难以为继，面临着有地没钱的局面。在对外开放的新形势下，广州决定率先试点引进外资兴建新型住宅区。当年10月，以东山区引进外资住宅建设指挥部（广州东华实业股份公司前身）名义，同香港宝江发展有限公司合作开发广州市第一宗引进外资建成的住宅楼宇——东湖新村。1979年12月21日，东湖新村正式动工②。东湖新村住宅小区建筑面积6万平方米，根据协议，港商投资人民币1080万元，广州提供3.1万平方米的土地并拆迁和三通一平。建成后港商得房2万平方米，由港商在香港销售，用于收回港资的成本与利润；剩余面积归指挥部，其中2万平方米作为商品房进行销售，所得作为开发公司的初步资金积累，另外2万平方米交归政府作居民拆迁安置房，改善居民居住状况。这种开发模式可以说

① 广州市房地产管理局修志办公室：《广州房地产志》，广东科技出版社1990年版，第81页。

② 廖靖文、王燕：《记者探访东湖新村 几代人安居乐业见证现代城市的成长》，载《广州日报》2015年10月1日。

是“一箭三雕”[①]。

2. 土地有偿使用和商品住房市场化的争议及破局。

东湖新村的这种开发模式虽然很好，但在当时有很大的争议。毕竟在这之前，广州对城市土地的使用形式都是采取行政手段无期限、无偿地划拨给用地单位，土地是“无价值”的；而且住宅也由国家统一负责、统一建房、统一分配使用，住宅是“公有”的。东湖新村的开发模式，事实上是将国家对土地的所有权以实物地价、实物地租的方式开启了商品住房市场化的第一步，开了土地有偿使用的先河，使城市土地开始从无偿、无期限使用向有偿、有期限使用转变，突破了土地无价值论的束缚。这在当时的确冒了很大政策和法律的风险，但很快这种思路和模式便被验证为走在全国前列。

1980年4月，邓小平与胡耀邦、万里、姚依林、邓力群等中央负责同志谈到建筑业和住宅问题时提出，“城镇居民个人可以购买房屋，也可以自己盖；不但新房子可以出售，老房子也可以出售；可以一次付款，也可以分期付款；住宅出售以后，要联系房价调整房租，使人们考虑到买房合算，因此要逐步提高房租；将来房租提高了，对低工资的职工要给予补贴；建房还可以鼓励公私合营或民建公助，也可以私人自己想办法”[②]。同年6月，中共中央、国务院批转《全国基本建设工作会议汇报提纲》，提出“准许私人建房、私人买房，准许私人拥有自己的住房”[③]，正式推行城镇住房商品化。紧接着，国务院在批复《第二次城市规划工作会议纪要》中，明确地提出要实行城市建设综合开发和土地有偿使用这两个方针。广东省看到了这两个方针的重要性和潜在意义，抓住时机，大胆实践，1981年确立了“以地养城”的指导思想[④]。如此，围绕东湖新村建设中的商品住房市场化、土地有偿使用，这两个关键争议焦点和红线便有了

① 《理性的辉煌——探寻广州地产20年发展足迹》，载《广州地产二十年（1985—2005）》，房地产导刊社2006年版，第13页。

② 杨慎：《〈邓小平关于建筑业和住宅问题的谈话〉发表纪实》，载《中国发展观察》2010年第4期。

③ 广州市住房制度改革办公室：《广州房改资料选编与问题解答》，1992年，第5页。

④ 周干峙：《房地产开发经营的广州模式》，载《广州房地产业的崛起》，广东人民出版社1990年版，第2页。

依据。

3. 广州房地产业成长。

东湖新村于1982年底基本建成，开创了中国利用外资开发房地产的先河，成为广州现代房地产业的起始点，是全国第一个商品住宅项目，也是第一个实施小区管理的住宅区。随后，广州房地产市场发展的步子越迈越开，也越走越实。广州市城市建设开发总公司（前身是1979年成立的广州市住宅建设办公室，1983年改制为城建总）、穗华房产开发公司、珠江实业总公司（1979年成立）相继与外商合作，利用外资经营开发员村昌乐园、晓园新村、江南新村、五羊邨、湖滨苑、拥翠花园、晓港新村、白云花苑、番禺华侨新村等住宅区，合作的港商公司也扩至4家，投资额达3.5亿美元，面积近43万平方米[①]。那时商品住房的特点是以引进外资的方式启动，以针对华侨和港澳市场的外销为主。由此，广州房地产业逐渐恢复了原来的面目，在经历长久的销声匿迹之后，重新形成一个独立的行业[②]。

20世纪80年代的东湖新村

① 袁奇峰等：《改革开放的空间响应——广东城市发展30年》，广东人民出版社2008年版，第386页。

② 陈龙乾、许鹏、张志杰、陈龙高：《中国房地产业发展的历史、现状及其前景》，载《中国矿业大学学报（社会科学版）》2003年第4期。

（二）土地有偿使用制度的改革

1. 土地有偿使用相关制度走在全国前列。

土地有偿使用的方针确定以后，广州市在对市区土地全面普查的基础上，于1984年出台了中国最早的关于国有土地有偿使用的法律法规——《广州市土地有偿使用管理办法》，首先对新建项目、中外合营企业和经济技术开发区按不同等级向土地使用者征收土地使用费，并开始对新建区的土地实行招标投标，创造性地把城市建设综合开发与土地有偿使用这两个方针结合起来，而且在结合中抓住了发展房地产业这个重要环节，逐步改革管理体制，改变按行政隶属关系管理房地产业的做法，制定了一些发展房地产业的办法。事实上，广州土地有偿使用一直是走在全国前面的，当年，“房地产”一词最早在广州出现，当时中国其他地区所使用的词语还是“住宅建设”。直到1988年4月，全国人大修改《中华人民共和国宪法》，增加了“土地使用权可以依照法律的规定转让”的内容，国有土地使用权出让才正式“合法化”，我国的城市土地使用制度开始向有偿有期限使用制过渡和转换，形成有偿使用和无偿划拨并存的“双轨运行机制”[①]。

2. 土地使用权商品化加速旧城改造和住宅建设。

广州是一个有着两千多年历史的古老城市，房地产业的发展是在旧城改造困难重重的情况下进行的。广州市在保证土地所有权为国有的条件下，实施土地使用权商品化，让土地最开始以实物有偿、现金有偿的方式进入流通领域，加速了旧城改造和住宅建设的发展。

1986年4月，广州市首次用公开招标方式出让土地使用权，对旧城区东风街小区用地面积25.7万平方米进行招标开发成片改造试点。中标的广州市城市建设开发总公司越秀分公司，按合同“无偿”（实际是从销售商品房中收回）投资兴建小区的市政和公建配套设施，并“无偿”上交2.3万平方米房屋给市政府作旧城改造专用房[②]。

---

① 袁奇峰等：《改革开放的空间响应——广东城市发展30年》，广东人民出版社2008年版，第370页。

② 广州市国土和房屋管理局：《广州市国土房地产管理志》，广州图书馆（广州人文馆）馆藏内部资料，2006年，第41-42页。

1988年8月，市政府以招标方式出让花地湾小区107万平方米的住宅用地，并宣布招标以“有偿使用，招标开发，明标暗投，价高者得”为原则，标书的底价为6000万元，共有15家公司参加投标，广东省信托房地产开发公司以2.808亿元中标，获得土地的开发经营权。这也是当时国内规模最大的一次土地使用权商品化经营活动。

而广州市城市建设开发总公司（以下简称城建总）承担开发用地5.2平方千米的天河开发区（今天河体育中心所在地）的任务，也将土地使用权商品化的优越性体现了出来。当时，为了1987年在广州举行召开第六届全国体育运动会，广州市需要兴建具有先进水平的体育场、体育馆、游泳馆以及各项配套设施，共需投入约7亿元，而国家和地方财政的投资不足3亿元。城建总利用这块土地的价值和这块土地经过开发后转让所得的效益，兴建为体育场馆配套的立交桥、道路、广场、供水、供电、供气管线，结果仅用3年时间，就完成了体育中心的建设，保证了第六届全国体育运动会的召开。

3. 土地有偿使用制度的规范和完善。

1992年7月，广州市全面实行土地有偿使用制度，从实物有偿使用转变为货币有偿使用，房地产开发用地从行政零星划拨逐步转变为“五统一”（统一规划、统一征用、统一开发、统一出让、统一管理），1997年起则不再行政划拨、协议出让土地，结束了有偿使用和无偿划拨并存的“双轨运行机制”。1997年10月13日，由副市长戴治国任组长的广州市国有土地使用权招标拍卖领导小组成立，广州市建设用地使用政策的重大改革进入实际操作阶段。从10月13日起，广州市经营性房地产开发项目用地一律实行公开招标、拍卖，不再进行行政划拨、协议出让，从而避免了土地出让中人为因素的影响，使土地出让市场走上公正、公平、公开的轨道。1998年6月23日，广州市举行了第一次国有土地使用权公开拍卖出让会，对机场西路及工业大道等总面积86732平方米的5个商品住宅用地地块的土地使用权进行公开拍卖出让，最终成交了3个地块，分别由广州鸿泽实业发展有限公司、广州市腾安房地产开发公司、广州市恒大房地产开发有限公司竞得。此次拍卖会与会人士达500多名，其中来自全国各地的记者达80多名，共有11家房地产开发商参与竞投，拍卖会持续了1小时40

分钟。此次拍卖不仅受到从事房地产业人士的关注，也引起各级领导的重视，国家建设部房地产司副司长沈建忠、广东省国土厅厅长袁征、广州市副市长戴治国等[①]出席见证了拍卖会。

自1998年6月至2002年12月，广州共组织公开招标拍卖挂牌11次，推出41幅土地，用地面积129.5万平方米，建筑面积366.1万平方米，成功出让26宗，用地面积77.7万平方米，建筑面积231.97万平方米，成交价32.7亿元。在2002年12月中旬举行的拍卖会上，3幅地块均大大超过底价成交，成交总价5.535亿元，比起拍价高出了1.955亿元，溢价近60%，创造了广州市土地使用权出让参与竞拍单位最多、举牌次数最多、拍卖持续时间最长、超过底价幅度最高的历史记录，探索出了土地使用权出让的一些新方法，广州市有形土地市场逐步建立起来。

三、广州房地产业的发展

（一）国有房地产企业在改革浪潮中快速发展

1. 第一个阶段房地产公司快速形成。

通过引进外资合作开发房地产项目，广州许多房地产开发公司积累了国有企业的"第一桶金"。原来的千家万户分散建房、单位建房、自建自用的模式，缺乏规划，规模也小，已经逐步不适应当时的建设需求。

1983年开始，广州市住宅建设按照"综合开发、配套建设"的思路，将原来千家万户分散建房、单位建房、自建自用，逐渐变为由专门的国有房地产开发公司成片、成线集中综合开发建设，主体建筑与配套建设同步进行，新区开发与旧城改造相结合，由市政府统一规划，国营开发公司集中开发，各个单位购买后再分配给职工。这使得城市建设有计划、有步骤地拓展，住宅建设速度大大加快。房地产市场也开始转型，各行业纷纷利用自己的优势，从基建办、建筑队等角色转变为房地产开发公司，形成了第一个阶段房地产公司的组成部分，广州市房地产开发企业数量开始大量

① 广州市国土和房屋管理局：《广州市国土房地产管理志》，广州图书馆（广州人文馆）内部馆藏资料，2006年，第43-44页。

增加。五羊新城、花地湾、六运小区等就是这样建设起来的。

随着房地产开发规模的扩大，企业数量不断增多，在城镇住房改革尚未启动、公有住房仍为主体的情况下，广州的商品房已经有了超前的发展。1985年1月，广东省信托房产开发公司（1983年成立）、广州市城市建设开发总公司、广州市珠江外资建设总公司房产公司、广州市东华实业公司等企业和有关房产管理部门、学校团体和个人成立了广州房地产经济研究会，1988年11月更名为广州市房地产学会[①]。也就在当年，中国最早的房地产协会——广州市房地产业协会成立。同时，外资企业也在那时候进入，带来了新的开发与经营理念。

2. 房地产开发公司在市场上各显神通。

1985年以后，广州房地产业进入无序发展的时期，发展非常迅猛，1985—1988年，广州市房地产开发投资每年分别增长8.3%、13.1%、33.2%、100%，广州房地产业的发展基本形成并走向第一次高潮。但与此同时，广州房地产业发展缺少秩序和规划，全市也只有几家大的设计院，经营范围和内容比较单一[②]。1986年，广州房地产开发企业有60家，竣工商品住宅面积为69.14万平方米，占当年住宅建设总量的12.37%。1990年，广州房地产开发公司增加到109家，竣工面积160.19万平方米，已经占该年竣工总量的1/3[③]。但是，基于当时的政策和市场环境，整个20世纪80年代，广州房地产业的发展主体是国有房地产开发公司，而且还是以几个国有企业为龙头，当时的开发商没有形成一种合力，靠各自的能力找地块、建楼和卖楼。

当时，广州地产界有三驾马车——省国投、珠江实业、城建总。珠江实业总公司的前身是珠江外贸建设公司，成立于1979年，伴随着改革开放的大潮，在国内开创了工程总承包的先河，先后总承包建造了白天鹅宾

① 广州房地产业协会、广州房地产经济研究会：《广州房地产开发》，广州图书馆（广州人文馆）内部馆藏资料，1986年，第66页。

② 张南宁：《广州地产的阶段亢奋》，载《广州地产二十年（1985—2005）》，房地产导刊社2006年版，第445页。

③ 袁奇峰等：《改革开放的空间响应——广东城市发展30年》，广东人民出版社2008年版，第386页。

馆、中国大酒店、花园酒店、天河体育中心，投资开发了富丽华大酒店、国际金融大厦、儿童活动中心、世界贸易中心大厦、好世界广场等大型建筑和住宅小区。广州市城市建设开发总公司的前身是1979年成立的广州市住宅建设办公室，1983年改制为城建总，是广州市最早成立的房地产综合开发企业之一，广州地产业的第一批开荒牛，参与开发建设了全国首个大规模统一开发的江南新村商住区、占地5.2平方千米的天河建设区、广州市顶级别墅区二沙岛别墅区，以及新“羊城八景”之一的天河飘绢、逸泉山庄和南沙滨海花园等。城建总在1996年被改制为城建集团。城建总经历了从计划经济到市场经济的转变，积极进行经营思路和战略的调整，提出了从住宅产品开发向住宅开发与商业地产经营相结合的观点和以物业经营为核心的经营方向，将房地产向外、向下延伸，实现企业优质资产的转化和沉淀，同时创造长期稳定的企业经营效益①。2001年，城建集团与越秀集团重组方案获国务院批准，广州城建集团等资产注入香港越秀集团，跨入了新的发展里程。

越秀区房地产开发经营公司则是在那段时期成立和发展壮大的中小房地产开发企业的典型代表。成立于1985年9月的越秀区房地产开发经营公司，是以1984年9月成立的房地产开发经营部为基础扩充成立的，初建时没有划地权，无法划地。后通过各种渠道，开展了一些合作项目，其中有共和村、仙邻巷、西华路、惠福路、濠畔街等地段工程，以及越秀区房管局移交委托开发经营的飞鹅岭大楼、桂花岗抗震加层工程等，业务有所扩大。公司成立初期，遇到了资金不足、缺乏地皮、没有开发经验的问题，特别是划地非常困难，公司主动理顺各方关系，获得了划地权，划地工作有所突破，经过3年的努力，征划土地有越华路地段、北京南路、贤藏街、甜水巷等27000多平方米，得到广州市城市开发公司、穗华开发公司、广州市房屋经营公司转给经营的土地4幅共15000多平方米。为了推动住宅商品化，参与房地产市场竞争，1989年5月，越秀房地产开发公司加

① 李飞：《城建集团与广州地产共繁荣》，载《广州地产二十年（1985—2005）》，房地产导刊社2006年版，第81页。

入了广州市房地产交易中心，并设点挂牌办公，推销商品房[①]。

3. 住房制度改革和住房公积金制度的建立助推国有房地产企业发展。

作为商品住房市场化的重要制度保障，广州推出的住房制度改革和建立的住房公积金制度，加快了住房从隶属于各企事业单位向社会统筹过渡的步伐。作为住房制度改革的试点内容，1987年广州出现了中国最早的房产证。1989年8月16日，经广东省政府批准，广州市正式印发了以"卖房起步，分步提租，相应发贴，新分配的住房实行新制度"为主要做法的《广州市住房制度改革实施方案》（穗府〔1989〕80号），改革了原来的统包统分的低房租、高暗贴、福利制、实物分配的住房制度，合理调整居民的消费结构，使人们按自己的经济能力选择购、建、租用住房，并始克服住房分配的不合理现象，使住房资金投入产出进入良性循环，加快了住房解困的步伐。广州成为全国第一个全面实施住房制度改革的省会城市。到了1992年，广州市政府借鉴新加坡通过建立住房公积金解决居民住房问题的成功经验，参考上海市的做法，决定建立住房公积金制度[②]。住房制度改革以及公积金制度的建立，扩大了广州住房市场的需求，极大地助推了以国有为主体的房地产企业的发展。

这一时期，商品住宅供不应求，房价上涨的幅度很大。以边缘地区商品房进行比较，1984年开始向社会公开出售住宅时，其价格是450—550元/平方米，到1988年，已上涨到1000—1200元/平方米[③]。而根据国家统计局广州市城市抽样调查队以及此后改称国家统计局广州市城市社会经济调查队（国家统计局广州调查队的前身之一）的调查，广州居民平均每人生活费收入从1984年当年的837.72元，提高到1988年当年的1743.6元，相当于普通居民平均每人一年的生活费收入仅能在边缘地区购买1平方米多点的商品房面积。当时购买商品房的人中，海外华侨或者其他有海外关系

① 越秀区房地产管理局：《广州市越秀区房地产志》，广州图书馆（广州人文馆）内部馆藏资料，1992年，第47-50页。

② 广州市国土和房屋管理局：《广州市国土房地产管理志》，广州图书馆（广州人文馆）内部馆藏资料，2006年，第131-133页。

③ 司徒新：《房地产业发展的六大变化和五个重要问题》，载《广州房地产业的崛起》，广东人民出版社，第32页。

的人占了较大一部分。

4. 商业地产在国有企业的主要推动下稳步发展。

广州的商业地产，如写字楼、购物中心等，是从20世纪80年代后期开始，由国有企业开始开发起来的。随着改革开放政策的实施，以及西方先进科学技术和管理经验的引进，西方现代的建筑文化接踵而来，特别是广州，地处中国改革开放前沿，又是中国综合改革的试验城市，受西方建筑文化影响更为深刻，从而其建筑文化开始向现代化方向发展。从20世纪80年代开始，广州的高层建筑如雨后春笋般出现。屹立在广州海珠广场北侧的广州宾馆和越秀山麓的白云宾馆，是当时广州也是全国最高的建筑物之一。其后，白天鹅宾馆、花园酒店、东方宾馆、中国大酒店、广东电视台大厦、广州文化假日酒店、国际贸易中心、广东国际金融大厦、华侨大厦等高层建筑拔地而起。1996年落成的中天广场大厦是当时亚洲最高的建筑物。至于二三十层高的建筑物更像满天星斗，遍布广州全市。高层建筑已成为广州城市一大景观①。再比如，由广州设计院从1991年开始设计的天河城，在当时是国内最大、最新的购物中心，到1996年开始营业时，上海也没出现这样大的商城②。

（二）“国”退“民”进，广州民营房地产企业快速崛起

1. 广州房地产业出现过热。

房地产开发是资金密集型行业，房地产业的投资额度大，对资金的要求周期长，因此它的发展离不开金融业的支持，必须依靠金融业的带动。但房地产因预期投资收益高、居民贷款风险小等特点，最是吸引金融业投资，所以房地产业又是金融业借贷资本的最大出路。20世纪90年代初期，港澳同胞回来购房的需求越来越多，优惠的政策吸引了海内外的大批热钱，房地产金融活动异常活跃，许多领域的资金都流向房地产业，出现了全面的房地产热，非理性投资引发的房地产泡沫严重破坏了宏观经济的良

① 陈代光：《广州城市发展史》，暨南大学出版社1996年版，第492-493页。

② 郭明卓：《广州商业地产的冷思考》，载《广州地产二十年（1985—2005）》，房地产导刊社2006年版，第444页。

性运行。广州是严重的受灾区，1991—1993年是房地产投资最为集中的年份，出现了“全民搞房地产”的疯狂投资潮，全市房地产投资年度增速分别高达33.2%、150%、220%，开发量远远大于竣工量，地产价格虚热之下留下了大量的烂尾地、烂尾楼。与此同时，房地产开发企业不断地增加，1992年底，广州市具备资质的房地产开发企业达到269家[①]，1993年猛增到3359家。另外，大量“小产权房”以“集资建房”名义在广州近郊农村出现。集体土地上的“房地产开发”，不通过规划管理，镇级政府就可以办理报建手续。这些住宅主要在城区周边，比如白云、海珠、天河等区。“集资建房”严重冲击了国家土地政策和城市规划，使得在城乡结合处的规划完全失控，成为早期房地产开发的重大教训。

广州市1985—2002年房地产开发投资情况[②]

年份	1985	1986	1987	1988	1989	1990	1991	1992	1993
固定资产投资额/万元	436197	524813	584140	902161	933326	905937	1037424	1881379	3733976
其中：房地产开发/万元	46472	52565	70031	140091	152359	117419	156349	397420	1252387
占比	10.7%	10.0%	12.0%	15.5%	16.3%	13.0%	15.1%	21.1%	33.5%
年份	1994	1995	1996	1997	1998	1999	2000	2001	2002
固定资产投资额/万元	5257053	6182515	6389360	6565767	7588283	8782586	9236676	9782093	10092421
其中：房地产开发/万元	1894520	2091136	2291640	2374223	2693689	2959027	3555816	3870207	4263898
占比	36.0%	33.8%	35.9%	36.2%	35.5%	33.7%	38.5%	39.6%	42.2%

注：广州市房地产开发投资不断增大，占固定资产投资的比重呈逐年提高态势

① 戴治国：《广州房地产总览》，改革出版社1997年版，第42页。

② 数据来源：广州市统计局、国家统计局广州调查队。

2. 解决广州房地产市场需求不足问题。

为了解决20世纪90年代初期房地产业高速发展之后带来大量积压的空置商品房问题，解决市场有效需求不足的问题，广州陆续推出了一系列举措：一是推出了户口救市，即“蓝印户口”政策，减少广州市空置积压商品房，刺激广州市房地产市场；二是降低地价救市，于1996年8月22日决定大幅度调整地价，地价收费标准降低1/4，市政配套费亦降低1/5，从而降低商品房价格，相对提高居民购买力；三是成本价出售公有住房救市，市政府于1995年7月颁布《广州市深化住房制度改革实施意见》，开始全面实施成本价出售公有住房，售房给予现住房折扣、工龄折扣、一次性付款折扣；四是提供购房按揭救市，1996年，中国最早的按揭市场化在广州出现，而建设部1997年6月才颁布施行《城市房地产抵押管理办法》，中国人民银行1998年5月才颁布实施《个人住房贷款管理办法》，上海2000年才开始出现住房按揭贷款；五是停止住房实物分配救市，这既是救市的根本措施，也是住房制度改革的最终目标，广州市从1998年1月1日起记发住房补贴，是全国第一个实行住房货币分配制度的省会城市①，1999年是福利分房的最后一年，仅12月的售房量就超过8万套，占全年售房总量的52.4%，是1998年同期的23.68倍。12月27日8时至31日，市国土房管局15个与房改售房业务、保卫有关的处室实行了112小时持续办公，开创全国行政机关、事业单位对外通宵办公的最高纪录，数以万计的群众顺利搭上“房改末班车”。

3. 政企不分弊端显现，民营房地产企业借机崛起。

这些房地产问题的出现，暴露了当时国有企业政企不分的弊端。随着中央提出整顿金融秩序，加强宏观调控，广州房地产业在1994年进入盘整、消化阶段，加快了企业经营机制转换步伐，实行政企分开，把企业进一步推向市场，根据市场需要组建了全市第一家股份制大型房地产企业——广州金城房地产开发有限公司，还组建了大型的、多元化经营的市房地产实业总公司。同时，地产界开始洗牌，经过几年的调整，广

① 广州市国土和房屋管理局：《广州市国土房地产管理志》，广州图书馆（广州人文馆）内部馆藏资料，2006年，第129、134页。

州的几大民营地产商逐步脱颖而出，例如祈福、富力、合生等，他们都是以广州的周边作为基地，慢慢发展壮大起来的。

1996年以前，国有房地产开发企业在市场中占有重要位置，知名楼盘多，商品房开发势头猛，竣工面积和销售面积均占有较大份额。但随着市场竞争的加剧，国有企业的优势逐步消失，而民营企业则有资金和经营机制的优势，逐步获得市场竞争主动权，渐渐取代国企成为行业支柱。广州房地产投资增长的动力，到后期越来越多地来自于私营经济以及股份合作经济投资的增长。到了1997年，广州市房地产完成的投资中，国有房地产企业占34.9%，而民营企业以及合作、合资房地产项目公司占65.1%，全市房地产开发面积中，国有企业仅占41.2%。1998年以后，民营房地产开发企业更是迅速占领市场，规模较大的明星楼盘大多是非国有经济开发企业完成的，除个别实力雄厚、管理较强的国有企业外，大多数国有开发企业都逐渐隐退了。随着市场竞争日益激烈，一批经济实力较弱，没有开发业绩的房地产开发企业被逐渐淘汰出局，房地产业进入优胜劣汰阶段。广州市房地产开发企业在鼎盛时期曾达到1500多家，从业人员4.5万人，但大多数企业经济实力不强，平均每家企业的资产仅1000.1万元。2001年，广州市房地产开发企业达到1318家，其中，30强企业完成开发投资110.5亿元，占全市总额的28.55%。其中民营企业由1996年的1家上升到15家，取得了长足、可喜的发展，占30强开发投资的43.5%；港澳台等外商企业由10家变为11家，保持基本稳定，占30强开发投资的34.4%；而国营、集体所有制性质的开发企业数量呈现大幅下降的趋势，由1996年的19家下降到仅4家，占30强开发投资的22.1%[①]。到2002年，广州市766家综合开发房地产企业中，私营开发公司超过100家，在307家内资项目合作公司中，也有1/2以上是私人或私营房地产开发企业和相当一部分既是香港投资者又是内地私营投资者的开发企业。而且，广州市房地产市场呈现出强势开发商越来越风光，弱势开发商市场份额越缩越小，市场资源日益向强者集中的局面。

① 赵卓文：《广州房地产精华》，广东科技出版社2003年版，第8、205、209、210页。

4. 房改的深化再次助推民营房地产企业发展。

1998年对于中国房地产的发展来说像一个分水岭，从1996、1997两个年头的谷底，一下反弹起来。而这一切都得益于1998年7月3日《国务院关于进一步深化城镇住房制度改革加快住房建设的通知》出台，以及从1998年开始的货币分房、银行按揭和因此而蓬勃发展起来的房地产市场和民营企业。此外，1998年震惊世界的东南亚金融危机也让香港资本在内地的投资开始萎缩，为广州地产商提供了足够的生长空间。

房改对广州许多有了一定实力的民营房地产开发公司来说是一个机遇。因为当时国家经济房适用政策动摇，国营房地产企业失去优势。但房改房的需求量很大，而国营房地产开发企业的能力有限，所以民营企业得到了介入房改房开发的机会。一方面不少民营房地产开发公司借机获得了比较雄厚的经济实力，再利用当时政府推动国营企业改制和工业退出中心城区之机，拿下了不少旧工厂用地；另一方面，又利用广州行政区划调整的机会，从即将裁并的两个县级市（花都、番禺）拿到大量土地。结果开发商控制的土地资源在一段时间里甚至超过了市政府的土地储备，形成了“寡头”控制房地产市场价格的格局。

5. 民营房地产企业崛起的几个样本。

许家印和他执掌的恒大地产就是得益于这阵春风，快速成长成为中国“首富”型的民营企业。创立于1996年的恒大实业，从1998年广州金碧花园项目捞到第一桶金开始，就形成了“开盘必特价，特价必升值”的“成本价”策略和快速营销手段。恒大迅速走出了广州，布点全国。而舆论戏称为中国房地产“92黄金一代”的其他民营企业当然也同样具有高度敏锐的政治嗅觉和企业运作能力。这些在邓小平“步子还要再快点”的号召下发展起来的民营企业，他们在把握机遇和快速扩张方面也各有千秋，比如，善用制衡术使战友同自己相得益彰，共创一片富力帝国的李思廉、张力；有大魄力和大决心逐步完成碧桂园集团从家族制向现代型企业转型的杨国强；“兄弟齐心、其利断金”的雅居乐地产陈卓林；合生创展集团朱孟依；奥园集团郭梓文等地产大鳄[1]。其中，富力地产在搬迁工厂地块建设物美价廉的产品，快速地开发，快速地资金回笼，一步步壮大起来。富力的业务与旧城改造紧紧联系在一起，在这个过程中，富力既解决了旧工业厂房的工业污染问题，也改善了旧城面貌，探索出一条中国房地产界独具特色的成功之路，并在2002年进入北京房地产市场，开始了向全国迈进的步伐[2]。

1978年（左）和1998年（右）的环市东路建筑对比

6. 进入21世纪广州房地产开发企业的经营运作模式。

房地产业是典型的资金密集型产业，从土地储备到项目开发，需要数千万元甚至上亿元的投入。大型房地产项目首先意味着总量很高的地价，这是“入市”的第一道门槛。据统计，2001年全市的开发资金中，企业自有自筹资金仅占20%，在房地产30强中，企业资金70%为商品房定金和预售款，即使是一些大型开发企业，仍难免受到资金周转问题的困扰。上市、结盟、扩张成为此后房地产开发企业3种最主要的经营运作模式。

① 欧阳曙：《广州房地产十年黄金路 居住让广州更美好》，载《住有所居：广州房地产黄金十年2000—2010》，2011年，第29-30页。

② 陆毅：《旧城改造是富力特色成功之路》，载《广州地产二十年（1985—2005）》，房地产导刊社2006年版，第483页。

（1）上市模式。以往大多数的开发企业主要依靠银行贷款和预售房款进行滚动开发，但收紧的贷款条件、利息负担和房屋预售门槛，使其资金链相当脆弱，因此，上市后稳定的融资环境，令一些具备条件的地产商心仪已久。房地产开发企业上市，一方面能够获得稳定融资渠道，另一方面，通过上市改善企业的股权结构，规范经营运作管理，进一步扩大品牌影响，有利于企业的可持续健康发展。而广州房企上市的途径也是多种多样。比如，2002年3月，广州天伦房地产集团有限公司以其开发的天誉花园整层裙楼，以及其固定装修资产，置换上海南都集团所持有的龙发股份（000711）共计26.635%股权，从而一举成为龙发股份第一大股东，顺利上市。2002年4月，广州新时代房地产开发有限公司以其拥有的6000多平方米的商用物业换取股权托管权利，正式介入了ST高斯达（600670）的重组进程。广州恒大实业集团有限公司，则选择买壳上市的方式，收购房地产上市公司琼能源（000502），进入资本市场。而富力集团在短短10年时间内由一个不到10人的公司发展到令广州同行刮目相看的大型房企，则选择了谋求通过正常渠道上市。

（2）结盟模式。通过几家企业结盟，形成稳定的良好的经营发展关系。比如，1996年起步的奥园集团（原广东金业集团）在2002年10月与海尔集团结盟；信和集团则选择入股好又多连锁超市实现“房地产+商业”的正式结盟；城启—粤泰集团则选择与零售企业广州百货集团参股联姻。

（3）扩张模式。一线城市房地产市场竞争日益加剧，二线城市的房地产市场日趋升温，房地产业的区域转移正在进行。一些大的企业，选择到其他大城市发展也不失为一种明智之举，不但可以打响自己的品牌，而且有着新的机遇和空间。于是，越来越多的广东房地产巨鳄游进京城，珠江投资、合生创展、中华广场、富力地产等房地产粤军汇聚成势，争夺京城房地产市场，北上“攻城略地”，取得喜人的成就。改革开放的成果不再停留在“珠江水、广东粮”的初级阶段，技术、资金含量高的房地产产品在北京、上海等城市已经为人们所赞赏，广州本市成长起来的地产商向全国主要大城市输出广州地产品牌，证明了经济进步成果的进一步扩散，为向全国推广房地产开发建设经验，为加速全国城市化做出了贡献。

（三）中介、物业的发展

1. 中介服务业的发展。

20世纪80年代中后期，适应房地产业的兴起，广州市的房地产中介服务业逐渐萌芽。一些大的房地产开发商把负责房屋销售（租赁）的业务部门独立出来，成立全资控股的销售性质的子公司。一部分房地产开发商则把自己推出的楼盘交给新出现的一些专职的代理公司去销售。房地产的价格评估活动也开始在越来越多的领域出现，如搞抵押贷款或者政府对房地产开征税费，一般都事先对物业做出价格评估。1992年下半年开始，房地产中介服务公司数目激增，房地产中介从业人员越来越多，大大小小的中介代理公司、房地产咨询公司、价格评估公司大量涌现。1994年开始，中介服务业进入规范整顿期，有关中介服务的管理法规陆续出台，法规体系逐步健全。建设部1994年发布《城市商品房预售管理办法》；广州市1995年发布《广州市房地产交易管理办法》《广州市购买商品房贷款抵押规定》《关于扶持和加强房地产评估机构管理的通知》，1997年发布《关于加强中介公司代销楼盘管理的通知》，等等。

从2001年开始，广州的建筑界开始走向有序发展，引进了香港的概念，包括顾问公司、代理公司和中介公司，它们的引进对广州地产界起了非常重要的作用，将国外理念和发展模式带进广州，促进了房地产开发的进一步发展[①]。这一时期，满堂红、中原、合富等中介公司地铺超百家，从业人员超千名，引导了行业规范操作，也鼓舞了境内外知名中介机构如经纬、美联、香港置业等开始向广州发展业务。

2. 物业管理走在全国前列。

在物业管理方面，东华实业公司建设的东湖新村、湖滨苑、花园新村，改革了旧的分散、多头管理制度，创出了多层次的、综合性的、统一的服务与管理相结合的新型体系，使新村具有配套网点齐全、环境洁净优美、管理制度健全、服务工作到家的特色，不但住户满意，还多次受到来

① 张南宁：《广州地产的阶段亢奋》，载《广州地产二十年（1985—2005）》，房地产导刊社2006年版，第445页。

访的中外来宾称赞，国家主管部门也给予肯定和表扬[①]。五羊新村在当时建设部组织的全国小区评比当中是模范小区，可以说是20世纪80年代的代表作。而自从1995年开始，广州开展物业管理示范项目考评工作，树立了物业行业典范，推动了广州物业管理整体水平得到进一步提高，在全国处于领先地位。保利广州物业管理有限公司、广州粤华物业有限公司、天力物业发展有限公司、广州怡城物业管理有限公司是其中的佼佼者，都是国家一级资质物业管理企业。其中，保利广州物业管理有限公司的物业类型涉及住宅、商场、别墅以及国际接轨的高端写字楼，常在社区组织开展棋艺比赛、书画比赛、摄影比赛、声乐比赛和植树活动等各种竞赛和活动，其社区文化在广州的同行之中有口皆碑。

到1998年底，广州市房地产代理、咨询、估价等中介服务机构近千家（其中有资质的中介机构482家），从业人员超过5万人；有资质的物业管理企业400多家，物业管理从业人员4万多人。中介、物业逐渐进入前所未有的蓬勃发展时期。

（四）住宅小区建设越来越满足生活品质的需求

在单位分散建房的年代，广州单位在建房过程中，往往本着方便生产和利于管理的原则选择职、住结合模式，使一个单位既是生产空间又是居住生活空间。为加强对城市开发建设和房地产业发展的引导和控制，便于规划实施，1987—1990年间，广州市逐步改变传统的以二图一书（现状图、规划图和规划说明书）为详细规划基本表现形式的做法，在街区规划的基础上，进一步完善控制性规划，先后编制了天河、二沙岛、赤岗华侨新村、花地湾、东晓等居住区（小区）控制性规划。与此同时，还编制天河生活区、江南新村、五羊邨、东湖新村、广园新村等居住区的详细规划。这些规划的特点：一是重视了生活配套设施的建设，不但确定建设项目，而且确定每项设施的位置及用地、建筑的规模和开发形式，以便与住宅建设同步进行；二是建筑空间布局多样化，一

① 广州房地产业协会、广州房地产经济研究会：《广州房地产开发》，广州图书馆（广州人文馆）内部馆藏资料，1986年，第47页。

改以往单调的行列式，采用周边式等多种布局手法，并在各个住宅组团间，预留公共绿地，内设亭台、假山、儿童游乐设施等；三是住宅楼宇层数增加，从70年代的5～6层，发展到以8～9层为主，还建了少量高层住宅和别墅住宅。建筑体型由条状、点状发展Y字型、井字型、Z字型等多种式样①。

而位于华南板块的祈福新村，则是20世纪90年代的大型住宅小区代表。祈福新村自1991年破土动工，至2002年6月已投入近110亿元，开发土地266.7公顷，建成售出住宅近2.2万套，已有36个国家和地区2万多户约7万人入住，是这个地段开发最早和最成熟的楼盘。当时业界甚至有种说法，"中国房产看广东，广东房产看华南""番禺已经是中国的房地产王国"，华南板块在广州地产界的地位和作用都是举足轻重的。

1990年末，广州全市房地产开发公司出现多家经营、相互竞争的局面，形成了多元化、多层次的房地产开发行业，通过综合开发，全市已建成和在建的5万平方米以上的住宅小区有41个。这些住宅区服务齐全，环境舒适，配套设施日臻完善，房屋结构布局更为合理，居民居住条件大为改观，反映了广州住宅建设的新水平②。房地产市场日益扩大，从住宅单一产品发展到各种非住宅楼宇，经营方式灵活多样。到1990年，全市累计出售商品房517.8万平方米，经营收入48.27亿元，个人购房占21.82%，商品房销售量和个人购房量居全国大城市之首。房地产商品化经营，促进了房屋管理社会化，部分新建住宅区按地段统一综合管理，有的做到小区规划、建设、管理一条龙，为住户提供多层次服务，取得较好的社会效益和环境效益。

而到了2002年，别墅供应量剧增，比2001年增大十倍，成交量突破1000套，比2001年增加45%。2002年"五一"开盘的广园东碧桂园凤凰城更是掀起了别墅浪潮，提出了"白领也可以住别墅（低价别墅）""森林、湖泊、新城市（别墅城市）"的理念，"物美价廉"的形象深深打动

---

① 《广州地产二十年（1985—2005）》，房地产导刊社2006年版，第21-22页。

② 广州市城市社会经济调查队：《广州市居民家庭生活调查资料专辑（1986—1990年）》，第284-285页。

了广州的消费者，推盘7天后便宣布封盘，创出了在正常营业时间内每分钟成交一套别墅的历史记录和单日看楼者5万人次、成交金额超过7.5亿元等多项地产新纪录；国庆上市的恒大金碧御水山庄又对别墅市场起到带动作用，首期上市量达600余套；而新推的“巨无霸”广园东锦绣香江花园更将2002年的别墅市场推向了高潮。

四、广州房地产业发展的成就

城市既是多种经济活动集中进行的场所，又是人们聚居生活的地方。制定城市的规模和空间布局，既要与城市经济事业的建设和布局相配合，又要满足居民在城市居住生活的要求①。广州市房地产业的改革，促进了房地产开发事业的发展，从而为加快城市建设、经济建设和住房建设做出贡献。总结广州市房地产开发实业的发展，最根本的是最早对外开放、对内搞活经济的政策②，结合实际，解放思想，进行了一系列改革的结果：第一，在建房方式上，从分散建房、不搞配套，向统一规划、成片开发、搞好配套、提高社会效益转变。第二，在土地划拨上，从零星、分散、见缝插针，向成片划拨转变；从用行政方法划拨，向以招标投标方式出让转变。第三，在城市土地使用上，从无偿使用，向有偿使用转变。第四，在建房体制上，从各单位自行建房和统建办公室部分统一建房，向多家经营开发公司建房、互相竞争、共同发展转变。第五，在建房资金上，从单靠国家和单位投资，向多渠道多方面集资、既集内资也引外资转变。第六，在企业经营体制上，从单一的封闭式经营，向一业为主、多种经营、发展优势、搞活经济转变。第七，在住宅管理制度上，从按产权归属分散管理、不搞生活服务，开始向综合管理、为居民提供多层次生活服务转变。第八，在房管部门的业务工作上，从主要管理公房、业务范围狭窄，向全面对全社会各类房屋实行政策与行政管

① 林初昇：《广州城市发展分析》，广东人民出版社1986年版，第114页。

② 许绍基：《广州市房地产开发实业蓬勃发展》，载广州房地产业协会、广州房地产经济研究会：《广州房地产开发》，广东人民出版社1986年版，第9页。

理转变。第九，在住宅分配制度上，从低租统配，向个人出售住宅转变。第十，在房屋租金上，从长期的低租制，向工商用房实行成本租金、新开发铺面房试行商品租金制转变。

（作者单位：中共广州市委党史研究室、国家统计局广州调查队）

广州市粮食流通体制改革历程

■ 黄　滢

伴随着改革开放的逐步深入，广州市的粮食流通体制经历了数次改革以更加适应社会、经济的发展。改革之后，粮食逐渐回归了普通商品的本位，人民群众的生活习惯也发生了较大的变化，这也对推进我国社会主义经济市场化发展起了一定的作用。

一、广州市粮食流通体制改革的背景

在广州市粮食流通体制改革之前，广州粮食购销的情况是比较复杂的。广州历来就有从外地进口粮食的传统，而且在改革开放之前全国普遍实行粮食统购统销政策——广州的历史传统和当时的政策背景相互交织，催生了广州市粮食流通体制改革。

1953年春季，全国多地由于霜灾导致粮价波动，加上大规模工业建设的开展，“城市和工业的需要逐年增大，人民生活逐年提高，食用量增多”，直接导致了当年秋季“收进的少，销售的多”[①]。为了有效地稳定粮价、控制粮源，中央决定实施粮食统购统销，并在《关于实行粮食的计划收购与计划供应的决议》中规定，“所有收购量和供应量，收购标准和供应标准，收购价格和供应价格等，都必须由中央统一规定或经中央批

① 中共中央文献研究室：《建国以来重要文献选编》第四册，中央文献出版社2010年版，第385页。

准”[①]。“统购”，即在农村向余粮户实行粮食计划收购的政策，统购价格及统购粮种均由中央统一规定；“统销”，即对城市人民和农村缺粮人民实行粮食计划供应的政策。要在全国范围内有计划、有步骤地实行粮食的计划收购和计划供应，中央将此作为“国家在向社会主义过渡时期中所必需采取的一项较长期的措施”，而“不是一个临时性的措施”[②]。

1953年11月，广州市政府贯彻中央人民政府政务院颁布的《关于实行粮食计划收购和计划供应的命令》，开始实施粮食统购统销。虽然阻力重重，但在陈云（中央财经委员会主任）和李先念（中南局第三副书记、中南财经委员会主任）的共同努力下，粮食统购统销在华南地区顺利推行。

粮食统购统销无疑“曾起了保证供给，支持建设的积极作用”[③]，但20世纪70年代后期，其弊端“就日益表现出来”，在一定程度上限制了价值规律本应发挥的作用，“已经影响农村商品生产的发展和经济效益的提高”[④]，“限制了价值规律在农业生产和农产品经营中的作用，严重挫伤了农民生产的积极性，导致农业生产率低下，使得粮食产量长年没有大的突破”[⑤]。广州也因为“长期实行农副产品统（派）购包销的体制，农副产品的生产、销售和价格都受国家控制和管理”，“大撤大并商业网点，取消个体商贩，关闭农贸市场”，使整个农副产品市场都陷入了困境：“国营商业独家经营，渠道单一；城乡分割，地区封锁，流通阻塞，商品严重短缺，品种单调，质量差劣”。[⑥]

尤其是在1976年“文化大革命”结束后，各个部门都急于扩大生产能力，大上基本建设项目，用工人数猛增。此外，还有上山下乡的大批知识青年和落实政策人员回市，广州市内人口急剧增长，粮食供应更加困难。群众生活质量的提高受到了极大的影响，当时甚至流行着一种说法：“四季如春没菜吃，鱼米之乡无鱼吃”。习仲勋在1978年的《关于广东工作问

① 中央档案馆、中共中央文献研究室：《中共中央文件选集》（第14册），人民出版社2013年版，第129页。
② 《粮食计划收购和计划供应是总路线的一个重要组成部分》，载《人民日报》1954年3月1日。
③ 《中共中央、国务院关于进一步活跃农村经济的十项政策》，载《人民日报》1985年3月25日。
④ 同③。
⑤ 薄一波：《若干重大决策与事件的回顾（上卷）》，中共中央党校出版社1993年版，第280页。
⑥ 陈雄：《发育中的广州市场》，海南人民出版社1988年版，第54页。

题的汇报（稿）》中也提道：“近十年来，广东农业发展缓慢，农民吃不饱肚子，城市副食品供应紧张，可以说是到了怨声载道的地步。”[①]可见当时供应相当匮乏，这种问题反映了实行统购统销政策所造成的人民的需求和供给之间形成的巨大差距。

二、“双轨制”实施阶段

随着粮食统购统销政策弊端的显现和经济体制改革的深入，1978年以来，在全国粮食管理政策进一步放宽的政策背景下，广州的粮食流通体制改革逐步深入。

广州的粮食流通体制改革是滞后于绝大部分农副产品价格放开的进程的，因为粮食历来被视作“万民之命，国之重宝”，改革的每一步都必须慎之又慎。1978年，“芳村最先放开河鲜、蔬菜、塘鱼价格，此时中共十一届三中全会正召开，这是广东最早改革”[②]。随着价格改革的逐步深入，价值规律发挥了杠杆作用，调动了农民的生产积极性，农副产品数量普遍增多，价格日趋稳定。这些改革均为粮食流通体制的改革提供了可借鉴的经验。

广州市的粮食流通体制改革是从农村开始的。1979年1月，中央颁布《关于加快农业发展若干问题的决议》（草案），决定在农村开展农业生产体制和农业生产布局的改革，在粮食流通上逐步放开搞活。广州市根据中央的决议精神和广东省委提出的要求，调减了市属区、县1979年度的粮食征购基数。同时，广东省政府“根据广州市是工业、消费城市，市属县、郊区以发展经济作物和副食品生产为主，为城市人民生活和旅游事业服务，以及全市人口不断增长，流动人口和外宾日渐增多的实际情况，决定调减广州市粮食征购任务”[③]。与此同时，广州市粮食部门还根据中央

① 习仲勋：《关于广东工作问题的汇报（稿）》，载中共中央党史研究室：《习仲勋文集上卷》，中共党史出版社2013年版，第413页。

② 陈俊凤等：《广东改革开放若干问题的回顾——朱森林同志访谈录》，载《中共党史资料》2006年第3期。

③ 广州市地方志编纂委员会：《广州市志·卷六》，广州出版社1996年版，第544页。

《农村人民公社工作条例（试行草案）》，在郊区放开了粮食集市贸易。同年3月，根据广东省粮食局有关开展议价粮油经营的决定，制定了关于议价粮油的经营办法。此后，广州市粮食购销中议价比重逐年上升，这为日后的进一步改革进行了铺垫。

1984年5月，根据中共广州市委关于区属粮油零售商业收回市管理的决定，市内4个区的粮油供应管理处均划归广州市粮食局管理。广州市粮食局接管后，于1984年7月1日撤销各区粮管处及其属下的粮管所，成立广州市粮油食品公司，统管全市平议价粮油购销业务；并按区片划分成立了属下10个粮油食品购销部（东华东、中山三、洪德、滨江西、沙面、宝华、龙津、北京南、解放北、一德西粮油食品购销部），由各粮油食品购销部直接对粮店进行管理。为了进一步贯彻落实“贸工农”①方针，以及推进沟通粮油商品流通渠道，于1985年2月设立了广州市粮油食品贸易中心，4月撤销广州市粮油储运、粮油工业、粮油食品和饲料公司，成立广州市富国、富民、利国、利民4个粮油食品贸易公司，形成商业购、销、调、存一条龙，一业为主多种经营的经济实体。

中央于1985年4月决定取消粮油统购，改为合同定购，并扩大市场调节比重，粮油流通实行计划机制与市场机制并行和价格上的计划价格与市场价格并存的粮油销售“双轨制”。广州市也在前期改革的基础上，按照中央和广东省粮食流通制度改革的要求，根据广州市粮食市场的形势，开始实施“双轨制”。实行“双轨制”后，既保留了原有的购销秩序和经济关系，减少由于调价引起的震动，有利于向单轨制平稳过渡，还可以保证建立部分新的购销秩序和经济关系，逐步缩小工农、城乡之间的差距，激发农民生产粮食的积极性，进一步理顺价格。

议价粮油的经营不断扩大，逐渐打破了粮食部门独家经营“一统天下”的局面，为粮食流通体制进一步注入了市场调节的新因素，推动了粮食经济的发展。

---

① 1984年底，国务院主要领导在视察珠江三角洲时，根据自然地理条件，明确提出珠三角要以进入国际市场为目标，围绕出口需要改变农业结构，实行“贸工农”的生产方针。实行“贸工农”方针，即按出口贸易的需要来发展农产品加工，按加工需要来发展农业生产。

在这一阶段中，尽管一系列改革措施取得了一定效果，但粮食流通体制的深层次问题仍未得到理顺，粮食生产和经营仍存在不少问题。“粮食购销价格倒挂，也导致政策性亏损大幅度增加，各级财政和粮食企业负担沉重。由于粮食财务管理体制改革不完善，多数市、县没有把粮食政策性补贴纳入预算，给予及时拨补，政策性亏损长期由粮食企业承担，包袱日益加重。粮食购销体制已到了不彻底改革就没有出路的地步。”①

一方面，供需矛盾大。进入20世纪90年代，广州市有300万城镇人口和近100万流动人口②，人均占有粮食耕地和人均占有粮食产量远低于全国平均水平。另外，城市经济发展而造成的占用农田搞城市建设的现象严重，以及非农业人口的不断增加，进一步加大了粮食的供需矛盾。粮食的供需矛盾要求广州市要保持粮食的稳产增产，注意保护农民种粮的积极性。在实施“双轨制”的过程中，市场粮价高于定购粮价，议购粮价介于市场价和定购价之间，在一定程度上损害了农民的利益，无法发挥农民的积极性。

另一方面，对外依赖性强。广州市本地粮食产不足销，按当时粮食“购、销、调”包干政策，除中央、广东省调给广州市20多万吨粮食外，还要向省外产粮区或国外购进20余万吨，以确保平价粮食购销计划平衡。议价粮的销量也不断上升，合计广州市平均每年需从外地购调平议价粮达50多万吨。③外省市的支持使广州市粮食供应产生了依赖性，由此带来较大的风险性。1988年，广州的粮食供应非常紧张，分管农业的副市长黄伟宁到湖南、江西、安徽等地购粮，提出用美元购买缺外汇的湖南的粮食，但无功而返。当时湖南省委一位负责人说：“广州把种粮食的土地用来种蔬菜和水果，赚了钱，买我们的粮食是剥削我们。”因此，他们“派民兵把守铁路、公路和航道，不让粮食出省，也不让农民把粮食卖给广州”。④广东这种利用邻近主要产粮省的优势、大量购进省外粮食的行

① 广东省政协文化和文史资料委员会：《敢为人先——改革开放广东一千个率先 经济卷》（上），人民出版社2015年版，第427页。

② 曾令仪：《稳定广州粮食市场问题的探讨》，载《探求》1990年第06期。

③ 同②。

④ 王林生、王桢桢：《广州发展纪事》，广东人民出版社2012年版，第23页。

为，遭到了外省的指责和国务院的批评。[①]

三、市场化的初级阶段

1992年邓小平南方谈话后，为加快广州改革开放和社会主义现代化建设的步伐，中共广州市委、市政府根据邓小平南方谈话精神和中央、省委关于深化改革、扩大开放的要求以及“计划指导，放开价格，加强调控，搞活经营”的原则，对粮食购销体制进行彻底改革，更好地发挥市场调节的作用，走上了农民能优质优价、居民可自由选购、粮食企业议购议销、政府通过市场调控的崭新的市场经济轨道。

（一）全面放开粮食价格

全面放开粮食价格的一大重要标志，体现在取消粮票这一历史性事件上。自1953年12月，广州市试行粮食计划供应后开始实施凭粮油供应证和粮油供应票供应粮油。到了1976年，广州市流通使用的粮油票证还有12种。改革开放后，广州市以放开塘鱼价格为突破口，副食品价格先后分批放开，取消了定量供应，粮票则是广州市民手上最后的一张票证。根据粮食流通体制改革及其“放开搞活”的目标要求，取消粮票是放开粮食市场中的关键一步，是势在必行的。

广州取消粮票的时间是先于全国大部分地区的，这在当时承受了不少压力。广东省长叶选平于1989年赴北京出席中央经济工作会议时，提出“准备取消粮票，放开粮价，建立粮食市场”，有位中央领导对此批示“叶选平的发言没有与中央保持一致”。[②]1992年3月27日，广州市粮食局根据广州市政府3月18日关于改革粮食购销管理体制工作会议精神，结合

---

① 外省指责广东搞乱了全国市场，国务院对广东擅自提高粮价提出了批评，通知广东分管粮食的副省长、粮食局长、物价局长到北京开会。1988年6月，广东省政府发出通知，将与福建、江西、湖南、广西接壤的26个县合同定购粮的生产资料补贴改为直接发给化肥实物，不发现金，避免影响邻省的粮价。

② 中共广州市委党史研究室：《亲历改革开放1：广州改革开放30年口述史》，广州出版社2008年版，第6页。

广州市实际情况，发布了《关于认真做好粮食购销管理体制改革工作的通知》（穗粮发字〔1992〕49号）。该通知明确了"四月一日起，居民购粮油不凭粮证，不凭粮票，价格随行就市"，并在附件《通告》中写明"从四月一日起，购买粮油不需凭粮证、粮票"。[①]4月1日，广州居民手上最后的一张购物票证——粮票正式从历史舞台退出。粮票的取消对广州居民来说具有重大的意义，这意味着广州市居民生活品凭证供应的历史已经结束，粮食这种特殊的生活资料真正回到了商品的本位。而到了1993年，国务院发布《关于加快粮食流通体制改革的通知》，才提出自当年4月1日起取消粮票和油票，实行粮油商品敞开供应。直至1994年，全国各地才基本取消粮票。

由于广州取消粮票时全国各地大部分地区依然还在使用粮票，因此粮簿并没有被一并取消。广州市粮食局负责人表示，其原因在于"一是外省还要定量供应，为了方便长时间在外省出差的人员或调到外省去的人转出粮食关系"；"二是为了预防万一出现大灾害或战争时保证供给，让粮簿这条'尾巴'成为市民在灾年时的'定心丸'"。[②]

粮价放开后广州粮食市场粮价平稳，广州市民"不但以平静的心态来接受这场粮食价格改革，而且以积极的态度去参与"。这主要是因为"双轨制"阶段的逐步改革已打下坚实基础，再加上粮食部门"放开前做大量宣传解释工作，放开后发挥国营主渠道作用，将粮价稳定在三月份的水平，从而保证了改革的顺利进行"[③]。

（二）改革国有粮食企业

1992年全面放开粮食价格后，"犹如雨后春笋般地发展起来的多达2000多户私营粮店、流动粮贩抢走了国有粮店大批顾客，导致越秀、东山、荔湾、海珠四个城区217家粮店在同年4、5月份粮食总销量下降，41%

---

① 广州市粮食局：《关于认真做好粮食购销管理体制改革工作的通知》（穗粮发字〔1992〕49号），1992年3月27日。

② 李婉芬、谭江涛：《平静中的深刻变革——广州放开粮价一月回眸（一）》，载《广州日报》1992年5月13日。

③ 同②。

的粮店出现了亏损”[①]。国有大小粮店“门前冷落车马稀”，“在一些横街窄巷内的粮店，一天售米只有二三十公斤，文昌路有一家国有粮店，一天竟然只售出不足5公斤米”[②]。

为了进一步搞活粮食经营，粮食部门与粮食经营企业实行了政企分开，财务脱钩。粮食企业实行“两条线运行”，政策性业务与商业性经营财务分开，单独核算。这样一来，国有粮店必须根据市场需要自主生产经营，成为自负盈亏、自我积累、自我发展的商品生产者和经营者。

改革后的国有粮店呈现了崭新的面貌：从“大漏斗、高柜台、品种单一、别无选择”，变成了“米面油、副食品甚至日用品琳琅满目，有的还搞了开架售货”。为了应对粮改，国有粮店“苦心经营，以变应变”，“全市增设了大小自选商场的粮店不下30间，有的粮店办成了商行，有的做起了早餐、糖水生意”。作为海珠区为适应粮改开展试点的第一间承包店，晓港粮店改革后大有亮点：一是经营品种由100多个增加到500多个；二是原先懒散的职工精神面貌大改，“重活抢着干”，还为改善粮店经营积极出谋划策。[③]

总体来看，这次改革的成功具体体现在了4个方面。第一，改变店容店貌，营造了良好的购物环境。全面重新改造装修，拆掉了米楼漏斗和三尺柜台，扩大了店堂和经营面积。第二，经营向“主业精，副业兴转变”；商品以质量、品种、价格取胜。在大力开拓多种经营的同时，始终坚持“质量第一”的经营宗旨，并争取以价取胜、薄利多销。第三，改变了“官”商作风，以优质服务吸引顾客。坚决改掉“脸难看、话难听、事难办”的作风，实施热情周到服务、主动送货上门、认真做好售后的措施。第四，改革成功的关键，在于提高员工的素质。店经理由任命制改为聘任制，实行职工与企业签订劳动合同制，促使员工尽心竭力为粮店谋发展。因此，有人说：“全市上千家粮店，在关键时刻真正起中流砥柱作用

① 刘志贤：《广州国有粮食企业在深化改革中前进》，载《广东经济》1996年第4期。
② 陈如春：《搁浅的“粮船”撑起来了》，载《广州日报》1995年1月5日。
③ 谭江涛：《国营粮店以变应变——广州放开粮价一月回眸（三）》，载《广州日报》1992年5月18日。

1978年以前统购统销的粮店（广州市粮食集团有限公司供图）

1992年实行承包经营的粮店（广州市粮食集团有限公司供图）

的还是那200多家国有粮店”[①]。

（三）开创连锁经营模式

为了进一步稳定粮食市场，广州还率先尝试和实践了粮店连锁经营。1994年12月，广州市粮油食品总公司注册成功“8字”商标，首创全国最早的粮油零售连锁品牌，49间统一装修、统一经营格局、统一配送商品、统一核算、统一管理和统一服务宗旨（即“六个统一”）的粮油食品店全部挂上统一的 “8字”招牌。统一装修，指的是重新装修并扩大店面，连锁店分店普遍增加售货场地10—20平方米；统一经营格局，即经营的品类除了有米、面制品和食油之外，还包括调味品、糖果、乳品、饮料等十几类，而且高、中、低档俱全；统一配送商品，即根据各连锁分店所处的经营环境和居民的具体需求，连锁总部为连锁分店提供适销对路的商品，并努力做到直接从厂家批量进货；统一核算，指的是各连锁分店购、销、调、存的成本、价格、费用、利润和分配由总部核算；统一管理，即为了加强对资金、商品质量等的管理，建立连锁分部采购管理制度和连锁分店管理制度及仓库管理制度等；统一服务宗旨，即各连锁分店必须以“忠诚服务、信誉第一”为经营宗旨。这一年，“8字”连锁店月营业额16万

① 《一只无形的手　一只有形的手》，载《广州日报》1995年1月11日。

1994年12月首创全国最早的粮油零售连锁品牌（广州市粮食集团有限公司供图）

元，月平均实现税利1.5万元，职工月平均收入在700元左右，在其他粮店中领先一步。[①]

连锁粮店初期的经营模式与传统粮店的经营模式相比，具有自身特殊的优势。一是规模经营有利于获得更高的经济效益。连锁经营模式把分散的经营主体组织起来，把分散的人力、资金等要素集中起来统筹使用，形成了合力，使各个连锁分店的经济实力和市场竞争力得到了提高。二是连锁店购销一体的模式要求各个连锁分店必须做到“六个统一”，有利于保证商品的质量，避免了假冒伪劣商品进入粮店，同时降低了经营成本。三是连锁粮店更能满足消费者的需求，既提供了品种丰富、质优价廉的货物，也较大地改善了服务态度和购物环境。

① 陈如春：《搁浅的“粮船”撑起来了》，载《广州日报》1995年1月5日。

在取得初步成效和经验的基础上，粮食商业零售连锁经营逐步迈入规范化轨道。1996年，有条件的粮店纷纷加入正规连锁，分别以嘉宜、富信、荔湾、滨江4个粮店食品贸易公司为单位成立正规“8字”连锁店分部，并采用电子计算机网络化管理。此后，还成立了连锁配送中心，理顺了配送中心与“8字”连锁店的关系。1998年6月，富国、富民、利国、利民4个商业贸易公司所属的48间“8字”连锁店全部划转移交8字连锁店配送中心接管为直营店，进一步强化了配送中心的功能。

（四）建立粮食市场网络

1992年粮油销售全面放开后，广州市粮油业经营机构由1990年的940个增长至1992年的1192个，从业人员由11678人增长至14871人，尤其个体粮油经营户（未包括农贸集市和流动商贩）则从1991年的914户，增加到1992年的1917户，增长了足有1.1倍。①

1992年10月，经广州市政府同意，广州市粮油批发交易市场正式成立。有别于传统农副产品集贸市场，这是一家集经营、服务于一体的国有粮食企业，也是广东省内第一家区域性规范化粮油批发市场。该市场设有综合信息、交易、财会结算3个专业部门，与国家商业部及全国各地主要粮油经营客户建立了贸易伙伴关系和电脑信息联系，能随时为进场的客户检索和提供粮油经营信息，预测市场行情，为客户提供期货、现货批发交易等服务。

广州市粮油批发交易市场发展迅速，1993年时“已发展会员110个”，“为搞活粮油商品流通，组织南北粮油购销活动，为活跃和丰富广州粮油市场提供了规范化的场所”。②广州市粮油批发交易市场随后逐步壮大起来，拥有了多座大仓容的粮油仓库，能生产优质多品种的粮油加工设备，千吨级泊位的粮油专用码头和铁路专用线，与全国电脑联网的信息终端……广州市粮油批发交易市场为广州市内的走马岗、天平架、东兴、

① 广州市地方志编纂委员会：《广州市志（1991—2000）》第三册，广州出版社2010年版，第329页。

② 麦桂苏、刘雪儿：《广州粮价放开后如何加强粮食工作》，载《探求》，1993年第4期。

新市等粮食市场树立了很好的榜样。1995年实行“米袋子”各级政府负责制后，确定了在“九五”时期全面启动“珠江粮食走廊”建设，围绕“一系三线”（珠江水系、京广线、广梅汕线、广茂湛线）选点布局，建设粮食市场网络。广州市粮油批发交易市场经过前期发展，成为了广州市乃至广东省粮食市场网络中的重要部分。

2000年，广州市有粮食批发市场6个，成交量14.49万吨，成交额5.41亿元。其中：天平粮油批发市场，主要上市大米、食用油等粮油商品，市场总面积1.1万平方米，固定摊位181个；沙庄粮食市场，主要上市大米、面粉等粮食商品，经营面积5万平方米，固定摊位26个；广州东旺食品综合批发市场，主要上市米制品、面制品及食用油等粮油食品，经营面积2.4万平方米，固定摊位300个；新海印食品批发交易广场，经营面积4600平方米；白云粮油食品批发市场，经营面积1.8万平方米。此外，除国有粮食企业外，还有主要从事批发食用油业务的广东鸿森集团有限公司，年销售额达5.09亿元。[①]

四、广州市粮食流通体制改革的经验

由于粮食是一种特殊商品，因此粮食工作具有一定的复杂性：一方面，执行国家计划职能要保证市场发挥主渠道作用，体现社会效益；另一方面要面向市场参与市场竞争，争取实现好的经济效益，维持企业自身的生存与发展。这决定了粮食工作既不能完全依赖政策计划指令，也不能完全放开成为真正意义上的市场行为。[②]在这种前提下，对粮食流通体制进行改革更显意义重大。无论处于哪个时代，或是位于哪个国家，粮食问题都关乎社稷和百姓。习近平指出：“我国是个人口众多的大国，解决好吃饭问题始终是治国理政的头等大事。”

① 广州市地方志编纂委员会：《广州市志（1991—2000）》第三册，广州出版社2010年版，第329页。

② 陈仲孚：《广州市粮食流通体制改革的回顾与思考》，载《“羊城杯”深化商品流通体制改革研讨会文集》，1999年。

（一）强化市场意识，为实现粮食的完全商品化提供思想基础

广州市粮食流通体制改革的逐步推进，无论对粮食系统的干部职工，还是对普通市民群众的思想意识都产生了较大的影响。在新旧粮食购销体制转换的过程中，广州市民的市场意识、商品意识和时代意识都得到了一定的强化。

对于粮食系统的干部职工来说，他们的思想意识观念要比普通市民群众更早受到粮食流通体制改革的影响。自20世纪80年代普遍实行“双轨制”开始，原粮食统购统销政策下僵化的体制被一一打破，粮食部门及其干部职工的思想观念也发生了更新。进入20世纪90年代后，国有粮食企业的一系列改革逐步瓦解了国有粮食企业的员工原本“养尊处优”的观念，使他们萌生了市场意识和竞争意识，化被动为主动，通过改善服务态度和购物环境等各种手段来获得在市场竞争中的优势地位。

广州地区是改革开放的前沿阵地，尤其是在1992年的邓小平南方谈话后，广州当地普通群众的商品意识要较内陆地区群众更强。1992年4月1日广州取消粮票后，市场表现平静，并没有出现过大的起伏，充分体现了当地普通群众具有较高的商品意识。当然，这种平静的表现并不能完全归因于群众的心态，还必须看到这种平静的背后其实隐藏着广州市政府充分的事前准备。经过这一时期的广州市粮食流通体制改革，群众消除了在新旧粮食流通体制转换过程中出现的迷惘，为粮食的完全商品化提供思想基础。

（二）理顺政企关系，为推进粮食的市场化改革提供组织基础

在粮食流通体制改革期间，广州市粮食局逐步推进政企分开，并进一步进行机构精简和职能转变。广州市粮食局充分认识到，作为政府粮食行政主管部门，其行政管理职能应当与粮食企业经营相互分离，与粮食企业在人、财、物等方面彻底脱钩，不参与粮食经营，更不能直接干预企业自主的经营活动。其主要职能应当定位在代表政府对本地区全社会粮食流通活动进行宏观调控，有计划地组织实施粮油的供需总量平衡，适时进行吞吐调节，确保粮油市场供应正常，保持粮油价格的基本

稳定。

因此，在进行粮食购销市场化改革之前，广州市粮食局进行了职能转变，其机构按精简的原则进行设置，编制人员按其职能重新定员定岗。

（三）深化国有粮食企业改革，为构建粮食市场体系提供经济基础

广州市在粮食流通体制改革的进程中，尤其注重对国有企业进行改革以为其注入生机和活力，提升其市场竞争能力。通过资产重组和企业改革，建立起现代企业制度，实现资产经营一体化，逐步形成规模经济，提高了市场竞争能力，更好地接手国家宏观调控和发挥国有粮食企业的主导作用。经过一系列的改革，这样的组织架构更适合社会主义市场经济条件下的粮食市场。

一方面，加快放开经营。允许国有粮食企业参照乡镇企业和“三资企业”的做法和国际惯例，在一些方面突破原有的政策和规定，进行探索性的改革。在试行的过程中，“即使与现行的某些政策、规定不相符，有关部门也应给予支持，并以改革试验方案为依据来考核、监督企业的工作”①。给予国有粮食企业一定的政策倾斜，给予企业更宽松的经营环境。

另一方面，提升企业经营自主性。全面推行承包责任制，调动国有粮食企业及其员工的积极性。国有粮食企业“普遍增强了商品意识、市场意识、竞争意识，变被动经营为主动经营，体现了主人翁精神和责任感”②。

国有粮食企业在计划经济时期曾被视为“唔忧嫁嘅皇帝女”③，后因1985年实行“双轨制”后打破了粮食部门独家经营的局面，集体企业及个

① 中共广州市粮油食品总公司委员会、广州市粮食局：《关于加快改革步伐，转换经营机制，巩固和发展粮食经济的若干决定》（穗粮党字〔1992〕020号，穗粮发〔1992〕96号），1992年5月14日。

② 《全面推行粮店经营承包 促进粮食企业经济发展——曾令仪同志在市粮食系统全面推行粮店经营承包大会上的讲话》，1992年7月21日，广州市粮食集团有限责任公司总部档案室。

③ 唔忧嫁嘅皇帝女，指的是不担心嫁不出去的公主，是粤语俗话。市民称国营粮食企业为“唔忧嫁嘅皇帝女”，是因为当时的国营粮食企业没有自主性，从不担心盈亏。

体经济参与粮油经营，昔日的“皇帝女”走下“神坛”。经过广州市粮食流通体制改革时期的洗礼，国有粮食企业克难制胜，逐步建立起良好的信誉和口碑。改革之后的国有粮食企业在构建广州粮食市场体系的过程中发挥了极为重要的作用，为广州日后建立面向国际的开放型粮食市场体系打下了坚实基础。

（作者单位：中共广州市委党史研究室）

清平市场的兴起、转型及升级

■ 中共荔湾区委党史研究室

清平市场由占道经营的农副产品市场，转型为对国家中药材有市场指导价意义的中药材专业市场，后来又实现了由专业市场向促进产业整合与集中的更高层次职能的升级，成为集商贸、旅游、休闲、购物于一体的清平医药中心。清平市场是中国从统购统销的计划经济体制向社会主义市场经济体制转型的一个缩影，它从一个侧面展示了改革开放和社会主义经济建设的波澜壮阔。

一、清平农副产品市场的兴起

从1979年建立到20世纪90年代初，清平市场是一个综合性的农副产品市场，交易商品包罗万象，各种农副产品应有尽有。但到后来，中医药产品渐居优势，并向着专业化方面发展。

（一）清平市场的兴起

党的十一届三中全会后，随着国家农业政策的调整，农副产品市场随之放开并不断发展壮大。1977年之后，广州近郊农民自发性进城摆卖。至1979年初，梯云路、宝华路等多地自然形成了农民入城摆卖的小自由市场。在当时没有资金推广室内市场的条件下，荔湾区政府为顺应历史潮流，搞活市场经济，丰富人民生活，加强对集市的管理，决定在对城市交通影响不太大的梯云路和清平路路面，集中组建较大型的清平农副产品市场。同时把周边的宝华路等自然形成的农民进城摆卖集市撤销，引导进城摆卖农民到清平市场经营。

在管理力量上，以工商部门为主，将原来派往各街的工商所（组）干部及职工按片分别集中，参加市场的管理。清平、秀丽、岭南、光扬四条街为一片，工商所（组）的部分干部、职工集中办公，参加清平路农副产品市场的管理工作。[①]清平市场开放后，社员集中于场内摆卖。上市的农副产品以蔬菜为主，约占70%，其他有猪、牛、狗肉，还有烧腊、塘鱼、鲜虾、蟹、海味及蛋品、副食品等。农副产品多来自近郊或南海等县，也有来自外省（主要是湖南）的。出售者以农村社员为主，也有“二道贩子”，还有生产队集体销售蔬菜或塘鱼。一般情况下，清平市场的农副产品价格比国营的议价商品稍低。

荔湾区清平农副产品市场开放后发挥了支持生产、活跃流通、繁荣市场、方便群众、补充国营商业不足、安排社会就业的积极作用。中共广州市委书记杨尚昆参观清平农副产品市场时高兴地说：“你们终于开了一个好头。要逐步把农副产品的价格放开，不要统得太死，让老百姓自己解决。”[②]

清平农副产品市场建设得很好，上有天棚，下有水泥售货台。工商所同卫生部门密切配合，成立市容卫生监督组，加强商品检验，取缔江湖游医，仅1981年就处理了各种假药材150多公斤。他们还认真把好肉食关，严禁不符合卫生要求的冷饮、熟食上市，并经常检查清理各种病坏变质的禽畜肉食。1981年以来，工商所加强对集市价格的指导和管理，逐步推行明码标价。药材、京果、海味、烧腊等300多个固定摊档的商品都有标价牌子，一目了然。对临时摆卖的34种主要农副产品，实行逢五、逢十定期公布成交参考价的办法。对短秤欺人者，实行短一两罚一斤的惩罚机制。由于采取这些市场管理措施，集市价格日趋稳定。市场的环境卫生很好。清扫工作早已形成制度：每天三扫一洗，一周消毒一次，隔周组织义务大扫除一次。1982年4月，《人民日报》对清平市场的评价是“管理有方、

① 荔湾区工商行政学管理局：《市场管理情况反映》第1期，1979年3月31日。
② 孙铁钟：《杨尚昆在广东》（三），载《广东党史》2008年第3期。

清平农副产品市场

活而不乱”。[①]

随着改革开放的深入，清平市场不断发展繁荣。1990年成交47510吨，成交额1.96亿元，分别比1979年增长11.68倍和39.5倍。市场经营品种有20大类600多个品种，百姓生活所需用品无所不包，南来北往的客商摩肩接踵，穿梭于市场的各个角落，繁荣景象一时无两。“得清平一铺一世无忧”，这个百姓口耳相传的说法，印证了清平市场的发展潜力。中共广州市委书记许士杰为此赋诗：“长摊廿里人为织，山珍海宝街头集，鱼鳖水中游，鸟狸笼中售，城乡渠道畅，老少齐欢唱，商品畅流通，流通促产丰”。[②]

1985年2月，国家工商局市场司领导对清平市场做出肯定评价：“品种齐全交易兴旺。”1986年2月15日，国务院主要负责人在中共广州市委书记许士杰的陪同下视察清平农贸市场，认为该市场经营和管理情况“很好”。《人民日报》1986年报道：“今日广州，犹如三年前的深圳。之所

① 唐炜：《管理有方活而不乱——访广州清平农贸市场》，载《人民日报》1982年4月10日第3版。

② 许士杰：《菩萨蛮赞清平街市场》，载《许士杰文集》，广东人民出版社1995年12月版，第77页。

以这么说的原因之一就是清平市场。清平路，原是农贸市场。近3年，发展、演变成了好几个专业化的市场。有花鸟虫鱼市场、三鸟禽蛋市场、肉类水产和药材市场。”“老广州”无限感慨：“史无前例，盛况空前。”[①]1987年初，国家工商局局长任中林在参观清平市场后，赞扬清平市场品种齐全，成交额大，经济效益和社会效益显著。[②]不久，国家工商局开展创建“文明集贸市场”活动，清平市场被授予1988年度“全国文明集贸市场”称号。

1984年，清平市场被定为广州市对外开放接待单位后，先后接待美、英、法、德、俄、日等50多个国家的政府首脑、议员、领事、教授、记者。一位来自美国佛罗里达大学的教授说：“中国的清平市场，给我们提供了一部活生生的、很有代表性的能了解到中国正在进行改革开放的教科书。”1985年3月至1986年6月，朝鲜商业部访华代表团、美国前国务卿亨利·基辛格博士、新西兰总理等外国领导人及各界人士到访。前苏联塔斯社代表深有感触：“这个市场出售爱好劳动的中国农民生产的各种产品。丰富的产品表明中国人民的福利得到了不断的发展。”法国一位参议员对邓汉光副市长说：“这个市场很壮观，可以和巴黎、纽约的世界超级市场相比而毫不逊色。”1993年4月13日，美国总统尼克松参观清平市场。他细看各种商品，用手势与档主交流，还从自己的口袋里拿出名片派发。一个会讲英语的档主从档里选出一条优质人参顺手送给尼克松，尼克松高兴地收下了这份礼物。

一个参观过清平市场的英国老太太，自称“刘姥姥”。她初入清平市场时怀疑：“莫非我走进了动物园？”街道两旁尽是笼子和水箱，里面装着奇特动物：全身皮皱的蜥蜴，腮一起一伏，爬在笼子里纹丝不动，还有水鱼、果子狸和蛇。“这，就是广州的清平市场，各种动物都有，想吃什么就可买回去煮吃，别有一番乐趣。”她虽然肚子饿，却兴致勃勃地跑到大街上溜达。晚上11点钟了，小摊档仍然开市出售种类繁多的东西。英

① 林里：《开放改革给广州带来了什么？市场活跃新事多》，载《人民日报》1986年12月17日第1版。

② 《国家工商局长称赞清平市场办得好》，载《广州政报》1987年第2期。

国“刘姥姥”不禁感叹“在这地方真是一整天都不会浪费一分一秒。在中国，难道没人睡觉吗？”①

清平市场不仅仅是广东改革开放的“橱窗”，更是让世界认识中国的精美名片。

（二）市场初期的管理措施

到20世纪80年代中期，全国除台湾省外的29个省市自治区的农副土特产品都集中到清平市场来，又从这里批发转卖到各地，有的还被带到国外去。广州市民把这里称作农副产品的“王国”；外国人叫作“没有围墙的超级市场”。清平市场何以如此兴旺？原因如下：

1. 以诚信为本。建场时，清平市场的管理工作主要由荔湾区第一工商所兼管。1981年底，市场扩展至一定规模，为了健全市场内部管理机制，专门成立了清平工商所，专职管理清平市场。工商管理人员注意检查进场交易货物质量，严打假冒伪劣商品。以后还成立了市场治安办公室、市场劳协分会、市场卫生管理小组。20世纪80年代，工商部门请市药材公司的中药行家到场抽捡药材，保证了进场销售商品质量。1987年4月，国家工商局召开工商行政管理系统先进集体和先进代表表彰大会，清平工商所获先进集体称号。

2. 以需求定发展走向。清平市场为搞活市场流通，实行“五个不限——不限进场商品价格、不限经营品种、不限商品产地、不限运输工具、不限经营方式。尤其是前三个“不限”，给了清平市场很强的生命力。不限价格，体现价值规律，用价格杠杆搞活了市场。不限商品产地，吸引大量外省优质货物。不限经营品种，按照社会需求发展市场经营项目，这给了清平市场与众不同的活力，使之从普通肉菜市场中脱颖而出，成为一个以零售为主、批零结合的综合型的大市场。例如，根据广东人喜用中药材煲汤、饮凉茶的特点，市场辟出中药材销售专区。“把商贩当主人，把群众当客人，工作人员当仆人”，这是清平市场工商所提出的一个口号。天

① ［英］里伯卡·斯蒂文森著，崔世楷译：《“神秘的广州”：一个英国“刘姥姥”的自述》（原载英国《泰晤士时报》），载《南风窗》1989年第6期。

时地利人和使清平市场得以“汇天下之名产、扬开放之优势”。[①]

3. 以信息促生产与流通。在市场经济中，在生产与销售等环节中，价格信息起着很重要的调节作用。信息灵通，就能减少盲目性，提高经济效益。清平市场在1984年成立信息小组，并于7月办起广东省第一家农贸市场信息报——《清平市场信息》（月刊，有时提前出版）。主要刊登商品供求信息、市场主要商品价格、工商管理政策等，每期寄发至国内20多个省、直辖市和自治区的近千个单位，同时寄至国家工商局。一个4人信息小组负责采编工作，并及时答复来自全国各地的信息咨询事件，解答业主提出的各种问题。一批业主和市场管理员受聘为信息员，随时把商品的行情变化提供给信息小组。各种农副产品的主要产地和各地主要的农副产品市场是信息小组的联系热点，信函往来频密，讯息互换共通。[②]清平市场还在梯云路中段设置公告栏，定期公布市场商品参考价，供顾客参考。

1985年6月，市场信息组荣获国家工商局市场司颁发奖状奖励。1986年4月7日，到访的日本经济新闻社经济部次长田原嗣夫，看到荔湾区创办《清平市场信息》的良好效益，不由感慨道：“你们不是用权力，而是用信息，为广州人民服务。我对此深表敬佩。”

二、转型为清平中药材专业市场

随着改革开放的深入，原来清平农副产品市场的发展遭遇到一系列瓶颈，例如占道经营的问题、市场硬件建设的严重滞后、严重的消防隐患、经营条件的简陋带来的管理上的困难，等等，这些情况的出现显示出此时的清平农副产品市场已不适应城市和社会发展要求。

占道经营严重影响市民的交通出行，而市场的其他问题甚至影响到市民的生命安全，最典型的例子是“蛇患”扰民。当时，蛇大量从清平市场逃出，严重困扰着清平街居民。1989年，清平市场附近的70多位居民联名上书市政府，要求解决蛇害问题。荔湾区人大代表提出禁止在清平街

---

① 陈劲：《没有围墙的“超级市场”》，载《南风窗》1986年第5期。

② 同①。

经营蛇类的议案。市政府对此极为重视，副市长黄伟宁专门批示。1991年7月，荔湾区区长到清平街召开现场会，当场决定组织反蛇活动。成立由工商、公安、街道办事处和居委会组成的"清蛇小分队"，发现有贩蛇者立即收缴、罚没其所贩卖的蛇。梯云街市场的东西两端各设一个反蛇害举报点，发现贩蛇，随时举报，随时处理。清平街工商所设立反蛇害举报专线电话，派专人值班。清蛇小分队不但"围剿"本地的蛇窝，而且还在各个路口"伏击"外来蛇贩。从1991年7月18日开始的近两个月里，清蛇小分队共出动100人次，收缴600多公斤蛇。然而，一阵秋风又把清平街的蛇市吹得渐渐复苏了。从1991年9月开始，群众的举报又有增加。有些被没收处罚过三四次的蛇老板又开始悄悄卖蛇。长期"禁蛇"也是不可能的。有关部门工作人员不堪重负，也激化了管理人员与卖蛇者的矛盾。一些几十年的睦邻因一方租屋给蛇老板而反目成仇。一位带着两个孙子，被蛇患扰得无可奈何的老伯宁愿去蹲几年监狱，也要放火烧掉他隔壁的蛇交易

广州改革开放初期的清平市场

点。[1]治本之策，只有根本改造清平市场。

到20世纪90年代，在日趋激烈的市场竞争中，最初占清平市场总交易量几乎80%的蔬菜、水产品区已经难以为继了。原来占道经营的花鸟虫鱼区已转至芳村花地湾地铁站的大型花鸟虫鱼市场；原来的工艺品专区，由于90年代荔湾区古玩城、源胜陶瓷工艺街的崛起而逐步转移。此时的清平市场的转型已经迫在眉睫了。

（一）转型的背景与条件

清平药材市场地理环境较好。清平药材市场当时是清平农副产品市场的组成部分，位于荔湾区的清平路，毗邻越秀区，与海珠区、芳村区隔江相望，地处珠江隧道、南站货运处附近，有水陆交通运输之便，是我国华南地区较大的药材集散地，也是国内较大型的中草药材市场之一。市场靠近上下九路商业网点，附近有高级医院1家，区级医院门诊部4个。

清平市场经营药材历史悠久。清平市场自古以来就是药材摊档聚集之地。清代诗人樊增祥这样描写繁盛的药材交易活动："草药交乎篷窗，垂杨指其帆席"，"十里之间，惟闻香麝"。到清末，老西关有"银行比米铺多，中药铺比银行多，中药摊比中药铺多"景象。民国时期，靠近今清平药材市场一带的桨栏路、十三行、杉木栏等商业街开始逐步成为中成药铺的集中地。店铺达数十间之多，店铺后面设工场炮制药材，制造中成药。名列全国四大药厂名铺之一的陈李济，享誉海内外的王老吉、敬修堂、梁财信、保滋堂、马百良、潘高寿等药厂均由此发家。

清平路南段是现实存在的"一个药材的世界"。到20世纪80年代中期，药材市场占了当初清平市场的整条街道。计有144个固定摊档，外加300多户流动药商，成了广州历史上从来没有过的药材集散地。顾客终日不断，川流不息。一些外宾，也到这儿买药。[2]熙熙攘攘的人群操着南腔北调，高声吆喝，讨价还价；低声耳语，细斟密议。140多个固定摊位，

① 秋枫：《群蛇大闹清平街》，载《南风窗》1991年第12期。

② 林里：《开放改革给广州带来了什么？市场活跃新事多》，载《人民日报》1986年12月17日第1版。

清一色的铁售货架，档主都是本市和省内的个体贩药户；那些沿着墙根摆卖，在公秤处前面设地摊的，则大多是来自四川、湖北、湖南、河北、河南、甘肃、云南等地的药材客商。清平市场附近的几家小旅店80%的常客是外省药贩。清平市场服务部及其属下两个保管室、清平市场附近的居民保管户家里，大包小包的药材多是从外省“坐”火车来的。到1986年，外省药材已占整个清平市场药材销售总量的70%以上。本市和附近各县的药材公司、各地的零售药商以及港澳客商都是清平市场药材的大买主。[①]

20世纪90年代初以后，清平农副产品市场逐步转型为中药材专业市场，实现专业化积聚，成为中国“购药天堂”。同时，清平市场由占道经营实现入室规范经营，设备技术也更新换代。

（二）清平市场的转型过程

20世纪90年代中期，政府对全国中药材市场清理整顿。广州清平中药材专业市场是保留的17个中药材专业市场之一，也是唯一建立在大都市中心区的中药材专业市场。

1. 通过国家验收（20世纪90年代中期）。

1994年9月，国务院下发紧急通知，“整顿和规范中药材专业市场”，禁止设立除中药材市场以外的其他药品集贸市场。各地区设立中药材专业市场，必须依据国务院药品生产经营行业主管部门的总体规划，选择中药材主要产地或集散地，并经国务院药品生产经营行业主管部门、卫生行政部门和工商行政管理部门审查批准。1994年，在国家中医药管理局组织的全国中药材大检查中发现，广州清平市场经营药材的1000多户摊点全部持有农副产品经营执照。[②]1994年国务院的“紧急通知”发出后，清平市场加强管理，防微杜渐，采取“多个结合，三方并举”方法进行整顿。所谓“多个结合”，一是教育与制约相结合，加强宣传教育，以段为单位召开业户大会，利用广播、墙报等形式向业户宣传。同时，建立违章扣分制度。二是自我管理与行政管理相结合。成立行业协会，发挥业户自

① 陈劲：《没有围墙的“超级市场”》，载《南风窗》1986年第5期。
② 江雪：《法为谁设、令为谁下》，载《中国卫生质量管理》1995年第1期。

我管理、自我教育、自我服务的“三自”作用；每10户成立“自我管理小组”，发挥“自我检查、自我监督、自我管理”的“三自”作用；由卫生局、药检所、管理所人员组成药材检查小组，强化定期例检和抽检制度。所谓“三方并举”就是管理所、消费者、业户三方共同发动，确保药材质量；制定预防措施，实现“群防群治”；设置“真假中药材鉴别橱窗”，陈列150多种样本。1995年上半年仅发现8宗销售伪劣药材的行为。在此基础上，清平工商所提出保留清平药材专业市场。理由是：清平药材市场声名日远，商贾云集，货畅其流，有其存在和发展的优势。一是地理环境较好。二是有相应市场设施及服务设施。三是有较完善的管理机制。四是有具有一定素质的经营者。五是有良好的社会效益。此前，省、市人大代表财经视察团曾到场检查，一致认为清平药市颇具特色，对繁荣经济，促进流通、满足人民群众生活的需要起着积极的作用。①

在全国药市整顿中，清平市场表现尚好，广州市和荔湾区有关部门积极争取获批中药材专业市场，开展各项筹办工作。1996年5月，广州市清平中药材专业市场管理委员会正式成立。委员会实行主任负责制，协调各部门之间的关系，制定市场发展方向。委员来自区卫生局、工商局、商委、公安分局、城管办、财政局；委员会下设市场管理组、市场工商管理组、治安组、质检室、培训中心、信息中心、财务组、卫生清洁队、运输服务组，并配备一定数量药师、技术员、经济师等管理人员，实行“三位一体”综合管理的管理体制。②

1996年，清平市场向国家有关部门提出成立清平中药市场的申请。作为华南地区较大的药材集散地的清平中药材市场就成为市内外不少较大制药厂、医院药房的中药原材料供应基地。清平市场还以其特有的东方风情吸引国际友人，每天进场观光的外国游客络绎不绝。其次，清平市场具备相应的市场设施及服务条件。医、吃、住、行、储、运及生活服务设施等一应俱全。各项管理法规和管理措施得到贯彻落实，市场不断地健

① 清平工商所：《中药材专业市场整顿申报表》（1995），荔湾区档案馆资料。

② 广州市荔湾区人民政府办公室《关于成立广州市清平中药材专业市场管理委员会的通知文件》（荔府办〔1996〕35号），1996年5月22日。

康发展。再次，清平市场有较完善的管理机构和管理制度。清平中药材市场建立了由区政府、医药、卫生、工商、公安、城管等各职能部门组成的市场管理委员会。市管会实行主任负责制，由区政府一名副区长任管委会主任，并通过施行《清平中药材市场管理规则》《清平中药材质量管理办法》《业户违章扣分制度》等一整套行之有效的管理制度，落实场内岗位责任制，充分发挥内在约束机制，完善清平市场质量保证体系。据统计，清平市场拥有摊档700多个，经营品种300多种，1995年成交量2000多万公斤，成交额3亿多元，年财税收入上百万元，每天进场交易观光游览的国内外游客、观光者达3万多人次，既是全国知名中药材市场，也是广州对外开放窗口，在宣传弘扬中国中医药文化方面有着重要作用，故报请国家准许设立“清平中药材专业市场”。

1996年7月13日，全国首批中药材专业市场审批发证现场会在玉林召开，清平市场等8个中药材专业市场通过验收。

2. 实现入室经营（20世纪90年代后期）。

清平市场入室经营，是荔湾区“三年一中变”的重点工作之一。

1996年，荔湾区有关部门制定出《关于设立“清平中药材专业市场”的可行性论证报告》，提出兴建新“清平中药材市场”规划和入室经营的规划。报告指出入室后的清平中药材市场将是一个设施现代化、管理规模化，具有“清平特色”，又符合中药材经营特点及专业市场标准的新型中药材市场。①

当时，原国家医药管理局要求清平市场在4年内限期整改，否则将取消其经营资格。广东省、广州市医药管理部门和荔湾区政府决定高标准地重建一座新市场。区政府成立清平市场建设发展有限公司，两次组织对清平市场入室设计立面图评议。1997年4月，荔湾区领导对清平市场有限公司提出新的清平市场设计要具有三大特色：一是商业特色。因该市场的辐射面广、人流量大、货源广、批发零售量大。要体现出90年代大商业、大流通的格局，实现现代化的商业活动，一条龙服务于业户。二是文化特

① 清平中药材专业市场管委会：《关于设立“清平中药材专业市场”的可行性论证报告》，1996年。

色。主要体现西关风情，让人们一看就能领略出岭南西关文化特色，使来过清平市场的人都感觉回味无穷。三是建筑特色。要精心设计，体现出岭南西关的骑楼、楼阁、琉璃瓦点缀的古朴感，使之成为领略西关特色的商贸旅游的一个好去处。①

1999年3月，清平市场为解决占道经营和防火隐患等问题，报请区计划局征用和平西路以南、清平路以西、梯云东路以北地段建新清平市场，用地面积12088平方米，总建筑面积48402平方米，总投资2亿元。区计划局同意该项目列入区1999年固定资产投资计划的预备项目，计划投资为2亿元，当年财务用款2000万元，用于拆迁及前期工作。②

经过一年多的奋战，清平药材市场首期工程如期落成并投入使用。2000年6月，两座崭新的建筑崛起于广州著名的六二三路，与颇具欧陆风情的沙面遥遥相对，这就是拆旧重建后的清平中药材专业市场。它由3个部分组成：清平东市场、六二三路246号清平中药材市场（G座）、六二三路336号清平中药材市场（H座）。373个占道摊位、147个旧货摊位、250个外贸摊位以及周边零散业户，全部迁入室内经营。至此，清平中药材市场整体由四场（G场、H场、黎明场、清平东段场）一街（清平路原中药材商铺一条街）组成。由区国有资产管理部门属下的区市场建设管理服务中心经营，设有市场管理办公室。

2000年6月，荔湾区政府为落实市政府“三年一中变”关于撤销占道（街巷）集市的决定，对清平中药材专业市场进行整治，规范市场管理，取缔非法无证经营，拆除违法建（构）筑物。荔湾区政府发布通告，划定了中药材专业市场区域范围，明确了广州市荔湾区市场建设管理服务中心是清平中药材专业市场的唯一开办者，区域内中药材经营户及场地提供者应接受统一管理。通告颁布后，在业户的支持和配合下清平市场基本实现了整体搬迁和入室经营。

3. 完成全面规划化整治（2000—2001年）。

在搬迁入户经营全面实现后，清平市场开始了全面规范化整治。

① 广州市清平市场有限公司：《荔湾区领导对新清平市场设计要求》，1997年4月3日。

② 广州市荔湾区计划局：《关于对清平市场项目立项的批复》，1999年3月17日。

首先是整治市场周边环境。2000年11月1日上午，荔湾区区长李文耀主持召开区长办公会议，研究清平市场第二期整治工作问题。会议决定：清平市场占道经营部分必须全部入室，不能有尾巴；采取转换住房或动员清平市场各路段住房打开家门的方式，尽量安置清平市场占道经营者；明确清平市场功能布局，重点整治梯云路市场的周边环境。2001年4月6日，荔湾区副区长毕婉玲主持召开会议，研究整治清平中药材专业市场周边环境问题。会议决定：（1）整治梯云路，5月底完成。（2）六二三路沿线铺面的整治。六二三路是"九运会"必经之路，由荔湾工商分局、区市场建设管理服务中心与投资商协商，将六二三路清平中药材专业市场G栋、H栋一线铺面改造，严格控制占道经营，规范市场经营秩序。（3）周边干果摊档的消防验收问题。由区公安分局进行消防复查，整改不合格的要停业整顿。①

其次是规范和加强市场管理工作。2001年4月10日，毕婉玲主持召开清平中药材专业市场管理工作会议，研究《清平中药材专业市场管理办法》立法的有关事宜及药品监督管理经费问题。关于《清平中药材专业市场管理办法》立法问题，会议认为应由市药品监督管理局法规处负责根据清平中药材专业市场管理的需要，将《清平中药材专业市场管理办法》各条文细化，邀请市法制局来区征询意见。关于药品监督管理经费问题，会议决定在区市场建设服务中心的市场综合服务经费中先划拨30万。会议还要求区药品检验所要迅速进驻清平药材专业市场，负责市场内药品检验和监督管理工作。②

2001年，广东省政府进行打假联合行动，对7个重点市场（包括广州清平中药材市场）进行了清查，6月份重点清查了清平市场的违法行为。③2001年7月4日，毕婉玲再次主持召开清平中药材专业市场整治工作会议，

① 荔湾区人民政府办公室：《关于清平中药材专业市场周边整治工作的会议纪要》（"会议纪要"第16号），2001年4月19日。

② 清平中药材专业市场管理委员会：《关于清平中药材专业市场管理工作的会议纪要》（"会议纪要"第1号），2001年4月19日。

③ 广东省人民政府办公厅：《转发国务院办公厅关于继续深入开展严厉打击制售假冒伪劣商品违法犯罪活动联合行动的通知》，载《广东政报》2001年第19期。

决定事项如下：（1）关于清平中药材专业市场界定范围内经营中药材业户的发证问题。在国家医药局对中药材专业市场管理未作出有关政策规定之前，按原定审批核发程序进行。凡申领营业执照的业户必须参加上岗培训，未参加培训的暂发临时营业执照，并由市医药局负责抓紧组织培训。（2）关于清平中药材专业市场内经营中药材业户收取管理费、服务费问题。针对业户反映收费不均、各场差价较大的问题，明确：市场租金是市场行为，政府不予干涉；工商管理费和市场服务费暂时维持目前的水平，今后如需调整必须按照同一标准进行调整；凡纳入清平中药材专业市场管理的市场经营中药材的业户，视其经营环境情况，按规定收取市场服务费。会议还研究了关于经营中药材业户的仓库问题。①2002年，根据国家药监局和国家工商总局有关领导到广州清平中药材专业市场检查工作时提出的意见建议，广州市药监局和荔湾区人民政府研究决定，对清平市场再次进行全面整治。此次整治工作从两个方面入手，在硬件建设上，重点是扩建、更新和完善仓储设施以及辅助性设施，进一步改善经营环境，以确保上市药材的质量。进一步加强和规范市场管理。组织工商、药监、公安、城管、消防等部门联合行动，以消除消防隐患为突破口，以查处无证经营为重点，对该市场外围的乱摆摊乱卖药行为进行彻底清理。为做到“长治久安”，荔湾区政府还拨出专款（每月5万元），组建起一支20人的巡查队，配合城管部门和街道办巡查执法，以彻底解决市场外无证经营和占道经营这一老大难问题。②

清平市场经过整治之后，人气兴旺，呈现几大特点：一是药食两用品种（党参、淮山药、沙参、玉竹、元肉、红枣等）小批量成交活跃。二是各类药材价格降多升少，但其降幅均甚微。三是跌价货较多，个别品种跌幅较大，但不见大批量成交。四是进入市场人多，市场热闹、繁荣。③此时的清平药材专业市场已经引领药市行情。事实上，清平药价早就引领药市行情。1992年，《中药材》杂志在9、12期刊登“广州清平药市批发

① 清平中药材专业市场管理委员会：《关于清平中药材专业市场整治工作的会议纪要》，2001年8月23日。

② 黄每裕、初晓：《清平中药材市场再动“手术”》，载《中国中医药报》2002年8月6日。

③ 土生：《广州清平市场热闹人气兴旺》，载《中国中医药报》2001年2月8日第2版。

成交价目表”（8、11月份），1993年第1、5月，刊登1992年12月和1993年4月的价目表。1997年，《中国中医药信息杂志》第3、6、7期，也刊登“广州清平药市近况”，后又结合特定药材的“清平药市”价目表或信息。从1999年起，《中药研究与信息》也连续刊登“广州清平药市动态”或“广州清平药市行情与交易”“广州清平药市行情”“广州清平药市行情与动态”，《中国中医药报》也不时有类似的消息或报道。

三、升级为清平医药中心

进入21世纪，清平市场实现了由专业市场向促进产业整合与集中的更高层次职能的转变，成为集商贸、旅游、休闲、购物于一体的文化品牌。2006年清平药材市场交易额20亿元，约占全国中药材市场总交易额的1/4。①

（一）清平医药中心的规划与建设

作为“展示岭南传统中医药文化的集中地”，清平中药材专业市场的主体“清平医药中心”已不仅是单纯意义上的药材贸易市场，更是承载岭南传统中医药文化的载体。

1. 医药中心建设目标的定位。

早在2001年7月4日，荔湾区副区长毕婉玲主持召开清平中药材专业市场整治工作会议时，就初步提出建设“医药中心”构想：利用辖区内中药厂较多、中药行业发达这一优势，积极争取国家医药局指导、市科委支持，在清平中药材专业市场推行电子商务，不断改造、升级，提高档次和服务水平，把清平中药材专业市场作为中药材对外流通的窗口，建成全国知名的中药材专业骨干市场和中药材专业流通中心。会议还决定：由区商业网点办公室牵头协调市科委、区科技局、开发商等，抓紧研究制定新的清平药材市场功能设置方案。②

---

① 《药检机构进驻广州清平市场》，载《中国医药报》2007年1月23日第A2版。

② 清平中药材专业市场管理委员会：《关于清平中药材专业市场整治工作的会议纪要》，2001年8月23日。

清平医药中心

2002年3月，荔湾区提出的“清平中药商贸中心”项目获批。广州市商业局原则同意荔湾区经贸局的请示，并指出：由于周边交通条件所限，故不宜将该市场大厦的物流设施设在市中心，应在城乡结合部或郊区等交通便利的地方设立物流设施，使之符合批发市场升级规划原则；该市场应定位为订单交易、电子交易为主，集科研、检验检疫、展览、展示、交易、信息等于一体的高级专业市场；要做好市场总体规划，合理布局各大功能区。①市计委给区计划局的批复说：将清平中药材市场改造成为全国中药材产业的交易和物流中心，主要建设药材交易区、其他产品交易区及配套服务设施（包括工商、银行、税务、进出口、动植物检疫、中药材检验与鉴证中心、电子商务与信息查询中心、物流中心等）。②

同年5月，荔湾区经贸局召集的“广州清平中药材专业市场改造工程规划”论证会决定：加速广州清平中药材专业市场的改造，将有力推动荔湾区、广州市乃至广东省的社会经济和文化发展。清平中药材专业市场的定位应确定为5个中心，即国际化的中药材交易、采购中心，电子商务和

① 广州市商业局：《关于清平市场改造扩建的批复》（穗商发〔2002〕57号），2002年3月18日。

② 广州市发展计划委员会：《关于清平市场改建工程（中药商贸中心）立项的批复》（穗计贸〔2002〕6号），2002年3月21日。

信息中心，物流中心，药品检验和鉴证中心及国药展示中心。①

2. 医药中心的建设与远景规划。

2002年，广州市清平集团有限公司成立，以中药材市场经营管理、房地产开发、医药物流为主营业务。集团目标在于建设规范化的中药材交易平台，实现交易手段的电子商务化，物流配套的系统化以及市场信息的上下畅通，达到营销的集约化，加快流通速度，使成本降到最小。2004年，荔湾区进行行政区域合并，清平街并入新岭南街，清平中药材市场走向集中规模化的经营方式，继续由区国有资产管理部门属下的区市场建设管理服务中心经营。

清平市场成为荔湾区乃至广州市改革与发展战略的着力点。2006年8月出台的《广州市国家医药出口基地建设发展规划》强调：发挥广州医药物流中心和清平国家级药材交易市场优势，联合国际物流企业，构建以广州为中心的覆盖华南地区的医药产业物流网络，建设现代国际药材物流基地，增强在华南和东南亚地区的辐射力和影响力。“支持广州市清平集团公司发展电子商务，规范药材流通和出口，打造辐射东南亚的药材出口渠道。”②

按照广州市荔湾区政府的规划，清平医药中心的改（扩）建工程分两期进行。2006年首期完工。在原清平中药材市场基础上扩建为占地6950平方米、9层商用建筑加地下二层停车场、总建筑面积40041平方米的清平医药中心大楼以及两座欧化风格大厦。清平医药中心大楼的一、二楼为清平中药材专业市场；三楼为规范化的保健品交易中心；四楼为中国国药集团中西成药展销批发中心；五楼集合各民族中医药学的精髓，开设国医馆，引入藏、蒙、苗、川、汉等专家，既可问诊，又可与其他民族的医学专家互相交流，开展各种中医特色疗法、中医健康养生咨询门诊，打造西关国医；六楼为公共商务配套楼层，设立有中药材真伪辨别中心、网上清平商务中心、国家级中医药文化宣传教育基地，并提供药监部门及中药材杂志编辑部进场驻点；七、八楼为原产地道地药材种植生产基地驻点及商务办

① 《广州清平市场中药材市场改造工程规划听证会专家意见》，2002年5月10日。

② 广州市人民政府办公厅《关于印发广州市国家医药出口基地建设发展规划的通知》（穗府办〔2006〕29号），载《广州政报》第19期。

公区，设有商务综合服务平台、电子商务和信息查询中心，建立中药材展示中心、现代物流中心、中国中医药教育基地、国医馆等；九楼为商务办公区。全国医药企业不断进驻，成为具有中医药行业特色的总部经济。

该市场定位为“展示岭南传统中医药文化的集中地”。该市场内文化遗产都得到妥善保存，不可移动文物、文物线索、历史建筑线索、传统风貌建筑线索都得到修缮，保持旧城肌理。该市场功能引导市场业态升级，从原有的售卖与仓储结合，转化为实体售卖与电子商务结合、中药展示与销售结合。

（二）中医药市场的监管整顿

2003年7月，国家食品药品监督管理局发布的“2003年第二季度国家药品质量公告”显示，全国17家中药材市场药品质量令人不满意，中药材市场存在的问题较多。国家食品药品监督管理局会同有关部门对食品药品市场进行全面的整顿清理。广州清平中药材市场被列入整顿范围。经过7、8月两个月的整顿，市场上的质次价高的药材已明显减少，但离整顿的要求还有距离。[①]2003年8月，广州市“纠风工作实施意见”，要求“加强清平中药材市场及周边秩序的监管，加强对已关闭药品集贸市场的监控，防止非法药市反弹。”[②]

清平市场的监管整顿取得预期成效。2003年11月，以国家食品药品监督管理局副局长任德权为组长的国务院督查小组对广州市清平中药材专业市场进行了督查。任德权说，在全国17个中药材专业市场中，广州市清平中药材专业市场的监督管理工作成绩斐然，真正做到了“清清白白，平平安安”，走在全国前列。他还勉励药品企业形成好的企业文化。广州市清平中药材专业市场已经形成品牌效应，广州监管工作具有优势，应引导企业规范药品物流管理。[③]2005年7月，世界中医药学会联合会和国家中医药

① 王继红：《广州清平中药材市场还须整顿》，载《市场报》2003年8月28日。

② 广州市人民政府办公厅：《转发市政府纠风办关于2003年广州市纠风工作实施意见的通知》（穗府办〔2003〕23号），载《广州政报》2003年第15期。

③ 陈淑华：《清平市场清清白白，国务院督查组高度评价广州市中药材专业市场的监管工作》，载《医药经济报》2003年12月5日第5版。

管理局等主办的“中国国际中医药原材料/提取物/中成药（广东）交易会”在广东省东莞市召开。国家中医药管理局副局长李振吉表扬清平中药材专业市场是一个“清清白白、平平安安”的市场。

市场监督“一直在路上”，且须不断创新。在不断的“治理—优化—反弹—再治理—再优化”螺旋式上升的发展过程中，清平市场逐渐实现了“药出清平必正宗”的目标。

清平市场从综合性的农副产品市场，转型为中药材专业市场，再优化升级为集多种经营为一体的文化品牌——清平医药中心。清平市场螺旋式前进的发展之路，从一个侧面展示了改革开放和社会主义经济建设的波澜壮阔，也是广州荔湾“千年商都”和“最具岭南文化特色强区”优势发扬光大的见证。

清平市场作为知名品牌，是荔湾乃至广州的宝贵财富。国家中医药管理局副局长李大宁就曾经说：“清平的品牌价值是4亿元！”[①]清平中药材专业市场是华南地区中药材集散地，辐射全国、港澳地区和东南亚各国，是广东打造“建设中医药强省”的支柱。

清平市场兴起、转型和优化升级的历史，是中国从统购统销的计划经济体制向社会主义市场经济体制转型的一个缩影。清平市场探索并实践了摆脱计划体制束缚的经验，在转型、优化升级的过程中逐步实现了“药出清平必正宗”的目标。当然，市场监管和诚信建设“永远在路上”，必须常抓不懈。

当前，“一带一路”建设方兴未艾。广州荔湾自古以来就是海上丝绸之路的起始点之一，毗邻港澳，华侨众多，与“一带一路”沿线国家和地区的中药贸易源远流长，继续加强与东南亚的贸易将对清平市场的覆盖面和产业升级产生巨大的促进和提升作用，有利于为实现中医药走向世界的“中国梦”做出重要贡献。

---

① 杨郦晶、何志明：《广州清平药材市场改革能否保“质”》，载《中国商报》2005年10月25日第10版。

3 改革大潮中的文化与科技

在经济领域的改革不断深化的同时，广州在科技、教育、文化等领域的改革也有步骤、有秩序地全面展开。“科技兴市”战略大力实施，进一步解放和发展了科技生产力，促进科技与经济、社会的协调发展。教育体制改革全面推进，使教育事业充满生机和活力。在市场经济条件下蓬勃发展的文化市场、全国第一个报业集团的成立，让广州的改革走在全国的前列。

《广州“科技兴市”规划》的出台

■ 和　孟

20世纪80年代后期，在国际、国内科技发展和经济建设的要求下，中共广州市委、广州市人民市政府首次提出了“科技兴市”的构想。同年11月，市委五届六次会议提出，要把广州市的工作重点转移到依靠科技进步和提高经济效益上来，并指定由市委研究室牵头，开展“科技兴市”课题研究，制定《广州“科技兴市”规划》（以下简称《规划》）。这一《规划》是广州市加快科技进步，全面振兴广州市经济社会的一个纲领性的文件。

一、广州提出“科技兴市”战略的历史背景

当代科学技术蓬勃发展，已广泛渗透到经济社会的各个领域，成为推动历史发展的动力。向科学技术索取知识、技能和财富，用科技进步促进经济社会的发展，已成为人们的共识。科技兴市是时代发展的要求，更是历史发展的必然趋势。

（一）国际形势

从20世纪80年代开始，越来越多的国家把发展科学技术作为实现国家发展战略目标的主要手段，“技术立国”作为立国之策，已成为世界发展潮流。日本政府早在20世纪70年代末80年代初就宣布了“技术立国”的国家发展战略，标志着日本发展模式从“追赶模仿型”转变为“独创开拓

型”。20世纪80年代初韩国也提出了“技术立国”的战略方针，1986年韩国政府又重申“科技立国”的战略方针，强调科技发展是促进现代化的先决条件。1983年美国借助其先进的科学技术推行“星球大战”国家发展战略，以发展军工技术为先导，带动民用技术发展进而推动整个国民经济的发展。还有欧洲经济共同体的“尤里卡”计划、前苏联的“20年科技进步综合规划”等。尽管这些国家提出的具体战略名称有所不同，但基本精神实质和所追求的目标是一致的。科技进步还使许多国家发展战略重点从提高国威转向增强国力。随着科学技术的高度发展，人们普遍认识到靠战争解决国际争端、掠夺财富来提高国际地位已行不通，特别是进入70年代以后，美苏两国的核武器基本上达到势均力敌的程度，世界上数个国家也拥有了实力不同的核武器，谁也不敢轻易发动核战争，美苏两国凭借强大的武力主宰世界的格局正逐渐成为过去。以21世纪为目标，通过发展科学技术促进经济发展，提高国家包括经济、科技和军事等要素在内的综合国力，争夺下一个世纪国际战略制高点和战略主动权，使自己的国家在21世纪激烈的国际竞争中立于不败之地，已成为世界各国所追求的目标。

（二）国内情况

党的十一届三中全会以后，随着经济体制改革、科技体制改革的相互促进和逐步深化，以依靠科技进步、加速以城市为中心的区域经济振兴和社会发展为主要内容的科技兴市战略，正在全国许多城市和地区得到重视和实施，并取得了明显成效。

1. 邓小平的科技思想。

邓小平站在我国社会主义建设全局的高度，科学地阐明科学技术在其中的地位和作用。1975年3月28日，邓小平在听取胡耀邦《科学院工作汇报提纲》草案时，明确肯定了“科学技术也是生产力”的观点。1978年3月18日，在全国科学大会开幕式的讲话中，他非常明确地指出：“四个现代化，关键是科学技术现代化。没有现代科学技术，就不可能建设现代化农业、现代化工业、现代化国防。没有科学技术的高速发展，也就不可能有国民经济的高速度发展。”[①]1980年，邓小平在《目前的形势和任务》中提出，“我国科技发展必须和经济、社会发展结合起来，并把促进经济发展作为科技工作的首要任务”。根据邓小平的这一思想，1980年12月国家科委提出将“科学技术必须为经济建设服务，经济建设必须依靠科学技术”作为我国科技工作的总方针。1982年9月，党的十二次全国代表大会第一次明确提出科学技术是国民经济建设的战略重点之一。同年10月，中央进一步把依靠科技进步作为振兴经济的一个战略问题提出来，非常明确地指出经济建设必须依靠科学技术，科学技术工作必须面向经济建设，同时提出了协调发展、加强生产技术研究、加强技术开发与推广、保证基础研究、学习消化国外科学技术成就等五点科学技术发展方针。

邓小平在对第二次世界大战以来特别是20世纪七八十年代世界经济发展的新形势和新经验作了思考后，进一步指出：“从长远看，要注意教育和科学技术。否则，我们已经耽误了二十年，影响了发展，还要再耽误二十年，后果不堪设想。……马克思讲过科学技术是生产力，这是非常正确的，现在看来这样说可能不够，恐怕是第一生产力。”[②]

2. 国家科委（今科技部）提出“科技兴市”战略。

1986 年初，一批软科学[③]工作者在广西柳州召开研讨会，会上提出“科技兴市”的理念。同一年，国家科委在辽宁抚顺市召开东北三省科技工作会议，会上抚顺市政府率先提出要在全市实施“科技建市”的战略，这一提法得到国家科委的首肯。

1986 年7月，在国家科委召开的全国软科学研究工作座谈会上，国务院常务副总理万里发表了重要讲话。他明确指出，促进实现各级各类决策的科学化、民主化，既是软科学研究的宗旨，也是国家政治体制改革的一个重要课题。万里的讲话，得到邓小平和陈云的高度称赞。国家科委为切实抓好这项工作，拨付专款给予支持，并且要求主管软科学研究的政策法规司要切实担负起责任，把科技兴市作为重中之重的任务列入软科学研究

① 《邓小平文选》（第二卷），人民出版社1994年版，第86页。

② 《邓小平文选》（第三卷），人民出版社1993年版，第274–275页。

③ 软科学：自然科学与社会科学相互结合的交叉科学，针对决策和管理实践中提出的复杂性、系统性课题，为解决各类复杂社会问题提出可供选择的各种途径、方案、措施和对策。

计划，并注重发挥软科学研究指导委员会的指导推动作用。

从1986 年下半年开始，国家科委政策法规司狠抓各地的科技兴市战略研究和战略行动的组织协调与推动指导工作，先后在宜昌、抚顺、淄博、绵阳、长沙、乌鲁木齐等多个城市召开科技兴市研究会、工作会，软科学专家、科技管理部门负责人、市级领导同志在一起研讨科技兴市的理论，交流实际体会，总结实际经验，共同促进各地科技兴市形势的健康发展。通过一系列调查研究，国家科委认为，各城市虽然特点、优势各异，经济发展能够依靠的具体条件不尽相同，但依靠科技是共同认定的基本条件，也是一条可靠的途径，自此依靠科技进步带动经济发展的新思路基本成型，“科技兴市”战略应运而生。自1988年开始，每年都召开一次全国“科技兴市”研讨会，理论研究与实际探索紧密配合，推动了“科技兴市”向纵深发展。

纵向看，“科技兴市”向上延伸到省、自治区、直辖市，促使其实施“科技兴省（自治区、直辖市）”战略，向下延伸到县、乡，促使其实施“科技兴县（乡）”战略；横向看，“科技兴市”深入各个行业，出现“科技兴农”“科技兴海”“科技兴化”“科技兴油”“科技强军”等新局面。 到 1991 年，全国已有28个省（自治区、直辖市）提出并实施“科技兴省（自治区、直辖市）”战略；全国396个地级市有229个实施“科技兴市”战略；全国2183个县（市）中，有1009个实施“科技兴县（市）”战略；科技兴行业的战略，已在各个行业普遍实施。这些成绩表明，“科技兴市”是切合现代化城市发展的，是城市谋求经济、社会和科技协调发展的必由之路。

（三）振兴广州经济的必由之路

改革开放以来，广州市经济建设取得了令人瞩目的成就，这一点必须加以充分肯定。但是，与珠江三角洲的一些县、市比较，广州经济发展的速度不够快，产业结构、企业组织结构不够合理，经济效益不够理想，尤其是科技进步的滞后，更是严重地制约着全市经济、社会的发展。其突出表现为：一是部分干部依靠科技发展经济的意识不强，企业科技总体水平较低。全市83%以上的企业为劳动密集型企业和资金密集型企业，附加值低的产品约占产品总数的88%。全市独立核算工业企业技术进步对经济增长的贡献份额为25%—30%，低于全国约平均30%的水平。[①]二是经济运行机制不完善，企业缺乏依靠科技进步的动力和压力，大量科技成果未能尽快地转化为现实生产力。三是科技队伍整体素质不高，拔尖人才不多，人才断层问题突出，人才的作用没有很好地发挥。广州市科技人员占总人口的比例仅为25%，低于京、津、沪、汉等大城市的水平；拔尖人才仅为深圳市的1/16 。四是科技投入不足，科技经费缺口较大。“七五”计划前4年，科技3项费用年递增率低于国民生产总值增长率，在全国12大城市中处于中下水平。五是企业开发能力薄弱，科研与经济结合的中介服务组织缺乏，新产品产值率低。在全市研究与开发人员中，仅有1/4在企业内从事技术开发工作，市属10个工业部门新产品产值率仅占20%左右[②]。要进一步发挥广州整体优势，就必须实行“科技兴市”战略。

上述情况表明，无论从国际、国内还是广州自身的现实情况来看，广州市实施“科技兴市”的战略决策都是十分迫切的，坚持改革开放，实施“科技兴市”的战略决策，切实把经济建设转移到依靠科技进步和提高劳动者素质的轨道上来，这是充分发挥广州市整体优势、解决广州市经济建设中的现实问题、增强广州市综合实力的唯一可靠的途径。

二、《规划》的出台过程

中共广州市委、市政府对《规划》的制定十分重视，十分认真，也是十分慎重的。它是经过充分调查研究，在广泛吸收各方面意见的基础上形成的。

（一）立项、研究阶段（1989年11月至1990年6月）

自1989年11月起，中共广州市委研究室负责牵头，开展“科技兴市”课题研究。据对市属156个单位调查显示，许多行业都加大了此后10年和

① 《广州科技兴市之路》，1993年，第294页。

② 同①。

“八五”期间技术进步的分量。市电子、纺织、医药、家电等行业提出，在“八五”期间技术进步对经济增长的贡献率要达到40%以上，到20世纪末达到50%以上。对全市1280名科技人员、行政干部、技术工人的抽样调查表明：认为“科技兴市”适合广州市情的占88.5%；对“科技兴市”很感兴趣的占92.5%；认为“科技兴市”能够搞好的占70%。[①]“科技兴市”的方向，已逐步成为全市广大干部的共识，成为全市经济社会发展的一个大趋势。广州市开展“科技兴市”的研究、规划工作，也已具备一定的条件。

1. 广州“科技兴市”已有一定的经济基础。

中华人民共和国成立后，经过40年的建设发展，特别是经过改革开放，广州发生了翻天覆地的变化。1989年与1949年相比，社会总产值从544亿元上升到584.47亿元，增长了107.4倍；工农业总产值从4.14亿元上升到425.33亿元，增长了102.74倍；国民生产总值从2.81亿元上升到284.1亿元，增长了101.1倍；国民收入从2.86亿元上升到205.86亿元，增长了77.39倍；地方财政收入从1.05亿元上升到45.21亿元，增长了43.06倍。地方财政支出从1950年的0.34亿元上升到23.39亿元，增长了68.79倍；全社会固定资产投资从1950年的0.31亿元上升到93.33亿元，增长了717.92倍。1989年广州市主要经济指标在全国十大城市中，仅居津、沪之后，其中个别经济指标已超过天津。经济发展了，为科技事业发展提供了坚实的物质基础。1985年市属本级科研单位科研费用才0.108亿元，1989年已达0.2115亿元（全地区科研经费支出总额为5.72亿元），4年将近翻一番。工业企业技术改造投资也有大幅度增长，1979—1985年广州市工业技改投资10.45亿元，平均每年投资才1.49亿元，1986—1989年共投资28.66亿元，平均每年投资达7.16亿元。[②]

2. 广州有一支初具规模的科技队伍和门类比较齐全的研究开发机构。

中华人民共和国成立前的广州，在社会上几乎没有独立的科研机构。

① 朱森林：《“广州科技兴市第一次研讨会”上的讲话——依靠科技进步，促进广州经济社会的全面振兴》，1991年5月4日。

② 《广州科技兴市之路》，1993年，第33页。

经过40年的努力，广州市的科技事业发展已有一定的基础。1989年全市县级和县级以上部门属各类科学研究与技术开发机构及集体、个体科技机构共286个，其中，在穗国务院部门（含中科院）属和省属自然科学和技术领域的研究与开发机构95个，市属自然科学和技术领域的研究与开发机构67个，省属和市属社会、人文科学领域研究与开发机构18个，科技情报和文献机构7个，市辖县、区各部门的研究与开发机构18个，全市集体、个体科技机构81个。20世纪80年代广州地区有高校25所，中等专业学校91所，技工学校53所，农业、职业学校36所。1989年全地区共有科学技术人员31.4482万人，占全省科技人员总数的37.97%；其中，具有高级职称的1880人，占全省同级职称总人数的65.1%；具有中级职称的7.6441万人，占全省同级职称总人数的42.23%；具有初级职称和尚未评聘的科技人员1.9241万人。此外，1989年在全市222家大、中型工业企业中，有98家企业建立了104个技术开发机构，形成了一支专职的技术开发队伍。[①]随着科技体制改革的深入发展，广州市科技人员的积极性进一步提高，科研单位的活力有了增强，技术市场日益活跃，科技与生产的结合有了进一步的发展，以全民、集体、个体各种所有制形式和经营方式并存的科研新体系正在广州市逐步形成，极大地推动了广州市技术进步和科学事业的发展。据1988年年度统计，仅全市大、中型企业投资万元以上的开发项目就有438项，完成了202项，完成率46%。在202项中，61项达到80年代国际水平，43项达到70年代水平，53项填补了国内空白，79项处于国内领先地位。全年新产品总产值12.2亿元，比1987年提高42.5%。[②]

3. 广州有优越的地理和人缘条件。

广州是我国重要的沿海开放城市，毗邻港澳，华侨众多，同世界各国有着密切的经济、技术交流。至20世纪90年代初，广州已同120多个国家和地区建立了直接的贸易来往；和140个国家和地区的1000多家银行建立了业务联系；并先后与日本的福冈市、美国的洛杉矶市、菲律宾的马尼

① 刘念祖：《在“科技兴市”研讨、规划动员大会上的讲话——统一认识，搞好“科技兴市”的研讨、规划活动》，1991年5月4日。

② 《广州科技兴市之路》，1993年，第34页。

拉市、加拿大的温哥华市、澳大利亚的悉尼市、意大利的巴厘市、法国的里昂市、德国的法兰克福市、比利时的根特市、新西兰的奥克兰市建立了友好城市关系。频繁的对外交往，为广州引进技术和人才创造了极为有利的条件。改革开放后，广州以利用自有外汇和外资等方式，引进国外生产技术装备5000美元以上的有1000多项。仅市经委系统的12个工业局就投资39.11亿元，用汇3.78亿美元，更新改造设备45万台套，其中引进国外先进设备11080台套，生产线136条。[①]全市引进的先进设备、生产线就更多了。先进技术和设备的引进，对促进广州市工业企业的技术改造和技术进步，加快设备更新和产品的升级换代，增强产品的竞争能力，增加生产，扩大出口，起到了积极推动作用。在农业和商业方面，引进了一批禽畜良种和养鸡、奶牛胚胎移植等技术，兴农副产品加工技术，促进了农副业生产的发展，改善了市场供应。通过加工装配，引进国外技术和设备，加速了乡镇和区街工业的发展，扩大了就业，壮大了集体经济。此外，广州市还利用优越的地理条件，开展国内外科技交流，引进了大批急需人才。据统计，1989年以来，共接待美国、澳大利亚、泰国、新加坡等国和台湾、香港等地的科技交流合作访穗团组共22批74人次。同时，广州市也派出11批26人次的出国团组，扩大了与国外的科技交流。据统计，1989—1991年期间，仅市属区、县就引进各类急需人才334名。[②]

4. 市属各县、区、街、镇、村逐步展开的依靠科技振兴经济、社会的活动，为“科技兴市”提供了经验。

为了促进区、县的科技进步，市属各区、县纷纷与大专院校、科研单位建立合作关系。其中，黄埔区、越秀区与中科院广州分院、广东省科学院，原东山区与广州地区科技促进会（由31所高校、研究单位组成），荔湾区与广东省“星期六工程师之家”，海珠区与新港科技开发集团，白云区与华南工学院（今华南理工大学）、华南农学院（今华南农业大学），原花都市（今花都区）与华南工学院，原从化县（今从化区）与广东工

① 《广州科技兴市之路》，1993年，第35页。

② 刘念祖：《在“科技兴市”研讨、规划动员大会上的讲话——统一认识，搞好“科技兴市”的研讨、规划活动》，1991年5月4日。

学院（今广东工业大学），增城县（今增城区）与广州大学，原番禺市（今番禺区）以项目为龙头与广州大专院校开展全方位合作。与此同时，越秀、海珠、东山、白云、荔湾5区和花都市，有的实施“科技兴区”计划，有的在科学技术发展规划中，开展创建“科技镇”“科技街”“科技村”的工作。越秀区1989年实施“科技兴区”计划已初见成效。以上实践活动，都为广州市研究制定“科技兴市”规划提供了好的经验，也为广州市实施“科技兴市”打下了良好的基础。同时，广州市实施的“星火计划”“火炬计划”“燎原计划”“丰收计划”和开办经济技术开发区，也为“科技兴市”创造了良好的条件。

（二）研讨、起草阶段（1990年7月至1991年6月）

1990年6月28日，中共广州市委、市政府召开科技兴市研讨规划动员会，市长黎子流提出“全市理论工作者和实际工作者都要积极行动起来，共同关心、积极支持、热情参与科技兴市研讨规划活动，使我市科技兴市的规划能汇百家之精华，而更具科学性和可行性”[①]，强调在制定科技兴市总体规划过程中，必须处理好宏观与微观、开放改革与科技兴市、科技与经济、定量分析与定性分析、规划与实施5个方面的关系。希望大家都来为科技兴市做好事，做实事。7月，广州市政府发出《印发关于广州市“科技兴市”的研讨、规划方案的通知》，成立了由刘念祖任组长，由市委研究室、市计委、经委、农委、外经委、建委、商委、人事局、财政局、《广州日报》、市经济研究所、科技情报所等单位负责人组成的科技兴市研讨规划领导小组，负责对科技兴市进行研讨，规划活动的组织领导和协调工作。广州市“科技兴市”战略规划的制定工作正式启动。

1. 广泛动员，举办咨询座谈会。

1990年7月，市“科技兴市”研讨规划领导小组邀请广州地区部分专家学者齐聚市委礼堂会议室，为广州“科技兴市”献计献策。与会者围绕广州科技事业的特点、地位和作用，科技兴市的指导思想、战略目标、重

① 《科技兴市要搞“大合唱”》，载《广州日报》1990年6月29日第1版。

点方向、实施措施等问题直抒己见，并主动承担了科技兴市的一些科研课题。11月，领导小组组织召开“科技兴市”内涵讨论会，与会专家、学者和实际工作者对“科技兴市”的规划和有关问题提出了许多有益的建议。《广州日报》分别对上述会议作了报道，还陆续发表了一些有关科技兴市的论述性文章，广东电视台也组织了一些专题报导。在此期间，负责重点课题的单位部门也进行了数次研究，明确了分工。经过一段时间的组织发动，参加科技兴市研讨、规划活动的队伍，也日益扩大。主要单位和部门除市政府各委办局、市人大教科文卫委员会和市经济研究所、情报所，还有中国科学院广州分院、广东省社会科学院情报所、广东省人才研究所、广州市财经研究所、广州市农村发展研究中心、广州市电子计算机应用开发领导小组办公室等研究院所的科研人员都承担课题的研究任务。大学系统方面，中山大学、暨南大学、华南理工大学、广州大学、广州广播电视大学、广州大学科技干部学院、广州市农业管理干部学院等院校的专家、教授也承担了一部分课题研究。1991年5月，市委决定建立不定期的市党政领导同志与科技人员见面座谈的科技恳谈会制度，针对科技兴市、经济建设迫切需要解决的问题，通过科技恳谈会的形式，沟通和密切党政领导和科技人员的关系，调动广大科技人员参与“科技兴市”研讨与规划的积极性。原白云山制药总厂党委书记陈平帝就曾向市委、市政府提出积极建议：“广州要‘科技兴市’，当务之急是完善系统教育机制和系统激励机制，充分调动群体和个体两个方面的积极性。”①

2. 外出调研，开展课题研究。

1990年8月，经广州市人大常委会批准，市人大派员参加了在北戴河召开的“全国‘科技兴市’战略研讨会”，会后所派人员向市人大常委会主任会议作了翔实的汇报，向市、区、县人大常委会教科文卫委员会工作座谈会作了传达讨论，并给市委、市政府主要负责同志以及有关部门送了书面汇报材料。从1991年6月下旬开始，中共广州市委副书记张汉青先后到广州重型机器厂、广州油脂化学工业公司、广州钢铁有限公司、广东轻

① 《完善两大系统机制 调动两方面积极性》，载《广州日报》1991年8月19日第1版。

工业机械厂、南华西街工业区、广州造纸厂等企业调查研究，与基层企业的领导和职工一起座谈，交流、探讨如何推进科技进步、科技兴市。

通过派出考察组参加全国以及兄弟省市经验交流会，广泛收集全国“科技兴市”材料以及深入基层亲自调研广州实际情况等形式，科技兴市研讨规划领导小组开始组织发动课题撰写工作。课题可分为5种类别：一是科技兴市基本评估；二是科技兴市基本目标和任务；三是支撑体系，包括科技管理体系、评价指标体系、科技投入体系、人才机制体系、科技市场体系等；四是配套政策，包括企业技术进步、人才流动、技术市场管理、奖励办法等有关政策规章；五是科技兴农方面，包括星火计划发展目标、对策等。

3. 组织论证，召开大型研讨会。

1991年5月3日至4日，中共广州市委研究室和广州市科委等单位联合组织召开广州科技兴市第一次研讨会，市委书记朱森林提出：“要动员社会各方面的力量，积极参与和支持‘科技兴市’活动，切实把我市经济社会发展转移到依靠科技进步的轨道上来。并要制定出切实可行的、有现实指导意义的科技兴市总体规划。”[①]朱森林在讲话中要求各单位、各部门的主要领导要亲自抓“科技兴市”有关课题的领导和指导，在组织专家、学者及实际工作者积极做好各项课题的咨询、论证的基础上，制定出一个切实可行的科技兴市总体规划方案，要有广州的特色，符合广州实际。科技兴市的总体规划要和《广州经济社会发展战略纲要》《广州文化发展战略纲要》《广州科技发展战略纲要》和《中共广州市委关于制定广州市国民经济、社会发展十年规划和“八五”计划的建议》所确定的目标相衔接，着眼于城市的全局，从科技、经济、社会协调发展的角度，去考虑科学技术的发展，用“科技兴市”的主线贯穿于各个领域；要把科技兴市和调整、优化广州市的产业结构、产品结构、技术结构结合起来；科技兴市和改革开放政策应是互相促进的。制定科技兴市总体规划，要认真考虑广州市经济和科技体制改革的方向。通过科技兴市，进一步深化改革，扩大

① 《朱森林在“广州科技兴市第一次研讨会”上的讲话——依靠科技进步，促进广州经济社会的全面振兴》，1991年5月4日。

开放，建立科技与经济相互依存、相互促进的新体制。广州地区科技界、理论界和企业界的专家学者以及来自各条战线的实际工作者共80多人出席了研讨会，提交的研究报告有20多篇。这些研究报告对广州的科技整体水平的评估，科技兴市的目标、任务、支撑体系以及对策，提出了初步的思路，为制定广州科技兴市总体规划打下了良好基础。

（三）修改、完善阶段（1991年7月至1992年8月）

1991年6月，《广州“科技兴市”规划纲要》初稿在大量的论证、调研基础上首次面世。《规划》（稿）自此进入修改、完善阶段。

1. 九易其稿，修改、完善《规划》。

自1991年7月开始，领导小组将初稿印发给参加市委工作会议的领导讨论，并同时发给市属各部、委、办、局（总公司）征求意见。8月，广州市政协召开了有50多位科技界及市各民主党派有关负责人参加的专门会议，进行咨询论证。根据讲座和咨询论证的意见，对《纲要》作了两次较大的修改，于1992年1月印发给参加市九届五次会议的人大代表，并由广州市人大教科文卫委员会组织、广州市人大常委会副主任蔡文炯主持，邀请部分人大代表对《纲要》第五稿进行了初步审议。代表们认为这个《纲要》是“基本可行的”；蔡文炯在总结发言中，要求市政府“根据代表的意见和建议，组织有关部门作进一步论证和修改，使《纲要》趋于完善，在适当时候送市人大常委会审议，市人大常委会也要组织代表作深入地调查研究，为审议做好准备”[①]。1992年4月，市委工作会议提出用15年左右的时间，使人均国内生产总值赶上“亚洲四小龙”的平均水平。根据市委的指示精神和部分人大代表所提出的修改意见，对《规划》又一次作了较大的调整和修改，形成了第七稿，并再次印发市属各部、委、办、局（总公司），区、县征求意见，后形成第八稿，标题改为《广州科技兴市总体规划（稿）》。于1992年8月29日召开的市委常委会议进行了认真的讨论，与会常委认为，制定《广州科技兴市规划》是贯彻实施《广州科学技

① 《关于〈广州科技兴市规划〉有关情况的汇报》，1992年10月5日。

术发展战略纲要》的具体措施和行动，这对于动员全市人民努力实现《广州科学技术发展战略纲要》和“八五”计划、10年规划是很有必要的。常委会原则同意《广州科技兴市总体规划（稿）》，提出由起草部门按照与会同志的意见进行修改后，将其作为《广州市科学技术发展战略纲要》《广州市国民经济和社会发展十年规划和“八五”计划》的配套文件，可不交市人大常委会讨论，由市政府颁布执行。后来按照市委常委会议讨论的意见作了认真地修改，确定了第九稿，标题定为《广州“科技兴市”规划》。9月21日，广州市政府以穗府〔1992〕104号文的形式发出通知，正式颁布实施《广州“科技兴市”规划》。

总观上述九稿，不难发现《规划》实施的具体措施主要侧重在以下几个方面：第一，注意发挥和调动企业的积极性，增强企业追求技术进步的压力和动力。《规划》对发挥和调动企业的积极性提出了7项对策措施。一是深化企业内部改革，使企业真正成为相对独立的商品生产者和经营者，能够按国际、国内市场的需求进行生产和经营，促进市场需求的拉力与企业技术进步内在动力的结合；二是进一步完善总工程师负责制下的企业技术开发和生产技术管理体系，使总工程师真正成为企业的技术总负责人，有职、有权、有责；三是大中型企业、企业集团和有条件小企业都要建立健全技术开发、质量标准、检测机构，暂不具备条件的小型企业，也要积极与市内外大专院校、科研单位建立比较稳定的协作关系，以增强自身研究与开发新技术的能力；四是建立考核企业技术进步的指标体系，把产品的质量档次、产值利润率、技术装备水平、职工技术文化素质、科学管理水平等纳入厂长（经理）任期目标；五是建立企业依靠技术进步的利益驱动机制，运用税收、价格、信贷、折旧、奖惩等经济杠杆，促进企业采用新技术、开发新产品，引导行业和企业的技术进步；六是加强对国内外先进技术的引进、消化、创新和推广工作；七是积极开展创建“科技进步型企业”活动，具体评选标准和奖励办法由市经委和市科委制定。

第二，注意发挥和调动科研机构的积极性，推进科研与生产的结合。《规划》对放活科研单位，把科研单位推向市场，通过市场导向和政府导向相结合的方式，积极组织和协调在穗高等院校、科研单位（包括民办科技机构）与企业建立各种形式的技术合作，发挥各自优势，形成合理配套的技术开发系统等提出了明确的要求。为了更好地发挥和调动科研单位的积极性，《规划》为科研单位与企业的合作开辟了更加广泛的途径，有利于促进科研单位的技术开发和技术研究，进一步加快科技成果向直接生产力转化。

第三，注意发挥和调动科技人员的积极性，放活人才。《规划》明确提出“要敢于让部分科技人员通过科技开发、研究先富起来”，并对包括做出重大贡献的科技人员的奖励金额、研制开发科技成果，技术专利的收益分成比例、技术职称评聘等，都作了比过去更明确更具体的规定。对科技人员的管理，则强调“继续促进和引导科技人员的合理流动”，鼓励科技人员兼职从事科技咨询、科技服务活动；“鼓励技术力量雄厚的企业和单位集体承包、租赁中小企业或乡镇企业，或选派专业技术人员定期轮换到中小企业和乡镇企业进行技术服务”。采取这些政策和措施，目的在于从政策和管理上引入竞争机制，多方面调动科技人员的创造性和积极性，把他们的活力和能量释放出来，形成“科技兴市”的强大动力。

第四，注意强化科技和经济结合的中间环节。《规划》强调，要从4个方面强化和完善科技和经济结合的中间环节：一是大力开发技术市场，包括发展多种形式、不同所有制的技术贸易、中介服务机构，健全技术贸易网络，建立技术中介队伍等等，促进科技成果商品化；二是积极开展技术进出口业务活动，鼓励建立中外技术合作企业；三是加强中试基地建设，加快科技成果转化为直接生产力，并对中试基地的建设，给予资金、政策上的支持；四是发展科技服务业，完善科技服务体系，鼓励企业、团体和个人兴办各种形式的科技服务实体，积极开展经济技术信息的传递、汇总、分析等服务工作。只有这样，才能更好地为科技与经济的结合创造一个良好的外部环境，使科技成果直接转化为现实生产力。

第五，建立有利于技术进步的全社会科技投资体系。《规划》要求一方面建立各级各类科技发展基金，以形成强有力的支撑体系；另一方面要求银行金融系统设立科技信贷科目，增加科技贷款，并大力促进科技与金融的进一步结合；再一方面，建立科技风险投资机制，充分发挥科技投资公司的作用，把技术成果的研制开发、投产以及市场销售的风险减少到最低水平，吸引更多的企业向高技术领域投资。

可以说，《规划》的制定是在充分调查研究、广泛吸收各方面意见的基础上形成的，因而是符合国家的发展方向和广州的实际情况的。它既是集体劳动的产物，也是集体智慧的结晶，对广州经济社会的发展起到积极的推动作用。

2. 舆论引导，为《规划》的修订出谋划策。

1991年7月24日，中共广州市委、市政府召开工作会议，研究如何依靠科技进步推动广州经济发展，号召在全市掀起一个学习、宣传“科学技术是第一生产力”的热潮。《广州日报》充分运用舆论优势为《规划》造势。自7月25日起，《广州日报》连续在头版开辟“科技兴市纵横观”“谈科技兴市”等栏目。一方面向读者介绍先进企业依靠科技进步所取得的成功经验；另一方面普及科技兴市的理论知识。主要包括：《坚持走“科技成果常入产品”之路，广冶所开发科研成果显效益》《依靠科学技术发展经济提高生产力，我市街道“科技兴街”活力倍增》《天河区加快科技兴区步伐，利用高新科技兴办的企业陆续投产》《一谈“科技兴市”——强化科技意识 适应新的转移》《二谈“科技兴市”——统筹规划，搞好“大合唱”》《三谈 “科技兴市”——关键在于科技与经济相结合》《四谈“科技兴市”——要善于抢占人才这个“制高点”》等内容。

8月10日，《广州日报》编辑部邀请部分科研机构和企业负责人就贯彻落实“科技兴市”战略决策进行座谈。与会者在发言中一致认为，贯彻落实“科技兴市”战略决策，必须进一步强化全民的科技意识，尤其是各级领导的科技意识，真正把工作的重点调整到依靠科技进步上来，财政、金融、银行、税收、人事、海关等各个职能部门，都要大力支持“科技兴市”工作，形成大的社会环境，否则“科技兴市”只能停留在口头上。与会同志对“科技兴市”的资金、人才两个关键问题反映强烈，要求落实对科研单位的优惠政策，增加对科技的投资以改善科研条件和科技人员的生活待遇，调动科技人员的积极性。

随后，广州市召开企业界落实《广州科技兴市规划》研讨会，侨光制药厂、广州市汽车公司、流花宾馆、轻型汽车公司和标致汽车公司等企业的负责同志参会并发言。广东省委常委、中共广州市委书记高祀仁出席会议，他指出：“‘科技兴市’是从战略上、宏观上去考虑问题的，但也不排除从小的、具体的问题着手。要充分重视企业职工的小改小革和小创造、小发明。对小改小革、小创造、小发明成绩优异者该重奖的要重奖。积极提倡和支持这种风气，不仅能够为我们创造物质财富，而且有利于企业的精神文明建设。”①

通过一系列的舆论宣传教育，加上运用典型进行教育引导，“科学技术是第一生产力”的观念深入人心。大讲科技兴市，积极参与科技进步，全党、全民抓科技进步的大气候在广州蔚然成风。

三、《规划》对广州“科技兴市”战略的指导意义

《广州“科技兴市”规划》的颁布实施，是广州市领导机关科学决策的一个关键步骤，在推动广州“科技兴市”战略的总体构思上，着重抓住了3个关键环节：

一是注意“点”与“面”的结合。各项任务都体现面向经济建设和社会发展的全局，以利于科技进步充分伸展、渗透到各个领域和各行各业，突出“科技兴市”的广泛性特点。同时，各个领域任务的部署，都紧紧围绕该领域的中心工作和技术进步的关键问题来进行。为此，《规划》对包括工业、农业、商业、旅游业、金融业、城市建设、教育事业以及社会科学、社会主义精神文明等领域的基本任务都作了通盘安排，并对各项任务的主攻方向、主要内容和实施原则提出了明确的要求。对交叉领域中的任务，则以服从全局、兼顾局部为原则，确定各自的侧重点。

二是处理好一般与重点的关系。在认真总结借鉴其他城市开展“科技兴市”实践经验和教训的基础上，从广州市的实际出发，选准选好“科技兴市”的重点任务，充分注意到“科技兴市”的广泛性与突破性相结合的实践要求。在重点的选择和布局上，以关键领域中的重要计划、项目为主体，从科技攻关、高新技术产业、农村星火计划和引进技术4个方向突破，以利于基本任务与重点任务的多方位贯穿和衔接，更好地发挥重点任

① 高祀仁：《在“广州企业界落实〈广州科技兴市规划〉研讨会”上的讲话》，载《广州科技兴市之路》，1993年3月。

1990年6月30日，广州市科技中心落成

务对“科技兴市”整体发展的有效引导和带动作用。同时，考虑到在科技兴市的实施过程中，4个重点应当而且可能根据经济建设不同发展阶段的实际情况而有所侧重，以利于相对集中有限的物质技术力量，组织阶段性突破，开拓发展新局面。

三是处理好“近”与“远”的关系。推进“科技兴市”，加快科技进步，既是当时广州市经济建设面临的一项紧迫任务，又是一项贯穿于城市经济、社会发展全过程的长期战略任务，《规划》的制定必须立足于当

科技投资与成果孵化合作协议签字仪式

前，着眼于发展，规划必须循序渐进，分步进行。根据科技兴市总体战略和“实现隔几年上一个台阶”的基本要求，领导小组分别用3年、7年和15年作为“科技兴市”的奠基起步阶段、全面实施阶段和深入推进阶段，不仅是必需的，而且是可行的。

总之，《规划》所确定的目标、任务、重点以及各项对策措施，都是经过广泛调查、咨询、论证后确定的，因而是比较符合实际的，预定的目标都经受住了实践的考验，是广州市基本实现现代化这一战略目标的重要配套措施。

（作者单位：中共广州市委党史研究室）

20世纪90年代广州市的教育体制改革

■ 郭海清　吴张迪

20世纪90年代，作为改革开放前沿地的广州在各项事业上继续深入推进改革，发生了翻天覆地的变化，取得了许多杰出的成就。而城市能够可持续发展的关键在于教育建设与人才培养，中共广州市委、广州市人民政府和广州市教育局高度重视教育事业，积极推进教育体制的全面改革，从教育行政管理体制、教育结构体制、学校内部管理体制等多方面进行调整与改革，为广州在21世纪的高速发展奠定了基础。

一、广州教育体制改革的历史背景

（一）《中共中央关于教育体制改革的决定》的颁布

1985年5月27日，中共中央颁布了《中共中央关于教育体制改革的决定》（以下简称《决定》），由此拉开中国教育体制改革的大幕。《决定》从实际出发，总结了中华人民共和国成立以来的正反两方面的得失，并吸收了历史上的和现代外国教育发展的经验，提出有步骤地分三类地区普及九年制义务教育，并加速调整中学结构，大力发展职业技术教育。同时，改革高等学校的招生与分配制度，扩大高等学校办学自主权。在加强宏观管理的同时，坚决实行简政放权，并相应地改革劳动人事制度，还要改革同社会主义现代化不相适应的教育思想、教育内容、教育方法等。[①]《决定》不仅明确规定了我国教育体制的内容与目标，而且特别注重激发基层与地方教育活力，这为后来我国全面推进教育体制改革奠定了良好基础。

作为改革开放前沿地，广州市各项事业发展迅速。如何结合广州的具体情况贯彻落实好《中共中央关于教育体制改革的决定》，全面推进广州市教育体制改革，这是广州教育发展面临的一大问题。

（二）改革开放初期广州市教育事业快速发展下所面临的问题

党的十一届三中全会以来，广州市的教育经过了整顿和改革，发展较快，取得较好成绩。广州市属教育经费支出在1984年达到12758.2万元，占财政预算内支出比例比全国平均水平要高6%，但在快速发展的同时，制约教育改革发展的问题和矛盾日益凸显，广州市教育事业面临着许多困难，主要有如下几个方面：

1. 国家和社会可能提供的财力、物力和教育事业的发展需求有较大差距。教育经费严重不足，投资效益不高。教育投资占国民生产总值的比例低于7个计划单列城市的平均比例，也低于京、津、沪，教育事业费公用部分也低于京、津、沪的水平。

2. 教师社会地位和福利待遇较低，不稳定的状况较为突出，影响了教师素质的提高。与此同时，教师队伍建设较为落后，教育行业内教师尤其是职业学校教师达标率较低，名教师、名校长的培养与京、沪差距比较大。

3. 教育设备、技术手段落后。实验室、图书室、教学仪器等教学配套措施，不少学校还未全面完善，许多学校在现代教育技术的运用方面与京、沪等城市有着不少差距。

4. 人才供需矛盾比较突出。从当时广州市的情况看，能够分配到的大学生不能满足需求，1985年只能达到需求的1/6，1986年为1/4，1987年为1/3。

---

① 黄凤漳：《认真学习和贯彻〈中共中央关于教育体制改革的决定〉》，载《广州教育》1985年第4期。

5. 教育管理体制上，有些关系还没有理顺，学校自主办学体制还未完全建立；教育体制改革同劳动、人事、工资制度的改革还没有配套进行。教育管理体制与教育改革发展的形势要求不相适应，区（县级市）政府办学活力不足。

6. 各类教育发展不平衡，教育结构不尽合理。职业技术教育、成人教育等还存在不少薄弱环节，特别是农村职业技术教育和技工学校未受到社会的重视。

7. 各级各类教育培养的人才，与社会实际需要仍有脱节。学校德育未能完全适应新形势的要求，出现了新的“读书无用论”，流失生有所增加。旧的教育思想、教育方法还在一定程度上束缚人们的头脑，教育内容在一定程度上脱离实际，教育质量亟待提高。①

二、广州教育改革的大力推进

中共广州市委、市政府对广州教育改革非常重视，在20世纪90年代初提出了广州市教育事业的10年规划与目标，规划涉及教育改革的各个方面，要求：继续加强基础，巩固、提高初中阶段教育，在普及九年制义务教育基础上，充实完善教育设施、设备；“八五”期间老市区高中阶段教育入学率达90%以上；大力发展职业技术教育和培训，办好一批水平较高的能起骨干和示范作用的中专、技工和职业中学，老市区和天河、黄埔、芳村区都办起综合性的职业培训中心；合理调整普通高等教育的结构，大力提高质量：“八五”期间，适当发展市属普通高校，坚持“面向广州、服务广州”的办学宗旨，以培养应用人才为主，同时，以广州地区部、省属高校为依托，调整布局，优化专业结构；积极发展成人教育，以岗位培训为重点，协调发展各类成人教育；全面提高工人、农民、干部队伍素质，完成各级领导干部，特别是县以上和大中型企业领导干部（包括三总师）及管理干部和专业技术干部的岗位培训；在继续整顿成人高等学历教

① 林勇、方时力：《广州教育发展情况及对策刍议》，载《广州教育》1989年第2期。

2000年7月11日，新广州大学合并组建大会在广州大学广园校区礼堂举行

育基础上，办好成人高等学校，同时有计划地发展成人中专教育，各类成人学校实行多层次、多形式办学，继续发展高等中专自学考试。另外加强教师在职培训，完善教师的继续教育体制。[①]

广州市教育部门从实际出发，根据规划从各个方面着手进行了教育体制改革。主要采取了以下措施：

（一）教育行政管理体制改革及教育结构的调整

教育体制改革中最重要的就是教育行政管理体制的变化。为了加强宏观管理和协调各种关系，广州市于1985年成立了广州市教育委员会，负责统筹、协调、指导各类教育，管理市属高校。1991年，为了统筹全市的成人教育和大力发展职业技术教育，又成立了广州市成人教育委员会，建立了职业技术教育协调机构和联席会议制度。经过几年的努力，广州初步建立了中小学“分级办学、分级管理”的体制，市内各区还建立了齐抓共管的校外教育网络。1995年8月，根据市委、市政府的决定，广州市教育委员会、广州市教育局、广州市成人教育局撤销原建制，合并组建广州市教育委员会（以下简称市教委），并成立中共广州市教育工作委员会（以

① 吴紫彦：《广州市教育事业十年规划和“八五”计划要点》，载《广州教育》1991年第6期。

下简称市教育工委）。新组建的市教委是市政府主管全市教育事业的职能部门；市教育工委是中共广州市委的派出机构，领导市教育系统企事业单位党的工作。2001年，广州市教委更名为广州市教育局，是市政府主管全市教育事业的工作部门；市教育工委改为市教育局委员会，负责教育系统事业单位的党建和干部管理工作。

按照市机构改革的统一部署，深化教育管理体制改革，完成了机构调整，理顺并完善分级负责、分级办学的管理体制，这为广州市教育体制全面改革奠定了基础。

与教育行政管理体制改革相对应的是广州教育结构内部的调整与改革，经过调整改革后，广州城市基础教育、职业技术教育、成人教育、高等教育这四大块的结构大致合理。教育局以“基础教育为重点，把职业技术教育摆在突出位置上，成人教育以岗位培训为重点，市属普通高等学校面向广州服务”，为主动适应广州经济和社会发展的需求培养人才，着重抓了高中阶段的教育结构改革与调整，广州市1991年中等职业技术教育在校生占高中阶段教育在校生的比例已达57.2%，使中等职业技术学校在校生与普通高中在校生的比例日趋适应广州城市经济社会发展的需要。同时，积极调整中等职业技术教育的内部结构；实行稳定中专办学规模、适当发展职业高中、大力发展技工学校的政策。20世纪90年代初，广州市区的技工学校发展较快，在校学生从1985年的1900人发展到1994年的1.1万人，成功地探索了总校带分校的新路子。鼓励大中型企业开办技工分校，仅市轻工业局属下的技工分校就有10所，年招生近800人。教育局还对各类职业技术学校的专业设置进行了统筹、协调，使这些专业能适应产业结构的变化和外向型经济发展的需要，办出了广州的特色。①

（二）分级办学、分级管理的教育管理体制改革

20世纪90年代前中期，广州市的老城区（越秀区、海珠区、东山区、荔湾区）实行市管中学、区管小学的管理体制。

① 叶世雄：《广州城市教育综合改革实践与构想》，载许任之：《建立广东特色的教育体系》，广东人民出版社1994年版，第102-113页。

根据广州市城市管理体制改革的要求，中共广州市委、市政府决定将市属中学下放区管理。1998年11月，中共广州市委、广州市政府印发《试点区深化中学教育管理体制改革方案》及《市属中学管理体制改革方案实施细则》，确定从1999年开始，东山、海珠两个区作为实施中学管理体制改革的试点，到2000年全市全面完成市属中学下放区管理工作。[①]广州市成立了以市教育工委书记、市教委主任为组长的中学管理体制改革工作领导小组，负责领导这项工作。广州市教委制定了《中学管理体制工作方案》，对中学管理体制改革工作的指导思想、工作目标、各部门的职责、工作步骤和时间安排，都做了明确的规定。1999年9月，广州市教委正式将所属43所中学及幼儿园移交原东山区教育局、海珠区教育局、芳村区教育局管理。2000年，完成越秀、荔湾等区的38所市属中学下放区管理工作。至此，广州市完成了老城区市属中学下放到区管理的工作。老城区中学下放到区管理以后，由广州市教委直接管理的学校保留18所：广东广雅中学、广州市执信中学、广州市第二中学、广州市第六中学、广州市协和中学、广州市第一〇九中学、广东华侨中学、广州市电子信息学校、广州市旅游职业高级中学、广州市工艺美术职业高级中学、广州市幼儿师范学校、广州市聋人学校、广州市盲人学校、广州市新穗学校、广州市协和小学、广州市幼儿师范学校附属幼儿园、广州市第一成人中专、广州市中学生劳动技术学校。[②]

老城区市属中学下放到区管理，真正实现了分级办学、分级管理的教育管理体制改革，有效地调动了各区、县级市政府的办学积极性。

（三）学校内部管理体制改革

20世纪80年代，人事管理和工资制度暴露出许多弊端。首先是人事管理制度不合理。教职工在数量上出现较多超编，但学历达标、工作胜任的骨干又严重不足等问题，干部、教职工一经任命就存在事实上的终身制，

① 沈子鸣：《改革老城区中学管理体制》，http：//www.guangzhou.gov.cn/yearbook/20year/html/20155.htm。

② 广州市地方志编纂委员会：《广州市志（1991—2000）》第八册，广州出版社2009年版，第116页。

不管是否胜任本职工作，反正“铁交椅”坐定了。校长有责任管理全校的工作，但无权不安排一个完全不称职的教职工，由此而产生的干部和教职工忙闲不均。管理制度对不尽责、不称职的人员缺乏约束力，不利于人才的充分合理使用和积极性的发挥。其次是分配制度不合理。都是同一个级别的教师，有的一周只上4节课，有的却上16节课，工作量悬殊而工资待遇完全相同，因而出现了工作上向低攀比、待遇上向高攀比的现象。在平均主义“大锅饭”的工资制度下，不管工作多少、工作效果优劣，工资一个样，各种政策性补贴一分钱也少不了，到了调整工资机会，不管过去工作量多少、质量优劣，照样升级加工资，这样的奖懒罚勤、平均分配、吃“大锅饭”的工资制度，不仅起不到激励作用，而且会助长消极因素的增长。上述这种“铁交椅”“铁饭碗”“铁工资”的人事管理制度和工资制度，是阻碍中小学教育质量和办学效益提高的绊脚石。

根据广东省委、省政府1988年《关于普通教育体制改革决定》的要求，广州市区的中小学普遍开展了“两聘两制一包一奖”的改革，由于采取了政策导向、整体规划、分批实施、训练骨干、抓好试点的办法，这项改革工作实施顺利，收获良好，大大增强了中小学的活力。[①]从1988年9月开始，广州市学校开展了教职工全员聘任制的试点。采取制定政策、训练骨干、整体规划、分步到位、分批实施的办法，在学校中开展教职工全员聘任制，该制度主要分成几个部分实施：

1. 实行定编定员和教职工全员聘任制。

在定编的基础上，制定岗位责任制，校长对教职工实行全员聘任制。聘任的原则是，把竞争机制引入学校，因事设人，任人唯贤，注重实绩，择优选聘，引导教职工队伍逐步实现优化组合和整体优化。在选聘教职工时，要根据教职工的政治思想表现、业务水平、工作能力、履行职责的情况，在广泛听取群众意见后确定聘任方案，不仅选聘年富力强的骨干教师，而且从教育事业的长远利益出发，注意选聘和培养青年教师，关心和保护老年教师，注意发挥他们的作用。

① 叶世雄：《广州城市教育综合改革实践与构想》，载许任之：《建立广东特色的教育体系》，广东人民出版社1994年版，第102-113页。

校长和教职工实行有条件的双向选择。一般情况下，校长应在本校原有教职工中进行选聘；需要选聘外校教职工的，要征得对方学校同意，报教育局批准。教职工拒聘的，可自行联系调到同层次的其他学校或由教育行政部门另行安排。特殊情况下，经局批准才能调到局系统以外单位工作。

对定编、聘任后出现的富余人员，严格按照市政府批转的《广州市中学富余人员若干问题暂行规定》，区别不同情况，通过各种途径作出安排和处理。胜任或基本胜任本职工作的，可调往市属其他同类学校，或借调到其他学校工作，或回校待聘，由学校安排适当的临时工作；适合担任勤工俭学或学校行政职员工作的教师，改任勤工俭学或职员工作；不宜任教或不称职的教职工，经批准可通过组织或自找门路调往外单位；符合国家和省有关离、退休规定的，应办理离退休手续或办理提前离、退休手续等等。

2. 实行工资总额包干和浮动奖励工资。

定编后，在招生任务不变的条件下，单位工资总额一定，3年不变，增人不增工资，减人不减工资，超编人员工资总额逐年递减。为了克服分配上的平均主义弊端，引入竞争机制增强活力，强化工资的杠杆和激励作用，学校在实行工资总额包干的同时，建立适合学校特点的浮动奖励工资制。根据按劳取酬、多劳多得、优质多得和贵重多得的原则，对学校自筹用于奖励的部分资金和市政府发给学校用作浮动奖励工资的专项经费进行重新分配，按照干部、教师、职工的工作不同性质和不同数量、质量，制定不同的奖励办法，即按工作数量领取岗位浮动奖励工资，按工作质量领取效益浮动奖励工资。岗位浮动奖励工资每月发放一次，效益浮动奖励工资在学年（或学期）末结合工作总结和质量评估，按质量等级每学年（或学期）发放一次。

3. 实行层级负责和教职工岗位责任制。

改革的单位在实行教职工全员聘任制和浮动奖励工资的同时，实行层级负责、分级管理的干部教职工岗位责任制。校长在对干部教职工实行全员聘任制时，按责、权、利相结合的要求，逐一签订岗位目标责任合同，双方按合同的规定，全面履行权利和义务。[1]

1990年，全面实施6项改革的学校有733所，占全市中小学总数的37.85%；实行4项或5项改革的学校有1306所，占62.13%。实施6项改革后，当年全市落聘的校长有57人，新聘校长93人；落聘教师939人（其中公办教师919人），重新安排工作的861人。到1991年，市直属中学有93%的学校全面实施学校内部管理体制的6项改革。[2]“两聘两制一包一奖”成为广州市中小学在20世纪90年代的内部管理体制。1993年，以改革人事和分配制度为重点，改革学校内部管理体制，广州市已有1106所中小学实行了“两聘两制一包一奖”的改革制度，占中小学总数的85.6%。

同时，学校内部管理实行校长负责制，这一制度是在1984年开始试点的基础上逐步实行的。校长负责制包含校长全面负责、党在这些学校中的基层组织（党委、党支部）保证和监督、教职工民主管理3个方面，其中校长负责是核心。校长作为学校的法人代表，全权负责学校的行政工作并对上级教育行政部门负责。校长实行聘任制，90年代聘任校长的程序是：学校教职工民主推荐，学校党组织提出意见；上级主管部门考察、考核、审批；主管部门办理聘任手续。副校长的聘任先由校长提名，然后按校长聘任程序进行。受聘的校长、副校长任期3年。任期届满，经考核胜任的，按照聘任程序继续聘任。受聘校长实行任期目标责任制。学校内部的行政管理机构主要有校务委员会、教职工代表大会与行政会议。学校设立校长室，有的学校设立校长办公室，是在校长直接领导下处理日常事务的办事机构，一般只设主任和人事秘书。学校的教学、生活等管理分别由教导处、总务处、科组、年级组、班主任分工负责。此外，学校还有共产党及民主党派的基层组织、共青团组织、少先队、学生会、教育工会等。

这些制度大大提高了广州各学校的办学效益和办学水平，使全市中小学面貌焕然一新。

---

① 1992年广州市教育工作会议材料——市直属中小学开展教职工全员聘任制的做法和体会》（1992年3月），广州市教育局档案：1992——长期——18卷。

② 广州市地方志编纂委员会：《广州市志（1991—2000）》第八册，广州出版社2009年版，第117页。

（四）开展企业办学体制改革，推进社会力量办学

1. 国有企业学校管理权的移交。

国有企业办中小学作为广州市基础教育的重要组成部分，对发展广州市教育事业，稳定企业职工队伍，减轻政府办学负担做出了贡献。到了20世纪90年代，广州国有企业转换经营机制，自主经营，自负盈亏。部分国有企业陷入困境，负担重，难以维持所属职工子弟学校的正常教学。[①]为减轻企业负担，促进现代企业制度的建立，自1996年开始，广州市试点开展了培红小学、广麻厂小学等企业办中小学移交地方政府管理工作。2000年，广州市根据国家教委《关于当前企业办中小学工作的几点意见》，启动国有企业办中小学管理体制改革，为了解决在广州市建立社会主义市场经济体制、国有企业经营体制转变过程中出现的企业办中小学的问题，经广州市政府批准，成立了广州市企业办中小学协调工作小组。

由于国有企业办中小学管理体制改革工作涉及面广、政策性强且情况复杂，所以有必要制订一个指导性文件来进一步规范广州市属国有企业办中小学管理体制改革工作。广州市企业办中小学协调工作小组成立后，通过约1年的时间的调研，并在广泛征询各方面意见的基础上经多次论证，制定了《广州市属国有企业办中小学管理体制改革实施方案》，对市属国有企业办中小学管理体制改革的原则、范围、步骤、学校资产处理、人员移交和经费等均作出了明确的规定。

2000年，第一批18所企业办中小学移交各区、县级市政府管理。[②]2003年到2007年，广州市各级各类国有企业办普通中小学体制改革工作稳步推进。共完成15所中央企业办中小学（含铁路集团公司办中小学）、15所市属国有企业办中小学移交工作，开展了8所第二批中央企业办中小学移交工作。

---

① 广州市地方志编纂委员会：《广州市志（1991—2000）》第八册，广州出版社2009年版，第118页。

② 同①。

2. 制定《广州市社会力量办学管理条例》。

实现办学主体多元化和管理机制的多样化，积极寻求和培育各级各类教育事业发展的新增长点，积极探索与社会主义市场经济相适应的多元化办学体制是广州教育事业发展的关键。为较快实现办学主体多元化，鼓励社会机构和个人办学，加强对社会力量和个人办学的管理，促进和保障社会力量和个人办学的健康发展，1991年11月22日，广州市副市长谢士华主持召开市第9届政府第112次常务会议，讨论《广州市社会力量办学管理条例》（草案），会议决定，由市政府法制局与有关部门协调，根据讨论意见对《广州市社会力量办学管理条例》进行修改，经市政府常务会议复议通过后，再交市人大常委会审议。经过多次审议后，1993年7月15日广州市第9届人民代表大会常务委员会公告第18号公布施行《广州市社会力量办学管理条例》。

《广州市社会力量办学管理条例》的主要内容：一是从政策上扶持、规范民办教育的发展。二是办好义务教育，非义务教育逐步地让社会力量去承办。对此要进一步放开政策，鼓励社会力量以各种方式投资办学，让社会承担教育成本，拓展民办教育的发展空间。三是积极转变职能，规范对广州民办教育的管理。四是教育部门营造有利于民办教育健康发展的客观环境，促进公办学校和民办学校优势互补、公平竞争、共同发展。为确保这一管理条例更好实施，广州市又相继出台了《广州市社会力量办学校建立基层党组织的暂行办法》《广州市社会力量办学校共青团组织建立和管理暂行办法》等18个管理文件，广州各级各类社会力量办学机构在《广州市社会力量办学管理条例》和相应管理文件的指引下，得到了较快发展，办学质量和水平也不断得到提高，为广州教育事业做出了重要贡献。《广州市社会力量办学管理条例》作为全国第一部社会力量办学的地方性法规，具有非常重要的意义，与之配套进行的是，广州于1995年设置专门管理机构——社会力量办学管理办公室，着力研究和制定发展社会力量办学的政策措施，探索在教育行政部门归口管理下的分级分类管理模式，同年创建了广州市社会力量办学协会协同管理，形成了具有广州特色的管理体系。①

至2003年，广州市共有各级各类民办学校1503所，其中，民办幼儿园721所，民办小学149所，民办普通中学85所，民办中等职业学校35所，专修学院26所，非学历短期培训学校（含自考、培训学院）487所。

（五）改革和发展职业教育

20世纪90年代初，广州市各类中等职业技术教育的发展不太平衡。据统计，1990年技工学校在校生仅占中等职业技术学校的9.51%。各类职业技术学校不同程度地存在办学条件差、实验与实习场地不足、专业和生产指导教师短缺、专业设置过窄等问题。农村中等职业技术教育尤其薄弱。

广州地区经济的快速发展，对职业技术教育培养生产一线技术技能型人才提出了更新更高的要求。1991年5月17日，广州市市长黎子流主持召开了第9届第97次市政府常务会议，讨论审议通过了《中共广州市委、广州市人民政府关于大力加强职业技术教育若干问题的决定》（以下简称《决定》）。《决定》指出，改革开放以来，广州市的职业技术教育有了很大的发展，取得了一定的成绩，培养了大批素质较高的劳动者。今后，要根据广州市经济和社会发展10年规划和“八五”计划，积极推进职业技术教育的发展，争取在20世纪末使企业新增职工基本上受到必需的职业技术教育，使农村绝大多数新增劳动者经过必需的实用技术培训。

20世纪90年代初，市属中专学校规模较小，办学条件较差。1991年，广东省教育行政部门根据国家教委制定的中专合格评估标准对广州市属33所中专学校进行办学水平复评，结果仅20所合格。之后，市政府逐步加大中专教育经费投入。90年代中期，广州市对各类中专学校进行结构布局调整，重组教育资源，如广州市卫生学校和广州市护士学校合并为新的广州市卫生学校，广州市轻工中等专业学校、广州市二轻中等专业学校合并重组新的广州市轻工业学校，广州市成人纺织学院并入广州市纺织中专；撤销广州市人民警察学校、广州市园林中专学校、广州市万宝

① 广州市地方志编纂委员会：《广州市志（1991—2000）》第八册，广州出版社2009年版，第118页。

中专学校等规模小的中专学校；广州市粮食中等专业学校更名为广州市经济贸易中等专业学校，广州市冶金中等专业学校更名为广州市理工中等专业学校，广州市供销中等专业学校更名为广州市贸易学校。同时，通过校外设点办学、联合办学、社会团体和个人办学等，多渠道、多形式、多层次办学，1990年至1995年，共有22所市属普通中专学校在省内23个县市开设了教学班。

1997年11月，广州市第十三届人大第一次会议一号提案提出实施广州市职业教育“281工程”发展规划，其目标是：用5年时间，在广州市职业高中、中等专业学校和中等技工学校中创建2所国家级重点学校和8所省（部）级重点职业学校，1所高质量的高等职业技术学院。[①]广州市人民政府以穗府〔1998〕1号文批准实施。实施“281工程”，不仅是广州市职业教育发展的客观需要，是提高职业教育办学层次、办学质量的需要，也是发挥教育资源优势、提高投资效益的需要。为加快推进落实“281工程”，广州市人大提出了《关于落实“281工程”，推进我市职业教育发展的议案》。

经费投入方面，除了在教育事业费中根据职业教育办学规模安排人员经费和公费外，从1999年起，在每年征收的城乡教育费附加中，确保不低于20%的资金用于发展中等职业教育；从1999年开始5年内，市财政在财政增收用于投资部分的追加教育经费中，安排不低于20%的资金专项用于中等职业教育示范性骨干学校的重点专业建设。教学改革方面，全面推进了学分制管理，倡导“校企合作”的办学模式，实施“订单式”“工学交替”“半工半读”等人才培养模式，以就业为导向，主动适应市场对技术技能型人才的需求，改造老专业，开发新专业，开展“做中学”“案例教学”“情景教学”等课堂教学改革，大大提高了学校的教学质量和办学水平。师资建设方面，主要从综合性高等学校和非师范类高等学校中吸收毕业生到中等职业学校任教，创造条件，鼓励在职教师修读硕士研究生主干课程和研究生学历课程，参加各种职业技能培训，考取职业技能等级证

① 广州市地方志编纂委员会：《广州市志（1991—2000）》第八册，广州出版社2009年版，第64页。

书，建设“双师型”教师队伍。至2003年，市属中专教师86.08%具有本科及以上学历，职业高中教师本科学历达82.04%。

广州市于1998年开始对中等职业教育在整体规模、学校分布、重点学校和重点专业建设方面进行了布局结构调整。一是对区、县级市所属的中等职业学校进行调整合并，并按每个区、县级市重点办好一所省级重点以上中等职业学校的思路进行调整、建设，大幅度调整了原来与普通中学合办的职业高中，撤销了一些规模小、专业特色不明显的学校，保留、整合了专业特色明显、规模较大的职业高中。调整后，学校规模除特殊行业外，国家级重点中等职业学校的在校生人数达2000人以上，省级重点1500人以上，其他1000人以上；各类职业学校（含普通中专、成人中专、职业高中、技工学校）统一命名为“××职业技术学校”，少数声誉高和专业特色突出的学校保留原来名称。

广州市中等职业学校开展“订单式”人才培养取得显著成效。学校与企业合作，由企业提出人才培养要求，为学校培训师资、学生实习等提供支持，并对录用毕业生做出承诺，学校则结合企业的要求组织教学。按照教育部等六部委制定的《职业院校制造业与现代服务业技能型紧缺人才培训计划》，广州市加大了数控技术应用、汽车运用与维修、计算机应用与软件技术和护理4个专业的建设力度；积极推动课程改革，按紧缺人才的培养要求改革教学模式，如广州市交通运输中专学校对汽车专业进行“一体化”课程改革，市电子信息学校参与了省软件蓝领专业试点等；鼓励、支持学校申报成为教育部紧缺人才培训试点学校，广州市交通运输中专学校、广州市卫生学校被教育部职成司评定为紧缺人才培训基地。

2000年，广州市在10多所中等职业学校进行了学分制试点，2003年在全市省级以上重点学校全面推行。一是在招生录取、学籍管理等方面采取了更灵活的管理办法；二是在选课、选专业、选学习方式、选学习时间上给予学生更大的自主性；三是允许学生跨校、跨学科、跨年级选修，实行弹性学制，为学生半工半读、工学交替、分阶段完成学业等创造条件。同时，在探索学分制改革的过程中，逐步形成了一系列教学改革的新模式，

至2003年，广州市属中等职业技术学校共有111所，在校学生139930人，教职工8838人，毕业生37299人。

（六）农村教育综合改革

“燎原计划”是原国家教委1988年正式部署实施的一项旨在推进农村教育改革发展、促进农村经济发展和社会进步的计划。它是为“星火计划”“丰收计划”的推行培养农技人才、奠定发展基础的计划。1989年，从化县被定为全国115个农村教育综合改革实验县之一，广州市确定了番禺县、花县、增城县和白云区的20个镇为示范镇，开始实施“燎原计划”。1991年又扩展花县、番禺县为农村教育综合改革实验县，示范镇也增加到38个。1995年白云区成为农村教育综合改革实验区，使全市试验区增加到4个。

实施“燎原计划”的思路是，以普及九年制义务教育为基础，以青壮年农民实用技术为突破口，大力发展职业技术教育，努力完善各类教育的基本设施，使三类教育结构合理，协调发展，充分发挥各自的特点和作用，优化农村育人系统的整体效益；选准示范项目，从教育内部做起，以镇为基本单位，积极探索农（经）、科、教结合的路子。

1991年，广州市成立了农村教育综合改革、实施“燎原计划”的指导小组，副市长刘念祖为组长，市教委主任吴紫彦为副组长，市计委、市财政局、市科委、市农委、市成人教育局、市教育局各一位领导为指导小组成员，下设办公室，负责日常工作。从化县成立了由县长挂帅的实施“燎原计划”领导小组，从农、科、教等部门抽调干部组成了领导小组办公室。各示范镇成立了以镇领导为组长的领导小组。[①]

20世纪90年代广州市以实施“燎原计划”为中心，积极发展农民教育。按照《全国农村教育综合改革实验区工作指导纲要》的要求，改革农村教育管理体制，调整教育结构，深化农村教育综合改革。各县（区）、镇根据当地农业发展的需要，普遍开展对农民的文化科学技术教育培训。培训的主要类型有：实用技术培训；对新毕业的高中毕业生进行职业技术培训，使农村的新增劳动力接受不同程度的职业技术教育；对在乡知识青

① 广州市地方志编纂委员会：《广州市志（1991—2000）》第八册，广州出版社2009年版，第103页。

年进行提高型培训；农民技术员培训；农村基层干部、技术人员和乡镇企业职工的岗位培训；高标准完成青壮年农民的扫盲任务。

20世纪90年代广州市农村参加各类实用技术培训的农民共达720多万人次， 每年递增约10万人。1991年累计参加50学时以上文化技术培训、各类短训班、技术讲座的农民分别为9.7万人、14.7万人、24.9万人，其中有7万多乡镇企业职工参加各种学习和培训。到了1998—2000年，每年参加各种教育培训的农民和乡镇企业职工都超过了80万人，相当于20世纪90年代初期的3倍。例如，1999年参加各类培训的农民和乡镇企业职工共有871307人，占农村青壮年农民总数的52.87%，其中参加50学时以上培训的有70796人，参加短训班（包括技术讲座）的有800511人，培训总数比1998年增长2.5%；2000年参加长、短班学习的农民和乡镇企业职工分别为82862人次和751357人次，占农村青壮年总数的50.62%。

建设农村三级成人教育网络。20世纪90年代广州市重视加强建设和发展县（市）、镇、村三级成人文化技术学校，作为广大农民和乡镇企业干部职工的教育培训基地。1992年，广州市属各县（市）继续推广“县办校、镇办班”的办学方式，巩固和发展农村三级成人教育网络，进一步改善了农业中专（职工中专）、电大分校的办学条件，扩大了办学规模。全市有19个镇新建或扩建了镇成人文化技术学校校舍，有43个镇的成人文化技术学校达到了省教育部门规定的初中建制的设置要求，县、镇两级学校大部分都建有教学、生产、实习一体化的生产实验场。这一年全市60%的农村办起农民文化技术学校。1993年，全市84个镇（场）中已有64个按标准新建或扩建镇成人文化技术学校，有70%的村建成农民文化技术学校。1996年，完成对全市镇文化技术学校的评估，有4所学校被省教育厅评定为示范性乡镇成人文化技术学校；有80%的村级成人学校达到省颁布的建制标准。到1997年，全市85个镇（场）和1286个行政村均建立了成人文化技术学校，村镇两级办学面达到100%。1997年，全市所有的镇都已实施“燎原计划”，有26个镇达到省规定的标准。90年代末，农村三级成人文化技术教育网络不断完善、巩固和发展，1999年省级示范性乡镇成人文化技术学校已增加到13所。

广州市还建立四级管理的乡镇企业职工教育培训网络。1991年，全市

1986年广州市首届中学生运动会

乡镇企业职工教育围绕生产经营中的实际问题开展各种适应性培训。全市6万多户乡镇企业基本实行了“先培训，后上岗”制度，并加强了在岗职工的培训。据市成人教育局对村以上的乡镇企业17万名职工的调查，1991年进行了应知、应会培训考核的有6.44万人，占调查总数的37.8%。市、县、镇、企业都设有乡镇企业培训管理机构和相应的培训中心（校、班），基本形成了四级管理的培训网络。市、县、镇集中培训企业领导和各级管理人员，企业负责培训本单位职工。培训内容包括企业管理、财会、统计、供销知识，以及制衣、玩具、机械、电子、饮食服务等行业的实用技术。培训的主要形式有：校企挂钩，学校定向为企业培训人才；邀请科研单位、高等学校的专家、教授到企业讲学；在三资企业和“三来一补”企业中向外方人员跟班学习；选派生产、业务骨干到成人高等、中专学校学习、进修。

为了建立培训网络，广州市补助农村成人及青年培训教育经费每年为30万元，农村成人教育经费每年为20万元。广州市政府先后安排300万元经费，补助镇一级成人教育中心校舍、基地的建设。1993—1996年，市、县、镇三级共投入900多万元，使镇一级成人教育中心的建设有了较大的进展。

“燎原计划”的实施，有力地促进了农村和农村建设的发展，使农村教育的层次、结构合理化，并探索出一条农业、科技、教育相结合的路子。

（七）中小学教学改革

为更好地实现广州教育改革的10年目标，为广州的现代化事业培养人才，广州市在中小学教育教学方面不断进行着试验与探索。广州市中小学整体改革是从1987年开始的，通过有计划、有目的地进行不同类型、不同层次试验，取得了显著的效果，朝着“减轻负担、生动活泼、全面发展”的总目标，全面地、系统地、有秩序地迈进。教育教学改革的主要内容：一是调整教学计划，控制活动总量，减轻学生负担，优化学生的学校生活；二是改革课程和教学内容；三是优化基础工具课教学，优化课堂教学；四是进行德育的整体改革，对德育目标进行系统设计，形成德育内容序列，提高德育的效能；五是加强艺术教育，推动美育改革的开展；六是加强劳动教育和体育卫生教育工作，使劳动教育课程化、基地化、系列化、经常化以及多渠道地进行；七是开展丰富多彩的课外活动和校外活动；八是优化学校教育环境，建设学校、家庭和社区三结合的教育网络；九是改革学校内部的考试制度和方法；十是改革学校教育评估的方法，努力做到成果评价与过程评价相结合，定量评价与定性评价相结合，自我评价、社会评价与领导评价相结合。

此外，广州市教育局特别落实了配套的小学升初中招生改革。在试行小学升初中招生改革的基础上，继续在全市区实行取消各区小学升初中的统考，贯彻推荐与就近入学相结合原则，由电脑派位入学。在高中教育教学方面，广州市在1991年秋季入学的普通高中一年级开始实行毕业会考制度，并调整了教学计划。为此，广州市制订了《关于对国家教委〈现行普通高中教学计划〉的调整意见的实施方案》（试行稿），各校据实际情况，选择“三年一贯、特色选修”或“二一分段、高三分流”的办学模式，开设了学科型、兴趣型和技术型等选修课，并编印了部分教材，加强了活动课程的建设，建立了一批社会实践基地。值得一提的是，由于改革开放对人才的外语素质要求越来越高，因而广东较早提出扩大英语教学面、提高英语教学水平的要求，广州市积极落实，并在小学开设英语课，通过“英语周”“英语日”等课内外教学活动，提高学生英语能力。广州英语教学水平得到较大提高，基本实现外语教学“比全国普及面广一些，平均水平高一点”的目标。[①]

在中共广州市委、广州市人民政府的正确领导下，广州市坚持深化教育领域综合改革，坚持提升教育的现代治理能力，坚持促进教育的均衡、优质、公平的现代化发展，服务广州市创新驱动发展战略，确保广州教育的领先发展，率先实现广州教育现代化，建成学习型城市，建成区域教育中心，成为广东教育“创强争先建高地”的领头羊，为广州作为重要的国家中心城市的建设和广东“三个定位、两个率先”排头兵的总目标的实现提供人才贡献、智力服务和品牌支撑。

（作者单位：广州市教育研究院、孙中山大元帅府纪念馆）

① 郭华清、唐丽云：《人的现代化：广州百年教育兴衰叙录》，广州出版社2001年版，第200页。

广州文化市场的兴起和发展（1978—2002年）

■ 张书英

文化市场[①]是文化产品和文化服务活动以商品的形式进行交换的场所及其交换关系的总和。得改革开放风气之先的广州，在文化领域勇于探索，不断改革，坚持以市场为导向，努力促进文化与经济的相互渗透与融合发展，成为改革开放后全国最早诞生文化市场的地区。随着社会主义市场经济的发展，广州文化市场不断扩展和繁荣，在某些方面走在了全国前列，为全国文化市场建设提供了经验。记录改革开放后广州文化市场兴起和发展的历程，总结经验教训，对于推进新形势下的广州文化市场健康、有序、科学发展，具有重大现实意义。

一、广州文化市场蓬勃发展的背景

改革开放打开国门后，地处南疆、毗邻港澳的广州较早受到了海外文化的熏陶和冲击。伴随社会经济的变革，广州的文化和经济不断相互渗透并融合发展，与市场经济相协调的文化市场得以率先兴起并逐步兴旺、繁荣。广州成为"国内文化市场的发源地"[②]和发展较快的地区，有其复杂

① 文化市场的构成，广义上包括文化、科技、体育、教育、旅游、广告、会展、公关策划等门类，狭义上仅指文化、宣传系统的文化市场，主要包括文化娱乐、新闻出版、影视音像等门类。本文仅记述狭义上的文化市场。

② 李宗桂等：《文化精神烛照下的广东——广东文化发展30年》，广东人民出版社2008年版，第69页。

的政治、经济、人文、历史和地理等因素。

（一）特殊的历史发展轨迹和独特的城市文化品格

广州是一座具有2200多年历史的文化名城，有丰富的文化资源，是广东音乐、粤剧、岭南画派、广雕、广绣、广彩的摇篮，其历史文化、饮食文化、民俗文化、旅游文化、艺术文化等，是文化产业发展的潜在优势和得天独厚的条件。广州独特的百粤文化底蕴和海洋文化特征，加上与中原文化、荆楚文化、吴越文化以及海外文化的不断交流与融合，使广州在文化形态上呈现出多元化的特征。作为“海上丝绸之路”的起点之一，公元6世纪广州已成为我国对外经济和文化交流的重要口岸。长期、频繁的对外经济交往，使广州形成了包容、开放、务实、进取、重商、敢为人先的城市文化品格。在改革开放的大潮中，广州文化厚积薄发，充分发挥创新力和吸收力强、渗透快、辐射面广的优势，大胆借鉴香港、台湾和国外的先进经验和技术，大力激发潜在的市场需求，率先把文化推向市场，促使文化产业迅速成长。随着改革开放的不断推进，广州市对发展文化经济的认识不断深化，文化市场观念不断强化，不断将现代化思想注入优秀传统文化中，努力开发和培育有竞争力和影响力的文化品牌，促使广州文化市场不断繁荣发展。

（二）特殊的地理区位优势

广州是我国华南地区最大的中心城市，地处东南沿海和珠江下游，毗邻港澳，西临东南亚，是东西方经济、文化的结合部，外可接国际文化市场，内可辐射全国。优越的地理位置，使广州发展文化市场具有先声夺人之利。广州地方语言粤语与香港、澳门语言一致，形成了一个特殊的粤语文化圈。正因如此，改革开放后广州文化市场的形成是从引进、模仿海外文化起步的。从1978年起，收看香港电视、看香港武侠小说、欣赏港台流行音乐等成为广州人民生活的重要组成部分，并迅速从广州这个市场蔓延到全国各地。广州地处珠江三角洲这个经济发达、人口稠密、购买力旺盛的富饶地区，民众的文化需求十分旺盛，吸引了众多的投资者、经营者和竞争者，为文化市场的迅速崛起和发展奠定了基础。同时，广州是我国著名的侨乡，华侨人数居中国大城市之首。据统计，1985年广州市有华侨、祖籍广州的外籍华人54.9万人，港澳同胞88.4万人，[①]他们不仅将世界上先进的文化、思想观念引进广州，促进了广州与港澳、国外的文化交流，而且还投资文化产业，建设文化设施，这是其他城市和地区所难以相比的优势。

（三）雄厚的经济基础

广州既是华南地区的政治经济中心，又是文化教育中心。作为我国改革开放的先行地和前沿阵地，20世纪80年代广州经济发展以两位数逐步递增，人民生活水平快速提高。据统计，80年代全市职工年平均工资由1980年的941元提高到1989年的3272元，增长2.48倍；1989年人均月生活费收入195.9元，比1980年增长3.24倍。[②]随着广州人民生活水平的提高、收入的增长，文化方面的消费成为人们新型的消费热点，支出比例越来越大，文化消费精神文化因素在其他产品的附加值越来越高，因而形成了一个非常广阔的文化消费市场。随着社会主义市场经济的逐步完善和发展，广州经济实力突飞猛进，“九五”期间，广州市人均地区生产总值突破3000美元，2000年达4175美元，城市经济综合实力仅次于北京、上海。强大的经济实力为文化产业发展拓展了广阔市场，增强了文化体制改革所需的物质承受能力，也为文化市场发展奠定了深厚的物质基础。

（四）宽松、和谐的政治环境

党的十一届三中全会后，广州文化行政管理进行了拨乱反正，对“文化大革命”前的文化行政管理文件进行清理和甄别，并根据实际情况制定有利于文化事业发展的政策法规，为文化事业的发展营造良好的环境。对于文化市场，80年代初广东省委就提出了“排污不排外”“积极疏导”的方针，中共广州市委遵循“开放搞活、扶持疏导、面向群众、供求两益”

① 李江涛：《广州应成为中国新文化的生长点》，载《广州研究》1986年第8期。

② 中共广州市委党史研究室、广州经济社会发展研究中心：《九十年代广州发展前景与对策》，华南理工大学出版社1991年版，第309页。

以及“扶持有益、允许无害、取缔违法”的原则。1984年2月，中共广州市委提出“思想更解放，措施更灵活，改革更大胆，活动更广泛”的口号，进一步为改革鸣锣开道。当文化市场出现问题时，中共广州市委一方面大力整顿文化市场，另一方面则设法保护合法、健康的市场行为，慎重地避免了“一刀切”的做法。特别在“清除精神污染”“反和平演变”等运动中，市委并没有人云亦云、明哲保身，而是既纠正文化领域中的不良现象，又对正常的学术争论给予支持和保护。当改革遇到阻力、国内一些改革者中箭落马之际，中共广州市委旗帜鲜明地支持和保护改革者，坚定地走改革之路。广州市宽松的政治环境、相对灵活的政策、开明的舆论氛围，为改革开放后广州文化市场的兴起和发展提供了沃土。

二、广州文化市场的率先兴起（1979—1984年）

党的十一届三中全会后，随着对“左”倾思潮的批判和思想解放运动的展开，文化逐渐从“服务政治”的窠臼中摆脱出来，与市场经济发展相对应的文化思潮开始出现。随着以“计划经济为主，市场调节为辅”为指导思想的国民经济体制和企业经营机制改革的一系列政策的陆续出台，文化产业的经营体制改革也相应展开。凭借中央赋予的特殊政策和灵活措施，广州最先进行了文化和经济相结合以促进经济发展的尝试，从而成为国内文化市场的发祥地[①]。这一时期，广州文化市场首先从娱乐业崛起，一些新的文化消费项目相继出现，多种文化市场如雨后春笋般迅速兴起。

（一）采取多项措施推动广州文化事业市场化

部分文化事业单位通过经济管理体制改革走向市场。1981年，广州市文化部门根据中央的调整方针，对艺术表演剧团提出了“经济上国家少补贴，集体有积累，个人增收益”的改革要求。各剧团从实际出发，进行了各有特点和程度不同的调整改革。广州杂技魔术团率先实行承包责任制，

① 温朝霞：《广州文化市场的现状与发展探析》，载蒋述卓：《广东文化产业发展与对策研究》，广东人民出版社2005年版，第245页。

试行民主管理，独立核算，集体经营，不要国家补贴，结余分成。在一年的时间里总收入达32万多元，改变了过去靠国家补贴才能勉强维持的状况。1983年，又有红荔轻音乐队、新华电影院、前进剧场等5个单位以及新华书店的7个售书亭试行承包责任制。通过改革，文化单位逐渐摆脱了由政府统包统管的附属地位，逐步走上自主经营、自主管理、自负盈亏、自我发展的道路，积极参与市场经营活动，从而推动了文化市场的兴起与发展。

“以文补文”①促进了文化产业的产生和发展。从1980年开始，广州市属文化事业单位利用自身的业务技术、设备和场地，开展“以文补文”的经营和有偿服务。一是与港资合作兴办文化事业。比如，广州文化服务公司与香港和记电业集团合办粤声国际舞台音响器材咨询中心；广州古籍书店与香港集古斋合办集雅斋；广州图片社与香港大井贸易行合办科艺国际摄影器材咨询中心等，使部分文化产品和服务开始具有商业性质。二是自筹资金办实业。1984年广州市创办的新时代影音公司，在没有国家投资的情况下，自筹12万元创业，业务发展迅速，创造了较好利润。三是开展“一业为主、多种经营”综合服务。比如，电影院、影剧场以演、映为主，兼营舞厅、音乐厅、桌球、录像放映、餐厅等业务；广州乐团开办了乐器修理中心等。“以文补文”促使文化单位转变思维，走向市场，广州文化产业迅速兴起。

支持社会各阶层共同参与办文化，活跃了文化市场。1980年以来，广州兴起了企业办文艺的风潮。1984年，白云山制药厂建立了全国第一个企业办的专业艺术表演团体——白云歌剧团。到这年底，广州市已有80多个企业单位办起了轻音乐队、音乐茶座、舞场、游乐团等，数量近100个。一些企业还通过赞助文化单位，开展横向联合办文化。比如，广州动物园与广东木偶剧团合办“欢乐世界”；广东运动饮料厂与广州粤剧团合作，既扩大了企业影响，也促进了文化单位的发展。同时，广州还出现了集体

① 1980年，中宣部等部门首次提出“以文补文”措施。当时，一些文化事业单位迫于生存压力，自筹资金开展多种形式的文化活动，进行有偿服务，以改善职工生活及扩大再生产。这被专家视为文化产业的发端。

和个体办文化的现象。1984年底，经市工商行政部门批准开业的集体和个体文化摊档（店）有140多个，全年销售图书近500万册，营业额达140万元。另外，市属县、郊区农村还有170多家文化专业户，等等。广州由过去单一的国家办文化逐步转变为国家、社会共同兴办文化。

（二）广州文化市场的率先兴起

文化娱乐市场迅速崛起。1979年，广州东方宾馆出现了我国第一家音乐茶座，从而使广州成为国内文化市场的发源地。对此，《人民日报》《中国文化报》《南方日报》《广州日报》、新华网等媒体均给予高度评价，称这是“文化与市场结合的新尝试”“文化开放的时代标签”，标志“中国文化产业开始萌芽”。音乐茶座刚推出时，即在那个舞厅还未兴起的年代引起轰动。每晚，大批年轻人把前厅挤得水泄不通，餐厅走廊上经常加位。随后，音乐茶座迅速在各宾馆、公园、酒家和一些影院、剧场发展起来。同时，中国大酒店、白云宾馆、华侨大厦等一批豪华宾馆纷纷组建轻音乐乐队，演唱以粤语流行曲为主的歌曲。1981年开始，广州的一些宾馆和文娱场所办起了舞厅，经营方式逐步从内部包场发展到面向社会。

东方宾馆音乐厅（1981年摄）

到1984年底，广州地区有音乐茶座76家、舞场72个、电影院34个，各种文化娱乐场所分布在全市各个角落。这一时期的文艺演出活动丰富多彩，演出市场活跃。1984年广州地区有艺术表演团体29个、艺术表演场所32个、艺术表演9028场，观众达580多万人次。据《广州年鉴》记载："广州市区由电影院、剧场、舞场、音乐茶座、文化室、桌球室、游乐园等100多处文化阵地组成的文化夜市，丰富多彩，被誉为'南国文化不夜城'。"①

图书和报刊市场逐步兴起。随着高考制度的恢复、工作重心的转移和人民生活水平的提高，人们对书籍、报刊的需求量大幅增长。各类型各层次的报纸相继复刊或创办，教材类、科普类、文学类图书的品种和产量大幅度增长。广州地区的图书、报刊的生产、销售、发行量不断增长，报刊和图书市场呈现出购销两旺的局面。图书和报刊生产方面，数量逐年增多，品种不断丰富。1984年，广州地区共出版图书1392种37578万册，分别比1981年增长约75%和48%；出版各类期刊、小报共计210种，比上年增长53.28%。②各报社积极开展新闻改革，创办了一些有特色的栏目或专版，同时进行经营管理改革，开展"一业为主、多种经营"，利润和营业额均连年大幅上升。例如，《广州日报》早在1980年就进行了财务体制改革，逐渐建立适应市场的经营管理机制，1984年成立了独立核算的广州新闻器材公司，开展多种经营，利润比上年增长了77%。广州地区的期刊在改革开放后迅速崛起，创刊于1979年的《花城》杂志，初期致力于推介港台及境外的文学作品及最新的文艺思潮，率先为中国文学界打开了一扇南风窗，引领风气之先。《家庭》《黄金时代》《武林》等杂志的发行量超过了100万份，无论发行量、读者量还是影响力，在全国都名列前茅。③在改革开放大潮下，广州市进行了图书和报刊发行体制改革，书报刊发行在经济结构和流通渠道方面发生了重大变化，集体和个体书刊批发、零售业迅速发展，以国营新华书店为主渠道，集体、个体二级批发和零售为重

① 广州年鉴编纂委员会：《广州年鉴（1985）》，香港经济导报社1985年版，第453页。
② 同①，第461页。
③ 李宗桂等：《文化精神烛照下的广东——广东文化发展30年》，广东人民出版社2008年版，第98页。

要补充的书报刊市场逐步形成。个体书报刊零售摊档遍及城区街道和农村乡镇，而位于市区东园路的集体、个体书报刊二级批发市场在全国小有名气。时值全国书报刊业发展迅猛，各类图书、报刊荟萃广州。据《广州年鉴》记载，“自1984年起，广州市就已成为全国书报刊集散地之一”。[①]

电影音像市场逐步兴起。改革开放后，广州地区的电影业经过整合，找准突破口，制作了一批受欢迎的作品，迅速占领大众文化的消费市场。由广州电影制片厂发展来的珠江电影制片公司掀起创作生产高潮，1979—1984年影片生产数量达47部，而之前1958—1978年共21年的生产总数只有36部。其中于1984年摄制的《雅马哈鱼档》，描述了80年代广州个体户青年对美好理想的追求，创造了当时国产故事片上座率最高纪录，普通话版首轮连映20天、900场，观众达65万人次。由于国产和进口的大量影片解禁以及新片的问世，人们久被压抑的观映欲望得以释放，放映业因而获得迅速恢复和发展。1979年，全市放映单位达845家，放映单位数、放映场次、观众人次均创下广州放映史上的最高纪录。进入80年代，为适应改革开放后社会文化娱乐生活方式的多元化，市区电影院调整了业务结构，改变传统的单一的放映功能，成为以电影为主，集视、听、舞、玩、吃于一体的综合性的文化娱乐场所，创造了良好经济效益。改革开放后，广州市音像出版事业发展迅速。1979年前，广州地区只有1家音像出版单位，至1984年底已发展到7家。广州的音像出版单位技术、设备比较先进，制作实力雄厚，出版品种数量多、质量好，逐渐形成产业化规模。加上大量海外音像制品源源流入，广州形成一个较庞大的音像市场。这一时期在全国有较大影响的是1979年建成投产的广州太平洋影音公司。该公司不断适应市场需要改进生产和经营模式，在全国音像制品业中创造了多个第一，1979年先后录制出版了我国第一盒有声磁带和我国第一批录像带，1981年出版了我国第一张激光唱片等，在全国居领先地位。[②]

---

① 广州年鉴编纂委员会：《广州年鉴（1989）》，广州文化出版社1989年版，第445页。

② 广州市地方志编纂委员会：《广州市志·卷十六》，广州出版社1999年版，第1050页。

（三）加强对文化市场的管理，确保文化市场的健康发展

20世纪80年代，根据文化市场迅速发展的新情况，广州市成立文化管理机构，陆续出台了一系列的法规和政策，采取切实措施不断加强了对文化市场的管理。当时，不少非法出版物、反动录音录像带、黄色书刊从海外流入广州，严重扰乱了市场秩序。广州市对书报刊市场、音像制品市场进行了反复清理、整顿。1983年，广州市成立了由市文化局代管的文化市场管理机构——广州市社会文化管理办公室，统一规划全市文化场所的建设，加强对文化市场的管理。1984年，广州市广播电视局成立音像制品管理处，会同工商和公安部门对音像市场进行严格管理。这一时期，广州市先后制订颁发了一系列文化市场管理规定，比如《广州市音乐茶座管理实施细则》《广州市群众联欢舞会场地管理规则》《关于加强桌球室管理规定》等，为文化市场的健康发展保驾护航。

三、广州文化市场日趋活跃和不断拓展（1985—1991年）

1984年10月党的十二届三中全会明确提出："社会主义经济是在公有制基础上的有计划的商品经济。"传统的计划经济体制和单一的公有经济结构被彻底打破，多种经济成分的出现和国有企业经营自主权的扩大，为文化产业的市场化经营提供了更大活动空间。随着经济体制改革的深入，文化的产业属性进一步显现，文化市场日益活跃。1988年，文化部、国家工商行政管理局发布《关于加强文化市场管理工作的通知》，正式提出了"文化市场"的概念，标志着我国文化市场的地位正式得到承认。[①]

中共广州市委、市政府进一步深化了对文化在经济社会发展中的重要作用的认识，加大了繁荣社会主义文化事业的力度。1987年市人大常委会审议通过了《广州文化发展战略纲要》，提出"初步建立起与社会主义现代化进程相一致，与发展社会主义商品经济和对外开放相适应"的广州新文

① 李宗桂等：《文化精神烛照下的广东——广东文化发展30年》，广东人民出版社2008年版，第69页。

化。1986年至1990年，广州市先后召开了4次文化发展战略研讨会，形成的会议成果对广州文化事业的繁荣和发展起到重要推动作用。按照《关于加强文化市场管理工作的通知》精神，广州市先后制定了多个有关文化市场的补充规定和行政法规，采取多项措施确保文化市场沿着正轨前进。在良好的政治、经济、人文环境下，广州文化市场在探索中不断前进，得以持续发展。

（一）加快文化体制改革步伐，提高文化产业的市场化程度

进一步调整和转换文化体制。按照中央1983年《关于艺术表演团体的改革意见》和1988年《关于加快和深化艺术表演团体体制改革的意见》，广州市对艺术表演团体和其他文化单位进行了改革。1985年，市文化局对所属25个单位在干部人事管理、机构设置、艺术委员会的组成、演出单位的组建、经费使用等7个方面简政放权。1987年底，广州话剧团、木偶剧团、电影公司、雕塑室等9个文化艺术单位和15个专业电影院、8个影剧院、13个区级书店，均实行了团长或经理负责制。比如，电影院、影剧院、书店门市部实行经理负责制，独立核算、自主经营、自负盈亏；广州粤剧团实行团长负责制等。1988年，广州乐团、广东歌舞剧院等单位开展了有关劳动报酬制度、下放管理权限、扩大艺术表演管理权等方面的改革。这些改革使文化单位加深了与市场的融合，逐步发展成为充满活力的市场主体。

市属文化事业单位进一步深化了“以文补文”并开展了“多业助文”。一些市属文化单位进一步延伸主业，从单纯服务型向服务、生产、经营综合型转变，经营范围扩大到生产、贸易、服务等多个领域。比如，广州市新华书店先后创办了集雅斋、图书仪器服务公司、音像发行总汇等一批文化企业。到1988年底，广州市文化系统开展“以文补文”业务的机构已达54个，营业总额为3724.4万元，上缴税金186.7万元[①]。一些文化单位注重利用外资开展多种经营。比如，广州文化发展总公司与新加坡林增

① 广州年鉴编纂委员会：《广州年鉴（1989）》，广州文化出版社1989年版，第441 页。

投资有限公司合作兴建了广州文化假日酒店；广州文化器材公司在澳门开设了经营字画工艺的商场，利用港资开设代理产品陈列销售中心，取得良好利润，被文化部评为全国"以文补文"先进单位。"以文补文""多业兴文"的开展，增强了文化单位自身的造血功能，促进了主业的发展，实现了文化产业的良性循环。

出现了大批个体、集体、中外合资等不同经营性质的文化单位和团体。在以国有文化企事业单位为主的情况下，广州的集体所有制文化经营单位有了很大的发展，同时个体文化经营单位发展迅猛，中外合资企业在文化市场中所占比例越来越大，发展势头强劲。例如，1985年成立的白天鹅音响艺术有限公司，是我国第一家中外合资录制、生产、加工音像制品的专业公司，1988年的产值已达2500万元。1988年，全市有100多个企业开展文化建设，有些单位还建立了大型文体场所。1989年，农村电影市场呈上升趋势，集镇电影院有33家，农民个体办的电影院有3家。由此可见，广州文化市场的经营主体逐步多元化。

（二）广州市文化市场日益兴旺、不断拓展

文化娱乐市场蓬勃发展。一是市场规模有所扩大。1985年至1991年，广州地区的舞厅由99个增至1120个，音乐茶座由53家增至57家，电子游戏室由206间增至256间，专业艺术团体演出由7011场增至7048场，放映电影由11.5万场增至15.7万场。二是流行音乐由本土推向全国。广州流行音乐从前一时期引进、模仿香港、台湾的流行音乐的阶段发展到自主创作阶段，并开始向全国进军。80年代中后期，广州本土音乐人陈小奇、李海鹰、解承强等在全国流行音乐界脱颖而出，廖百威、吕念祖、陈汝佳等实力派歌手获得音乐界认可。90年代初，广州率先引进歌手签约制度，创造了中国流行乐坛的包装制，并开始出现音乐制作人，成立企划部，最早尝试用市场的规律去经营流行音乐的产品。三是出现了新的大众娱乐项目——"卡拉 OK"。广州是国内最早出现营业性"卡拉OK"歌厅的城市之一。1988 年初，广州市第一家"卡拉 OK"歌厅出现在东方宾馆，至

1990 年已形成“卡拉 OK”热，1991年全市有“卡拉OK”歌厅75 家[①]。四是文化娱乐市场的自我调节能力增强。比如，在迪斯科舞厅上座率下跌的情况下，国际标准舞热潮很快就代之而起；电影院适应市场需求添置了高档电影设施；新增了一些综合性的高档娱乐场所，较好地满足了市场需求，创造了良好经济效益。

图书和报刊市场更上一层楼。这一时期，广州地区报刊在内容、导向和经营发行体制上均进行了大胆探索和改进，图书和报刊市场品种丰富，交易活跃。一是出版的书报刊数量逐年增加，质量明显提高。1991年，广州地区全年出版各类图书2432种，比1985年的1576种提高了54.3%；市属期刊有67种，其中有36种是1985年后创办的[②]。市属报纸由1984年的31种增至1990年的60种。在广东省1991年度优秀期刊评选活动中，“十佳期刊”广州地区占了9家；28家优秀期刊广州地区占了23家。二是报业市场开始崛起。这一时期，广州逐步形成一个以党报为核心的多层次、多样化的适应改革开放形势需要的报纸结构，1990年市属报纸每期发行总量近297万份，这是广州报业建设的一项重大成就[③]。其中，企业报占报纸种类总量的近46.7%，成为一支可忽视的宣传力量，反映了广州以经济建设为中心的时代特点。《广州日报》进行了一系列改革，吸引了全国报业的瞩目，1987年，在全国地方报纸中率先从每天4版扩到8版，引领了中国报纸扩版的潮流。改版后，《广州日报》日均发行量、广告收入均大幅度增加。从1990年起，《广州日报》改邮局发行为自办发行，实现了“比太阳更早”的追求，一度使喝早茶、看《广州日报》成为一道独特的城市风景。三是进一步改革图书发行体制，确立并完善了以新华书店为主体，以出版社自办发行、集体和个体书店书摊为补充的多渠道发行网络。1990年，市新华书店全年总销售额达1.17亿元。1991年末，广州市内有国营图书发行网点33家、集体性质的二级批发单位37个、个体书摊800多个、书亭156间，并将农村图书发行网点延伸到镇[④]。进一步扩大了国外图书市场，1991年广

① 广州年鉴编纂委员会：《广州年鉴（1992）》，广东人民出版社1992年版，第473页。

② 广州市地方志编纂委员会：《广州市志·卷十六》，广州年鉴社1999年版，第951-954页。

③ 同②，第947页。

④ 同①，第479页。

1991年第四届全国书市在广州举行

州地区出口各类图书1.5万种、16万册。

影视音像市场得以拓展。一是电影市场稳步推进。珠江电影制片公司适应形势的发展，进一步开展外引内联、多种经营，不断提高了生产能力，1985—1991年共拍摄影片98部，其中近20部电影获得全国、省级的不同奖项。广州电影发行放映业继续开展了经营管理体制改革，调整业务结构，实行承包责任制，形成了“一业为主、多种经营”格局，经济效益明显提高。广州发行放映业调整、转型的做法和经验在全国获得推广，被称之为全国电影发行放映系统的“广州模式”。[①]市电影公司所属的电影院总收入和利润分别由 1985 年的 1242 万元、429 万元，增至 1990 年的 3084.9万元、988.2 万元。另外，出现了一批放映收入、利润超百万元的单位[②]。二是音像市场跃居全国前列。在激烈的市场竞争，特别是在大量非法音像制品的冲击下，广州地区的音像业不断适应市场需求进行改革创新，逐步得到扩展。1991年，广州地区有15个音像出版单位、94个音像发行出租点、103个录像放映点、39个纯音带发行点。据《广州市志》介绍：这一时期的音像出版物品种形式多样，形成一个在全国有较大影响的

① 广州市地方志编纂委员会：《广州市志·卷十六》，广州出版社1999年版，第331页。

② 同①，第351页。

新兴行业，“无论音像制品的数量、质量，还是技术设备的先进性，在国内均居前列，成为全国三个中心之一”“广州音像制品的出版与发行，均居全国领先地位”[①]。三是电视市场逐步兴起。广州真正发展电视业是在1988年，这一年的1月份广州电视台正式开播。虽然是最晚建台的全国省会城市台之一，但该台勇于创新，不断开拓市场。先后拍摄了在全国很有影响的《商界》《外来妹》等电视连续剧，取得较高收视率，广告投放量也取得很大突破。首开全国电视选美先河，于1988年举办了大型的“美在花城”选美大赛，并从1990年第二届开始进行商业运作，实行选美活动的企业冠名，成功开拓了“选美经济”的商业运作模式。坚持开展多种经营，经营收入在全国城市台中居领先地位[②]，为拓展广州电视市场提供了资金。

（三）广州文化市场的法治化建设得到加强

这一时期，中共广州市委、市政府进一步加强了对文化市场的管理。1986年，成立了广州市社会文化管理委员会，负责对文化市场进行统筹协调、综合指导和检查监督。各区、县也成立了相应管理机构。1987年，成立了由广州市人大常委会主任欧初任组长的广州市文化建设规划小组，加强文化建设的规划和实施。广州市先后制定了一系列管理法规，比如，1985年制定了《关于加强桌球室管理规定》《关于广州市舞会伴奏乐队管理规定》；1986年制定了《关于电子游戏业管理暂行规定》《广州市舞会场地管理暂行细则》等；1988年制定了《广州市出版管理暂行规定》《关于加强广州市书报刊市场管理的补充规定》等；1989年，市政府颁布了《广州市社会文化市场管理暂行办法》和《广州市中国书画市场销售管理暂行规定》等。仅针对音像市场，广州市就先后颁发《广州市音像制品销售管理条例》《广州市音像制品市场管理细则》《广州市录像放映管理规定》等多项规章制度。1991年，经广东省九届人大常委会第17次会议审议通过广州市人大常委会颁布《广州市社会文化市场管理暂行条例》，进一

① 广州市地方志编纂委员会：《广州市志·卷十六》，广州出版社1999年版，第1049-1050页。
② 同①，第1046页。

步规范了文化市场的经营管理，广州文化市场开始步入依法管理的轨道。这一时期的广州市文化市场管理工作，坚持一手抓繁荣、一手抓整顿，在“扶持有益”的同时，把经常性的管理和阶段性的检查整顿结合起来，大力开展“扫黄打非”，及时制止不健康、腐朽的文化现象蔓延滋长，保证了文化市场的持续健康发展。

四、广州文化市场逐步成熟和繁荣（1992—2002年）

1992年党的十四大确立了建立社会主义市场经济体制的改革目标。之后，广州的经济体制改革向纵深方向发展，逐步建立起社会主义市场经济体制的基本框架，广州成为市场化程度最高的地区之一，这为广州文化事业的发展注入了强劲动力，创造了更加有利的条件。广州的文化体制改革全面展开，文化产业的整体实力和竞争力不断增强，文化市场不断向纵深推进，并逐步成熟和繁荣。

（一）全面推进文化体制改革，力促文化市场的繁荣发展

广州市把文化市场作为重要的新兴产业和经济增长点加以精心培育和扶持。20世纪90年代，中共广州市委、市政府强调“大城市以文化定输赢”的理念，指出“文化中心是广州的重要支柱之一”，高度重视发展文化事业。1992年12月，制定了《关于加快我市宣传文化事业发展的意见》（穗字〔1992〕24号），该文对深化广州文化体制改革、加强宣传文化事业发展提出了一些具体措施：有计划、有步骤地进行宣传文化战线管理体制改革；鼓励发展文化经济，宣传文化系统的事业单位要以产业化为方向，从事业型向经营型转变；改革图书发行的流通体制；依靠社会力量办文化等等。1996年制定的《广州市文化文物事业发展“九五”计划及2010年发展目标》提出，“九五”期间要“建立起与市场经济体制相适应的文化运行机制”。21世纪初在制定的《广州市文化产业“十五”发展计划》中提出，“把文化产业培育成为广州新的经济增长点，使广州成为全国重要的文化产业基地”。这些措施极大地促进了广州文化市场的繁荣发展。

改革经营管理体制，并从80年代的“以文补文”转向“文商结合，综

合经营”。为适应市场经济发展的需要，广州市对一些文化企事业单位实行经营权和管理权分离，比如，把全市演出管理职能从市演出公司分离出去，使之全力开展剧场经营；广州电视台成立了广州电视广播有限公司，专门负责经营台属的20多家企业，经济效益有了明显提高。珠江电影制片公司在90年代逐步转变为自筹资金拍片、自主经营、自负盈亏、自办发行，形成产供销一条龙、影视录一体化的新生产经营体制。广州雕塑院最初实行的是简单的经济定额承包制，从90年代中期开始实行创作和经济上的双轨制。市属剧场在保证主业前提下，拓宽经营项目，利用地头优势，对外招商租赁，增设多项娱乐设施，为主业不断发展提供了财力支持。90年代后期，广州各剧场、艺术团体还大力推进文化和旅游相结合，实现了文化与旅游合作“双赢”。多管齐下，大力提升了文化事业的市场化程度。

打造大型产业集团，培育有实力、有活力的市场竞争主体。1996年，《广州日报》在改革上迈出了坚实的一步，在全国率先组建报业集团，由地方机关报转变为以市场机制运营的企业集团。之后，该集团的发展狂飙突进，以资产为纽带、以主报为核心的国有报业资产运营、管理体系日趋完善；以集团为依托、延伸报业固有功能与横向联合有机结合的规模经营道路不断拓宽。至2000年，已拥有13家报纸、1家出版社、1个网站、3种杂志，另外还有广告公司、发行公司、房地产公司、印刷公司等一批关联企业，创下了令全国报业瞩目的骄人成就。1992年11月，全国首家图书发行企业集团——广州新华书店企业集团成立。至2000年，该集团拥有成员企业28家，其中国有图书发行企业20家、有限责任公司2家、中外合资企业3家、合资合作企业3家。为适应市场经济形势的发展，该集团进行了重组，并于2000年1月正式挂牌。重组后的广州市新华书店集团有限公司被授予国有资产经营权，并确立为所属企业的投资主体，形成跨行业、跨地区、跨所有制结构形式，开展多元化经营、多功能服务的现代化图书发行集团。组建文化产业集团，极大提升了文化单位的竞争力和影响力，加快了文化市场的整合和结构调整。另外，这一时期组建的省属南方日报报业集团、羊城晚报报业集团、家庭期刊集团等均驻于广州，成为繁荣广州文化市场的重要资源。

1996年5月，广州日报报业集团举行成立挂牌典礼

（二）广州文化市场向纵深发展，逐渐成熟和繁荣

经过20多年的经济和文化体制改革，广州市文化市场不断繁荣壮大。进入21世纪，广州文化市场的外延得以扩大、内涵得以深化。此时，广州市书报刊市场、娱乐市场、电影市场、音像市场并举，其中出版印刷发行业构成主体，报业成为“龙头”，广播电视行业是高速增长点和重要支柱，文化娱乐行业是辅助补充成分。[①]

1. 广州书报刊市场闻名全国。

报业成为广州市文化市场的“龙头”。至2002年，广州已形成以党报为主体，兼有政治、经济、科技、教育、文学艺术、文化娱乐、生活服务等多门类、多层次、多功能的较为合理的报刊业结构。1993年至2002年，广州市各类报刊数量从201种增至225种，发行量从5亿多份增至9亿多份，质量也不断提高。广州日报集团作为我国地方机关报规模化经营的“第一

① 温朝霞：《广州文化市场的现状与发展探析》，载蒋述卓：《广东文化产业发展与对策研究》，第248页。

艘航空母舰”，年营业总收入由1991年的1.22亿元上升到27亿元，总资产32亿元。从1993年开始，《广州日报》在国内报纸中率先推行广告公司代理制，2002年的广告收入达15多亿元。1995年在国内第一个设立报业连锁店，逐渐建立起庞大的发行网络。2002年，《广州日报》日均发行量从20世纪90年代初不足100万份发展到160多万份，该集团的系列报刊、大洋网站和各子公司均取得较好的经济效益。

图书出版发行市场是广州市文化市场的中坚力量。这一时期，广州市建立起以国有新华书店为主体，多种发行渠道、多种经济成分、多种购销形式的发行体制。1990—1999年，广州市全年出版图书从2194种、近2.8亿册猛增至3681种、近3亿册；图书发行量从5591万册增至8910万册。2002年，国有图书全年总销售4.98亿元，实现利润2717万元。广州市新华书店集团1993—2000年总销售达36.16亿元，实现利润1.84亿元。2000年，其固定资产总值比1993年增长11倍，利润总额增长3.89倍①。1994年11月，集图书展览、零售、批发、订货于一体的广州购书中心建成开业。该购书中心被称为“神州第一书城”，是当时全国最大规模的现代化图书城，2002年的销售额达2.44亿元。各种个体、集体经营的书社、书亭、书摊异常活跃，至2001年末，广州市内有书报刊二级批发单位72家，图书零售经营单位1100余家，报刊零售店档2190余家。②广州市还多次举办“羊城书市”“南国书香节”，每年国有图书企业举办数十次展销活动，广州图书市场的影响力不断扩大。

90年代下半叶，广州市逐渐形成电子出版物市场。1998年5月，广州市在全国率先实行电子出版物经营许可制度。至2001年，全市有近20个电脑城、130余家电子出版物软件经营单位，销售电子出版物的经营业户最多时达300多家，初步形成以天河区为中心，逐步向老城区、边远地区拓展的经营格局。

① 广州市地方志编纂委员会：《广州市志（1991—2000）》第八册，广州出版社2009年版，第872页。

② 同①，第830页。

2. 广播影视音像市场成为重要支柱。

电影市场实力增强。在市场经济形势下，广州电影市场进行了一场大变革，90年代成为广州市电影放映单位投资最大、改建最频繁、电影宣传策划工作最活跃的时期。2001年，全市有电影发行机构9个，电影放映单位113个，放映场所300多个，全年发行各种新影片102部，播放电影近7.5万场，观众约262万人次[①]，并在全国率先建立电影售票网络系统。2000年，广州市演出电影公司与中国电影集团公司等5家股东联合出资，按照国际电影院理念设计建设广州中华广场电影城，该影城是全国首批、广州首家国际五星级影城，年票房收入居全国影院的前列。2002年，广州市电影公司、珠江电影制片公司和广州市演出公司联合组建广东珠江电影院线有限公司，当时有29家影院加盟，经营区域以广州为中心，辐射广东及广西、福建等地，是华南地区第一家跨省院线。院线制改革推进了电影产业化进程，促进了广州电影市场的繁荣发展。

广播电视市场迅猛发展。广州市于1991—1998年投入近7000万元发展广播事业，广州电台于1991年12月正式开播。凭着勇于创新、不断变革的精神，广州电台走出一条“频率定位特色化、管理运营频率化、广播经营市场化、广播技术领先化”的发展道路，创下国内广播界的多个第一，形成了“广州广播模式”[②]，在节目推介营销、广告业务拓展等方面取得良好业绩。广州地区电视台制作了一批贴近群众生活、质量上乘的电视剧，如《千秋之约》《姐妹》《外来媳妇本地郎》等，其中《外来媳妇本地郎》成为中国电视史上播出时间最久、影响力最广、经济效益最好的电视剧。广州电视台坚持电视多元化、产业化发展方向，不仅开展电视、舞台、广告节目的策划、设计和摄制工作，还开展旅游、商贸、电视节目营销等经营，综合能力居全国城市电视台的前列。[③]到2000年，广州电视台广告经营收入累计约12.7亿元，固定资产约4亿元。1994年建成的广州有线广播电视台，创办了全国第一个24小时播出的购物频道。至1997年底，

① 胡燕妮、张煜、付勇：《广州文化产业的现状分析与对策研究》，载《探求》2003年第1期。
② 王晓玲：《广州改革开放30年》，广东人民出版社2008年版，第247页。
③ 王永平：《广州发展报告（1990—2002）》，第456页。

在全市各市、县、镇建成广播与电视、有线与无线相结合的完善的广播电视体系。2001年，全市有广播电台8 座，电视台5 座，广播人口覆盖率99.8%，电视人口覆盖率99.5 %。

音像制品市场稳步推进。至2001年末，广州市内有音像复录制作单位6家，音像制作单位10家，光盘复录单位2家，音像制品经营单位1100家，音像制品制作公司10家。广州市除了由新华书店系统、音像出版社、各大国有百货公司所形成的正版音像制品经营渠道，90年代还形成海印、西场、万国等19个民营音像制品场，从事音像制品租赁的个体经营者在街头到处可见。对广州的音像制品市场，有专家作出这样的评价：广州是全国最早的音像物流中心，市场交易额和正版音像制品供应份额在全国是最大的，音像制品销售量位于全国前列。①

3. 文化娱乐市场是重要组成部分。

文化娱乐市场健康繁荣。1992年至2000年，广州市的专业艺术表演团体由15个增至19个，民间职业剧团由18个猛增至82个，艺术表演场所由23个增至82个，桌球室由250间增至327间，电子游戏室由300间增至535间。随着娱乐市场的发展，纯音乐茶座、舞厅逐渐减少，卡拉OK发展迅速，由93间猛增至537间。20世纪90年代后，保龄球运动逐步发展起来，2000年广州市有30家保龄球馆。90年代中期开始，广州的演出市场得以全面放开，逐步形成规范有序的市场体系。1998年，广州市演出电影公司、剧场演出484 场，演出收入达393.4万元，同比增加497.5%。这一时期，每年都有世界各地的艺术名团、名家来广州演出，“广州新年音乐会”“广州之夜”“广交音乐季”等成为重要的演出品牌，广州成为与北京、上海齐名的国内演出“重镇”。②据统计，至2000年，广州市共有各类文化娱乐经营单位3741个，从业人员4.3万人，资本金14亿元，1999年主营收入9.6亿元，创造增加值3.2亿元。③

流行音乐市场由盛转衰，但实力仍存。1992年后，广州的流行乐坛展开

① 温朝霞：《广州文化市场的现状与发展探析》，载蒋述卓：《广东文化产业发展与对策研究》，第248-249页。

② 《广东文化产业竞争力日益强大》，载《中国文化报》2003年11月15日。

③ 钟玉明：《广州市文化产业蓬勃发展》，载《厂长经理日报》2000年9月11日第C1版。

了声势浩大的“造星”运动，流行音乐产业不断成熟，本土音乐人和歌手不断涌现，同时吸引不少外省歌手陆续来到广州。设于广州的4家音乐制作大公司（中国唱片广州分公司、太平洋影音公司、新时代影音公司、白天鹅影音公司）全国闻名，大力“包装”歌手，推出了杨钰莹、毛宁、陈明、林依轮、甘萍等全国知名歌手。逐步形成由“签约歌手—音乐制作人—唱片公司—歌迷”的艺术生产和艺术消费的良性循环机制。[①]流行音乐人与媒体通力合作，电子传媒不断推出“排行榜”“新歌榜”“新人榜”。各大报纸也大力推介广州流行音乐，加大了本土流行音乐的传播力度，原创音乐作品源源不断地推向全国音乐市场。90年代前期，广州流行乐坛空前繁荣，在全国居引领地位。到90年代后期，由于多种原因，广州在流行乐坛的地位落在北京后面，但仍有实力，改革开放后第一代音乐人陈小奇、李广平等仍坚守广州，努力创作，广州仍有不少音乐作品获全国性奖项。

（三）广州文化市场的管理进一步法律化、制度化、规范化

为维护文化市场的正常秩序，保护守法经营者的权益，广州市坚持不懈地开展“扫黄打非”工作，制定一系列政策法规，使文化市场管理逐步规范化。这一时期，先后颁布了《广州市营业性桌球室、电子游戏室、有奖游戏室管理规定》《广州市音像市场管理规定》《广州市音像制品管理办法》《广州有线广播电视台宣传管理暂行规定》《广州市电脑软件市场管理规定》《书报刊二级批发业户年审制度》等，使文化市场建设有法可依、有章可循。1999年制定《广州市文化局行政执法责任制》，明确了文化市场行政执法职责、文化文物稽查队的职责等。1992年成立了广州市社会文化影视音像稽查队，1996年又成立广州市社会文化文物稽查队。1991—1998年市文化局出动稽查人员巡视、检查、监督文化娱乐市场5000多次，检查单位2万多家（次）。通过突击检查和经常管理相结合的办法，加强执法力度和监管力度，为广州市文化市场的繁荣发展创造了有利条件。

① 《音乐制作人　带来新空气　开创新时代》，载《南方都市报》2004年2月11日第D88版。

五、广州市文化市场的特点和启示

经过20多年的改革与发展，从最初开设音乐茶座、民间资本自发涉足文化经营活动，发展到文化企事业单位在国家许可范围内普遍开展文化商业经营活动，再到以广州日报集团为代表的一批多元化发展的文化骨干脱颖而出、各类文化产业百舸争流，广州文化市场一步步走向繁荣和壮大，逐步成熟和完善。纵观广州市文化市场的形成和发展，其呈现出以下几方面的特点：

其一，在多方面走在全国前列，为我国文化市场的发展提供了借鉴。改革开放以来，广州文化市场起步早，敢闯敢冒，亮点纷呈。据《广州日报》报道：广州“在中国率先提出文化产业口号并开始进行研究，国内第一个音乐茶座诞生在广州，全国首家报业集团诞生在广州……可以说，广州打响了中国将文化作为商品的头炮”[①]。《广州日报》不仅于1996年组建全国首家报业集团，而且在国内报界率先推行广告公司代理制，在国内第一个设立报业连锁店，拥有亚洲最先进的印务中心；广州新华书店在全国省会城市书店中率先实现改组转制，逐步建立起现代企业制度；广州购书中心是国内首家超级书店；广州首先开创我国流行音乐发展的先河，最早按现代市场经济模式进行运作；广州芭蕾舞团是全国艺术院团中第一个实行全员聘任制的，被称为全国最有创新意识的芭蕾舞团；还有在国内广播界创造多个第一的“广州广播模式”；等等。广州在多个领域、多个方面为全国文化市场提供了经验。

其二，形成以国家办文化为主导、社会办文化为基础的格局。中共广州市委、市政府鼓励文化单位多渠道筹集文化发展资金，允许国内民间资本、非文化企业介入文化产业领域，支持和引导外资、个体、私营、民营企业对文化产业的投资和经营。20世纪90年代，影视音像业中的民营资本迅速崛起，到2000年前后已具备相当实力，广州地区形成“巨星影业”“俏佳人”“中凯”等品牌，音像制品租赁业几乎全为个体经营。广州图

① 卜松竹、窦丰昌：《广州文化市场酝酿产业升级》，载《广州日报》2003年2月17日。

书销售市场形成以“新华”系为主导，社会其他资金介入竞争的多元化、多层面格局。广州娱乐市场也注入大量外资、民营资本，比如海内外10家企业首期投资6.7亿元兴建广州市世界大观的8大剧场；长隆集团投资5亿多元建造、经营长隆演艺广场等。广州文化市场逐步形成政府、企业、私人、外商多方投资，国有、集体、中外合资和合作、股份制、个体等多种经济成分共同发展的新格局。①

其三，文化产业生产经营的竞争力强，科技含量较高。广州文化市场的形成和发展，倒逼文化产业进入竞争状态，并不断增强竞争力。仅以报业市场为例：当时，广州有6家综合性报纸（包括《广州日报》《南方日报》《羊场晚报》三大报业集团，以及《新快报》《南方都市报》《信息时报》）同在一个市场竞争，这在国内城市中是绝无仅有的。《广州日报》以报业市场化先行者的姿态，在新闻竞争、发行竞争、广告竞争、资本竞争、人才竞争等方面频出高招，得以冲出重围并取得主动，成为中国大陆最大的报业集团。广州文化市场无论在生产和制作方面，还是在销售和流通方面，科技化趋向明显，科技含量较高。例如，广州音像出版社制定“以高科技出精品，以高科技为突破口”的发展方针，研发的产品曾获专利权，投放市场后深受欢迎；广州电台在全国电台中较早实现了播出发射自动化控制、自动化监测和智能监控三位一体的现代化技术系统；以高科技为依托的数字院线制，使电影的发行、放映更加快速、便捷等。较高的科技化水平，提升了广州文化产品的竞争力。

当然，2002年之前的广州文化市场还存在不少不尽如人意的方面，比如，文化市场管理体制没能完全理顺，管理方式方法还比较落后；国有文化企事业单位的经营规模普遍偏小，规模大、经营集约、竞争力优的支柱型龙头企业偏少；文化市场的法制化建设还需要加强等。但瑕不掩瑜，不能否认，广州文化市场曾吸引全国各地人们的目光，曾经创造了辉煌，为全国文化市场的发展提供了宝贵经验。总结20多年的广州文化市场的发展历程，我们可得到以下启示：

① 温朝霞：《广州文化市场的现状与发展探析》，载蒋述卓：《广东文化产业发展与对策研究》，第249页。

其一，始终坚持先行一步的创新文化发展战略。不断创新，是文化市场发展的灵魂和不竭动力。广州作为我国社会主义市场经济建设的先行者和改革开放的前沿阵地，不但在经济建设中敢为人先、勇于闯关，在文化领域同样具有创新精神和超前意识，也是积极探索社会主义文化市场建设的有效途径。2003年，《中国文化报》曾用“先行一步天地宽”来评价广东文化产业的体制优势，具体到广州也是如此：全社会办文化、转企改制、兼并重组、资本经营等市场手段较早应用于文化事业发展中，使广州文化市场充满生机与活力。在文化创作方面，无论话剧、影视作品、流行音乐，还是图书、报纸、杂志，均创作出了一批独具岭南特色的、反映改革开放大潮的文化精品。在文化生产、文化经营、文化流通、文化消费领域，都能领略到广州先行先试、敢闯敢干的创新精神。创新，使广州文化市场保持旺盛的发展潜力和强大的竞争力。

其二，不断深化文化体制改革，着力构建有利于文化市场繁荣的体制机制。良好的体制机制是文化市场发展的基础和决定因素。自从1980年开始兴起企业办文化，并涌现出大批集体和个体文化摊档，广州市计划经济时代由国家独办文化的格局逐步被打破。自1981年广州杂技魔术团开始实行承包责任制，广州逐步展开了艺术表演团体的经济管理体制改革。1988年《广州市属艺术表演团体体制改革的意见》的实施，加快了广州文化体制改革的步伐。90年代，随着社会主义市场经济体制的建立和不断完善，广州文化系统在所有制形式、人事制度、分配机制、领导体制改革等方面均取得突破性进展，大大促进了广州文化市场的发展。特别是广州日报报业集团、广州新华书店企业集团的建立，更是带动文化艺术、新闻出版、广播电视等事业单位的改革深入开展。今后应进一步加大文化体制改革力度，逐步消除束缚文化事业发展的体制机制弊端，大力破解文化事业发展的难题，为广州市文化市场持续、健康、科学发展创造条件。

其三，强化“广州创造”，抓好文化精品生产。文体精品是文化市场发展的源泉和支撑。改革开放以来，广州在文化产品创作中，注重取材于本地改革开放的热潮，勇于挑战传统观念，反映新事物新气象，紧贴老百姓生活，使作品充满时代气息和本土特色，取得令人瞩目的成就。例如，电影《雅马哈鱼档》获得金鸡奖，被称为“广东改革开放的第一张名片”；广州话剧团排演的《商界》《南方的风》在全国首次被邀请到中南海演出，得到中央领导同志称赞；电视连续剧《外来妹》轰动全国，被称赞“把广州形象和岭南文化推向全国”。①另外，广州原创流行音乐、广州电视台的“美在花城”节目和“城市话题”栏目、具有鲜明政经杂志理念和独特视角的《南风窗》杂志、创造多个第一的原创音像制品、具有岭南现代表演艺术风格的杂技节目等“广州创造”的精品，大大增强了广州文化市场的竞争力。加快广州文化市场的繁荣发展，应进一步弘扬优秀岭南文化，同时要与市场接轨，与时代同行，创新文化生产的内容和形式，不断推出文化精品，努力占据文化艺术的制高点。

其四，加强文化立法工作，健全文化市场法规体系。法制建设是文化市场发展的根本保证。伴随着文化市场的兴起和发展，广州市陆续制定了一些政策法规，保障广州文化市场建设顺利推进。随着市场经济的发展，一些新兴文化项目陆续产生，广州市却没有及时制定法规文件来规范。同时，一些非法文化活动出现新的特点，违法手段日趋隐蔽和多样化，而文化监管的法律法规却相对滞后，导致文化市场监管中存在无法可依、有法不依的现象。而且，之前的法律法规主要针对某一文化场所或某一文化产品，这显然是不够的。广州市还需要健全文化市场的法规体系，对整个文化市场，包括各种要素、各种场所、各种渠道、各种生产模式、各种流通形式、各种消费方式等进行全方位、全天候监督管理，建立依法经营、违法必究、公平交易、诚实守信的市场秩序，创造公开、公平、公正的市场竞争环境，提高文化市场规范化、法制化程度，确保文化市场健康、有序发展。

（作者单位：中共广州市委党史研究室）

① 黄菘华：《破浪前行——广州改革开放中我的经历》，广州出版社2016年版，第20页。

市场经济条件下应运而生的广州日报报业集团

■ 文远竹

作为我国第一家社会主义现代化报业集团，成立于1996年1月的广州日报报业集团是在社会主义市场经济发展和传媒市场化转型的历史背景下应运而生的。它的成立，标志着我国报业改革发展进入一个新的阶段。它开创了我国报业市场化改革的诸多第一，其在改革探索中的积极举措和成功经验在我国报业发展史中占有一席之地。

一、广州日报报业集团产生的背景

广州日报报业集团的成立不是凭空出现的，而是内外部背景和多重因素共同作用的产物。

（一）全球传媒集团的演进

从全球新闻发展史和传媒产业发展进程来看，报纸的产业化最早出现于19世纪30年代的欧美发达国家，以美国和法国最为典型。这得益于言论出版自由受到宪法保障等政治的民主化，工业革命催生的交通通讯及印刷技术的快捷化和文化、信息需求日益迫切的城市化。报业的集团化始于19世纪70年代，直至20世纪20年代随着广播的出现才出现跨媒体、跨行业的集团化。这一阶段的一个突出特点是传媒集团不仅拥有报纸、杂志、出版、广播等不同性质的媒体形态，而且将触角延伸到电影、娱乐等新闻业之外的其他行业。

20世纪50年代以后，逐渐出现了跨国传媒集团，即传媒集团不仅跨行业而且跨越国界，崛起于50年代初期的汤姆斯新闻集团是其中的代表。80年代以来，默多克创办的新闻集团更是通过兼并重组打造出巨无霸型的跨国传媒航空母舰。20世纪90年代，随着互联网的兴起，报业集团纷纷崛起，跨媒体、跨行业与跨国界的集团化在质和量两个方面均实现了根本的突破。1995年7月，迪斯尼公司并购了大都会美国广播公司，成为拥有电影、广播、电视、娱乐、主题公园、度假村等多元化的传媒集团。

（二）我国传媒产业化的出现

从我国新闻传媒发展史的进程来看，报纸的产业化肇始于20世纪初，当时涌现出了一批著名的商业报刊，如《申报》《大公报》，它们在报业产业化发展方面进行了许多较为成功的探索，在报纸市场化经营、商业广告发布、品牌形象营造等方面积累了许多有益的经验。

中华人民共和国成立后我国报业发展经历了一个漫长的单一机关报阶段。1956年，通过对中国私营新闻事业的社会主义改造，纯商业意义上的新闻报业，以计划经济模式建立的按行政级别和地域划分的新闻报业管理体制取代了报业的市场竞争。报纸品种相对单一，基本上只有非营利的、宣传性的党报党刊，商业广告几乎也不复存在。

改革开放以后，我国经济体制的逐步转轨、媒体观念的转变、管理体制的调整，以及市场衍生出的对商品广告和新闻信息的需求，推动着报业等传媒业开始走向市场。1992年党的十四大正式确立建立社会主义市场体制目标，我国进入全面经济体制转轨时期，这为报纸走向市场奠定了体制基础。新闻“商品性”的讨论随之展开，这场讨论也为后来的媒介产业化、市场化、集团化发展奠定了理论基础。

我国各大党报报社内部在仍旧保有机关报特性的同时呈现出相对的竞争状态，也不断地尝试着刊登广告、扩版、改版、自办发行等市场化的手段。

此后10余年间，我国媒体数量呈爆炸性增长。报纸从1980年的382家增至20世纪90年代中期的2000余家；电视台由1980年的38家猛增至3000家左右；电台从80年代初的114家增至90年代中期的1200家左右。[①]然而这惊人的增长速度并不完全与市场需求相适应。有些地方、部门不从新闻传播规律和新闻业规模经济、长远发展考虑，而是从地方、部门利益出发，轻率地批建报纸等新闻媒体，造成媒体数量增长泛滥，产业结构失衡。许多报纸存在着广告收入不足以支撑其发展运作的情况，亏损较严重，有些靠摊派和强迫订阅勉强度日。在某些地区，在过度竞争的情况下，报纸办报成本过高，规模效益较差。

（三）我国创建报业集团提上议事日程

市场结构和传媒生态的改变促使各级报社和行政主管部门不得不冷静思考报业经营和发展的未来方向。前期报纸数量的剧增，带来了报业一时的兴旺，但由于没有遵循市场规律和传播规律，大量公共资源用于重复建设和同质化竞争之中，削弱了报社的整体实力和发展质量，有些报纸或媒体项目自身经营陷入困境。有关方面逐渐认识到，只有优化传媒资源配置，才能在市场竞争中以质取胜，才能开辟一条发展壮大我国报业和传媒业并初步具备国际竞争实力的报业和传媒产业市场化发展之路。而集团化就是一条以质取胜并与国际传媒业发展接轨的可行路径。于是在我国组建社会主义报业集团便提上了日程。

另一个重要原因是各报业企业以及传媒企业之间的市场化竞争。首先，党报的垄断地位受到其他类型的新兴报纸，尤其是走市场的都市类、娱乐类报纸的挑战。到20世纪90年代，市场上各类新兴报纸像雨后春笋一般涌现，一些新兴报纸的发行量和广告收入超过了一些党报。党报一方面因为公费订阅的逐渐取消或减少，另一方面因其缺乏市场化运作，读者市场被新兴报纸抢占，其发行量和广告收入都出现下降的趋势，这迫切需要党报探索出一种新的发展模式。“社会主义市场经济体制的建立，把报业经营推向了自负盈亏、自我发展的轨道。在这个轨道上，报业经营过于单一，不利于增强抗御市场经济风浪的能力。实践表明，报业经营的市场

① 《传媒集团化的背景》，载《中华新闻报》2003年10月8日第6版。

化，不仅意味着经济来源由政府财政统包统管变为自收自支，而且报纸出版所需的各种资源，也日益依靠市场进行配置。如广告收入、纸张供应、印刷设备和发行成本等等，无一不受市场供求关系的制约，时起时伏，捉摸不定。如果单纯经营报纸一项，在正常情况下，发行和广告收入维持报纸出版并有所积累是不成问题的。但在市场情况不利时，广告收入可能减少，报纸成本可能增加，严重的时候可能会出现入不敷出的被动局面，时间长了，后果难以设想。如果除报纸以外还有其他经济支柱，就可以东方不亮西方亮，堤内损失堤外补，摆脱被动局面，渡过亏损难关。回顾广州日报42年来的发展历史，曾于1955年、1961年和1968年停刊，其中除1968年是由于“文革”的原因外，前两次均系经济困难所造成。”①

其次，在各地，尤其是大中型城市中，地方区域性的报纸之间出现日益白热化的同质竞争。这不仅浪费了政府公共资源和媒体资源，而且由于管理混乱，造成虚假新闻、有偿新闻和低俗、违规广告的泛滥。在这种情况下，作为主流的党报必须面临两大考验：一是通过改版、改文风扩大读者覆盖范围，增强自身舆论影响力和话语权；二是整合各种媒体资源，改变“各自作战”的内讧局面，增强资本实力和市场竞争力，实现经济效益和社会效益的统一。

最后，国内许多报社由于改革开放后的快速发展，积累了一定的资金，如何合理地运用好这笔资金，成为摆在当时各大报社管理层面前的重要课题。以《广州日报》为例，20世纪90年代中期已积累了一笔可观的利润资金，当时报社管理层的脑海里思考着这样一个问题：“用于扩大再生产的这部分资金除了添置设备，还应该投资什么方向呢？多办几张报纸吗？这不失为一种选择，但报纸不是办得越多越好的。鉴于报业市场容量有限，把办报作为唯一投资方向不是最好选择。我们需要把眼光投向更广阔的市场，选择更多更好的投资方向，追求较优的投资回报，这样才能真正管好和用好国有资产，这也是我们建设报业集团的又一出发点。”②

---

① 广州日报社务委员会：《建设社会主义现代化报业集团为中国报业的改革和发展探索新路》，载《广州日报》1996年1月16日第3版。

② 同①。

报业集团之所以在20世纪90年代中期成为我国的新生事物，其中也有来自外部的压力。当时我国正在积极开展“复关”（即以后的加入世贸组织）谈判，各种市场资源和企业产品都将面临国外同行的挑战，报业和传媒业也不例外。我国以党报为主的报业，无论是规模、资本实力，还是管理体制，都无法与国外实力雄厚的大型传媒集团相匹敌。我国报业媒体如果继续分散经营、单打独斗，已经不切实际了。加入世贸组织，对我国传媒业的另一重大影响是，我国的传媒市场将需要更多地按照市场规律进行现代企业制度改革和进行完全的企业化运作。我国以报业为代表的传媒业要与西方同行进行竞争，势必要改变以往的事业单位管理体制，增强现代企业管理理念，引进先进的企业经营与运作方式。

在内外多种背景和多重动因的作用下，20世纪90年代中期，政府主管部门和符合条件的报社对组建报业集团，都表现出相当高的热情。对政府主管部门来说，组建报业集团有利于加强对报纸的管理，有利于提高全行业的经营水平，有利于提高我国的文化软实力。对符合条件的报社来说，组建报业集团可以兼并一些报纸，进一步增强自身的经济实力，扩大市场影响力，同时也可以得到一些优惠政策。报业集团内部报纸间在一定意义上实现分工合作，会降低管理成本，避免恶性竞争，减少资源浪费。对读者来说，不同的报纸做好分工，注意进行读者调查和版面栏目分析，可使得定位更准确，信息更丰富，也更会受到欢迎。

二、《广州日报》具备组建我国第一家报业集团的最佳条件

那么为什么选择将《广州日报》作为主体组建我国第一家报业集团呢？一般地讲，参与组建报业集团的报社需要具备以下6个条件：一是有影响的传播实力，二是雄厚的经济实力，三是充足的人才实力，四是过硬的技术实力，五是通畅的发行实力，六是初具规模的报业集团雏形。其中最重要的是传播实力和经济实力。而《广州日报》当时在这6个方面具有组建我国第一家报业集团的最佳条件。

（一）有影响的传播实力

1978年，《广州日报》提出进行新闻改革、增强新闻报道的办报思路。20世纪80年代开始，随着市场经济的活跃，地处改革开放前沿阵地的广东报业充满了生机和活力，在市场化改革和按新闻传播规律办报方面，走在了全国同行的前列。而《广州日报》又是其中进行市场化改革和探索的佼佼者。报业格局的新变化和多元化，使作为中共广州市委机关报的《广州日报》初步体验到了生存的压力。党报要摆脱发展困境，就必须革故鼎新，主动参与竞争，全面转型为市场化生存的新型党报。

《广州日报》在业内以敢闯“禁区”，“敢闯、敢试”的改革勇气而著称，打出了一套漂亮的报业改革“组合拳”。

1985年10月和12月，珠海记者站和上海记者站分别成立，这是《广州日报》首次在本埠之外设立记者站。

1987年1月1日，《广州日报》在全国地方报纸中率先由4版扩为8版。这是中国报业发展史上一个划时代的创举，一举打破了各大报纸只有4个版的“铁框”限制。对此，新华社主办的《瞭望》周刊当年给出了很高评价，把《广州日报》誉为扩版大潮中先行一步的“探索者和探路尖兵”，认为 4 版改 8 版“解决了‘机关报’不如‘非机关报’，日报不如晚报的问题。改变了过去‘机关报’只是在机关看的问题，使得《广州日报》长驱直入，走进了普通人的家庭”。[①]因此，该事件当年也被群众投票评为广州社会精神文明建设十件大事之一。自此，《广州日报》走上了一条“扩版—发行量上升—广告收入增长”的良性发展道路。扩版当年，《广州日报》的发行量略有上升，广告收入成倍增长。到了第二年，报纸的日均发行量就达到了33.7万份，比扩版前的1986年增长23.44％，创造了历史最高纪录。[②]1992年1月1日由8版扩为12版，报纸当日可送抵香港、伦敦等国际城市。1993年12月1日由12版扩为16版。1995年1月开始改为20版，当年，《广州日报》被评为“中华之最”——全国版面最多的报纸。《广州

① 黄景仁：《从广州日报的实践看报纸的扩版改革》，载《新闻战线》1995年第8期。
② 汤应武、李婉芬：《广州日报60年》，花城出版社2012年版，第47页。

日报》沿着扩版的路径大踏步前行，发行量和广告额不断创出新高。

1995年，《广州日报》电子版在国内地方新闻媒体中率先上网。

在提升传播力、影响力方面，《广州日报》也走在了全国同行的前列。开辟了适合各类读者、各条战线、各个阶层需要的50多个专版。同时，还锐意改革，精心编辑周日版、周六版，在许多报纸因为纸张大幅度涨价而减版时，反而增加了印张，结果比平时多发行五六万份。《广州日报》还十分注意抓住重大题材、重大典型进行有深度有广度的大型报道。1995年，又从近百名踊跃报名的年轻记者中，挑选出27名政治思想好、采写能力强、身体素质佳的年轻人，沿着中国内地的各个口岸进行中国边贸大扫描的采访。历时7个月，行程2万多公里，路途不乏艰难险阻，但他们都能在困难的情况下出色地完成任务，写出了大批有质量有水平的稿件。该报最早派出记者到好军嫂韩素云的故乡采访，并且从多方面、多角度反映这个好典型，使这个典型在全国引起了很大反响，受到了中共中央总书记江泽民等中央领导同志的充分肯定。《广州日报》从一封群众来信中，抓住了新疆儿童阿不都尼亚孜在广州流浪的故事，通过一系列报道使他找到了亲人，并由此促进了广州市民支援新疆少数民族地区办学的工作，进一步增进了两地人民的情谊。珠江电影制片公司还将此拍成了电影进行宣传。1995年，广州市被评为唯一的一个全国民族团结进步模范市，该报记者黄萍儿作为代表，受到了国家主席江泽民的亲切接见。①

（二）雄厚的经济实力

1981年，经中共广州市委批准，广州日报社与市财政脱钩，在全国党报中率先不吃“皇粮”，实现了“自筹自支、自负盈亏”的新财务制度。此举意味着《广州日报》正式走上了市场化的生存道路，开始按市场规律来组织报纸产品的生产与销售。主动断了“皇粮”之后，“找米下锅”的压力不断变成开拓市场的动力。从不断提高报道质量与同城报纸争夺读者，到想方设法扩版增加新闻和广告容量，从自办发行到创办系列报，再

① 广州日报社务委员会：《建设社会主义现代化报业集团为中国报业的改革和发展探索新路》，载《广州日报》1996年1月16日第3版。

到积极开展多种经营，正是市场竞争这双看不见的手，让初闯市场的《广州日报》一路顺风顺水，广告额持续攀升：1982年超过100万元，1990年超过1000万元，[①]1993年达到1.85亿元，首次跃居全国报纸广告收入第一位。1993年，《广州日报》在全国率先推行广告公司代理制。自1993年以来，广州日报年度广告营业额连续保持在10%以上的高速增长，1994年达到2亿元。1995年的营业收入在1994年6亿多元人民币的基础上，又增长了30%，达到约8亿元。其广告收入连续多年蝉联全国报业第一位。在整个报社经营项目的布局上，按照依托报业固有功能向外延伸、扬长避短上项目的原则，初步形成了包括系列报刊和广州日报印务中心、大洋广告公司、广州市报刊发行公司、广州彩色印务有限公司、广州市新闻纸张供应公司、广州日报连锁店有限公司、大洋房地产开发公司、大洋多媒体信息网络有限公司、广州市新闻服务中心、广州日报（香港）有限公司、香港华兴盛国际有限公司等系列公司的实业群体。这些为报业集团的组建和起步发展准备了充分的物质条件。

（三）充足的人才实力

在改革开放以来“敢闯、敢试、敢闯禁区”的多次采编改革和报业改革中，《广州日报》锻炼了采编和经营管理人才队伍，打造出一支视野开阔、敢想敢做、魄力非凡和具有经济头脑的报业改革生力军。

为筹建报业集团，《广州日报》有计划地从北京大学、清华大学、中国人民大学、复旦大学、中国科技大学等多家著名高等院校调进了一批人才，其中包括新闻、广告、法律、计算机、工业自动化控制、会计、外语等多个专业的博士、硕士，并从上海、武汉、广东等地的印刷专业院校吸收了一批大学生充实报纸印刷第一线，为引进现代化的印报设备和高度自动化的发行设备储备人才。1995年，报社提出“跨世纪人才战略”，制订了人才引进10年规划。以高校招聘为主、社会招聘为辅，积极从国内外知名高校引进大批高素质大学毕业生和有经验的媒体人才。开始建立涵盖采

① 汤应武、李婉芬：《广州日报60年》，花城出版社2012年版，第44页。

编、管理、技术等多方面的人才积累和储备，并呈现名校毕业生多、年轻人多、复合人才多的特色优势。经上级部门批准，原有的广州日报社新闻研究所扩展为广州市新闻研究所，作为开展新闻学术研究和培养报业专门人才的基地。

为了锤炼年轻一代新闻工作者的思想意志，提高他们的新闻业务水平，该报于1994年和1995年先后组织了京九铁路全线采访和中国边贸大扫描两次大型采访活动，让青年记者在远离"大本营"的广阔天地里独立作战，锻炼成长。类似的活动虽然每次要花费数十万元，但效果很好。

1995年12月1日，经中共广州市委批准，广州日报社领导机构由原来编委会领导下的总编辑负责制，改为社务委员会领导下的社长负责制。这也走在了全国同行的前列，为成立报业集团做好了运行机制准备。这一改革的意义在于，报社领导班子由原来9个人中8人管采编、1人管经营管理，变为社长兼总编辑1人抓全面，5位副总编辑抓采编，3位副社长抓经营管理，在报社决策层中，专门负责经营管理的领导成员所占的比例大大提高了。这一改革，也意味着报社不再仅仅是一个新闻采编单位和党报事业单位，而是一个融采编、经营、管理于一体的多元化的报业文化企业。报社经营管理中层一级机构，原来只有经理部和发行处两个处级部门。经市有关部门批准，共增设计财处、发行处、广告处、管理处、经营处、技术处等6个处级部门，并从采编和政工部门调配一批优秀的青年人才到这些部门担任负责人，大大改善了报社经管线的人才结构。

（四）过硬的技术实力

20世纪80年代初，报社先后引进2台湖南产卧式胶印机，对开四版配置，可以印刷单面套红，实现了铅排、球振打样、晒制PS版、胶印的工艺，正式拉开了胶印时代的序幕。1987年1月，引进了两台日本高斯大都市轮转机，设备生产速度为60000份/小时，每台机最多一次可以印刷8个版的报纸。

1988年10月，广州日报社撤销电版车间，撤销了铅炉和拆除了铸造铅版的设备以及铸字和排字车间，成立电脑排字车间，从此告别"铅与火"，进入"光与电"时代。生产工艺向电脑照排输出胶片、晒制PS版、上胶印机印刷转变。

广州日报社又先后于1992、1995年分别引进一台高斯中速机及一台曼罗兰UNISET60中速印报机，形成了4条可以同时印刷8版报纸、一张单面彩报、一张双面套红的胶印生产线，生产能力初具规模。《广州日报》进入激光照排技术和中速轮转胶印技术年代。

1993年7月1日，《广州日报》首次采用彩色照排技术出版单面彩色报纸，宣告《广州日报》正式进入彩报时代。

（五）通畅的发行实力

1990年1月1日，《广州日报》大胆迈出自办发行的步伐，组建网络，成立属于自己的发行公司。在市内成立发行站，市外和省内外成立了发行代理点，成为广东地区第一家打破传统邮局订阅模式、自办发行的报纸，也是全国首批自办发行的报纸，并创全国报纸零售量第一。发行公司拥有400多名专业投递员、1000多名报贩和近100辆发行车。此外还成立了广州日报连锁店有限公司，拥有分布在广州市内各区及珠江三角洲各主要城市的50多家连锁店。1995年，在全国报纸中首创“洗楼”发行模式，即挨家挨户主动上门征订。《广州日报》发行量从1992年开始，平均每年递增14%，到1996年初已翻了一番多。1996年还委托全市186家工商银行储蓄所代理收订报纸，从而使《广州日报》1996年征订数量超过了创刊以来同期最高水平，继续稳居广州地区报业市场占有量之首。

（六）初具规模的报业集团雏形

梳理广州日报报业集团的发展史，可看出一条清晰的发展脉络：广州日报报业集团不是一夜之间从天而降的，它有一个从《广州日报》“一报打天下”，到以《广州日报》为龙头、带动各系列报刊齐打天下，再到成立全国首家报业集团的渐进过程。

1952年12月1日，《广州日报》作为中共广州市委机关报创刊。直到20世纪80年代初期，《广州日报》虽然开始尝试各种新闻改革，但由于当时《广州日报》的自身定位，再加上国家并未完全放开办报门槛，《广州日报》仍是一份报纸包打天下。“一报打天下”的优势在于办报方向明晰、管理便利，可以举全报社之力做大报纸。《广州日报》在20世纪80年代开始发力，逐渐成长为全国报业翘楚，也正是得益于集中精力办好一份报纸的优势。但一报打天下的缺点也同样明显：市场太过于集中，不利于“多点开花”，细分市场，抢占市场。这一缺点在报业开始进入“诸侯竞争”的时代就更显突出。

随着《广州日报》的不断发展，“一报打天下”的传统办报观念逐渐改变。《广州日报》也意识到，要想抢占不同的报业市场，就须补充一些新鲜的报业面孔。在这样的观念主导下，依托市委机关报的定位，《广州日报》的家庭不断增添新成员：1980年1月，广州日报社与广州市体委合办《足球》报；1984年5月，《老人报》创刊，这是中国第一张专业性老年类报纸，也是全国28家中心城市以上级别的老年类报纸中，创办时间最早的；同年11月18日，广州日报社与中共广州市委宣传部合办的《广州文摘报》创刊；1985年1月1日，广州日报社与广州市计委等单位合办的《信息时报》创刊；与此同时，广州日报社主办的《岭南少年报》宣告创刊；1987年1月1日，广州日报社与省市交通旅游单位合办《交通旅游报》（后改为《商旅导报》），成为广东地区唯一以反映旅游生活为主的报纸；同年3月20日，《广州商报》创刊，2001年改为《赢周刊》；1993年1月7日，广州日报社和广州市妇联合办的《现代育儿报》创刊（后并入《岭南少年报》），这是全国第一家现代科学育儿专业报纸等。①从一报到多报，广州日报社的市场细分越来越完善，市场竞争力也越来越强。至此，广州日报社已形成以主报为核心，旗下有多家子报和多个公司的报业集团化雏形。

此外，《广州日报》地处经济发达的广东省，是我国改革开放的前沿阵地，毗邻现代报业较发达的港澳地区，这也让它具有组建首家报业集团的天然“地利”优势。

当然，组建首家报业集团除了以上这些必要条件之外，也离不开自身的积极争取和相关的思想理论准备。广州日报社当时的领导班子有敢为天下先的改革魄力和远见卓识，在报社内部大刀阔斧地改革，为成立报业集

① 汤应武、李婉芬：《广州日报60年》，花城出版社2012年版，第171-174页。

团创造有利条件，扫清制度障碍，清除思想阻力，做好思想理论准备。从1992年开始，广州日报社先后在《新闻战线》《中国记者》等中央一级和其他新闻理论刊物上发表了多篇论文，专门探讨建设报业集团问题。其中《建设社会主义现代化报业集团》和《建设社会主义现代化报业集团的实践体会和理论思考》分别获得了《新闻战线》举办的征文一等奖。广州日报社有关负责人还先后在全国报业协会年会、中国人民大学新闻学院、复旦大学新闻学院、暨南大学新闻系作过专题报告和发言。1995年，在广州日报新闻学术研究中心举行的以“如何办好大都市报纸”为题的学术研讨会上，京、津、沪、粤一批新闻界老前辈和权威人士就建设报业集团问题再次进行论证和研讨。通过上述一系列的理论准备，广州日报社对建设报业集团的许多概念、范畴和基本思路有了比较完整的认识。

三、《广州日报》组建中国首家报业集团

1993年初，广州日报社便开始积极向上级政府主管部门递交申请，争取成立首家报业集团。在这方面，相关政府主管部门作风开明。1994年，全国宣传思想工作会议之后，原国家新闻出版署就提出：“新闻出版工作要实行以规模数量增长为主要特征向以优质高效为主要特征的阶段性转移。”并提出，为实现这个战略转移，应当适时组建报业集团。广东省委宣传部积极向中宣部申请，提出在广东率先组建报业集团的设想，并以广州日报等几家条件成熟的报社为试点。同年上半年，根据中央宣传部领导的指示，国家新闻出版署在有关文件中，提出报业集团可以进行试点。之后，又先后举行了报业集团问题研讨会，收集各方面的意见。1995年，在对全国多家地方党委机关报进行调查研究，详细分析了国内报业发展的最新态势后，国家新闻出版署认为进行报业集团试点的时机已经成熟，但考虑到组建报业集团是我国报业改革一件带方向性的大事，为慎重起见，拟选择一家报纸进行试点，待取得经验后，再继续向全国推广。经过反复比较，并报经中共中央宣传部同意，终于在1996年新年伊始选定广州日报社

为全国第一家报业集团试点单位。[①]在内部条件成熟与外部政策催生的双重力量推动下，广州日报报业集团应时而生。

1996年1月15日，经中宣部同意，国家新闻出版署正式批准广州日报社组建我国第一家社会主义现代化报业集团。这一天，国家新闻出版署在《关于同意建立广州日报报业集团的批复》中称："广州日报经过几年的思想理论、物质条件、运行机制等方面的准备，已经具备了较有影响的传媒实力，较雄厚的经济实力，较充足的人才实力，较先进的技术实力，较灵活畅通的发行实力，在社会效益和经济效益两个方面都取得了较好的成绩。由广州日报组建中国首家报业集团，条件已经成熟。为此同意广州日报作为报业集团试点单位。"[②]这是中国报业发展史上具有里程碑意义的一天，也标志着《广州日报》迈入集团化发展新阶段。

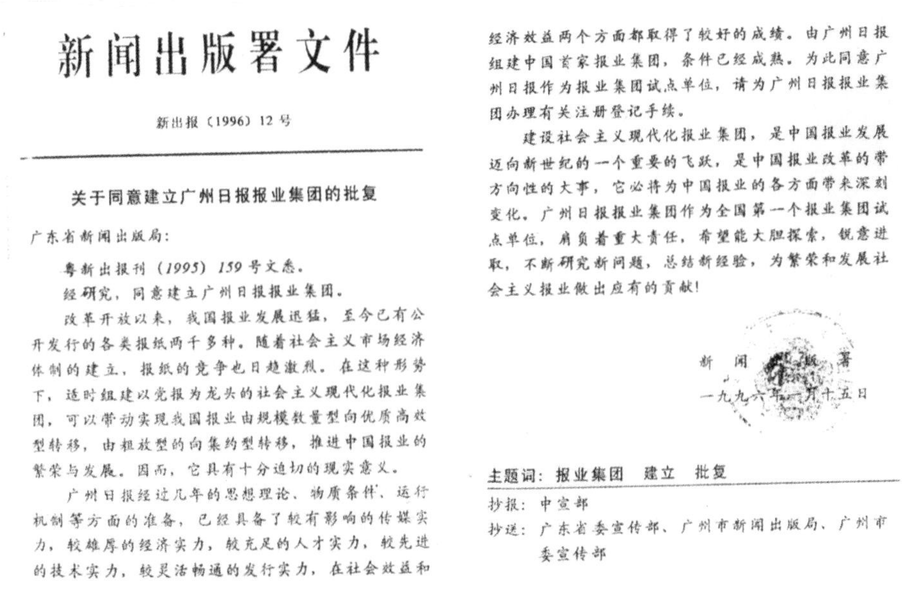

新闻出版署文件

新出报〔1996〕12号

关于同意建立广州日报报业集团的批复

广东省新闻出版局：

粤新出报刊（1995）159号文悉。

经研究，同意建立广州日报报业集团。

改革开放以来，我国报业发展迅猛，至今已有公开发行的各类报纸两千多种。随着社会主义市场经济体制的建立，报纸的竞争也日趋激烈。在这种形势下，适时组建以党报为龙头的社会主义现代化报业集团，可以带动实现我国报业由规模数量型向优质高效型转移，由粗放型的向集约型转移，推进中国报业的繁荣与发展。因而，它具有十分迫切的现实意义。

广州日报经过几年的思想理论、物质条件、运行机制等方面的准备，已经具备了较有影响的传媒实力，较雄厚的经济实力，较充足的人才实力，较先进的技术实力，较灵活畅通的发行实力，在社会效益和经济效益两个方面都取得了较好的成绩。由广州日报组建中国首家报业集团，条件已经成熟。为此同意广州日报作为报业集团试点单位，请为广州日报报业集团办理有关注册登记手续。

建设社会主义现代化报业集团，是中国报业发展迈向新世纪的一个重要的飞跃，是中国报业改革的带方向性的大事，它必将为中国报业的各方面带来深刻变化。广州日报报业集团作为全国第一个报业集团试点单位，肩负着重大责任，希望能大胆探索，锐意进取，不断研究新问题，总结新经验，为繁荣和发展社会主义报业做出应有的贡献！

新闻出版署

一九九六年一月十五日

主题词：报业集团　建立　批复

抄报：中宣部

抄送：广东省委宣传部、广州市新闻出版局、广州市委宣传部

1996年1月15日，新闻出版署下发《关于同意建立广州日报报业集团的批复》

① 《不辱历史使命》，载《广州日报》1996年1月16日第1版。

② 新闻出版署：《关于同意建立广州日报报业集团的批复》（新出报〔1996〕12号），1996年1月15日。

此时，报业集团在国内仍属新生事物。对于什么是报业集团，当时的广州日报社务委员会认为："目前我国社会主义现代化报业集团的定义应是，以具有广泛影响力的社会主义报纸为核心，以报业及带有报业外延性质的实业为主体，兼容其他非报业经营实体的报业联合体。"并认为报业集团的特征有3个方面：第一，报业集团必须坚持以影响力较大的报纸为核心。建设报业集团必须坚持以报纸为龙头。这是报业集团与其他企业集团的根本区别。第二，报业集团应包括多家新闻出版媒体和依托报业固有功能向外延伸发展起来的其他经营实体。显然，光有一家报纸不能称为报业集团。第二，报业集团应该拥有比较雄厚的经济实力，即拥有办好报业的物质条件，具有较强的资产实力和相对充裕的资金。以上3条同时具备才称得上报业集团。有些大型企业集团，实力相当雄厚，也搞多种经营，但它的主要功能不是报业，就只能是企业集团而非报业集团；有些大型企业内部也办有好些报刊，但由于这些报刊在集团中不起龙头作用，且其产生是由集团其他业务带动起来的，也不能称为报业集团；有些机构确实办有系列报刊并以此为主业，但发行量小，在社会上影响力不大，尤其缺乏作为龙头的主报，群龙无首，也不能戴上报业集团帽子；有些机构拥有系列媒体，且有龙头，但龙头不是报纸而是出版社或电视台，这些机构就只能是出版集团或别的集团，同样不能算是报业集团。①

1996年5月29日，广州日报报业集团挂牌典礼在广州日报大院举行。中共中央政治局委员、广东省委书记谢非为广州日报报业集团牌匾题了字。来自中央、省、市各级机关领导和新闻单位的负责人，以及广州日报社1000多员工参加了这个仪式。国家新闻出版署副署长梁衡宣读了该署《关于同意建立广州日报报业集团的批复》，广东省新闻出版局副局长何文光代表该局宣读了《关于同意建立广州日报报业集团的通知》，广州市经济体制改革委员会主任陆景奎宣读了《关于组建广州日报报业集团的复函》。随后，广东省委常委、中共广州市委书记高祀仁，广东

① 广州日报社务委员会：《建设社会主义现代化报业集团为中国报业的改革和发展探索新路》，载《广州日报》1996年1月16日第3版。

省委常委、省委宣传部部长于幼军，中共中央宣传部新闻局副局长李保善分别作了讲话。高祀仁说，中央把组建全国首个报业集团的任务交给《广州日报》，这是对广东省、广州市宣传思想文化战线，特别是新闻战线的信任。希望《广州日报》社的同志一如既往，积极稳妥地开展试点工作，完成好这一重要任务。市委、市政府对此十分重视和关心，将从各方面给予最大的支持，同时也要求全市各有关方面积极配合做好工作，使广州日报报业集团顺利完成试点任务。于幼军说，组建报业集团是在新的历史条件下，探索既适应社会主义市场经济的要求、又遵循新闻事业发展和意识形态工作规律的报业发展道路的重大举措；也是为增强党报实力，更好地发挥正确舆论导向的重要决策。中宣部和国家新闻出版署把探路的任务交给广州日报，这是全省、全市的一件大事，希望省、市各有关部门给予积极支持，为广州日报报业集团的发展创造良好的工作环境。李保善在讲话中，首先代表中宣部对广州日报报业集团的建立表示热烈祝贺，同时转达了中宣部副部长徐光春的几点希望和意见：一是报业集团要始终坚持邓小平的建设有中国特色社会主义的理论和党的路线方针，坚持党的机关报性质；二是报业集团要正确处理社会效益和经济效益的关系，把社会效益、办好报纸放在首位；三是希望积极探索、积累经验，走出一条社会主义市场经济条件下报业改革和发展的新路。高祀仁、于幼军、梁衡、李保善共同为广州日报报业集团的大理石牌匾揭幕，在热烈的掌声中，谢非题写的“广州日报报业集团”八个金色大字，在雨后的阳光下熠熠生辉。广州日报社负责人在致辞中表示，报业集团的组建只是第一步，今后要戒骄戒躁，勤奋工作，努力完成报业集团的试点任务。同时，期待更多更优秀的报业集团不断产生，大家携手并肩迈向21世纪。全国记协常务副主席李彦、经济日报社社长徐心华等来自全国和全省各新闻单位的负责人，市五套班子领导邬梦兆、朱小丹、陈开枝、伍亮、黄德初和市委市政府各有关部门的负责人出席了典礼。①

① 李婉芬：《广州日报报业集团挂牌》，载《广州日报》1996年5月30日第1版。

廣州日報

GUANGZHOU DAILY

广州日报社出版

1996年5月30 星期四

乐得花园 买得轻松 住得安乐

最后四天商品房价1800元/m²起

势必加价发售！

敬请留意电视广告及明天报纸广告

总策划及代理 业威行 热线：3311275 3311346

为我国报业跨世纪发展探索新路

广州日报报业集团挂牌

谢非题字 高祀仁等出席典礼并讲话

大儿子超期服役未归，她又送二儿子入伍；二儿子以身殉职，她又让小女儿接过哥哥的枪。昨天——

军母王响笑荣当模范

于幼军专程赴江门祝贺

卢瑞华寄语个体私营企业

管理技术上档次 走现代企业之路

冷暖气团势均力敌

我省连日暴雨频

广州日报报业集团举行首次干部职工大会

高祀仁作报告论集团试点

声讯费纠纷案昨开庭

岂能说多少收多少 声讯台计费设监控

液化气今日起降价

市煤气公司改善服务有新措施

通告

广东省移动通信局已于近日开通语音信箱咨询热线"9696969696"，用户查询均免信息费。

从96年5月21日零时起，调整我省模拟、数字移动电话省内漫游通话费，即移动电话用户在省内漫游时，移动话费只收取0.50元／分钟（原来为1.00元／分钟）。长途话费及省际漫游通话费仍按原规定执行。

（详情请电9696969696查询）

一九九六年五月三十日

广东省移动通信局

■ 1996年5月30日广州日报报业集团挂牌成立的报道

成立报业集团后，广州日报报业集团坚持“以媒为本、多元共赢”，坚持“世界眼光+现代企业管理”，坚持资源整合和媒体融合，坚持资本运作和完善产业链布局，从组织架构、管理方式、全媒体平台、资本运营等方面通过不断深化传媒管理改革创新，以传媒转型带动传媒升级，打造出一支具有世界眼光和强大战斗力的传媒大军，为建设有实力和影响力的

广州日报报业集团大院里谢非题写的牌匾

新型媒体集团夯实了基础。

（一）以媒为本：坚持差异化发展和集团发展战略

在市场主体多元化的报业竞争中，细分市场和受众必不可少，只有这样才能发挥各自的长处，互相补充，形成合力。因而，虽然主报《广州日报》作为一个报业集团发展的龙头很重要，但在经营上，不可再有一张报纸包打天下的思维，而应该结合报业集团的发展布局，采取差异化发展和集团发展战略，找准自身定位，理顺与系列报刊的关系，明确分工，协调发展。

广州日报报业集团成立之初，一方面做大做强主报，比如立足广州的《广州日报》但它不满足于仅仅做一份广州的报纸，1996年7月16日，广州日报新设《珠三角新闻版》，迈出立足广州进军珠三角的战略步伐，开创了新中国报业史上的一个先例：作为一份党报，它的部分发行指向地区与它本身所属的地方党委无隶属关系。另一方面，扶持打造一批在分众领域位居全国、全省领先地位的系列报刊，继续发挥报业优势，引领报业发展。1996年，《新现代画报》并入刚成立不久的广州日报报业集团。1997年7月广报集团创办《广州英文早报》（GZ Morning Post），这是华南地区最早创办的一份综合性地方英文报纸。1999年下半年，《南风窗》《信息时报》划归广州日报报业集团。随后，《舞台与银幕》《看世界》《美食导报》《共鸣》《大东方》等系列报刊纷纷加盟广州日报报业集团。2004年10月，由集团下属足球报社创办的《篮球先锋报》在北京创刊，成为中国最大的篮球平面媒体。同年11月，由广报集团与上海文广新闻集团、北京青年报社联合创办的全国首家综合性财经类日报《第一财经日报》在上海创刊，探索出跨媒体集团、跨地区办报的新路径。2006年10月1日，广报集团又添新丁，由广报集团和广州市地铁总公司联合出版发行的中国首家地铁报——《羊城地铁报》创刊。

（二）多元共赢：坚持资源整合和媒体融合战略

广报集团利用报业集团优势，整合集团所有资源，提高集团整体运营效率与实力；完善现代报业的市场体系，推进了集团的跨越发展。

集团成立后，开始向文化产业和其他领域进军。随着报业的发展，集团将产业链扩展到印刷等上游产业，并通过印刷能力的提升和印刷产业的发展反哺和促进报业的繁荣。1996年12月1日，为适应报纸市场化进程，解决报纸发行量覆盖率和彩色报纸版面数量不足的瓶颈，投资10亿元的广州日报印务中心奠基，这标志着中国报纸拉开了向报纸印刷技术先进行列进军的序幕。在1997年香港回归前夕，利用4台中速胶印机，《广州日报》出版4开97版报纸，引发读者大排长龙全城抢购，这也是中国报业进入厚报时代的一个标志。1998年11月印务中心一期工程投产，成为了亚洲最先进的印务中心。2000年元旦，《广州日报》出版对开“新千年200版纪念特刊”，创造了国内报纸一天出版版数最多的纪录，被誉为“名副其实的世纪教科书”，又一次在国内报界引起震动。广州日报印务中心成为当年全球速度最快的印报生产线。

2000年8月14日，成立广州大洋实业投资有限公司，这标志着广州日报报业集团多元化经营迈出实质性的一步。广报集团，由当初的一份《广州日报》发展为拥有15张系列报纸、5份杂志、2个网站，以及全资子公司“广州传媒控股有限公司”、控股上市公司“粤传媒”等一系列经济实体的传媒业“航空母舰”，形成采编与经营、主报与系列报刊、报业与其他产业、集团与战略经营合作伙伴等多方共同发展的局面。

（三）实现从“报办集团”到“集团办报”的转型

广州日报报业集团成立之前，虽然广州日报社旗下也有许多系列报刊、网站和经营子公司，但都是作为《广州日报》这张报纸的附属品而存在。报业集团成立之初，也存在广州日报社凌驾在广州日报报业集团之上的现实困境。很长一段时间，报社与集团实行两块牌子、一套人马的管理架构，广州日报报业集团只是一个空架子，没有发挥它作为集团的应有功能。

经过不断探索和实践，该集团逐渐发展出“党报挂帅，各系列报刊协同作战”的统分结合的管理模式。包括广州日报社在内的集团各系列报刊媒体都各自独立核算，自负盈亏，“自己闯市场”。其他职能管理与支持部门为各系列报刊媒体提供资源整合和后勤保障。包括集团旗下控股的上市公司粤传媒在内的广告、发行、印刷、房地产等市场经营部门在“广州日报报业集团”这个统一品牌下，放手发展和壮大自己的市场竞争力。

为进一步理顺领导体制，2011年广报集团正式成立了集团党委会、管委会，下设集团编辑委员会、经营管理委员会和系列报刊管理机构。广州日报报业集团已改变过去主报《广州日报》的管理层承担报业集团管理功能的局面，逐步实现由“报办集团”向“集团办报”转变。[①]

（四）由“集而不团”变为“一盘活棋”

作为我国第一家报业集团，广报集团成立之初，便面临旗下许多子报子刊主要靠行政命令勉强“捏合”在一起的困境。如《足球》报原是广州市体委主办的，《南风窗》杂志原是广州出版社主办的，当时资产、人才、运营都还没有统一起来，更别说统一规范的采编管理了。为避免出现“集而不团”“大而不强”的现象，集团对属下各报刊媒体不断进行整合，强化整个集团的合力，最终形成“资源共享，优势互补”的局面。

① 文远竹：《从“报办集团”到“集团办报”转变——广州日报报业集团创新管理模式初探》，载《青年记者》2010年2月上，第44—45页。

系列报刊、公司管理的难点是如何平衡“统和分”的关系，要避免“一统就死，一放就散”。既要防止在集团内部开大锅饭，又要防止一盘散沙。因此，集团资源整合，在集团总的大框架之下，按照扁平化的方式管理各系列单位，统分结合，统出合力，分出活力。集团对属下各系列报刊的市场定位进行了重新布局，对有些不适应市场变化的报刊进行了调整，如让市场占有率低的《现代育儿报》《共鸣》《大东方》依照市场规律“寿终正寝”；经营效益差的《广州英文早报》停办纸质版，只出网络版，并最终转型为以移动终端为主的多媒体平台《丝路邮报》；对有些具有市场潜力、符合集团的战略架构和发展方向的报刊进行重点投入，如大力拓展《广州日报社区报》，曾经在珠三角地区一口气办了100多份各种《社区报》，如《广州日报·清远社区报》《广州日报·增城社区报》等等。这就像下一盘棋，有的系列报刊是当“车”，专门用来抢占主要市场；有的系列报刊是当“过河卒子”，用来开拓市场新增长点；而有的系列报刊是当“士”，只用来保存实力、巩固集团发展基础。[①]

集团总部以产权为纽带，对各系列报刊履行战略统筹、关键资源分配和监督考核等宏观管理职能，但不直接插手系列报刊的日常运作，而是按照现代企业管理模式，实行授权经营。各系列报刊是相对独立的运营主体，具有充分的经营自主权，可根据市场竞争和发展需要，高效灵活地制定自己的发展计划。集团各系列报刊、网站、公司依托集团全资子公司“广州传媒控股有限公司”和控股的上市公司“粤传媒”在企业化运营上率先寻求更大的发展空间，积极探索资产重组后新的风险投资机制和新的战略方向下的组织架构。

四、广州日报报业集团成立的意义和影响

1. 掀开了中国新闻发展史上新的一页。“这对社会主义制度下党和政府的新闻机构如何主要依靠市场机制，保持自己经济上的强大优势，从

① 文远竹：《党报要成为城市报业市场的野战军——广州日报成为华南都市大报之解读》，载《新闻战线》2009年第7期。

而保证政治上的权威性、舆论上的正确性、传播上的广泛性，具有十分深远的意义。”[①]国家新闻出版署在批文中指出：“改革开放以来，我国报业发展迅猛，至今已有公开发行的各类报纸两千多种。随着社会主义市场经济体制的建立，报纸的竞争也日趋激烈。在这种形势下，适时组建以党报为龙头的社会主义现代化报业集团，可以带动实现我国报业由规模数量型向优质高效型转移，由粗放型向集约型转移，推进中国报业的繁荣与发展。因而，它具有十分迫切的现实意义。”“建设社会主义现代化报业集团，是中国报业发展迈向新世纪的一个重要的飞跃，是中国报业改革的带方向性的大事。它必将为中国报业的各方面带来深刻变化。”[②]

2. 标志着我国新闻改革进入了一个新阶段。新闻业从以条块分割为特点的个体分散经营，走向面向市场的多层次规模化整合经营。报业集团的成立，开始打破过去党报报社那种以行政隶属关系为纽带的粗放式企事业混合管理形态，逐步过渡到以资产为纽带的现代集团式企业管理新模式。报业不再作为单纯的文化事业单位和党政机关的附属而存在，而是成为市场经济中具有独立法人地位的经济实体。

3. 迎来了中国报业和传媒业集团化发展的春天。广州日报报业集团作为中国第一家报业集团成立以后，在神州大地上，各家报业集团像雨后春笋般涌现。广州日报报业集团成立两年后的1998年6月，光明日报报业集团、经济日报报业集团、文汇新民联合报业集团、南方日报报业集团、羊城晚报报业集团5家报业集团几乎同时成立。截至2002年底，经国家新闻出版总署正式批准，全国各地相继成立了39家报业集团。这个数字还不包括由各省、自治区、直辖市批准成立的报业集团。此后，各种传媒集团、广电集团、出版集团、影视集团纷纷出现。中国的报业和传媒业正式进入集团化发展的新阶段。

4. 开创了中国报业发展“以报为本，依托集团，优势互补，多元发展”的新道路。报业集团成立后，以党报为主体，多种媒体协同发展，坚

① 梁燕梅：《本报成为我国首家报业集团》，载《广州日报》1996年1月16日第1版。

② 新闻出版署：《关于同意建立广州日报报业集团的批复》（新出报〔1996〕12号），1996年1月15日。

持正确舆论导向，满足不同层次读者需要的舆论宣传体系初步形成；以原来的党报报社为核心，以资产为纽带，以系列媒体、系列公司为紧密层和松散层的多层架构运营体系日趋完善；以报业功能为依托，以集团利润为支撑，纵向和横向联合经营，多渠道融资、多功能互补的集约效益型发展道路逐渐开辟。以《广州日报》为代表的中国报业企业以成立报业集团为契机，焕发出全新的生机，迎来了崭新的发展阶段。

（作者单位：广州日报报业集团）

4 日新月异的城市建设

随着改革开放的推进，广州城市建设日新月异，地铁时代的来临带动广州城市面貌与经济社会的大发展；住房制度改革逐步有序推进，人均居住水平不断提升；城市环境得到极大改善，新型城市管理体制建立起来，广州向现代化大都市大步迈进。

广州地铁时代的开启

■ 周艳红　黄　滢

地铁①由于具有大量、快速、准点、安全、舒适的特点，所以能适应市区高密度、大流量的交通要求，发展地铁是解决大城市交通问题的必然选择。1999年6月，经过长期的筹备和建设，广州地铁一号线正式开通运营，广州开启了地铁的新时代。广州地铁时代的开启，不仅提高了市民的生活质量，而且为广州带来了一定的经济效益，甚至对广州的政治、文化都产生了深刻的变化，使广州正式进入现代化大都市的行列，为广州建设成为枢纽型中心城市打下了坚实的基础。

一、广州地铁的早期梦想和修建的必然要求

世界上最早的地铁是英国伦敦的大都会地铁，建于1863年。随后，其他城市纷纷仿效伦敦，开始建设地铁。在第二次世界大战之前，建设地下铁道是为了解决城市交通问题。二战爆发后，英国、德国等已有地铁的国家充分利用地铁为战争服务，将地铁作为作战指挥部和防空、隐蔽、疏散、军运干道，发挥了当时地铁平战两用的双重作用，从而引起了各国政府对地铁建设的高度重视。到20世纪末，全世界共有100多座城市开通了地铁。

① 地铁，城市轨道交通的种类之一，指涵盖都会地区各种地下与地上的路权专有、高密度、高运量的城市轨道交通系统。

中华人民共和国刚成立，政府便非常重视地铁对城市交通的作用。1956年，中共中央对北京市政府提交的地铁筹建报告作了肯定的批示。1965年，北京地铁工程正式上马。毛泽东对地铁极为关注，当年2月4日，他指示地铁建设应“精心设计、精心施工。在建设过程中，一定会有不少错误、失败，随时注意改正”[①]。竣工于1969年，试运营于1971年1月的这条北京地铁，成为了中国的第一个地铁系统。

广州筹建地铁的设想始于1958年。当年，广东省省长陈郁提出在广州筹建一个地下工程，早期按“人民防空”（以下简称人防）工程考虑，远期发展成地铁。1960年，广东省地质局水文队根据陈郁的指示进行了初步地质勘察，并于次年完成《广州市地下铁道工程地质勘察报告》，这是广州最早见于文字的有关地铁的完整资料。[②]1965年初，陶铸（中共中央中南局第一书记兼广东省委第一书记）和陈郁向中央力陈，要在广州抢建一条“平战结合”的隧道——战时用于疏散群众、保护人民群众的生命财产安全，战后用来铺设地铁、发展交通。在得到中央的首肯之后，陶铸随即在中山纪念堂的4000人干部大会上，第一次宣布了“广州城要修地铁”的消息。是年，广州市成立了地下电车工程指挥部，陈郁担任主管，曾生（广州市市长）出任总指挥，副总指挥是林西（主管城建的副市长）、张英（广东省煤炭工业厅厅长）和苏青（广州市公安局副局长）。此时陈郁提出了广州地铁线网规划的初步设想——要修一条“十”字形的隧道：纵向的南北线，从南方大厦、人民路、解放北到三元里；横向的东西线，则沿着当今的东风路从西场到东山。设计的用意在于，一旦战争爆发，广州城东、南、西3个方向的人群可以沿着这条地下通道迅速汇聚到解放路，然后再往北行，分别疏散到白云山、越秀山。尽管该计划主要围绕战争需要，而且其中的东西线并没有建成，但这一份蓝图与现今经反复科学论证定下来的一、二号线惊人的相似。

该项工程因前期准备和技术论证不足，财力、物力匮乏，且美国于

① 毛泽东：《对杨勇等关于北京修建地下铁道问题的报告的批语》（1965年2月4日），载《建国以来毛泽东文稿》（第十一册），中央文献出版社1996年第1版，第327页。

② 广州市地方志编纂委员会：《广州市志（1991—2000）》第二册，广州出版社2009年版，第467页。

1964年8月在北部湾制造的战争挑衅事件，修筑地下大型人防隧道成为当务之急，该项工程只能按人防功能修建，到1969年竣工时由于断面过小只能作为一个防空洞来使用。林西根据“地下”二字共有9画的缘故，将该工程秘密命名为“九号工程”，地下电车工程指挥部也改名为“广州市九号工程指挥部”。至此，广州地铁的第一次尝试以失败告终。

1970年，胡楠卿（广州市革委副主任）在九号工程指挥部下设“701”办公室，打算扩阔“米已成炊”的南北线隧道，但由于缺少特种钢材和科研经费，因此第二次尝试也夭折。1971年，李良枫（广州市建委主任）为了接通“九号工程”的隧道，组织了一支地下工程施工队伍，在惠福路打了一个竖井和一个斜井，但动工后发现扩建的难度过大，第三次尝试也以失败告终。1974年，广州地铁再一次筹备“上马”。陈郁在东西线地质勘察的第一钻打响之后，便启程前往西沙视察，因视察途中感染风寒，返穗后一病不起，于年底病逝。随着陈郁的病逝，广州地铁第四次“下马”。

进入20世纪70年代，广州市客运量不断增加，尤其是在“文化大革命”结束后，被下放到农村的干部、知识分子重新回城工作，上山下乡的知识青年和被疏散人员亦返回市内，广州市区人口突增，广州市客运工作量从1965年至1978年间增长了1.9倍[①]，给市区交通带来了不少的压力。

伴随着改革开放的不断深入和社会主义经济的不断发展，交通要素发生了很大的变化。据1989年底统计，市区非农业人口为288.4万人，为解放初期的2.8倍，流动人口约120万人。广州市区面积为1443.6平方公里，拥有机动车22.2万辆，过境车约7万辆，自行车210万辆，与中华人民共和国成立初期相比，机动车增长了182倍，自行车增长了68倍。市区道路915公里，面积1026万平方米，为中华人民共和国成立初期的3.8倍，每公里道路平均负担机动车328辆和自行车2295辆。由于市区常住人口和流动人口已超过400万人，机动车已达30万辆，而道路建设远远跟不上发展需要，因而市区道路阻塞，车速下降，事故上升，公交运量逐年减少，交通结构

① 广州市地下铁道筹建处：《广州市地下铁道路网规划说明书》，1980年11月，广州地铁集团有限公司办公室档案资料部资料。

恶化，公共汽车从1986年的7亿运量下降到1990年的5亿运量，车速从1965年的平均时速17公里下降到目前的10公里左右，交通事故年平均增长率为8.13%，交通已到了非根治不可的程度。[①]交通设施的落后，已影响到广州经济的发展，严重困扰着广州市民正常的工作和生活。

1985年，广州市城乡建设委员会在《关于抓紧市政建设缓和交通紧张的报告》中指出，“根据广州市的地位和作用，从发展的观点来看，解决广州市的交通问题，根本出路是发展快速运输交通（一般指地铁）。因为地铁具有运量大、速度高、安全舒适、污染噪音少、节约空间等特点，是解决大城市交通的最佳办法”[②]。“在主要客流方向将一部分地面运输不失时机地转入地下，将个体的和速度较低的运输吸引入快速、安全、噪音小、污染少的地铁，组成以地铁为骨干并配合公共汽车运输的城市集体运输系统，是解决交通紧张的一个有效模式”[③]。

事实上，地铁问题已不仅仅是交通问题，而是涉及整个广州经济发展、人民生活改善和城市改造与复兴的整体性工程。高祀仁在初任中共广州市委书记期间曾多次强调，“上不上地铁，表面看是一个交通问题。但实际上是一个我们能否贯彻为人民服务宗旨、能否把广州建设现代化国际大都市目标落到实处、能否大力提高广州综合实力的大问题”[④]。站在这样的决策高度，广州市主要领导认为，“有必要拿出一定投资做一些前期工作：必须从技术上、经济上对地铁进行科学的论证和规划设计；从施工方法、设备和对社会正常生活的干扰等方面进行必要的试验；以及培养人才积累经验进行一系列复杂的组织工作”[⑤]。

地铁是城市现代化公共交通的骨干，电车也好，公共汽车也好，没有

---

① 《广州地铁准备工作情况汇报》，广州地铁集团有限公司办公室档案资料部资料，1991年1月。

② 广州市城乡建设委员会：《关于抓紧市政建设缓和交通紧张的报告》（穗建〔1985〕182号），广州地铁集团有限公司办公室档案资料部资料，1985年8月19日。

③ 广州市地下铁道筹建处：《广州市地下铁道路网规划说明书》，广州地铁集团有限公司办公室档案资料部资料，1980年11月。

④ 中共广州市委宣传部等：《地铁梦圆——来自广州地铁的报告》，广州出版社1997年版，第15页。

⑤ 广州市地下铁道筹建处：《“六五”期间广州地铁筹建计划说明》，广州地铁集团有限公司办公室档案资料部资料，1982年12月23日。

一个能像地铁那样，把大量的旅客迅速、准时、舒适地从一个地方运送到另一个地方。地铁通过旧市区，可以改造一大片旧房屋、旧马路，使旧城换新貌。地铁可以把旧城区密集的人口引到郊区，对城市的布局和发展起着重大的作用。通过地铁工程这个龙头，还会带动建筑、建材、机械、电子、外贸等行业的发展。因此，广州修建地铁，是社会经济发展和建设现代化大都市的必然要求。

二、广州地铁的路网规划和早期筹资

地铁的建设是一项复杂的市政工程，更是一个“边筹资、边勘察、边设计、边拆迁、边安置、边施工、边引进设备”[①]的复杂而长期的过程。1984年广州被列入全国沿海14座开放城市，国务院批准广州市整体城市规划，广州再一次开始了地铁的筹建。为使这一伟大工程更加科学合理，中共广州市委、市政府进行缜密的路网规划和多方面的筹资。

（一）路网规划

为了增强决策的科学性，中共广州市委、市政府做了大量的调研工作。一方面，在广州市内开展调查。从1984年2月开始，广州市政府从各有关单位抽调人员组成居民出行调查小组，在全市范围内进行出行调查，对广州地铁的路网进行系统研究。经过2年的调查研究，完成《广州市居民出行调查综合研究报告》，并制订了《缓和交通紧张状况的13条应急措施》和《公共交通发展规划》，再次提出地铁的修建计划。另一方面，外出考察学习先进经验。1984年6月19日至26日，广州市地下铁道筹建处赴港考察组前往香港进行考察，通过对弥敦道的重点考察得出在繁华的街道建设地铁的重要性、交通建设应以中心地区为重点等结论，考察报告中强调“这些地区虽然矛盾多、难度大，但解决以后经济效益也最大，城市面貌会跟着改观，而只搞外围建设，虽然矛盾较少，但得益不大，对城市交通

① 中共广州市委宣传部等：《地铁梦圆——来自广州地铁的报告》，广州出版社1997年版，第29页。

问题的解决有隔靴搔痒之感”①。

从1984年6月份开始，市政府把地铁筹建工作从人防系统划入建委系统，“将地铁筹建工作纳入城市建设的正常轨道，理顺了关系”。“经过了开放政策的促进，广州市已发生了较大的变化，中心区的面积已由原来54.4平方公里扩大到92.5平方公里，人口已增加到202万人，流动人口达51万人，所以在新的形势下，原来地铁的线网密度和通勤范围均显得不足了，有必要对原来的规划方案重新论证和加以完善，以适应广州市的发展需要。”②在路网规划的指导思想上，进一步明确了地铁主要应“为城市交通服务，要最大限度地为社会经济发展服务”③。1987年9月，广州地铁路网规划可行性研究工作正式开始，由中法两国专家合作，收集和分析了客流、人口、工商业和房屋普查等资料，进行了客流预测，于1988年2月提出了5个地铁路网方案。经过3次专家会议认真论证比较，筛选出1和4A两个方案，并在1988年3月15日《广州日报》上公布，广泛征求市民意见。公开地铁路网规划初步方案，并在报纸上征求意见的举措，在当时来说是很少见的，甚至可以说是地铁建设史上的头一回。地铁路网比选方案公布后，广州市民展开了热烈的讨论，广州市地下交通发展公司（于1987年12月由广州市地下工程开发公司、广州市地下铁道筹建处和广州市隧道开发公司合并成立）先后收到300多封市民的来信。1988年5月，广州市地下交通发展公司举行了广州市离退休老干部和各界人士座谈会，认真听取了相关建议。在广泛征求意见、集思广益的基础上，经过反复研讨，广州市地下交通发展公司最后向市政府推荐了方案1——地铁“十”字路网方案。

① 广州市地下铁道筹建处赴港考察组：《广州市地下铁道筹建处赴港考察报告及有关建议》，广州地铁集团有限公司办公室档案资料部资料，1984年7月8日。

② 广州市地下铁道筹建处：《广州市地铁筹建情况的报告》，广州地铁集团有限公司办公室档案资料部资料，1987年7月21日。

③ 同②。

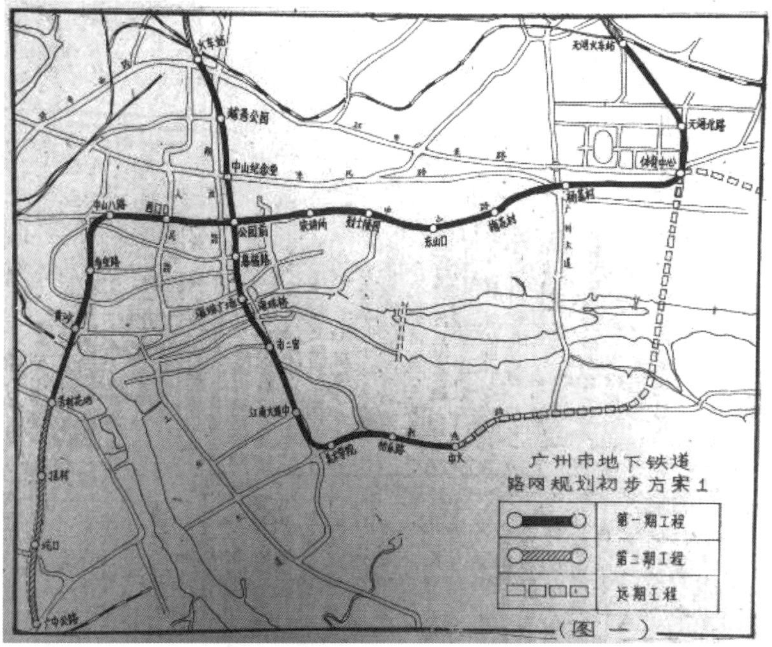

1988年3月15日刊登在《广州日报》上的方案1线路图

为了更好地推进广州地铁的科学规划与建设工作，1989年，广州市地铁建设领导小组成立，审定通过了广州市地下铁道筹建处提出的广州市地铁规划路网的报批方案[①]。该方案由总长为35.59公里的两条十字形地铁线路组成，地铁车站33座，其中换乘站3座（含一座远期预留），车辆段两处。其中，地铁一号线（东西线）总长为17.78公里，从广州钢铁厂沿花地大道过珠江，经从桂路、宝华路折向中山路，沿中山七路至中山一路到广州东站；地铁二号线（南北线）总长为17.81公里，从新市沿机场路经三元里至广州火车站，再经越秀山、连新路、起义路、江南大道折向昌岗东路、新港路，经中山大学至赤岗。1989年9月，广州市政府对《关于报批广州市地铁规划路网的报告》进行批复[②]，同意该地铁规划路网方案。

① 广州市地下铁道筹建处：《关于报批广州市地铁规划路网的报告》（地铁筹字〔1989〕第18号），广州地铁集团有限公司办公室档案资料部资料，1989年8月28日。

② 广州市人民政府：《关于广州市地铁规划路网的批复》（穗府函〔1989〕63号），广州地铁集团有限公司办公室档案资料部资料，1989年9月19日。

经过多年的考察论证，广州市于1991年制定了《广州市地下铁道、轻轨发展规划》，规划包括地铁一、二、三号线和轻轨一、二号线，总长106公里，地铁一号线为东西走向，二号线为南北走向，三号线连接一、二号线，轻轨一、二号线分别连接广州东面和西北面出口，设想将地铁与港口、新机场和调整公路连成一个完整的现代化交通网络。按规划要求，地铁建设与旧城改造同步进行，在建设地铁的同时，充分开发沿线物业，将地下、地面、空中作为一个完整的城市空间实体统一规划及建设，把广州地铁沿线建设成壮观、繁荣的中心商业区。这一规划奠定了广州轨道交通的基础。

（二）资金筹措

广州地铁是广州市有史以来规模最大的投资项目，能否落实建设资金，是地铁工程能否顺利进行的决定性因素。当时，广州属于计划单列市，“中央直接在财政上给广州地铁以支持的可能不大，对省也不宜作太大的依赖。但依靠市财政拨款，要对付地铁这样大型的项目，政府也会感到压力过大，甚至会因财力不足而难以付诸实现”[①]。

因此，为了减轻政府负担，中共广州市委、市政府决定充分利用经济杠杆作用，将广州地铁建设为一个先进的、具有活力的地铁系统，争取能够实现一定的经济目标——在投入使用后能够自立，在无需政府补贴之余，还具有偿还部分贷款本息的能力。为了达到这一目标，广州市在1988年5、6月份先后4次组织了金融界、税务部门、房地产开发公司和市政府有关部门专家参加座谈会，研究如何解决广州地铁建设的资金问题。[②]

1988年12月，经过深入的研究和大量的测算工作，最后形成了《广州地铁建设资金筹措方案》。该方案认为应该“采用多层次、多渠道、多形式的集资方式”，力求在政府、社会、企业之间寻求一个各方面均可承受的平衡点，并将其归纳为“四个一点”集资方案，即“通过政府给一点，社会集

① 广州市地铁筹建处：《广州地铁建设资金筹措方案》，广州地铁集团有限公司办公室档案资料部资料，1988年12月17日。

② 广州市地下交通发展公司：《广州市地下交通发展公司一九八八年工作总结》，广州地铁集团有限公司办公室档案资料部资料，1988年12月。

一点，企业筹一点，国外贷一点这四个方面进行集资”[①]。

为进一步加大资金的筹措力度，1991年，市政府在市计划委员会设立广州地铁工程建设资金协调办公室，负责组织地铁建设资金的筹集、运用、增值和还贷，并对地铁建设资金实行宏观管理，地铁资金协调办公室在市财政局设立地铁工程资金专户。

广州地铁资金的筹措主要有4个来源：

一是政府拨款。根据市政府《关于给予广州地铁首期工程经济资助的请示》，广州地铁的政府拨款资金主要包括广州市财政及城建拨款两个方面。“建设期内（1990—1999年）政府财政拨款起主导和资金调剂作用，以保证地铁建设有稳定的资金来源。”[②]在建设期间，市政府每年专项拨款5500万元，建设期共拨款2.75亿元，这为广州地铁工程的顺利推进提供了最基本的保障。

二是城市土地有偿转让专项集资。土地有偿使用收益，其中包括由广州市国土局房地产管理局负责的市区内地铁建设规划控制区外的国有土地，实行有偿使用所得的收益（含人民币、外币），除应上缴以及按规定应提留的业务费用外，其余部分的30%转入地铁工程资金专户；由地铁总公司负责地铁建设规划控制区内的国有土地，实行有偿使用提得的土地收益（含人民币、外币），除应上缴部分外，其余部分转入地铁工程资金专户。广州市政府决定将广州新城中心——珠江新城6平方公里的范围内，黄金地段的地块转让金全部用于地铁建设，此项收益高达150亿元人民币。

三是企业自筹资金。在这方面，广州市做出了大胆的决策，在建设地铁的同时通过地铁沿线及车站上盖物业开发等方式筹集资金。通过发展沿线物业筹集地铁建设资金，是一种投资模式。从经济理论角度看，是将非货币性资源转化为货币性资源；从操作手法看，是合作开发；从建设形态看，是将城市交通发展同土地利用价值有机结合，将交通工程的建设与城市开发同步进行，统一实施，因此，沿线物业发展本身也是地铁建设的一

① 广州市地铁筹建处：《广州地铁建设资金筹措方案》，广州地铁集团有限公司办公室档案资料部资料，1988年12月17日。

② 同①。

个重要组成部分。1992年8月30日，广州市政府通过市长办公会议决定，将地铁沿线27个物业地块全部交给地铁公司招商开发。按市政府的决策，1993年3月6日，地铁总公司与香港新宝利投资有限公司合作开发的地铁沿线RJ—9地块正式签订合同，这是地铁一号物业发展地块中第一个正式签订合同的地块。该地块位于中山六路与解放北路交界处，用地2427平方米，规划建筑面积28144平方米，总投资额2.4亿元港币，计划3年半完成。之后，地铁总公司又与客商在穗签订了4个地铁沿线物业发展用地意向书，同时原已签订意向书的7个地块的谈判全面展开。[①]1993年下半年，在国内外房地产市场惨淡的情况下，广州地铁上盖物业却犹如“香饽饽”，境内外36家发展商在竞争中捷足先登，其中19个地块签订了24份开发合同。截至1996年终，已得到的收益近25亿元。[②]

四是利用外资。改革开放后，利用外资来进行城市建设成为一个新的举措，作为改革开放前沿地的广州，在利用外资方面走在全国的前列，1979年就利用外资建设了商品房项目东湖新村。广州地铁作为全国第一条自筹经费建设的地铁，利用外资成为资金的主要来源之一。广州地铁主要采取5种方式进行外资融资：出口信贷和亚银等国际金融组织贷款；在国外发行债券；国际商业贷款；采用国际租赁方式；利用境内私人和金融机构的外汇资金，解决地铁建设某些特殊的或短期的资金需求。

1989年6月29日，广州市派出赴京立项小组随同尹佩云（广州市计划委员会副主任）前往北京，呈送《广州地铁首期工程黄沙至广州东站段项目建议书》时，主动走访对外经济贸易部外国政府贷款管理司司长刘志诚。刘志诚表示，“在选择贷款国时不应再选择已贷款给北京、上海地铁的国家，以免利用贷款过于集中于一两个国家”，“可搞‘万国牌’，各国贷款条件不同，技术设备又各有优缺点，地铁是个大项目，可同时用几个国家的贷款”，“日本、意大利、德意志联邦共和国比较稳定，我们可

① 《广州地铁简报》1993年第4期，广州地铁集团有限公司办公室档案资料部资料。

② 中共广州市委宣传部等：《地铁梦圆——来自广州地铁的报告》，广州出版社1997年版，第49页。

以做些工作，也可以考虑与苏联的合作”①。

在利用外资时，广州地铁始终坚持“广泛对外接触，摸清各国情况，多方收集资料，坚持‘货比三家’，根据贷款条件、报价和规格质量，综合择优选取贷款国别”②的基本观点，和法、德、英、美、日等10多个国家的30多家银行、财团和公司进行了广泛的接触。1991年1月，邹家华（国务院副总理）访问法国，地方上仅邀请了石安海（广州市副市长）同访，法方对广州地铁表示了积极的态度，邹家华也表示我国地铁在“八五”期间有条件上的只有广州一个城市，法国是否争取到这个项目将取决于法国的贷款条件和广州市的意愿，为广州市创造了良好的国外政府贷款的环境。③接着意大利、苏联、英国、美国、德国、日本、加拿大都表示愿意提供贷款给广州市政府。1992年12月8日至12日，在香港举行的广州市对外经济项目介绍会上，广州市地下交通发展公司（地铁总公司前身）和外商签订了合作发展包括黄沙地铁站上盖在内的8个地铁沿线物业发展用地的意向书，总用地面积13.2万平方米，总建筑面积75万平方米，总投资约60亿元港币。

1993年9月，中国政府代表团出访德国，明确了广州地铁与德国合作的意向。经过对广州地铁的调查研究，德国国会批准了政府的贷款计划。11月，引进7亿元马克德国政府贷款的协议正式签订，其中一半是软贷款，用作购买车辆及相关设备，另一半是出口信贷和小部分商业贷款，此后将由广州市独立偿还。广州设备引进的主要资金来源为德国政府贷款，1993年11月16日，中德两国总理出席为广州地铁引进德国设备的协议签字仪式。经过各方多轮技术和商务谈判，终于达成共识，促成了合同的正式签订。国务院副总理邹家华、中央部委有关领导侯捷、叶青及省市领导朱森林、高祀仁、张高丽、黎子流等出席了签字仪式。④广州地铁一号线设

① 广州市地铁筹建处赴京立项小组：《关于地铁赴京立项工作的情况汇报》，广州地铁集团有限公司办公室档案资料部资料，1989年7月7日。

② 广州市地下铁道筹建处：《关于广州地铁对外洽谈情况的汇报》，广州地铁集团有限公司办公室档案资料部资料，1990年7月12日。

③ 《关于请尽快研究地铁首期工程国内资金问题紧急报告》，广州地铁集团有限公司办公室档案资料部资料，1991年3月。

④ 《广州地铁简报》第36期，1994年12月30日。

备引进合同签字仪式于1994年12月22日在广州白天鹅宾馆举行，主办引进工作的中国机械进出口总公司、广东省机械进出口集团公司、广州地铁总公司和德国西门子—AEG集团、美国寇比克公司、英国贝尔贝提公司分别签订了车辆、车辆段设备、牵引供电、通讯、信号、电力监控、交流高中压供电、自动售检票、接触网9个系统的供货合同。此次签订的合同总金额达4亿多元美元，占全部设备引进总额的九成。广州地铁首期工程使用外国政府混合贷款5.35亿元美元。

三、广州地铁一号线的建设与开通

经过科学的筹划和必要的资金准备，1989年6月，广州市政府向国家计委申报了广州地铁的立项报告。1990年11月，国家计委同意建设广州地铁首期工程黄沙到广州东站段。广州地铁的建设进入一个新的日程。

为进一步加快地铁的建设力度，1991年5月，广州市成立了地铁工程领导指挥部，黎子流（广州市市长）为总指挥，石安海、伍亮（广州市副市长）为副总指挥（后来增加时任常务副市长陈开枝），有关部、委、局和各区的主要领导担任指挥，指挥部下成立以胡耀珑（市计委副主任）为主任的地铁资金协调办公室和市地铁工程指挥部办公室。资金协调办公室设在市计委，负责地铁建设资金的筹集、运用和还贷。指挥部办公室负责地铁工程的组织实施和协调，办公室人员从政府有关的委办抽调，代表本单位处理与地铁工程建设有关的业务工作。指挥部还决定，在原有的基础上成立地下铁道总公司，负责承担整个地铁工程的建设与经营工作。

在1992年11月30日的市长办公会议中作出决定：争取在1997年6月底，首先开通广钢至黄沙5.1公里进行试运行，这样做既是为香港回归祖国献礼，又可以增强市民对地铁建设的信心，提高政府的信誉，有利于香港回归祖国时放大政治影响。另外，广钢至黄沙段达到一定标准的试运行，有利于运营培训和对外引进设备系统进行综合检验，从而为全线按期开通投运奠定坚实的基础。

经过筹备，1992年12月28日下午，广州地下铁道总公司成立，这标志着广州地铁的建设从项目建设和项目设计进入正式实施阶段。广州地下铁道总公司是广州市的国有企业，承担广州地铁、轻轨等城市快速轨道的建设和营运管理，以及地铁沿线房地产物业的开发和经营业务。广东省省长朱森林在广州市地铁总公司成立仪式上，指出广州地铁的兴建，是造福广州人民的一项伟大希望工程。广州是广东的省会，兴建广州地铁不仅是广州市政府和广州人民的大事，也是广东省政府和全省人民的大事。省政府各有关部门要把支持广州地铁的建设作为自己义不容辞的责任，希望省府各部门给予大力支持，密切配合，保障地铁建设顺利进行。而广州市市长黎子流则要求把广州地铁总公司变成“广州的特区”，实行特事特办的政策，广州市各级政府、政府各部门和有关单位，要打破常规，提高办事效率，在人、财、物等方面全力支持地铁建设，为地铁建设大开绿灯。①

为加强地下铁道的管理，保证地下铁道建设的顺利进行，中共广州市人民政府9届148次常务会议讨论通过《广州市地下铁道建设管理规定》，于1994年1月13日起施行，其中规定广州地下铁道工程指挥部负责地铁工程建设重大问题的决策，其设立的办公室负责本市地铁建设工程的日常指挥协调工作及地下铁道建设指挥部委托的其他事项。广州市地下铁道总公司负责组织实施广州市地铁建设。

1993年3月，广州市地铁一号线工程可行性报告经国务院批准，国家计委于3月30日下文批复，一号线工程将进入实质性建设阶段。继中央财政支持的北京、天津、上海之后，在向国家申报地铁立项的20多个城市中，只有作为中国改革开放综合试验区的广州拿到了投资全部由自己解决的“特批准生证”。②这份可行性报告，在当时，可说是全中国第一份地铁工程的可行性报告，而在日后，它更成为全国各地20多个城市在修地铁

① 黎子流：《在广州地铁总公司成立仪式上的讲话》，广州地铁集团有限公司办公室档案资料部资料。

② 黎子流：《广州地铁一号线建设资金自筹：全国地铁建设“第一筹”》，载《敢为人先——改革开放广东一千个率先》经济卷（下），人民出版社2015年版，第884页。

1993年12月28日，广州地铁一号线举行开工典礼

或轻轨时都争相参照的一份最佳范本。[①]

1993年12月28日，广州地铁一号线正式开工建设。一号线全长18.48公里，西起芳村，自西向东穿越广州闹市区，终点至广州东站，全线设14个地下站，2个地面站，1个车辆段，2个主变电站，其中广钢站（后改为西朗站）与广佛轻轨换乘，广州东站与火车新客站换乘，公园前站是地铁一、二线的换乘站，其上盖南面是控制中心所在地，是地铁运营的“心脏”部位。一号线设计容量为单向断面小时流量5.5万人次，日客流量113万人次，可满足2023年的预测客流。车辆选用大容量宽体客车，最高速度为每小时80公里，平均速度为每小时35公里，最小发车间隔为2分钟。计划在1997年7月1日香港回归祖国这一具有历史意义的日子，首先开通广钢至黄沙站，1998年底全线建成。一号线建成后，可达到国际20世纪80年代末90年代初的先进水平，具有良好的乘车环境和完善的运营管理系

① 余定宇、吴袭：《广州圆了地铁梦》，载《十四个沿海城市开放纪实·广州卷》，中国文史出版社2015年版，第325页。

统，将有效地改善广州地区的交通状况。

地铁工程是个庞大复杂的工程，投资巨大，施工期长，技术要求高，涉及面广，包括征地拆迁、工程施工、工程招标、盾构招标、设备引进等方面大量的工作。1994年1月13日起正式实施的《广州市地下铁道建设管理规定》，为地铁工程的拆迁安置工作提供了政策依据。而与地铁沿线物业是否能够顺利建成、外商是否进资密切相关的，是拆迁工作的顺利与否。广州地铁一号线的建设，经过繁华的市中心，涉及荔湾、越秀、东山（后并入越秀区）、天河几个区与民众生活密切相关的商铺400多间、个体店1800多户，涉及从业人员3.5万多人，涉及历史文物保护的有陈家祠、农讲所、烈士陵园等10多处，总拆迁面积达到110万平方米，动迁单位和居民2万多人①，在全国地铁建设史上是绝无仅有的。为此，广州市政府召开了8次市长办公会议，专题讨论广州地铁建设问题，研究解决地铁拆迁和安置中的疑难问题。广州地铁工程建设指挥部和市地铁总公司反复酝酿，提出了一系列对策，推出了“政府行为与适当补偿相结合”的拆迁方针，提出了“谁家的孩子谁家抱”的具体操作原则，实行对地铁建设“特事特办”的11条规定。

1994年，全市地铁工程建设进入大规模的拆迁安置阶段。5月7日，市地铁指挥部征地拆迁办公室成立，广州市常务副市长陈开枝亲自负责，与各区、部门签署责任状。之后各管线部门加快了拆迁的力度，市电信局5月8日召开地铁沿线电信管线迁改方案预算审查会，并提出了公园前站迁改方案，按4月30日市政府常务会议要求，准时在5月10日把资料交到地铁公司。市供电局由用电处具体负责责任状的实施，供电局各分局5月15日参加了在地铁指挥部征地办公室召开的供电系统协调会，对地铁沿线临时开关的定点问题达成了共识。市政管理局按地铁站迁改期限的要求，把排水管迁改问题下达给下属部门。市公用事业局也在5月20日召开会议，研究责任状的实施问题。各区也成立了拆迁领导小组，并由区与属下单位、街道、村委签订责任状层层负责，同时结合本区实际，制订拆迁补偿标

① 中共广州市委宣传部等：《地铁梦圆——来自广州地铁的报告》，广州出版社1997年版，第53页。

准细则，做好安置房源分配。至6月30日，荔湾区已与黄沙站568户签订了“房屋拆迁安置、补偿协议书”，在7月10日前完成该地段598户拆迁户的签约，7月上旬可安置第一批拆迁户到坑口、汾水小区。越秀区完成对西门口、公园前1995年2月前交地地段的拆迁单位、住户的调查核实、分类列册工作。东山区完成农讲所、烈士陵园等四个站地段拆迁单位、住户的核对、登记。[①]

在地铁建设的“大清拆、大动迁”的攻坚战中，中共广州市委、市政府克服了很多的困难。由于组织严密，没有发生一起伤亡事故，没有一个部门、单位和商户、住户拒不拆迁，因补偿问题通过房地产仲裁或法院裁决的只有数人。同时，市委、市政府对拆迁户进行妥善的安置，在汾水、坑口、黄石、同德等地，建成地铁拆迁安置的几个小区。为了管理好生活小区，地铁总公司1995年5月成立物业管理公司，全面负责生活小区的管理。

地铁的建设如火如荼地进行，与此同时，地铁总公司也在做着开通运营的准备。1993年8月，成立了运营管理处，1995年完成广州地铁运营机构的筹划和《广州地铁运营管理行车组织细则》的制订。与德国汉堡地铁顾问公司于8月22日签订合同，对运营管理人员进行培训。根据合同，广州地铁运营管理技术人员的培训，分别在香港和德国汉堡举行。

1996年7月，为一号线的开通和全线试运营做准备，地铁公司又成立地铁运营有限公司，确立运营的五个原则：一是安全第一的原则；二是充分发挥地铁运营安全、快捷、准时的特点和大运量优势的原则；三是面向社会大众，不断改善运营条件，提高服务水准的原则；四是地下铁道与地面交通相配合的原则；五是社会效益与经济效益并重的原则。根据上述原则，地铁公司聘请了英国专家编制一号线运营模式，以指导运营管理，同时组建技术人员队伍，加强员工培训，在设备运行、运营管理等方面均采取严格的安全措施，保证地铁运营的安全。

中央领导、广东省委也一直关注广州地铁一号线的进展。1995年8月17日，中央政治局委员、广东省委书记谢非视察广州地铁，指出“这是一

① 《广州地铁简报》1994年5月。

项伟大而又复杂的工程，是改善广州交通非搞不可的工程”，并表示对广州地铁充满信心。8月17日，国家原主席杨尚昆视察广州，表示希望广州地铁早日建成，造福广大市民。1997年2月14日，中共中央政治局委员、国务院副总理邹家华在省市领导陪同下视察了广州地铁。他代表党中央、国务院对广州地铁的建设成就表示了高度赞赏：“一个城市要实现现代化，交通现代化是个关键，希望你们在离全线建成的日期剩下不长的时间内，取得更大的进展。”①

万事俱备，只欠东风，广州地铁一号线首段开通进入倒计时。1997年4月9日，广州地铁首列列车从德国汉堡运抵广州黄埔港。6月6日，第二列列车到港，两列列车率先投入首期开通段试营。6月13日，地铁运营公司全面接管首期开通段。

1997年6月28日，广州地铁一号线西朗至黄沙站首段5.4公里线路，宣告如期竣工并高起点开通。“广州地铁一号线首段通车仪式”在始发点地铁西朗站隆重举行。建设部、广东省、广州市的领导出席了这一重大活动。

1998年12月28日，一号线其余的工程——黄沙站至火车东站的13公里隧道工程全部竣工。至此，一号线全线建设完成，全长16.56公里，总共花了126亿元，比预算整整少了20亿元。从此，广州的地铁时代正式拉开序幕。

1999年6月28日，地铁一号线全线开通，李长春（中央政治局委员、广东省委书记）、赵宝江（建设部副部长）、曲维枝（信息产业部副部长）、广东省负责同志朱森林、郭荣昌等出席开通典礼。广东省委副书记、中共广州市委书记黄华华在会上致辞。黄华华说，地铁一号线全线正式开通，是广州市的一件大事，对于改善广州市内交通，促进广州经济、文化的繁荣发展，促进精神文明建设必将产生深远的影响。目前广州公交行驶速度只有每小时9公里，方便快捷的地铁将以每小时35公里的高速行驶，预计正式运营后每天将疏散10万名乘客，为广州地面交通减少15%的

① 余定宇、吴裘：《广州圆了地铁梦》，载《十四个沿海城市开放纪实·广州卷》，中国文史出版社2015年版，第325页。

1999年6月28日，广州地铁一号线全线开通

压力，首列列车于11时36分从西朗站开出，全天共开行列车92列，运送乘客6.3万人次。[①]

到7月10日止，地铁一号线开通运行两周，共运送乘客202万人次，开行列车2411对，运营里程达44342.54列公里，列车兑现率100%，列车正点率99.5%以上。在两周的运行中，周六、日两天客运量最高，日均客运量超过20万人次，从各站客流分布情况来看，体育西路站、东山口站、烈士陵园站、公园前站等站客流量相对比较集中。[②]由于采用德国先进的代表地铁第三代技术的交流传动调频调压系统，列车在加速、减速时都十分平稳。

随着一号线的工程顺利进行，广州市也加紧进行二号线等相关路网的建设。1997年8月，二号线申报国家立项；1998年5月，获得国家计委批准；1999年11月，二号线正式动工。2000年10月，地铁三号线申报国家立项，2001年6月获得国家批准，2001年12月28日，三号线正式动工。2003年1月，地铁四号线正式动工。至2003年，广州地铁已呈现出两线运

① 《广州地铁一号线昨日全线开通》，载《广州日报》1999年6月29日。
② 《广州地铁简报》第95期，1999年7月10日，广州地铁集团有限公司办公室档案资料部资料。

营（一、二号线）、三线建设（三、四号线和广佛线）、四线筹备上马（五、六、七、八号线）的局面，广州地铁正从单一线路先进向整体线网先进迈进，广州地铁的新时代正式来临。

四、地铁时代的开启助推广州的发展

地铁经常被视为一个城市经济发展程度的重要衡量指标，多数人也认为，地铁在推动经济发展方面发挥着独特的影响力。但事实上，广州地铁时代的开启不仅仅推动了广州经济的发展，而且深刻地影响了居民生活的方方面面，更在政治、文化等方面体现出自身特有的价值。

1. 地铁时代的开启使广州实现了交通的现代化，为广州建设枢纽型中心城市打下了基础。地铁的开通缓解了城市交通的压力，部分解决了广州市民出行难的问题。地铁一号线从1997年6月28日至1998年为首段5站试运行，客运量为105.6万人次；从1999年2月16日至3月2日为全线观光期，客运量为140.28万人次；从1998年6月28日到2000年为线试运行，客流量为9651.42人次。2000年，日均客运量为17.6万人次，节假日日均客运量20.88万人次，其中10月1日的日客运量达到39.25万人次；全年列车开行90472列次，运营里程996.88万车公里；全年的列车正点率为99.6%，①大大缓解了广州的城市交通的压力。经现场询问乘客得知，乘坐地铁的主要有以下几类人员：乘坐地铁上班的居民；乘坐地铁上学的中小学生；外出购物、探亲、旅游、观光的家庭和团体；来穗经商贸易和出差的外地人士（包括港澳台同胞）；专程来乘坐和游览地铁的郊区农民和省内各地区群众。被询问的乘客对广州能建成一条现代化的地铁一致表示赞赏，普遍回答很好，很方便。有一批经济收入较稳定的市民固定乘坐地铁上下班，大大解决了市民出行难的问题。②

① 广州市地方志编纂委员会：《广州市志（1991—2000）》第二册，广州出版社2009年版，第489页。

② 《广州掀起了地铁热潮——地铁一号线乘客调查侧记》，载《广州地铁报》1999年8月5日第3版。

2. 地铁的开通形成了地铁商业圈，形成地铁经济，带动了广州经济的发展。地铁带旺了沿线商业的发展，地铁缩短了顾客与沿线商家们的距离，加速了商业中心的东移。地铁开通后，地铁沿线的北京路、农林下路、天河城等购物中心的营业额急增。地铁成为沟通中心商业区、区域商业区的纽带，广州市因此出现了“中心商业区、区域商业区、郊区商业区、交通商业区”四级零售体系，形成新的地铁商业带。[①]特别是天河城，一座规模宏大、功能齐全的现代型综合购物中心，位于广州地铁三号线两条支线的交接点及其与地铁一号线、广州机场快线的转接站上，借助地铁的便利，成为广州最繁华的商业中心，曾被誉为“中国第一商城”。地铁带旺了羊城商业，羊城商业又促进了地铁客流量的增加，这种互动的经济效益和社会效益不断地显现出来。

3. 地铁的开通，重新编排城市功能布局、空间结构等。广州地铁缩短了老城区与新兴发展点之间的距离，带动了新的经济增长点，使广州的空间得到重新的优化组合。进入21世纪，2000年11月6日广州市政府的《广州市快速轨道交通近期线网规划》以20世纪90年代末的方案为基础，沿城市规划发展轴线布设轨道交通，采用促进城市发展、引导培养客流的交通引导发展模式（TOD）。该模式突出“保护旧城，开发建设新城，拉开城市布局”的思路，按“南拓、北优、东进、西联”的城市发展战略，利用轨道交通引导城市发展。可见，早在80年代至90年代的地铁路网方案奠定了未来城市规划新方向的基础。

4. 地铁提高了广州市民的精神风貌，为全国文明城市的创立奠定了基础。地铁成为精神文明的一道风景线。地铁开通后，地铁公司不断提高服务质量，注重文明服务，在员工中开展“假如我是乘客”“乘客满意车站”，争做“服务之星”“活地图”“微笑使者”等竞赛评选活动和优秀服务评比活动，成为广州城市文明的展示窗口。无论国家领导人还是中外来宾，都对广州地铁的良好服务和舒适怡人的乘车环境给予高度评价。香港媒体称广州地铁是东南亚最干净的地铁，有的外宾把广州地铁誉为“世

① 《广州地下巨龙改写两千年城市交通史》，载《广州日报》1998年6月28日第1版。

界上最干净的地铁”。[1]正是广州地铁舒适、文明、有序的管理，对广州市民起着潜移默化的作用，不仅提升了广州城市形象，还为全国文明卫生城市的创立奠定了基础。

5．广州地铁建设推进了国内其他城市的地铁建设，成为全国地铁的教科书。广州地铁成功地攻克了“世界地质博物馆”的难关，通过多渠道筹集资金，地铁一号线不仅成为国内第一条由地方政府自筹资金兴建的地铁，而且也是国内第一条科技含金量较高的地铁。地铁一号线按期建成通车后，从1999年6月全线投入试运营到2001年3月全部通过国家验收，仅用了21个月的时间，成为全国地铁通过竣工验收最快的地铁工程。广州市轨道交通在国内建设得比较早，运营管理相当成功，多年来积累了丰富的经验，所以在规划建设理念、运营管理方式等许多方面都成为国内其他兄弟城市学习借鉴的对象。广州地铁的人才队伍是从无到有、从弱到强，逐渐成长起来的。经过地铁一号线建设实践的摸索和锻炼以及不断积累经验，到建设地铁二号线时，广州地铁不但不用聘请外国专家，全由自己建设和管理，还可以向南京、杭州、武汉、深圳、佛山等地的地铁建设输送人才、提供技术咨询，从而协助推动了其他兄弟城市地铁建设的进程。

截至2016年12月28日，广州市内城市轨道交通共有10条营运路线（广州地铁一至八号线、广佛线及APM线），其中广州地铁现有线路总里程为308.7公里，共190座车站，开通里程居全国第三，世界前十。随着跨越式的发展，广州地铁进入了大线网运营时代，客流快速增长，日均客流超过700万人次，最高日客运量达到900万人次，承担了广州市超过45%的公交客流运送任务，客流强度全国第一。广州地铁已经成为广州市民最主要的交通工具之一，为广州市民的出行、生活带来了很大的便利。插上了地铁的翅膀，广州的经济社会发展迅速，成为现代化的国家重要中心城市。

（作者单位：中共广州市委党史研究室）

① 广州市地方志编纂委员会：《广州市志（1991—2000）》第二册，广州出版社2009年版，第491页。

广州市住房制度改革历程（1987—2002年）

■ 陈英纳

住房制度改革作为一项重大的社会改革工程，不仅涉及改善人们的居住条件和居住质量问题，也旨在通过改革实现住房供应和分配制度的重大转变。自1987年起，广州市深入贯彻国家城镇住房制度改革政策，并同步推进住房保障工程，逐步形成了市场和保障两种住房供应体系，取得了较大成就，有效地解决了大部分群众的住房困难问题，改善了居民的居住条件，满足了城镇居民不断增长的住房需求，建立了与社会主义市场经济体制相适应的城镇住房制度。

一、广州市住房制度改革提出的背景

（一）全国城镇居民住房制度改革的探索和试点

1949—1978年，受国内外政治经济环境、传统观念的制约和“苏联范式”的示范效应等影响，我国在城镇范围内推行与计划经济体制的公有制模式相适应的完全福利的安抚性住房政策。这一时期，大部分的城市土地归国家所有，国家和企事业单位直接控制城镇住房的建造、融资、配置、运营和定价，住房主要根据工龄、业绩和家庭人口结构等非经济性因素进行分配，职工只需支付低额租金。

然而，这种社会主义福利住房体制却随着时间的推移带来了一系列的问题，包括严重的供应短缺、缺少投资、住房分配不平等以及管理和维护的无效率等，[①]严重制约了住宅建设的发展，人均住房面积也不断下滑。1978年，全国城镇居民人均居住面积仅为3.6平方米，甚至低于中华人民共和国成立初期人均4.5平方米的居住水平。[②]

由于长期实行低租金的福利分房制度，无法形成投入与产出的良性循环，为解决职工的住房问题，国家和企业背上了沉重的包袱。为了走出这一困境，从1978年起，国家和企业一方面增加住房投资、加快住房建设，另一方面在初步探索改革住房制度的可能性。1978年9月，国家基本建设委员会在北京召开全国第一次城市住宅建设工作会议，国务院副总理谷牧传达了邓小平有关住房制度改革的初步设想，“譬如允许私人建房或私建公助，分期付款，把个人手中的钱动员出来，国家解决材料”[③]。

1979年，国务院探索把住宅出售给职工，选择南宁、柳州、桂林、梧州和西安5个城市进行把增量住房向职工出售的试点，由政府统一建房，以土建成本价向居民出售的试验。

1980年4月2日，邓小平在与胡耀邦、万里、姚依林、邓力群谈长期规划问题时，就专门提到建筑业和住宅问题：“关于住宅问题，要考虑城市建筑住宅、分配房屋等一系列政策。城镇居民可以购买房屋，也可以自己盖。不但新房子可以出售，老房子也可以出售。可以一次付款，也可以分期付款，10年、15年付清。住宅售出以后，房租恐怕要调整，要联系房价调整房租”[④]，即“出售公房、调整租金、提倡个人建房买房”的房改总体设想。同年6月，中共中央、国务院批转了《全国基本建设工作会议汇报提纲》，提出了住房商品化政策，规定城市“准许私人建房、私人买房，准许私人拥有自己的住宅”，拉开了住房制度改革的序幕。

1981年，公房出售试点扩展到23个省、自治区的60多个城市和一部分县镇。1982年，在总结前2年公房出售试点经验的基础上，鉴于城镇居民

① Wang Yaping and Alan Murie，The Process of Commercialisation of Urban Housing in China，Urban Studies，1996，33（6）：971-989。

② 中华人民共和国国家统计局：《中国统计年鉴》1996年。

③ 贾康、刘军民：《中国住房制度改革问题研究：经济社会转轨中“居者有其屋”的求解》，载《经济研究参考》，2007年第4期。

④ 《邓小平同志关于建筑业和住宅问题的谈话》，载《建筑经济》，1985年第1期。

工资水平低、购买能力有限的现状，国务院选择郑州、常州、四平、沙市4个城市试行向城镇居民补贴出售公有住房，推出《新建公房补贴出售方案》，确定了“三三制”的售房原则，即售价以土建成本为标准，由地方政府、单位和职工个人分别负担1/3。1984年，国务院批准北京、上海、天津三大直辖市扩大试点。至1985年底，全国共160个城市和300个县、镇实行补贴售房，共出售住房1093万平方米。

（二）广州市住房制度改革是现实的必然选择

中华人民共和国成立后，广州市民的住房基本上由政府和企事业单位投资建设，实行低租分配的福利型住房制度。1952年，市房地产信托公司制定了市区民用公房各类型结构房屋租金标准，即每平方米使用面积平均月租为0.257元，房租支出平均占当时居民家庭收入的9.31%，住房消费基本合理，而且也符合当时周恩来提出的“以租养房”原则及房租占家庭收入的6%—10%（平均8%）的要求。

20世纪五六十年代，广州先后3次降低住房租金标准，分别在1956年、1958年和1963年，此后多年租金再未改变，而房租支出占家庭收入的比例却逐年下降：1986年占1.2%，1987年占1.1%，1988年占1.04%。民用公房平均每平方米使用面积月租降至0.12元，低于全国各地房地产管理部门直管公房平均每平方米使用面积月租金0.13元的水平，行政事业单位和各系统自管房的租金则更低。

与低租金形成鲜明对比的是，长期以来，住房投资渠道单一，投资分配体制不合理，住房建设资金只有投入没有产出。1980—1990年，为解决市民的居住问题，全市（不含县）住宅建设投资共计95.67亿元，建成住宅达3193.81万平方米，为1949年末实有住宅建筑面积780.42万平方米的4.09倍。1986年起，住宅建设投资大幅度增加，全市平均每年竣工的住宅价值近5亿元，约占全市基建总投资的9%，占全市国民收入的4.4%。这种住宅投资的比例已超过财政承受能力，与生产力发展水平不相协调，且由于租金过低，政府和企业投入的住宅建设资金无法循环，每年还要负担很大一笔房屋维修费支出和职工房租补贴等相关费用。以市行政事业单位为例，1981年修缮费每平方米支出1.48元，而住房月租平均每平方米仅0.096元，每年全市从居民中收取的公房租金仅4000多万元，完全不够支付住房的基本维修费，严重背离了住房价值，无法维持住宅的简单再生产，更不可能实现扩大再生产。

为了改善市民的居住条件，解决住房难的问题，广州市政府在增加建房投资、扩大住宅建设等方面作了很大的努力，但住宅紧张问题仍然十分突出。据1985年的普查，市区人均居住面积4平方米以下的困难户共55196户，占同期户口总数的10%。这种客观现实表明，解决住房紧张的根本出路，只能是改革旧的住房制度。①

二、广州市住房制度改革的实施

为克服旧有住房制度的弊端，加快住宅建设，改善市民的居住条件，1987年末，《广州市人民政府关于加强城市建设工作的决定》明确把住房制度改革问题列入议事日程。1988年，《广东省城镇住房制度改革意见》颁布，佛山、江门、湛江等兄弟城市先后全面铺开房改工作。经过理论探讨、调查测算和反复论证，按照国务院和省政府对住房制度改革的总体要求，结合自身具体实际，广州市于1989年10月开始全面实施住房制度改革工作，成为全国率先实行住房制度改革的省会城市。

（一）准备阶段：《广州市住房制度改革实施方案》的出台

1. 提出以“提租发贴”为核心的房改方案草案。

1986年2月，国务院成立住房制度改革领导小组，选定烟台、唐山、蚌埠三市试点实行以提租补贴相持平为原则的房改方案，即在大幅度提高租金的同时给予相应补贴，在一定程度上抑制了不合理的住房需求。从1987年开始，国家房改重心移向住房租金层面并试水审慎提租的手段。

在初步设计住房制度改革方案阶段，广州市按照国家的思路，将重点放在提租补贴上，并于1987年 11月和1988年2月，先后2次分别对市区157

① 广州市地方志编纂委员会：《广州市志（1840—1990）》卷三，广州出版社1998年版，第500-501页。

个单位（或系统）以及13万个直管公房承租户、4570个自管公房承租户的住房情况和经济承受能力等方面进行了调查，为起草房改方案（草案）提供了依据。①

1988年3月18日，成立广州市住房制度改革领导小组；4月14日，设立广州市住房改革领导小组办公室，负责制订房改方案并组织实施。5月，在对前期进行总量承受能力测算的基础上，根据国务院和省政府提出的房改精神，广州市提出了一个以“提租发贴，实转起步，分步到位，推动买房”为主要内容的改革草案。草案的核心是提租发贴，即在起步阶段把公房每平方米使用面积月平均租金从0.12元提至0.8—1元，并依照发贴总额与新增租金总额持平的原则，按照职工计贴工资基数的13.4%或17.4%发给补贴。②草案提出后，广州市先后分2批在广州造船厂、市委党校等18个单位中试点进行封闭式模拟运行。③

10月，按照中共广州市委、市政府的指示，把草案修改后发给各单位广泛征求意见的同时，为使市民了解房改的意义和内容，增加改革透明度，使房改政策更加充分地反映市民的意愿，为改革创造有利的心理环境，广州社情民意研究中心、广东电视台、广州市总工会、广州市房地产学会等12个单位联合组织了“住房制度改革千家谈”系列活动，历时40天，提出“住房是您的生存条件，参与是您的神圣权利。让政府了解您，让您了解政府”的主题口号，通过民意测验、专题介绍、住房改革咨询日、公民参议会、房改专家与市民对话、试点单位干部职工与市民对话、企业家与市民对话、市长与市民对话、公民电视辩论等形式，就改变住房现状进行了广泛的民意调查。市领导和有关部门负责人高度重视，市委书记朱森林、市长杨资元和市委副书记邬梦兆分别就活动计划作了批示，并由常务副市长石安海担任活动总顾问。在见面会上，市领导向市民坦陈政府对改革的考虑以及面临的困难和问题，石安海更是坦率地介绍了他本人在房改中的打算，这种实事求是和民主的态度给市民留下了深刻的印象，

① 广州市房地产管理局：《关于住房制度改革准备工作的汇报》，1988年3月。

② 广州市住房制度改革领导小组办公室：《关于我市住房制度改革工作进展情况的报告》，1988年6月。

③ 同②。

当场赢得了群众的热烈掌声，一些市民纷纷来信来电直抒对此民主作风之赞扬。一位市民在来信中写道：“今天群众能参与政府对住房改革的研究，感到共产党、政府还是有希望的，人民群众对其应信任。老实讲近些年人民群众对共产党、人民政府不像50年代那样尊敬和信任了。国民党800万美式武装的军队为何被共产党土枪土炮打败？一句话就是鱼水分离、失信于众。今天共产党、政府能尽力了解民心，公民万幸。”在公民电视辩论会上，一位即席发言的市民更是表示要在广州10件大事评选中投市委、市政府此做法一票。[①]

1988年广州市人大常务委员会主任赖竹岩、副市长石安海等参加“住房改革千家谈”活动，与市民进行房改对话

① “住房改革千家谈”活动组委会、广州社情民意研究中心：《“住房改革千家谈”活动总结》，1988年12月。

据统计，报名参加“千家谈”活动者达2400多户，累计1.2万多人，整个活动期间共收到市民来信500多封，提出各类建议近1万条。《人民日报（海外版）》、中央电视台、广东电视台、新华社、香港《大公报》、香港《文汇报》《澳门日报》等报纸、电视台、广播电台多次报道了这一活动。广州市房地产学会（协会）原副秘书长潘广庆回忆说：“房改千家谈是当时一个大型的民意调查和政策宣传活动，一连四晚举行协商对话会，参加者包括市主管部门领导、专家学者、试点单位负责人和市民代表等，他们就广州的房改方案各抒己见。我曾在两个晚上全程参与，深感与会干部职工热情高涨，座谈对话十分活跃，充分反映了当年的社情民意！”[①]

与此同时，广州还由市房改办、市财政局、市统计局联合对全市（含中央、省直驻穗单位）共6397个独立核算单位进行承受能力调查测算，涉及职工达187.78万人，覆盖面达95.6%。[②]

对草案进行模拟运转、民意调查和测算的结果均显示，地方财政和企业财力不足以建立起必要的用于租金改革的住房基金，无法发放提租后的住房补贴，草案难以施行。

2. 以“卖房”带动改革的房改方案正式出台。

“提租发贴”办法要国家和企业支付巨额补贴费，在经济上难以承受。[③]事实上，同一时期，全国一些大中城市如北京、太原等也同样遇到筹集房改资金困难的问题，并已探索出一些很好的构想，即通过适当增加产权单位售房价格优惠、售后不再发住房补贴的办法来绕开经济承受能力不足的难题。

就在广州市房改办依然在积极研究如何“运用行政手段……在改革的起步阶段，考虑通过建立各级住房基金，采取在短期内适当发给一些基

① “住房改革千家谈”活动组委会、广州社情民意研究中心：《“住房改革千家谈”活动总结》，1988年12月。

② 广州市住房制度改革领导小组办公室：《广州市住房制度改革送审方案几个主要问题的说明》，1989年5月。

③ 许绍基：《住房制度改革的重要途径——推行住房商品化和提倡居者自有住宅》，载广州市房地产学会、广州房地产业协会：《广州房地产业的崛起》，广东人民出版社1990年版，第108页。

金贷款的办法，来帮助这些企业（即无法承受提租发贴压力的单位，笔者注）渡过启动改革的难关”[①]的同时，花县（今花都区）新华镇已经开始试行“一步到位，鼓励买房”的改革，在财政和企业并没有增加新的支出的前提下，利用凝固在住房上的原本投入的资金，设法避开单位之间相互辐射的矛盾，同时解决出售住宅产权之后又可能会背上长期发放职工住房补贴包袱的问题，通过由产权单位给予售价折扣、实行减免税费等优惠，采取灵活的付款方式，半年之内就向职工售出34.15万平方米公有住房，占可售总面积的95.44%，全部一次收回2614.48万元房款，相当于财政和企业六年半的住房建设总投资，住房建设资金开始进入良性循环。[②]

受此启发，市区选择广东珠江电影制片公司、广州卷烟一厂、广州人民制革厂、广州重型机器厂4个单位试点进行出售公房，试点结果“证明了卖房起步能全面解决承受能力不足和辐射反应矛盾的问题，还可以避免在出售共有住房产权的同时重新背上长期发贴包袱的可能性，在不用增加新的投入的条件下，住房制度改革的轮子又易于启动”[③]。在获得基本试点经验之后，1989年四五月间，广州市重新起草了以“卖房起步，分步提租，相应发贴，新分配住房实行新制度”为主要内容的《广州市住房制度改革实施方案》（以下简称《方案》），6月17日获省政府正式批复。7月22日，中共广州市委常委召开会议，听取了房改领导小组关于修改方案的汇报，并审议通过了《方案》，决定正式向社会公布。《方案》主要分两步实施：从1989年10月开始全面组织公有住房出售，实行新房新制度；1990年1月起开始全面理顺公房租金。

1989年10月25日，国务院房改办主任张元端听取了广东省、广州市房改办关于广州房改方案出台的汇报，表示：“广州带了一个头，是全国省会城市全面出台第一家，要表扬，我们坚决支持。”“我们对你们抱很大希望，你们为大城市房改摸到了路子，我们要大力宣传，以推动大城市房改。”“广州市采取了各种形式，把方案交给群众讨论，有比较好的群众

① 广州市住房制度改革领导小组办公室：《广州市房改准备工作回顾》，1989年1月。

② 广州市住房制度改革领导小组办公室：《广州市住房制度改革试点工作的回顾》，1989年9月。

③ 广州市住房制度改革领导小组办公室：《关于房改方案实施工作的报告》，1989年10月。

基础。广州方案是符合文件精神的，也是比较稳妥的。”[①]

《方案》施行后，广州市住房出售大面积推开。1991年1月9日，《人民日报》发表了《广州卖房起步已获较好成绩》的报道，其中提到，据不完全统计，截至1990年12月，广州市已有5万余套房子的买卖向市房改办申请批准，有1.5万余套已成交，而且99%是一次性付款，实际回收资金近1亿元，绝大部分居民对购房持积极态度。实践证明，广州市以出售公房的方式初步解决了在地方财政和企业承受能力不足的情况下全面启动住房制度改革的难题，解决了产权单位相互间出现的住房辐射矛盾给住房制度改革所带来的困难。

（二）实物分房阶段：持续推进公房出售，逐步理顺公房租金

按照《方案》的内容，广州市的房改工作基本在持续推进公房出售、逐步调整公房租金标准两个方面下功夫。

1. “卖房起步”，稳步出售公有房屋。

住房制度改革的主要目的之一，是推动职工个人购买住房，把群众的购买力主要引导到改善居住条件上来，通过国家、企业和个人的共同努力，加快解决住房困难。[②]自1989年10月1日《方案》出台之后，广州市便着手组织公有房屋出售，逐步消化现有公房，先后将公房按标准价和成本价出售给职工，职工拥有部分或全部产权。

从1989年10月1日至1993年12月31日，广州市按标准价出售公房共计20.38万套，建筑面积1239.56万平方米，回收资金达17.8亿元。1991年6月6日，广州市房改办就公有住房的买卖问题作了进一步补充规定，明确撤销当时出售公房办法中关于每迟购一年一次性房价优惠率减少5%的规定，明确单独为个人购、建的超出住房分配控制面积的住房或超标准装修的住房须暂缓出售，同时还明确了不得出售的公房以及不得申请购买公房的几类情况，既提高了购买公房的优惠率，又严明了出售公房的纪律，防止在出售公房过程中出现新的不正之风，进一步规范了公房

① 广州市住房制度改革领导小组办公室：《关于房改方案实施工作的报告》，1989年10月。

② 《国务院办公厅印发城镇住房制度改革试点工作座谈会纪要》，1987年7月。

买卖交易的行为。1993年12月31日，国务院发布《关于制止低价出售公有住房问题的通知》，明确在《国务院关于加快城镇住房制度改革的决定》发布实施之前，各地区、各部门要一律暂停公房出售。至此，广州市公房出售全面暂停。

1994年7月，国务院颁发了《关于深化城镇住房制度改革的决定》（国发〔1994〕43号），明确了城镇住房制度改革的根本目的，确立了坚持配套、分阶段推进的政策，提出了新的房改方针；1995年6月，广东省政府提出了《广东省贯彻国务院关于深化城镇住房制度改革的决定实施意见》（粤府〔1995〕44号），自此，售房步伐重新启动。1995年7月1日，广州市政府发布《广州市深化住房制度改革实施意见》，明确按成本价出售公房。从1995年7月1日至1999年12月31日，广州市按成本价出售公房共计33.66万套，建筑面积2331.94万平方米，回收资金达143.47亿元。

1999年是福利分房的最后一年，这一年的售房量呈现井喷状，仅12月份的售房量就超过8万套，占全年房改售房总量的52.4%，是1998年同期的23.68倍。12月27日8时至31日，市国土房管局15个与房改售房业务、保卫相关的处室实行112小时持续办公，使数以万计的群众顺利搭上“房改末班车”。从11月1日至12月31日，对一些因时间紧、资料不全的单位近6万套住房实行备案制度，尽可能为来不及办妥手续的单位和职工解决房改购房问题。同时，政府还规定，凡房改购房后住房面积未达到本人现任职务住房分配面积标准下限的职工，可在广东省规定的住房面积标准内按照换购、补购公有住房或领取住房差额货币补贴的办法调整住房。1999年2月至12月，广州市办理按成本价换购、补购公房的有1.87万套，建筑面积56.22万平方米，回收资金达2.811亿元；至2000年12月6日，办理住房差额货币补贴的有14.4万套，建筑面积82.5万平方米，发放补贴达2.3亿元。

与此同时，为了理顺产权关系，1996年8月，广州市还发布了《关于按成本价补交房价款问题的通知》（穗房改办〔1996〕33号），规定以标准价购房的职工，可按购房当年成本价补差价及利息，使已购住房成为按成本价购房的产权。据统计，1996年8月至2001年10月30日，广州市按购房当年成本补差价及利息的有18.18万套，回收资金达16.25亿元。

1989—1999年广州市出售公有住房价格表①

年度	成本单价（元/平方米）		基本装修单价（元/平方米）室内粉饰	
	框架结构	混合结构	墙面批荡、天花纸筋灰	墙面批荡、天花抹平扫白
1989	1161.12	1044.68	18.43	14.87
1990	1189.44	1070.16	18.88	15.24
1991	1217.76	1095.64	19.33	15.60
1992	1246.08	1121.12	19.78	15.96
1993	1274.40	1146.60	20.23	15.96
1994	1302.72	1172.08	20.68	16.33
1995	1331.04	1197.56	21.13	17.05
1996	1359.36	1223.04	21.58	17.41
1997	1387.68	1248.52	22.03	17.78
1998	1416.00	1274.00	22.48	18.14
1999	1416.00	1274.00	22.48	18.14

2000年7月，广州市政府鼓励职工购买公有分摊建筑面积，规定职工购买分摊建筑面积时，享受与户内单元面积同等购房折扣，不计装修，不列入本人职务住房分配面积标准。至2001年10月30日，职工购买分摊建筑面积的有14.31万套，回收资金达4亿多元。

广州市各国有企业向职工出售公房，使国有企业在实现住宅商品化、社会化上向前推进一步，开始实现住房由实物分配向工资货币分配的转换，更为1999年全面实行货币分房打下基础。

2.“分步提租”，积极推进租金改革。

合理确定公房租金标准，是住房制度改革的核心。租金定得过低，就失去了改革的意义。当时的工资水平普遍较低，“还不能做到在工资里都包含房租”，因此“定租将是比卖房定价更复杂的一项工作”，“从当前来讲，定好租金水平和提租步骤，主要是配合卖房来搞，不要急急忙忙地

① 广州市地方志编纂委员会：《广州市志（1991—2000）》卷三，广州出版社2010年版，第389-390页。

提到商品租金水平。现在来看，把房租提到成本租金恐怕都有困难”，必须“分几个阶段提租，这样好处多，这不单单是解决租金问题，而且是利用这个措施来促进买房，促进工资改革”。①

按照这个设想，从1990年开始，广州市着手统一公房租金标准，规定所有出租的公房，凡租金低于现行“广州市民用公房住宅租金计算标准”的，统一按标准计租，由承租人所在单位按省规定的住房分配控制面积内的实际计租面积计算的租金额补贴40%，超出住房分配控制面积的部分按成本租金标准计收，即每平方米使用面积平均月租金为1.61元，且不给补贴。这一年，全市约有60%的住户实行了新标准。

根据《方案》的步骤，从1991年开始，广州市逐步提高公房租金，争取在几年内提高到五项成本租金②月平均1.61元/m^2的水平，并逐步向商品租金过渡。这一年，广州市基本统一了公房租金标准，理顺了五花八门的公房租金，市区公房每平方米使用面积的月均租金也已由房改前的0.17元统一到0.3元。据市、区两级941个行政事业单位的统计，统一租金标准后，共有361个单位的新租金收入扣去职工房租补贴后，仍有结余可用于房屋养护。

1992年6月1日起，广州市公房租金从原来的平均每平方米月租0.27元提高到0.5元，提租同时不发贴，全市仅直管公房每月增收住宅租金就达911.76万元。

1995年7月1日，《广州市深化住房制度改革实施意见》发布后，广州市进一步加大了提租力度。全市公房租金标准由原平均每月每平方米使用面积0.5元提高到1元，且对于增租部分不予发贴；对重新分配承租新建房和腾空房的增加面积部分，实行比同期住房租金标准高0.8倍和0.5倍计租的新办法。1996年，按照广州市租金改革规划，经国家计委同意，广州市从11月1日起将公房住宅租金由原来的月平均每平方米使用面积1元调整到1.5元，增租部分不发贴。

① 叶选平：《在全省住房制度改革工作会议上的讲话》，1991年3月8日。

② 按照国家规定，住宅成本租金包括住房的折旧费、维修费、管理费、投资利息和房产税五项，合成“五项成本租金”。

1997年9月1日开始，广州市进一步调整了住房租金标准。对于公房（包括直管公房和单位自管公房），从原每平方米使用面积平均月租金1.5元调整到2元；对于1995年7月1日以后重新分配承租新建（包括因征地拆迁、危房翻建、新建的回迁房）的公房和腾空的旧公房而增加的使用面积部分，从原每平方米月平均租金4元调整到5元。对于成本租金则不作调整，仍执行每平方米使用面积月平均租金12元的标准，超过住房分配面积标准的均按成本租金计租。

2001年8月1日开始，广州市再次对住房租金标准进行调整。公房从每平方米使用面积平均月租金3元调整到3.5元；凡在1995年7月1日以后重新分配承租新建（包括因征地拆迁、危房翻建、新建的回迁房）的公房而增加的使用面积部分，从每平方米月平均租金5.4元调整到6.3元；重新分配腾空的旧公房而增加的使用面积部分，从每平方米月平均租金4.5元调整到5.25元；离、退休干部及职工租住公房（以租赁合同中承租人为准）的，对住房分配面积标准之内的租金暂不调整，超过住房分配面积标准的部分按成本租金标准计算；凡经民政部门确认的低收入困难户租住公房（不含宗教房产）的，按每平方米使用面积月租金1元的标准计算租金。①

住房租金的不断调整，逐步改变了30多年来低租金、高补贴的住房制度，有效减轻了市财政和企事业单位的经济负担，也是进一步落实深化房改方案、建立新的住房供应机制、促进住房建设和经济发展的需要。

3. 房改与“解困”相结合。

住房制度改革的目的之一就是要改善住房条件，解决住房困难。在对房改方案征求意见时，群众反映比较集中的也正是如何解决住房困难问题，并希望通过改革解决居住困难现状。

1986年后，随着社会主义市场经济体系的逐步建立，市场发挥配置资源作用，一些不能适应市场价值规律的企业被淘汰，由此加剧了住房困难问题。在市委、市政府的关心下，广州市解决住房困难办公室（以下简称市解困办）成立，与各行政单位、国有企事业系统单位联合筹建保

① 关于租金的数据，来自1993—2002年《广州年鉴》。

障性住房，并下发了《关于解决广州市人均居住2平方米以下困难户住房问题的方案》（穗府〔1986〕56号），正式拉开了广州市住房解困工程的序幕。

市解困办与各单位根据“市政府主导、多渠道集资、各单位包干”的原则，动员各方力量，利用各方资金，通过各种途径来筹集解困房源，主要包括广园路云苑新村北面的云苑解困住宅小区、晓港东沙路的沙路村解困住宅小区以及芳村鸿图苑解困楼、石牌解困楼等。到1991年，在市解困办的督促带动下，全市各系统纷纷成立专门机构，积极争取各方资金支持，建设了解困房26.6万平方米，住宅单元达4300多套。①到1991年7月，1985年房屋普查时所登记的人均居住2平方米以下的11642个在册“特困户”住房问题已基本解决。

广州市开展解困工作后最早建设的一个解困小区——云苑解困住宅小区

1986—1996年，广州市一些出售公有住房的单位，报经批准后，将卖房回收的资金用于购、建解困房，形成了“建房—卖房—‘解困’”的良性循环，并涌现出西槎路中段同德解困住宅小区、赤岗大塘解困住宅小区

① 钟华山：《广州市住房保障制度与政策研究》，西北大学公共管理硕士论文，2008年。

和天河棠下解困住宅小区这3个大型的、具有代表性的解困住宅小区。据统计，这10年间，广州市政府共划拨解困工程建设用地约86万平方米，市解困办及区、局、总公司解困办先后通过征地自建、合作建设等方式筹建解困房建筑面积达260多万平方米，共建成住宅160多万平方米，住宅单元22500多套，为2万多住房困难户解决了居住问题，惠及人口10多万人。[①] 广州市一手抓房改、一手抓解困的做法收到了较好的效果，真正实现了“住房解困工作要紧密结合住房制度改革，推行商品化、私有化，实现居者有其屋”。[②]

1986—1996年间市政府建设的最大解困、安居小区——棠下解困住宅小区

（三）货币分房阶段：住房公积金制度与住房货币分配制度的建立

《关于深化城镇住房制度改革的决定》（国发〔1994〕43号）明确了城镇住房制度改革的根本目的是要“建立与社会主义市场经济体制相适应的城镇住房制度，实现住房商品化、社会化；加快住房建设，改善居住条件，满足城镇居民不断增长的住房需求”，并提出了“三改四建”的房改方针。“三改”即改变计划经济体制下的福利性的旧体制，包括：改变住房建设投资由国家、单位统包的体制为国家、单位、个人三者合理负担的

① 钟华山：《广州市住房保障制度与政策研究》。

② 《解决城镇居住特困户住房问题经验交流会会议纪要》，1988年4月。

体制；改变各单位建房、分房和维修、管理住房的体制为社会化、专业化运行的体制；改变住房实物福利分配的方式为按劳分配为主的货币工资分配方式。“四建”即建立与社会主义市场经济体制相适应的新的住房制度，包括：建立以中低收入家庭为对象、具有社会保障性质的经济适用住房供应体系和以高收入家庭为对象的商品房供应体系；建立住房公积金制度；发展住房金融和住房保险，建立政策性与商业性并存的住房信贷体系；建立规范化的房地产交易市场和房屋维修、管理市场。该《决定》提出了“货币分房”的设想，在很大程度上完善了房改政策，进一步推动了房改的进程。

1. 建立住房公积金制度。

早在1991年，广州市人大常委会通过了《〈关于广州市建立住房公积金制度的决议〉议案》；1992年，《广州市住房公积金试行办法》在市区范围内全面施行，标志着广州住房公积金制度正式建立。《广州市住房公积金试行办法》规定：住房公积金的缴存标准由市政府根据单位的承受能力和干部职工的储蓄能力统一规定，每三年调整公布一次；在住房公积金制度开始试行的3年内，干部、职工及其所在单位每月各按干部、职工本人基本工资①的5%缴存住房公积金。在之后的几年内，市房改领导小组先后对住房公积金缴存标准与比例作了3次调整：1995年6月1日，将住房公积金计存基数由职工本人基本工资调整为工资总额；1997年7月1日，将住房公积金缴存比例由职工本人工资总额的5%调整为7%，还规定经济条件较好的单位，可以高于此比例缴存，但最高不得超过上年度职工本人月平均工资总额的20%；1998年7月1日，又将住房公积金缴存比例调整为8%，还规定个人愿意多缴的可不受限制。公积金制度在解决住房问题、改善职工住房方面发挥着越来越重要的作用。

到2000年，广州市实施住房公积金制度取得较大进展，为推进解困、安居工程提供了强大的推力。在发放的住房公积金贷款中，用于支持政府的安居工程和经济适用房建设以及单位购、建住房的达24.74亿元，为1.18

① 行政事业单位的基本工资包括基础工资、职务工资、工龄津贴，企业单位的基本工资为标准工资。

万户职工家庭提供个人住房抵押贷款的达11.49亿元。这一年，广州市人均居住面积达13.13平方米，实现了市政府1992年提出的到2000年实现人均居住面积10平方米以上的目标，人均居住面积4平方米以下的困难户的住房问题已然全部解决得到。

2. 建立与社会主义市场经济相适应的新的住房货币分配制度。

广州市住房制度改革早期实行的公房出售，虽然对长期以来形成的传统住房实物福利分配制度有一定改变，但直至1996年，住房供需矛盾仍然比较突出。1997年初，市委、市政府决定以改革住房分配制度为突破口，彻底打破传统的住房实物福利分配制度，建立与社会主义市场经济相适应的新的住房货币分配制度。

1997年5月，市房改办草拟了《广州市住房货币分配实施方案》，提出要立足于住房分配机制的转换，以按劳分配、效率优先、兼顾公平为原则，以体现国家、单位、个人三者合理负担住房资金，保障职工基本居住需求为前提，根据职工在一定工作时间里和工作岗位上为社会、为本单位所做的贡献，合理分配职工住房消费货币量。同年9月29日，市政府决定将此方案先在市直属机关事业单位中试行。

1998年3月30日，市政府颁布了《广州市直属机关事业单位住房货币分配实施方案（试行）》，规定：（1）从1998年1月1日起，在市财政核拨经费或核拨补助的市直属机关、事业单位中试行住房货币分配制度，企业和其他有条件的可参照执行。（2）实施对象为实施单位中工资来源于市财政核拨经费或核拨补助的下列两类人员：①1997年9月29日（含9月29日，该日为市政府决定在市直属机关事业单位中试行住房货币分配的时间）之后进入实施单位工作，本人及配偶均未享受过购买房改房、解困房或参加单位内部集资建房等购房优惠政策的人员；②1997年9月29日之前进入单位工作，本人及配偶均未享受过购房优惠政策，愿意申请实行住房货币分配的人员（含离退休人员）。（3）对实施对象停止按原房改政策出售、出租公房，均按本人职务的相应标准发放住房补贴，发放年限为累计25年，由其自行解决住房问题；领取补贴人员如租住或购买单位的公有住房，必须以市场租金承租或以市场评估价格购买，购房资金不足的可申请政策性住房抵押贷款。（4）住房补贴资金视同住房公积金，由各单位存入“个人住房补贴专用账户”，由市房改办参照住房公积金的管理办法进行专户管理，定向用于职工购房或租房。（5）住房补贴资金由市财政部门会同实施单位统筹协调解决，主要来源于住房实物分配体制下用于住房建设、维修、管理、折旧等的资金和房改售房回收的资金。

1998—2000年广州市住房补贴标准一览表

（单位：元/月·人）

住房补贴标准	机关	事业单位		机关或事业单位	
	行政职务	被聘专业技术职务	职员	技术工人	普通工人
233	办事员	员级	六级	初级工	5年以下
280	科员	助级	五级	中级工	6-10年
327	副主任科员	中级3年以下	四级4年以下	高级工	11-18年
373	主任科员	中级4年以上	四级5年以上	技师	19年以上
420	副处级	副高级3年以下	三级4年以下	高级技师	—
467	处级	副高级4年以上	三级5年以上	—	—
513	副局级	正高级3年以下	二级4年以下	—	—
607	局级	正高级4年以上	二级5年以上	—	—
747	副市级	—	—	—	—
933	市级	—	—	—	—

说明：本表为市级机关事业单位的标准

从2000年1月1日起，广州市一律停止按实行房改政策出售公有住房，全面实行住房货币分配。这一年，全市共有69个单位获准实施住房货币补贴，其中市直单位22个，非市直单位（即本市企业、自收自支事业单位和驻穗单位）47个；正式办理住房补贴开户手续的单位共有52个，涉及职工6645人，全市归集的住房补贴额为6209.34万元。

2001年，市国土房管局继续积极推进住房货币分配制度，与中国人民银行广州分行营业管理部联合下发《关于住房货币分配资金管理有关问题的通知》，对承办住房补贴金融业务的5家银行的归集范围进行了条块划分，使资金管理逐渐规范有序；同时还转发了《关于加强对国有企业房改的指导，推动国有企业建立住房货币分配制度的通知》，持续加快企业住房货币分配改革步伐。自1998年至2001年，全市住房货币分配改革进展顺利，共有360个单位经批准实施住房货币分配，正式开户发放住房补贴的单位有284个，涉及职工24787人，归集的住房补贴额为2933万元。

3. 组织实施“安居工程”。

“实施‘安居工程’的目的是结合城镇住房制度改革，在国家和各级政府的帮助下，调动各方面的积极性，尽可能为群众多建一些住房”①，而经济适用住房正是根据国家安居工程方案实施的一项住房保障措施。1994年起，广州市开始实施安居工程建设，并将之前的住房解困工作纳入体系中，保障范畴定位为人均居住面积7平方米以下的住房困难家庭。在1994年至1998年的五年时间里，广州市通过建设安居住房，为27275户中低收入家庭解决了住房问题，完成投资达40.5亿元。2000年，全市列入建设计划安居住房达118万平方米，约可建住宅12334套；综合统计在建和计划建的分配销售给中低收入家庭的安居住房共121.74万平方米，共计14530套。

2000年，为了预测经济适用房的建设量，市政府制定了“2000—2003年经济适用住房建设计划”，又名“四年经济住房计划”。根据1998年初对全市人均居住面积7平方米以下中低收入家庭以及2000年初对市直机关、事业单位经济适用房需求的摸查，全市人均居住面积7平方米以下中低收入家庭有10600户参加了购买安居房登记，到2000年已落实购房2817户，尚余7783户需购安居房；截至1999年底，市直机关、事业单位未享受福利分房的总人数为6044人，未来4年需认购经济适用房的约有4670人。

根据预测的结果来看，广州市经济适用房的建设任务还是比较重的。为此，广州市出台政策规定开发建设经济适用房企业可以获得相当于建设成本3%的利润，这大大刺激了房地产企业参与建设的积极性，经济适用住房建设的社会化程度也不断提高。同时还对经济适用房申购对象作了严格限制。

---

① 李铁映：《在贯彻〈国务院关于深化城镇住房制度改革的决定〉工作会议上的讲话》，1994年8月。

2002年后，由于建造成本提高，经济适用住房价格上升，与普通商品房之间的价格差距不断缩小，逐渐超出了许多中低收入居民的可承受范围；再加上地理位置、配套设施等条件较差的原因，居民对购买经济适用住房的兴趣也逐渐减弱，因此出现了大批长年空置的经济适用住房，尽管房管部门通过打折的方式出售，但也经常是有价无市。自此，广州市暂停了经济适用住房的建设。

三、广州市住房制度改革的成效

住房改革之前的福利房制度，完全按照级别规定标准，级别越高，标准越高，越是在社会中处于强势地位的人，越能够分到更大更好的福利房，而级别低的则只能分配到比较小的住房甚至完全得不到。自1986年后，广州开始进入住房改革时期，住房的建设、投资、分配机制均发生了深刻的变化，更是在一定程度上注意到了社会弱者的住房问题。广州秉承着“敢为人先”的开拓精神，在不同时期，用好国家政策，在住房改革领域取得了显著的成绩。

（一）从卖房起步，有效解决资金短缺之急

广州房改，不是从提租发贴开始，而是以卖房起步，并通过产权单位给予优惠售价，取代卖房后继续按月发放住房补贴的做法，易于启动。这样既可以加快住房制度改革，不会因受财政、企业的承受能力的影响而难以起步，又可以通过出售公房，把国家和企业投入的建房资金“还原”出来，将“死物”变成“活钱”，迅速回收大量资金，逐步实现住房价值的货币化，并以这笔资金反哺支持改革的顺利进行；同时，政府和企业还可以通过出售公有住房节省一笔庞大的维修费用，逐渐卸下几十年来一直背着且越背越重的住房“统包统分”包袱，符合当时贯彻“治理整顿，深化改革”的方针。

（二）从群众利益出发，结合住房解困推进房改

住房困难问题是城镇居民生活中最为关心的问题之一，无论是1988年

房改方案征求意见时，还是“千家谈”咨询活动过程中，群众对加快住房解困的要求都表现得非常强烈。改革伊始，面对群众的诉求，广州市抓紧落实各项解决困难户住房问题的措施，尽快尽好地解决住房困难户的问题，使群众不断看到房改的成效，从而提高对房改的信心，保证房改的顺利开展和稳步推进。通过多种渠道、多种形式和多层次的集资，建造不同档次的住宅，逐步满足不同层次收入的人民日益增长的住房消费需求，同时要求各级政府、各个单位要把解决好职工住房困难问题列入重要议事日程，作为一个长期的任务、作为住房制度改革一项十分重要的内容来抓，使住房制度改革的近期任务和长期目标更加明确并有机地结合起来，是顺乎民意的明智之举。

（三）居民住房条件得到改善，人均居住面积显著提高

房改的不断深化给市民的居住条件带来了巨大变化。1978年，广州市人均居住面积仅为3.78平方米；到1995年，人均居住面积已达9.2平方米，跃居全国十大城市之首，并提前达到建设部提出的2000年大城市人均居住面积8平方米的目标；2002年，广州市人均居住面积达到15.57平方米，已达到世界中等收入国家人均居住面积的水平。住宅功能和配套设施也有明显改善，城镇居民住房严重短缺的时代已基本过去。

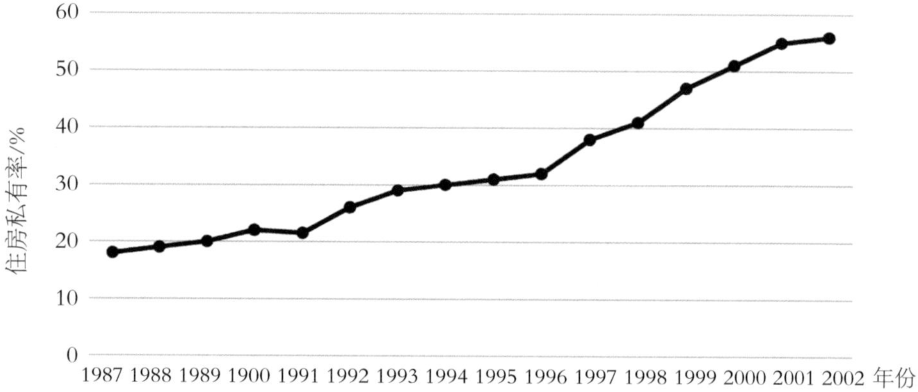

■ 1987—2002年广州市住房私有率变化情况

（四）住房改革稳步推进，住房私有产权比例大幅提高

广州的住房制度改革，打破了单位建房、实物分房的旧体制，发展住房货币分配制度，消除职工等、靠、要住房的传统观念，鼓励个人购买商品住房，合理调整地方、单位和个人之间的利益关系，并逐渐形成了以居民自有产权为主、多种产权形式并存的新格局；同时，住房二级市场逐渐放开，存量住房交易日渐活跃，市场中介服务随之发展起来，逐步建立起统一的房地产市场体系，市场在资源配置中的基础性作用逐步得到确立。

广州市住房制度改革仍未结束，党的十七大提出“住有所居”的概念，就是要变“居者买其屋”为“居者有其屋”，党的十八大提出要“建立市场配置和政府保障相结合的住房制度，加强保障性住房建设和管理”。在这种变化中，广州也需要不断调整住房制度的指导思想，做好舆论引导，转变居民的住房消费观念，同步健全住房交易市场和租赁市场，不断完善住宅供应机制，满足不同层次、不同类型的住房需求；尽快规范住房租赁市场，或通过优惠政策吸引开发商进入租赁市场，或通过降低税负提高私房出租率，推动租房市场多元化健康快速发展；鼓励居民转变住房消费观念，逐步改变只有买房才能解决自身住房问题的传统观念，转而理性选择适合自己的消费方式以解决住房问题。

（作者单位：中共广州市委党史研究室）

广州城市管理执法队伍的发展与改革（1985—2001年）

■ 郑维安

改革开放初期，广州是率先对外开放的大城市，许多政策与制度改革都先行一步，许多方面的发展都比国内其他城市快上一两个节拍。在大发展大变革中走快一步，自然会更早地遭遇各式各样的问题，比其他城市更早地积累出解决问题的相关经验。20世纪八九十年代，随着城市建成区的不断扩大、流动人口的涌入，广州的城市管理面临前所未有的挑战，各种“城市病”涌现。广州市率先在1985年8月成立了广州市城市建设管理监察大队，并于1996年升级为支队。到1998年，广州市经国务院批准作为“城市管理综合执法”试点，把原城监支队改革为“广州市城市管理综合执法支队”，并挂牌“广州市城市管理综合执法局”。通过立法明确了城市管理综合执法权，解决了城市管理职责交叉、多头管理、重复执法等问题，有利于行政主管部门集中精力抓业务工作；通过狠抓队伍建设，提高了城市管理执法效能，改善了城市管理水平，在广州建设现代化国际大都市的进程中发挥了重要作用。

一、广州市城市管理监察大队的成立与发展

本来还算宽阔的机动车道成了独木桥，行人、自行车、机动车，千军万马，险象横生。

“走鬼呀……”突然，一阵叫喊声起，就像有谁下了命令似的，小贩们飞快地收拢货物，结束讨价还价，推起各式车子没命地奔逃，惊慌的叫

喊声夹杂着急匆匆的脚步声，倾倒了水果，打翻了田螺，撞倒了行人。

几十秒内，热闹非凡的街边集市神话般消失了，人行道、慢车道恢复了往日的平静，只剩下一些外地人在那里莫名其妙地嘀咕。[①]

20世纪八九十年代在广州生活过的人，对以上场景都不会陌生。1978年改革开放政策实施之后，广州逐步开放个体户经营，开放非本市户籍人口进城务工，相对宽松的经济环境催生了许多“走鬼”。所谓“走鬼”，就是无执照、无档口、随街摆卖、占道经营的摊贩，尽管许多人也是迫于生活才会随街摆卖，但长期以来广州街头、道路的秩序就因此变得混乱无章。

除了随街占道经营，广州当时涌现的“城市病”还包括：垃圾、余泥随处倾倒[②]；未经审批违法建设、违法占用城市土地[③]；破坏绿化树木，破坏市容环境卫生；车辆随处停放；随意制造生产、生活噪声等等。

为什么广州会突然冒出这么多的城市病？让我们先来看一组数据：广州市的常住人口总数从1982年的563万余人，增长到1998年的817万余人；流动人口规模从1982年的8万余人增长到1998年的142万余人。[④]2000年第五次全国人口普查时，广州市的常住人口增长至994万余人，流动人口增长到428万余人。[⑤]而城市城区规模方面，1985年广州市的建成区总面积为183平方公里；到2000年，已经增长到431平方公里。[⑥]就这样，从20世纪80年代开始，随着外来人口的大规模涌入、城市规模的迅速扩张，人口猛

① 杨湛：《广州街头看“走鬼”》，载《南风窗》1990年第10期。

② 肖亚：《广州人要不要“脸”？》，载《南风窗》1991年第5期；袁宪翠：《广州，保卫你的容颜》，载《南风窗》1995年第7期。

③ 吴炳棠：《必须加强广州城市土地的管理》，载《广州研究》1984年第3期。

④ 广州年鉴编纂委员会：《广州年鉴（1985）》，广州年鉴社，1985年版，第69页；广州年鉴编纂委员会：《广州年鉴（1999）》，广州年鉴社1999年版，第410页。（1982年的数据还包括当时由广州市代管的新丰县、龙门县。）

⑤ 广州市地方志编纂委员会：《广州市志（1991—2000）》第九册，广州出版社2010年版，第27页。

⑥ 国家统计局城市社会经济调查总队：《新中国城市50年》，新华出版社1999年版；国家统计局综合司：《中国城市统计年鉴（1985）》，中国统计信息咨询服务中心，1985年；国家统计局城市社会经济调查总队：《中国城市统计年鉴（2000）》，中国统计出版社2001年版。

增和城市建设管理滞后之间的矛盾给广州带来了诸多“城市病”。

面对广州城市规模的迅猛发展、各种“城市病”接踵而来的局面，广州市政府意识到必须在城市管理体制上进行变革，以更有效的制度和更高效的队伍来进行城市管理，减缓“城市病”，以保证城市秩序和优化城市环境。1985年8月，广州市政府向广州市城乡建设委员会（以下简称市建委）发文，同意成立广州市城市建设管理监察大队（以下简称城监大队）①，该大队为正处级事业单位，归口市建委管理，执行任务受市容卫生交通管理指挥部指挥，②其业务主要是对违反城市规划、破坏市政公用设施、破坏园林绿化设施以及损害市容卫生和公共交通秩序等7个方面的行为实行纠正和处理。由原白云山管理区主任宋家麓任监察大队大队长、广州市市政总公司副总经理余焕潮任监察大队政治委员。同年12月26日，广州市城市建设管理监察大队宣布开始组建中队，东山片、越秀片、荔湾片、海珠片的城监大队、中队的队伍开始逐步建立起来。在城监大队建立之初的几年，其发展和调整可以归纳为以下两方面。

（一）职能不断增加，队伍不断扩大

尽管城监大队在1985年建立的时候就明确是归口市建委管理，并且其全称为“广州市城市建设管理监察大队”，但到了1986年，市政府批复市建委，将城市建设管理监察大队改为“城市管理监察大队”，将“建设”二字去掉。当时主要是考虑该队伍的职能不能局限在城市建设方面，而应该在城市管理中发挥综合性的作用，将“建设”二字去掉，有利于大队在发挥“建设”以外的管理监察职能时更为名正言顺。③

在1986年大队名称去掉“建设”二字的同时，广州市政府将这支大队的任务扩大至“协助有关部门对建筑施工、园林绿化、市政设施、交通秩

① 《〈广州市城市管理监察队暂行规定〉起草说明》，1991年10月15日。

② 石安海：《办理〈关于加强对行政执法队伍管理严格依法办事〉议案的实施方案——在一九八九年一月十日市人大常委会第六次会议上》，1989年1月10日。

③ 对曹寒松的口述史访谈，时间：2017年4月13日，地点：广州市城市管理委员会。曹寒松：广州市城市管理综合执法支队前副队长。

序、市容卫生、摊贩摆卖、社会秩序等进行严格管理和执罚”7个方面。① 至1986年上半年，大队组建7个中队共500人。8月1日，经过培训实习的城监大队队员正式上岗执勤。②

作为广州市城市急速发展过程当中负责城市综合性管理的队伍，城监大队的职能不断增加。1987年5月，广州市政府发出《关于广州市城市管理监察大队执行任务的通告》，明确规定了大队执行的10项任务：城市规划管理、建筑施工管理、园林绿化管理、市政设施管理、摊贩摆卖管理、社会秩序管理、交通秩序管理、市容卫生管理、防治烟尘管理、环境噪声管理等。③比之前增加了城市规划管理、防治烟尘管理、环境噪声管理3项职能。其队伍也不断扩大，以使其队伍力量能与其职能相匹配：1987年8月，根据广州市政府的决定，城监大队下辖的区中队增加到8个。

1992年1月，广州市政府发出了《广州市城市管理监察队暂行规定》（以下简称《暂行规定》）的通知。该规定自1992年1月1日起施行，1987年5月市政府发布的《关于广州市城市管理监察大队执行任务的通告》同时废止。

这份《暂行规定》，是中共广州市委、广州市政府为了加强城市建设管理、保障和监督城市管理监察队伍依法行使职权而制定的。其中明确规定，城监队对违反规划行政管理，违反土地行政管理，违反房地产行政管理，违反市政设施行政管理，违反公用事业行政管理，违反园林绿化、风景区（点）行政管理，违反市容环境卫生行政管理，违反城市人防设施行政管理，违反建筑行政管理，违反城市噪声、防治烟尘污染管理等行为有权依法查处。

同时根据广州市政府的决定，城监队在重大节日或发生重大事件期间，协助公安部门维持社会治安秩序和交通秩序。经广州市政府主管部门批准，城监队可以接受其他行业专业行政主管部门的委托，查处委托范围内的行政违法案件。

---

① 《〈广州市城市管理监察队暂行规定〉起草说明》，1991年10月15日。
② 《广州市城市管理监察大队简介》，载《广东城建监察》1995年第4期。
③ 《〈广州市城市管理监察队暂行规定〉起草说明》，1991年10月15日。

对城监队权限的规定，有以下值得注意的地方：细化了原有的“建筑施工管理”一项，扩大和细分为“土地行政管理”“房地产行政管理”和“建筑行政管理”3项，让城监队的执法能更有效、细致地与各相关职能部门进行对接；提出了特殊的情况下，如重大节日或重大事件期间，城监队应当根据政府的决定，协助公安部门维持社会治安和交通秩序，使特殊情况下调动城监队出动维持社会秩序有法律和制度的依据；城监队可以接受其他行业专业行政主管部门的委托，查处委托范围内的行政违法案件，让城监队可以在10项专业权限以外，有增加其他专业执法监察权限的空间，使城监队在综合性城市管理上具有更多的灵活性。

（二）调整管理体制，规范执法程序

在摸索和尝试实行一个新制度时，总会出现一开始预料不到的问题，广州市政府及时地指出和纠正了城监大队发展中出现的偏差和问题。1989年1月10日，副市长石安海在广州市人大常委会第六次会议上指出城市管理监察大队存在以下问题，包括：执法管理有些混乱，出现多头管理和多头执法的现象；执法队员素质较低；以罚款收入直接补充开支产生弊端；执法队伍自身有违法乱纪现象；执勤时间机关化，导致一些乱摆卖的小贩钻空摆卖[①]等等。

城监队之所以存在以上问题，主要是：领导关系未理顺，从城监队成立以来，就规定其归口市建委管理，但是执行任务受市容卫生交通管理指挥部指挥，区城监中队的领导机关多达3个（区建委领导、区市容卫生交通管理指挥部指挥、市城监大队指导），这影响中队班子的调配和队伍管理；分工职责不清，城管监察共有15个中队，市、区各中队分工有分歧，管理界限和目标不明确；队伍的财政供给未理顺，是由市里出钱还是区里出钱以及比例不清晰；实行的城管法规还不够完善，有的相互抵触，有的伸缩性过大；城建队伍的建设还需要加强，队员还需接受业务培训和素质提升教育。

① 石安海：《办理〈关于加强对行政执法队伍管理严格依法办事〉议案的实施方案——在一九八九年一月十日市人大常委会第六次会议上》，1989年1月10日。

对此，1989年2月26日，广州市政府发出了《关于加强对行政执法队伍的建设与管理的通知》。根据此通知城监大队作了以下调整：一是调整了市、区队伍设置。按照“统一领导、分级管理、条块结合、以块为主”的管理体制，实行一区一队制，即市设大队、区设中队，把原有的市、区共15个城管监察中队调整为11个中队（机动中队、公交中队和9个区各设1个中队）。各区中队实行区和市大队双重领导，以区为主，其人、财、物归区管理。大队掌握的直属中队与公交中队除负责全市“窗口地带”的管理和执罚检查外，一般不直接到中队管辖地段执勤，必要的任务，可由大队下达各区中队实施。二是城管监察队伍统一归口市建委领导和指挥，市容卫生交通管理指挥部办公室不再起指挥作用，而是只负责不同行政执法队伍间的管理协调工作。各区中队的归口领导，则由各区政府自行决定。三是城监大队的经费继续由市财政拨给，区中队的经费由区财政解决，此后罚没收入不再与供给直接挂钩。

此次的制度性调整理顺了市区两级城监队的关系，中队的主导权明确下放到区，精简了中队的建制，明确了市区两级城监队的分工。尽管该通知明确了城监队在执法过程中的罚没收入不再与供给直接挂钩，但仍明确规定“为了调动队员的积极性和补充奖励基金、外勤的各种补贴、业务培训等所需的费用，在全额上缴财政的罚没收入中，按总额30%的比例返还给各中队”。尽管罚没收入先上缴到市，但会跟总额挂钩地返还一部分给中队，也就是说罚没的收入仍与中队的财政供给挂钩，这在一定程度上容易造成队员为增加收入而出现滥罚乱罚的情况。

二、从城监大队到城监支队——城市建设管理执法队伍的提升和完善

1992年，中共广州市委、市政府根据党的十四大精神，提出把广州建设为现代化国际大都市的战略构想。[①]广州的城市管理执法队伍就是在这

① 《陈开枝常务副市长在“现代化国际大都市：广州城市管理”研讨会上的讲话》，1995年1月17日。

样的战略背景下进一步发展和完善的。

1994年是广州市“城市管理年”，广州市政府为加强城市管理，就提高城市管理水平作了若干的决定和组织了各类活动和讨论。[①]4月4日，中共广州市委、市政府发布了《关于加强和完善城市管理的若干决定》，包括：

1. 强化“统一领导、分级负责”的城市管理体制。城市管理的体制是“统一领导，分级负责，以块为主，条条保证，社会监督，依法治城”。加强广州市城市管理委员会（以下简称市城管委）对城市功能实行宏观综合管理的职能。市城管委下设广州市城市管理委员会办公室（以下简称城管办），负责处理市城管委日常工作。

2. 组建一支综合性的城市管理监察队伍。提出“按市区常住人口与流动人口之和的万分之三的比例，以现有的城市管理监察队伍为基础，组建成为综合性的城市管理监察队伍。这支队伍除拥有市政府赋予的12项权限外，市政府批准由有关行政职能部门委托行使以下执法权：交通执法权；工商行政监督执法权；爱国卫生的防疫监察、监督执法权”。

3. 建立城市管理工作制度和监督机制。城市管理是衡量各级领导政绩的重要内容。各级领导都要抓好城市管理，并有专人负责。各区区长每月要有不少于五天的时间专门抓城市管理工作，分管副区长要集中精力抓城管工作。

4. 增加城市管理费用的投入。各级财政对城管部门和城管执法队伍的经费要实施全额预算，由城市维护税供给。各级城管部门和城监队伍收取的行政性费用和执罚款项，要统一票据，严格实施“收支两条线”管理，定期审核。城管部门和城监队伍工作人员的工资、奖金和各种补贴收入，不得与行政性收费、执罚收入挂钩。

5. 坚持依法治城。要对现有的市级城市管理法规、规章进行清理，符合现阶段城市管理实际的要坚决执行；与本决定有抵触的要废止，有矛盾的要修订；处理幅度不合理的要调整，使之严谨、规范、科学。

6. 充分发挥区、街（镇）在城市管理工作中的积极作用。

---

① 《戴治国副市长在“现代化国际大都市：广州城市管理”研讨会上的小结》，1995年1月18日。

这一《决定》体现了市委、市政府对城市管理监察队伍的重视。明确除了原有的12项权限外，市政府还赋予城监队从相关部门委托而来的交通执法权、工商行政监督执法权和卫生的防疫监察、监督执法权。同时进一步明确“收支两条线”，规定城监队员的各类收入不得与行政性收费、执罚收入挂钩。另外，还要求对现有的法规、规章进行清理，足见市委、市政府对依法执法的高度重视。

到1996年，中共广州市委、市政府决定逐步提升和完善现有的城市管理执法队伍。3月13日，接广州市机构编制委员会通知，根据市政府规定，同意市城市管理监察大队改为“广州市城市建设管理监察支队”（以下简称市城建管理监察局），级别提升为副局级（副厅级）事业单位，归口市建委管理。城监大队升级为城监支队的同时，又重新把“建设”二字放回到队伍的正式名称当中。其实早在1991年起草《广州市城市管理监察队暂行规定》时，就已经考虑是否要按建设部的要求重新把“建设”二字放回到城监大队的名称当中。但考虑到原使用的名称早已为人所熟知，而且“城市管理监察”的外延大于“城市建设管理监察”，能够把不属于市建委管理的园林、公用事业、污染防治等都涵盖进去，这样有利于工作，加之建设部对此还未正式下文，故暂不作考虑。[①]1996年重新把“建设”二字加回，是为了与国内其他建设战线下辖的管理监察队伍统一名称。[②]

1996年8月，广州市机构编制委员会下发了《关于广州市城市建设管理检查支队（广州市城市建设管理监察局）机构编制问题的通知》，同意在原广州市城市管理监察大队的基础上成立广州市城市建设管理监察支队，市设专业大队和区设大队、街镇设中队，队员2000人，属事业编制。[③]广州的城市建设管理监察队伍形成“支队—大队—中队”的级别体制。

同年9月，市建委发出《关于招考广州市城市建设管理监察队员的通

① 广州市城监支队：《〈广州市城市管理监察队暂行规定〉起草说明》，1991年10月15日。

② 对曹寒松的口述史访谈，时间：2017年4月13日，地点：广州市城市管理委员会。

③ 《关于广州市城市建设管理检查支队（广州市城市建设管理监察局）机构编制问题的通知》，1996年8月。

知》，招考条件中要求应聘者须具有高中毕业以上文化程度。[①]对城监队员的素质提出更高的学历要求，目的在于整体提升城监队伍的队伍质量、执法水平。

12月28日，广州市城市建设管理监察支队成立大会在广州市中山纪念堂广场举行，市委书记高祀仁、代市长林树森出席。在成立大会上，对1996年在城市管理工作取得的成绩做了总结：一是新的城市管理体制得到进一步调整落实：调整充实了城管委；成立了城市建设管理巡回法庭和重新组建了城市建设管理监察支队；继续完善城市管理工作制度和考评标准。二是城市环境综合整治取得了好的成绩：（1）查处违法用地违法建设；（2）抓紧抓好“还绿于民”；（3）清理占道、疏导交通；（4）市容环境卫生管理；（5）建设施工工地管理；（6）“窗口”地区管理；（7）夜景灯饰、广告、乱张贴管理。三是充分发挥综合协调职能，认真办理人大议案、建议，政协提案和群众来信来访来电。四是加强对城市管理难点重点问题的调查研究。[②]

在这个阶段（前后几年），广州城市管理监察队伍所取得的突出成绩和所存在的问题如下：

（一）城监队伍的突出职能

如上所述，城监队伍的职能不但增加，而且越来越多元和丰富，但当中也有特别突出和重要的职能。就如广州市城市管理综合执法支队前副支队长曹寒松所说：“当时最难的，一个是清理无牌摊贩，一个是清理违章建设。”[③]除此以外，还有重点区域的控制，因此，特别选取其中3个方面的职能作具体介绍。

1. 清理占道经营。

曹寒松回忆道：“当时最难的就是管摊贩，无牌的乱摆卖，满街都是。那简直是打仗一样，晚上都要通宵来搞的。这一块是任务最重的，

---

① 《关于招考广州市城市建设管理监察队员的通知》，1996年9月25日。

② 《关于1996年城市管理工作情况的报告》，1996年12月30日。

③ 对曹寒松的口述史访谈，时间：2017年4月13日，地点：广州市城市管理委员会。

市民积极清理乱堆放杂物

花的时间最多的。”[①]许多本地居民和外来务工人员会无视城市管理的法例，为谋生而随街摆卖，城监队伍不得不依法依规长期地进行大量清理和整治。

1994年，广州市城市管理监察大队全年共取缔无证经营、乱摆乱卖133069宗，处理占道经营的饮食大排档和“三车”修理店3134户。[②]1996年，城监队充分发挥综合协调职能，解决了一大批城市管理中的难点问题。如桂花路占道经营、黄埔大道违法建设、共和西路脏乱差、米市路乱摆乱卖、芳村大道西“天光墟”乱摆乱卖、人民中路丰俭饭店阻路扰民、北站路长期污水浸街、海联路脏乱差、素社直万寿路违法搭建、流花路修车洗车店违章占道经营、陈塘南路乱摆乱卖等市民群众关心的问题都得到了解决。[③]这一年（1994年）1月到11月，城监队共清理109186宗乱摆乱卖无证经营。为了加大清理占道的力度，在财政较紧的情况下，市级有关部门投入800万元用于市场建设贴息贷款，新建室内肉菜市场19个，改造和恢复市场13个，撤销占道经营市场和摆卖集聚点33个。清理撤销了25个室内肉菜市场半径500米范围内的肉菜临时摆卖点1584档，清理撤销市内29个

① 对曹寒松的口述史访谈，时间：2017年4月13日，地点：广州市城市管理委员会。
② 廖树芳、武岩、秦兴洪：《广州大跨越》，广东高等教育出版社1997年版，第142页。
③ 广州年鉴编纂委员会：《广州年鉴（1997）》，广州年鉴社1997年版，第239页。

占内街内巷的临时摆卖点1257档，清理了207条内街消防通道的占道经营摊档。①

到1997年，城监队全年清理了全市89个室内肉菜市场周边500米半径范围内的占道摊档。共清理临时摆卖集聚点520个、占道经商摊档1.5万户，处罚占道经营店铺1800户，饮食大排档停业整顿807宗，其中吊销营业执照13宗。②全年共清理乱摆乱卖70391宗、占道经营38245宗。③

从以上统计数字可以看出，对于城监队伍来讲，当时清理道路上无牌经营、占道经营的摊贩是负担很重的工作，面临的是相当繁琐、纷杂的市面状况。但总的来说，清理乱摆卖的总宗数是逐年下降的，可见占用道路的情况有逐步改善的趋势。

2. 拆除违章建设。

有矛盾在，我们夹在中间很难办，老百姓想建房子，但是既有的规章制度不允许，特别是农改非之后，老百姓本来有田，现在没有了，没有以后就靠建房子出租来谋生。

那些农民有些拿着锄头就来了，所以有时候我们要动用公安。④

曹寒松的描述让我们意识到当年拆除城中村违章建筑所面临的尖锐矛盾，村民违章建房遭到清拆直接影响他们的切身利益，因此会有十分激烈的反应。当时除了城中村村民，还有大量市民、单位的违章建设需要城监队清拆。从1985年至1995年，广州市城监队伍制止违法占地与违法建设10757宗67517平方米、立案处理17104宗8288490平方米、罚款处理8357宗1728214平方米、没收处理41宗4168平方米、拆除处理27505宗131026平方米；查处占道经营257401宗、乱摆乱卖890642宗；查处违章施工122120宗。⑤

① 《关于1996年城市管理工作情况的报告》，1996年12月30日。
② 广州年鉴编纂委员会：《广州年鉴（1998）》，广州年鉴社1998年版，第171页。
③ 广州建设年鉴编纂委员会：《广州建设年鉴1998》，广州年鉴社1998年版，第151页。
④ 对曹寒松的口述史访谈，时间：2017年4月13日，地点：广州市城市管理委员会。
⑤ 戴治国：《广州城市管理实践与探索》，广州出版社1996年版，第22页。

1997年，城监队伍制止违法占地177宗、面积4254平方米，违法建设1176宗、面积64869平方米；立案上报违法占地224宗、面积412800平方米，违法建设2055宗、面积1313221平方米。经主管部门定性，自行拆除的违法占地117宗、面积5805平方米，违法建设356宗、面积88367平方米。强行拆除违法建设113宗、面积52195平方米。为历年来查处和拆除之最。其中包括一些违法大案，如淘金北小区华侨乐园占用绿地6000平方米建两层停车库，淞沪抗日阵亡将士陵园华园食府占地1032平方米建两层酒家，天河公园北门违法建设4500平方米，白云山南入口违法建设32宗、面积1600平方米，广三铁路沿线王圣堂路段违法建设54宗、面积2018平方米等。[①]

这些违章建设拆除让广州市的城市环境得到整治，市民和各单位依法按章建设的观念不断加深，城市建设的环境和秩序得以保障。

3. 重点“窗口地区”的整治。

20世纪90年代，在市委、市政府关于城市管理的研究和政策中，经常会出现“窗口地区”这个概念。所谓“窗口地区”，实际上是指外地人来到广州最先看到的交通枢纽和最多机会游览的城市名片、著名景点。

1995年，市长黎子流就在市政府全体（扩大）会议上的讲话里提到广州的名片就是“一山、一水、一站”，认为应该继续以此作为城市环境整治的重点。其中，白云山整治工作要继续清理山上违章建筑和杂乱建筑；珠江要对污染进行综合整治，改善珠江生态环境，保护珠江航道秩序，增强珠江抗洪能力；要进一步扩大广州火车站广场地区的整治效果，整个流花地区必须坚持有利于治安管理、有利于疏导交通、有利于市容景观的原则进行整体规划和综合治理。[②]

整治“一山、一水、一站”的过程当中，最受瞩目的是对白云山风景区内的违章建筑进行大规模拆除的行动。1995年2月，黎子流对媒体表示：“保护白云山是全市人民的愿望，市政府一定坚决支持，对整治问题，有的石场和单位就是不听，还要联名状告市政府，对管理人员喊打喊

① 广州建设年鉴编纂委员会：《广州建设年鉴1998》，广州年鉴社1998年版，第150–151页。

② 黎子流：《在广州市人民政府全体（扩大）会议上的讲话（摘要）》，载戴治国：《广州城市管理实践与探索》，广州出版社1996年版，第219页。

越秀区城管综合执法队清理乱摆卖

杀。对此，一定要坚决制止！”[①]2月25日，广州市政府发出《市政府给白云山各驻山单位的信》，信中表示：“作为地方政府，我们依法治市，依法处理白云山违章建筑是铁了心的。不管阻力多大，难度多大，都决不会退缩，决不会手软。与此同时，我们殷切期望，各驻山单位的主管部门要密切配合，以实际行动支持政府的部署和行动。”[②]第二天，广州市城监大队发出了针对清理白云山违章建筑的第一批《违法建设行政处理决定书》。同样是在26日这一天，副市长陈开枝在珠江经济广播电台的户外直播论坛节目《600万人的呼声：还我白云山！》上以现场电话连线发言，再次表明市政府清拆白云山违章建筑的决心，并对节目中的听众意见作了回应。[③]最终，广州市城监大队在这一年拆除了白云山风景区内双燕岗一带的50多间违章建筑和“盲流”窝棚，以及西坑38幢违章建筑。[④]这次拆除违建的行动整治了白云山的环境，令作为“市肺”的白云山得到保护，让市民拍手称快。

① 《你喊打喊杀，我房屋照拆》，载《广州日报》1995年2月21日第1版。

② 《市政府给白云山各驻山单位的信》，载《广州日报》1995年2月27日第1版。

③ 曾广星：《创意广播：广东电台优秀广播节目（新闻社教）样式选》，中国广播电视出版社1999年版，第752页。

④ 广州年鉴编纂委员会：《广州年鉴（1996）》，广州年鉴社1996年版，第193页。

（二）城监队伍存在的问题

在创下许多城市管理的积极成果的同时，广州市城监队伍的体制和运作仍有一些长期存在的、不能忽视的问题。

1. 政出多头，重复执法。

在1995年举行的“现代化国际大都市：广州城市管理”研讨会中，现场的专家学者就得出这样的共识：“目前我市的城市管理有公安、工商、城监、环卫等多支队伍，且各自任务单一、多头管理、重复执罚、以罚代管，乃至相互扯皮推诿的现象时有发生。同时，队伍素质不高、执法不严、缺乏有力的执法手段，也是个问题。建议综合队伍成立后，要经过严格培训，辅以必要装备，实行地段包干、责任到人，‘一警多能’的巡逻执勤制，对各种违章行为进行坚决的执法和管理。”[①]这个问题其实是当时全国普遍存在的问题，各支行政执法队伍的多头管理、重复执法问题一直为人所诟病。在当时的广州，除了广州城市（建设）管理监察队伍，还有市容卫生监察队和爱国卫生监督队同时存在。后两者在管理监察市容、卫生方面与城监队伍有职能重复的问题。

到1997年4月，广州市城监支队直属的公用大队向上级提交《关于进一步理顺市城监支队在城市管理中的一些关系的建议》（以下简称《建议》），当中就包括“尽快收编环卫部门所属的市容监察队，使广州市城监支队名副其实地成为广州市城市建设管理的唯一一支合法的执法队伍，彻底改变现阶段的政出多头、多头管理的局面”[②]。

除了整个城监队伍与其他行政执法队伍存在政出多头的问题，各区的城监大队与市级的城监支队之间，也存在政出多头、关系未顺的问题。公用大队在给上级的建议中就分析道：

> 实践证明，现行市城建队伍所实行的体制已造成市支队对区大队的失

① 戴治国：《在“现代化国际大都市：广州城市管理”研讨会上的小结》，1995年1月18日。

② 广州市城监支队公用大队：《关于进一步理顺市城监支队在城市管理中的一些关系的建议》，1997年4月12日。

控，区大队对街道和镇中队失控。其中体现为：第一，人员管理失控。市大队对区大队的人员无调配权，区大队对街道、镇中队的人员在一定程度上也存在无调配权，存在着“有奶便是娘，谁给奖金补贴就听谁调配”的思想。第二，业务管理失控。“市支队对区城监大队的执法活动进行监督检查、业务上进行领导”其实是一句空话，因为人、财、物受区调度和管理，业务上不受市领导，对执法活动进行监督检查流于形式。对区政府或直属单位的违法建设，区城监大队受制于区政府，是管不了的，甚至要充当保护伞，市支队是无从插手的。[①]

由此可以看出，市级的城监支队在制度上对各区的城监大队的“业务指导作用”并没有能够顺利发挥。上文提及1994年《关于加强和完善城市管理的若干决定》中“以块为主，条条保证”的制度设计，“以块为主”实现了，但“条条保证”得不到落实。如何保证市级城监支队对区级城监大队业务上的指导地位成为当务之急。

2. 授权执法，地位尴尬。

由于长期以来需要广州市政府各行政主管部门委托广州市城监队伍进行执法，城监支队会与包括规划、国土、市容环卫、市政园林、公用等专业行政主管部门签订委托执法的协议。[②]实际上就变成了每一项工作开展都要向专业行政主管部门“要权”。但是就如公用大队的《建议》中所说“有权有利的东西人家是绝不相让的”，这就让实施执法变得较困难，对城市管理工作十分不利。因此有人说“城管样样都要管，但样样都无权管”。[③]总的来说，城监队伍亟待成为市政府、市人大直接授权的执法主体，通过立法确立其在执法上的法律地位。

① 广州市城监支队公用大队：《关于进一步理顺市城监支队在城市管理中的一些关系的建议》，1997年4月12日。

② 广州市建设委员会：《研究市城监支队有关问题的会议纪要》，1997年11月25日。

③ 广州市城监支队公用大队：《关于进一步理顺市城监支队在城市管理中的一些关系的建议》，1997年4月12日。

三、从城监支队到城管支队——在全国率先开展城市管理综合执法试点的城市

随着城市管理行政执法制度的执法队伍重复、多头执法等问题不断暴露，中央进一步推进了行政处罚权的法制化。1996年3月17日，第八届全国人民代表大会第四次会议通过了《中华人民共和国行政处罚法》。[①]4月15日，国务院下发了《关于贯彻实施〈中华人民共和国行政处罚法〉的通知》，当中第5条规定："各省、自治区、直辖市人民政府要认真做好相对集中行政处罚权的试点工作，结合本地方实际提出调整行政处罚权的意见，报国务院批准后施行。"[②]

（一）开展综合执法试点

如果说，北京市宣武区是全国第一个开展城市管理综合执法试点的城市辖区，那么，广州市则是全国第一个开展城市管理综合执法试点的城市。国务院之所以选择广州作为率先进行城管体制改革的试点，是因为广州市在这方面走在全国各大城市的前面，原有城监支队的执法力量及相关地方法律法规较为完善，同时广州市城市建设管理监察局（支队）也积极争取，主动申请进行试点改革，时任副支队长曹寒松还在1997年初前往北京办理相关的申请手续。[③]

1996年11月，国务院批准北京市宣武区为全国第一个城市管理综合执法试点城区。1997年5月，北京市宣武区城市管理监察大队宣告成立。[④]（两年后，该试点才推广到北京城八区。）

1997年4月21日，广州市机构编制委员会发文撤销市容卫生监察队和爱国卫生监督队，城市建设管理监察支队成为广州市城市管理执法唯

① 国务院法制办公室：《中华人民共和国行政法典 注释法典》，中国法制出版社2016年版。
② 国务院：《中华人民共和国国务院公报》，1996年第12期，第463—466页。
③ 对曹寒松的口述史访谈，时间：2017年4月13日，地点：广州市城市管理委员会。
④ 严燕敏、王曼琳：《城市管理综合执法，京、穗、杭、哈各具千秋》，载《城市建设》第65期，2002年5月。

20世纪90年代广州市城管机关分布图

一的综合执法队伍。[①]5月4日，建设部批复广州市城建监察支队，认为该支队是事业单位，不能依照《行政处罚法》第16条的规定取得行政处罚权，但可以通过《行政处罚法》第17条的规定，由地方性法规授权，在法定授权范围内实施行政处罚。另外，专业行政主管部门主要承担重大、复杂和技术性、专业性强的案子，事业性执法单位只要承担简易的、不需要通过复杂取证程序的案件，并协助主管部门执行对案件的处理决定。[②]也就是说肯定了广州市城监支队可由地方性法规授权，在授权范围内行使行政处罚权。

8月25日，广州市向省政府上报了《关于将我市城市管理监察队伍列入综合执法队伍的请示》，提出将广州市列入省政府开展的城市管理综合执法试点工作。[③]12月1日，广东省第八届人民代表大会常务委员会

① 广州建设年鉴编纂委员会：《广州建设年鉴1998》，广州年鉴社1998年版，第151页。

② 中华人民共和国建设部：《对〈关于我市城建监察综合执法有关问题的请示〉的回复》，1997年5月4日。

③ 广州市建设委员会：《相对集中建设行政处罚权　努力开创城市建设管理新局面》，1997年12月19日。

第三十二次会议审议通过了《广州市城市管理监察条例》，确定广州市城市管理监察支队为法定授权的城市管理综合行政执法组织，广州市城监支队获得地方法规赋予的行政处罚权，其法律地位得到保障。也就是说，在国务院批准广州市城市建设管理监察支队综合执法之前，广州市已经通过法规授权的形式，使该支队取得了行政执法的主体资格，在相对集中行政处罚权的尝试、城市管理综合执法试点上争取了主动，争取了时间。①

由于此前广州市的城市管理执法队伍的经验较为丰富，立法方面基础较好，也较早地进行集中建设行政处罚权，所以经过广州市城监支队的争取、申报，②国务院法制办于12月24日批准广州市开展城市管理综合执法试点工作。③这是国务院批准的第一个以城市为单位（之前的宣武区为市辖区）的城市管理综合执法试点。

1998年11月23日，广东省政府批复广州市政府，“同意设立广州市城市管理综合执法支队”。实际上是在广州市城市建设管理监察支队的基础上组建城管综合执法支队。

此次试点授予广州城市管理综合执法队伍对市容环境卫生、城市规划、城市绿化、环境保护、工商管理、公安交通、市政设施和法律、法规及省、市人民政府规定的其他职责等7个方面行使行政执法权，其中工商行政管理方面只行使无照商贩的行政处罚权，公安交通和市政管理方面只行使侵占道路的行政执法权。实行城市管理综合执法，解决了城市管理职责交叉、多头管理、重复执法的问题，有利于行政主管部门集中精力抓业务工作，也有利于加强城市管理执法、提高执法效能，同时也使监督部门和市民群众能够更加有效地对执法行为进行监督。④

---

① 广州市建设委员会：《相对集中建设行政处罚权　努力开创城市建设管理新局面》，1997年12月19日。

② 对曹寒松的口述史访谈，时间：2017年4月13日，地点：广州市城市管理委员会。

③ 1998年12月，国务院才批准北京市城八区实施改革，成立城市管理监察大队。刘书祥、李国旗：《我国综合行政执法的理论与实践》，天津社会科学院出版社2007年版，第27页。

④ 《广州市实施城市管理综合执法试点》，载《广州政报》1999年第19期，第46页。

（二）改革放权，有法可依

1999年，广州市启动新一轮深化城市管理体制改革，其中就包括城市综合执法管理体制的改革。3月18日，中共广州市委秘书长朱振中、常务副市长伍亮同意市城改办《关于理顺城市综合执法管理体制的请示》，由市法制局牵头推进综合执法管理体制改革。5月17日，市政府常务会议通过了《关于推进城市管理综合执法试点工作的决定》，决定由常务副市长伍亮负责此项工作。从5月至9月，在伍亮的主导下，逐步推进城管综合执法的工作。6月1日，广州市政府发出《关于推进城市管理综合执法试点工作的决定》。[①] 7月8日，广州市政府印发了《广州市城市管理综合执法细则》，成为广州城市管理综合执法队伍执法的法律依据。

9月28日，广州市城市管理综合执法实施动员大会召开，广州市城市管理综合执法支队（广州市城市管理综合执法局）正式挂牌成立。全市城管综合执法试点工作全面推开。[②]11月19日，市长林树森在各区区长、分管城建副区长参加的市长办公会议上提出，市支队、区大队为行政执法主体，所有区都像荔湾区那样，大队向各街道派驻中队，并定期轮换。

值得一提的是，1999年，是历年来查处违法建设力度最大、拆除违法建设面积最多的一年，这与下放查处违法建设管理权是分不开的。许多违法建筑是区属单位或街道办事处或居委会建的，触及他们的经济利益，处理难度很大。如果照搬过去的做法，如此繁重的任务，不可能按时完成。这一年，处理违法建筑的事权全部下放给区后，市局只要抓监督指导工作，通过市长与区长签订责任书的形式，把40条城市主干道及重点地区的拆除违法建设任务分解落实到区，区再把任务落实到镇、街，一级抓一级，保证清拆工作真正落到实处。

2001年4月5日，支队下发了《广州市城市管理综合执法支队基层建设

① 《关于推进城市管理综合执法试点工作的决定》，载《广州政报》1999年第12期，第32-40页。

② 广州市城市管理体制改革办公室：《关于城改各专项方案推进情况的汇报》，1999年9月30日。

纲要》，目的是加强基层建设，确保基层建设和规范执法上新台阶。4月11日，支队整顿队容风纪。市建委对支队的执法情况进行了暗检，发现有队员在执法过程中不讲队容风纪，没有认真履行职责和严格执法，损害了城管队伍的形象。为此，支队领导召开专门会议，对违纪人员通报批评并对各大队提出了具体的整改要求。

总的来说，正是因为广州城市发展在改革开放的大潮中走在全国的前端，才能较早地开始城市管理执法队伍的探索和发展，也才能被国务院选中作为开展城市管理综合执法工作的试点。事实证明，广州城市管理执法队伍没有让中央和人民大众失望，他们在探索中不断发展，从“城监大队”到“城管支队”，十几年间职能不断扩大和明确，法律法规逐步完善，队伍建设经验不断积累，与市民的关系不断改善，逐步解决了城市管理中的混乱无序、多头执法等问题。到今天，广州城管执法队伍已经相对完善和成熟，广州城市市容、秩序也有了质的提升。这支城市管理执法队伍发展和改革的历史过程，也可谓广州城市改革开放、现代化发展的缩影。

（作者系香港中文大学在读博士研究生）

越秀区环境保护的发展历程与经验启示

■ 王永坚

随着我国经济现代化建设的日益发展，环境恶化也日益严重，环境保护工作也显得越来越重要。越秀区政府在中共广州市委、市政府的正确领导下，从过去重经济建设轻环境保护的思想中解放出来，在抓好改革开放、经济和社会建设的同时，抓好环境保护工作，加大污染治理资金的投入，加强对工业污染源、餐饮业污染源、水质污染源、噪声污染源、交通污染源、建筑工地环境污染源等的整治力度，对新建、扩建、改建项目，严格按要求做好布局规划，严控新的污染源的发生，严格执行经济建设、城乡建设和环境建设同步规划、同步实施、同步发展的“三同时”规定，强化环境监督管理和宣传教育工作。全区上下经过10年的共同奋斗，有效地控制和降低了污染，使居民住宅区、名胜古迹、风景游览区环境得到了改善，一个整洁、优美、安静的千年商都焕发了青春魅力，促进了经济和社会与环境的可持续发展。

一、越秀区环境保护的历史回顾

越秀区是广州市政治、经济、文化的中心，东以越秀北路为界与东山区接壤，南以珠江主航道为界与海珠区隔江相望，西以人民南路为界与荔湾区相邻，东北面在机场路口与白云区、天河区交界。2002年，越秀区总面积为9.16平方公里，总人口为426698人，人口密度为46583人/平方公里，是广州市面积最小、人口密度最高的区。区内没有农业及耕地污染，生态环境比较完整。越秀区环境保护工作大致可分为以下两个阶段：

第一阶段：从20世纪70年代初到党的十一届三中全会。这一阶段，由于越秀区工业基础薄弱，大多是手工业，规模小，环境污染的危害程度也较为有限，越秀区的经济和环境保护工作处于初级阶段。1972年6月5—16日，联合国在瑞典首都斯德哥尔摩召开了人类环境会议，这是人类历史上第一次在全世界范围内研究保护人类环境的会议，会议通过了《联合国人类环境会议宣言》，并将每年的6月5日定为“世界环境日”。此次会议，我国也派出代表团参加。会议后，我国深刻地了解到环境问题对经济社会发展的重大影响，意识到我国也存在着严重的环境问题。于是，1973年8月，国务院在北京召开第一次全国环境保护会议，标志着中国环境保护事业的开始，会议提出了“全面规划、合理布局，综合利用、化害为利，依靠群众、大家动手，保护环境、造福人民”的32字环保工作方针。同年，越秀区按照第一次全国环境保护会议通过的《关于保护和改善环境的若干规定》，成立了区防治“三废”（废气、废水、废渣）办公室，负责区环境保护工作，标志着越秀区环境保护事业的历史性开端。

第二阶段：从党的十一届三中全会到2002年。这一阶段，作为改革开放前沿阵地和试验区的广州市越秀区，乘着先行先试政策的东风，加快改革开放的步伐，经济和社会发展取得了巨大成就。但是，在改革开放初期，环境保护与经济生产之间比例严重失调，未能做到经济建设与环境保护同时并进、协调发展。1979年3月24日，为了进一步加强对环境保护工作的领导，越秀区委组织部下发《关于成立越秀区革委会环境保护办公室的通知》，区环境保护办公室是区政府负责环境保护工作的行政机构。同年，越秀区成立了环境监测站，主要负责综合监测区辖内环境，包括对水体、大气、声环境的常规监测，污染源年检及各项委托监测，向上级主管部门提供本区环境质量状况、污染动态变化情况，为环境管理提供科学依据。1979年7月9日至11日，广州市召开全市环境保护工作会议，会议提出今后3年控制环境污染，1985年基本解决污染，把广州市建成社会主义清洁城市的目标。会后，越秀区委召开会议，统一思想，明确国民经济3年调整期间环境保护工作的任务和要求。1981年3月17日，越秀区政府制定《关于加强环境保护工作的几项规定（草案）》。1983年12月，国务院在北京召开了第二次全国环境保护会议，会议确立了控制人口和环境保护是中国现代化建设中的一项基本国策，提出“经济建设、城乡建设和环境建设同步规划、同步发展、同步实施”的“三同步”和实现“社会效益、经济效益与环境效益的统一”的“三统一”战略方针；确定了符合国情的“预防为主、防治结合、综合治理”“强化环境管理”“谁污染谁治理”的三大环境政策，为越秀区环境保护工作指明了方向。1984年，越秀区环境保护工作的领导实行“一办两站”建制，即环境保护办公室、环境监理站和环境监测站，并组建区环境保护委员会，成员由区各有关职能部门负责人组成，主要职责是组织协调区内各职能部门分工负责开展全区性环境保护工作。与此同时，各行政街、重点企业均成立环境保护领导小组，各居委会设环保员。越秀区环境监测站于1982年、1986年、1989年开展了3次较全面系统的污染源调查，主要对区内化学、铸造、机械等污染严重的工厂企业，每次作出综合分析、评价，建立系统的污染源档案，对污染严重的工厂企业，采取关、停、并、转和有计划地迁往市郊的工业基地等措施。1995年6月15日，为适应改革开放深入发展的需要，越秀区将区环境保护办公室改为区环境保护局（以下简称区环保局），并由区人民政府办公室下发《印发〈越秀区环境保护局职能设置、内设机构和人员编制方案〉的通知》，致使区环境保护机构设置更趋于完善合理。1996年7月，国务院召开第四次全国环境保护会议，发布《国务院关于环境保护若干问题的决定》，大力推进“一控双达标”（控制主要污染物排放总量、工业污染源达标和重点城市的环境质量按功能区达标）工作。此次会议，为越秀区开展治理环境污染工作提供了强有力的保证。2000年，越秀区组织编制了《越秀区“十五”环境保护规划》，并结合“三年一中变”实施方案，着力推进环境综合整治工作。

二、越秀区环境质量在发展中得到改善

消除污染，保护环境，是进行经济建设、实现四个现代化的一个重要组成部分。1992—2002年，越秀区在中共广州市委、市政府的领导下，坚持以党的十四大、十五大、十六大精神为指导，认真贯彻经济建设与环

境保护协调发展的方针，创下了国民经济和社会发展历史的最高速度，取得了令人瞩目的成就：全区地区生产总值由1992年的7.96亿元（人民币），大幅增至2002年的30.08亿元（人民币）[①]。与此同时，加大对环境保护资金的投入，1992—1999年投入治理资金6486.9万元（人民币），2000—2002年每年投入治理资金都超过1000万元（人民币），实现了大气、水、声和自然生态环境质量稳定和改善的四大目标，广大人民群众的健康水平和生活质量也不断得到改善，促进了全区经济和社会与环境的可持续发展。

（一）坚持依法治理，营造良好环境

1992—2002年，国家和省、市先后颁布了一系列环境保护法规（法律、规章），实行法制管理。越秀区在认真贯彻执行国家和省、市的一系列法规外，根据越秀区的实际，先后制定了《越秀区关于巩固、提高黑烟控制的八项管理细则》《越秀区关于巩固烟尘控制区管理规定》等实施意见，使环境保护工作做到有章可循、有法可依，有力地保障了对环境的依法治理。同时，越秀区委、区政府做好环境保护规划，建立了由区环境保护部门统一主管，各监督管理部门分工负责的环境监督体系，加强环境监管执法，认真执行建设项目“三同时”[②]、环境影响评价、城市环境综合整治定量考核、环境保护目标责任、排污申报登记和排污许可证等制度。2000年，结合“三年一中变”实施方案，越秀区委、区政府向区环保、公安、建筑等部门下达了《越秀区2000年环保目标责任书》，着力推进环境综合整治工作。区环保部门根据自身的职能，以控制污染为重点，加大了环境监督管理和行政执法的力度，严格执行建设项目环保“一票否决”的决定。全年共受理申报项目135个，编写环境影响评价表121篇，同意审批项目121个，否决污染项目14个，环境影响评价和“三同时”合格执行率达100%[③]。此外，还查处了26家违反建设项目环保管理规定的企业。认真

① 谭应华：《在中国共产党广州市越秀区第九次代表大会上的报告》，2003年3月31日。
② “三同时”，防治污染设施与主体工程同时设计、同时施工、同时投入使用。
③ 《越秀区环保局2000年工作总结》，越秀区环保局档案室资料。

组织落实污染源限期治理计划，对限期治理的10家企业老污染源下达了年度治理目标任务，并协助企业做好治理资金的返还、筹集工作，使这10家企业年度治理任务全部落到实处。2002年，越秀区环保局加强与区公安、工商、城监、卫生、市环境监理所等职能部门联合执法，坚持常规性执法与专项执法、例行执法与突击执法相结合的方法，强化对环境违法行为的查处力度。全年共进行76次执法行动，对116家违法单位进行了处理；共收到上级转办和直接投诉案件390件，办理结案370件，办结率为95%。对废弃或没有污水处理设施的19个排污单位实施限期有污水处理。全年共受理申报建设项目163 个，另承接2001年未完成申报项目65个，合计228个，完成审批项目185个，其中因选址不当、污染治理设施无法落实等原因否决申报项目11个，有效控制了新污染源的产生。①

（二）加强综合治理，大气污染逐年改善

越秀区大气污染源主要来自工业污染、交通污染、餐饮业污染、建筑工地污染及其他污染源。主要污染物是氢氧化物、二氧化碳、降尘和总悬浮颗粒物等。对此，越秀区开展了持久的整治工作。

1. 大气污染的整治。

（1）工业污染源的整治。改革开放初期，越秀区为了加快经济发展，区街工业引进一批从事化工、塑料制品、橡胶制品、皮革制品、金属制品、机械制造等生产的企业，促进了区街工业经济发展。同时，也带来了环境污染，尤其是藏在居民区中污染环境的工厂企业，群众对其意见很大，有的来信、来电话反映，强烈要求解决。为了减少工业污染，1979年至1990年间，越秀区先后将藏在居民区中污染严重的80家工业企业迁往区设市郊的工业基地。与此同时，并厂2家，转厂14家，撤销8家。到1992年，越秀区辖内只有工业企业98家，年耗煤量2.26万吨，年废气排放量52967万标立方米（即标准立方米，下同）。②1992年后，越秀区委、区

---

① 《越秀区环保局2002年工作总结及2003年工作思路》，越秀区环保局档案室资料。

② 越秀区地方志编纂委员会：《广州市越秀区志（1991—2005）》，广东人民出版社2000年版，第116页。

政府根据经济建设和环境保护可持续发展的要求，调整企业结构，合理布局，规定凡今后居民稠密区内不能再建铸造、化工、电镀、喷漆等生产企业，明确区街工业的发展重点是无污染的轻工业，并改革工业产品结构，将其中的80多家有环境污染的工厂企业转产电子器材、针织服装、文教印刷等。同时，发挥地区优势，发展多种经营、工商贸结合的新型产业形式，有效减少工业污染。到2000年，区内工业企业只剩下22家，年耗煤量减少至0.35万吨，年废气排放量减至6879万标立方米。[①]随着耗煤量、工业废气排放量大幅度减少，工业污染源的问题基本得到解决。到2004年，越秀区内的工业已全部迁出区外，工业污染源得到彻底清除。详见下表：

1991—2002年越秀区工业污染源能源消耗及废气排放量统计表[②]

年份	单位（家）	耗煤量（万吨/年）	耗油量（万吨/年）	废气排放总量（万标立方米/年）	其中（万标立方米/年）		废气中主要污染物（吨/年）	
					燃料燃烧废气量	生产工艺废气量	二氧化硫	烟尘
1991	132	2.45	0.077	54756	23662	31094	543	141
1992	98	2.26	0.066	52967	21921	31046	496	127
1993	85	2.65	0.045	56005	24449	31556	549	45
1994	82	1.95	0.062	36930	18432	18498	381.3	118.8
1995	76	1.64	0.045	22509	15302	7207	322	85
1996	30	0.92	0.030	19594	8489	11105	208	33
1997	31	0.92	0.030	8139	5680	2459	125	14
1998	25	0.05	0.002	7612	5072	2540	89	7
1999	28	0.05	0.013	8891	6343	2548	111	7
2000	22	0.35	0.250	6879	6846	33	163	7
2001	22	0.30	0.230	—	—	—	126	6.76
2002	22	0.26	0.210	—	—	—	100.8	5.66

（2）交通污染源的整治。随着改革开放的深入发展，广州市区的车

① 越秀区地方志编纂委员会：《广州市越秀区志（1991—2005）》，广东人民出版社2000年版，第116页。

② 越秀区地方志编纂委员会：《广州市越秀区志（1991—2005）》，广东人民出版社2000年版，第116页；《越秀区环境保护局2001年工作总结》《越秀区环境保护局2002年工作总结》。

辆也逐年增多。1991年，越秀区机动车日平均车流量2226辆/小时；1996年车流量3678辆/小时；2000年车流量4143辆/小时，到2002年，由于内环路发挥作用，车流量降为3800辆/小时。[①]车辆尾气排放量的增多，对区域空气质量造成了直接的影响，尤其是越秀区作为广州市的老城区，由于人口密集，道路窄、岔路口多，车慢速、停车多，车流量多等，加上道路两侧廊式建筑不利于废气扩散，车辆尾气便成为大气的主要污染源。为了减少车辆尾气对城区空气的污染，越秀区环保部门与交警部门联合对过往车辆进行定期或不定期的尾气监测，对车辆尾气超标的限期改正，对个别车辆尾气严重超标的，作强制报废处理。

（3）餐饮业污染源的整治。1992年，越秀区内饮食服务业有500多家，到20世纪90年代中后期，区属饮食业国有大店先后退出经营，而非公有制企业迅速扩张，区内有各类饮食店、档近600家，这些饮食店、档有的用煤，有的用柴油，有的用煤气，有的对油烟净化进行处理，有的没有处理，使油烟成为又一主要大气污染源。为了减少油烟对大气的污染，1999年，越秀区全面推行“油改气”，饮食业的黑烟得到遏制。但餐饮业厨房油烟净化处理效果有限，油烟污染仍较为严重。为了进一步加强对油烟污染的整治，越秀区环保局结合全国卫生城市检查及“红棉杯”“南粤杯”评比活动，开展全区大规模的执法监督行动，查处一批黑烟污染的饮食店。1995年起，结合每年“烟尘控制街”的复查巩固工作，每季度定期开展烟色监测，每月组织一次执法大检查。1998年，结合“一年一小变”目标任务，加强对饮食店油烟污染的监督管理。1999年，完成炉灶改造的餐饮店有600多家。2001年8月底，落实辖内200个餐位以上的378 间饮食服务业单位改用清洁能源的油烟治理工程合同，完成了“油改气”工作，减少了油烟对大气的污染。加强烟尘控制工作，烟尘控制区覆盖率为100%。2002年4月中旬，越秀区整治废油脂工作领导小组召开联席会议，研究部署废油脂整治试点工作。4月25日，广州市环保局和越秀区政府联合召开越秀地区整治废油脂工作动员大会，率先在全市开展废油脂整治试点工

① 越秀区地方志编纂委员会：《广州市越秀区志（1991—2005）》，广东人民出版社2000年版，第116页。

作。5月，越秀区开始实施对东风街、流花街“废油脂”统一收集、处置的监管工作。7月至8月，监管工作推进到人民街、北京街。9月，开始在全区范围内开展整治废油脂工作。到2002年底，区内824家排放废油脂的饮食服务企业和机团单位的废油脂已纳入规范的统一收集和处置管理，并有810家饮食服务企业与区政府签订了《整治废油脂污染环境责任书》，明确承诺将食品售卖加工过程中产生的废油脂统一委托给市、区环境保护主管部门依法核定的具有“三废”防治能力的单位统一收集处理，签约率达98.4%。到2002年底，全区统一收集的废油脂经提炼成半成品油335吨，月均44吨，这些废油脂在严格监控下安全转运到佛山等地区作烧陶瓷的燃料使用。①

2002年4月25日，广州市环保局、越秀区政府联合召开越秀地区整治废油脂工作动员大会

（4）建筑工地环境污染源的整治。1992年以来，随着改革开放的深入发展，越秀区城区建设力度不断加强：旧城改造，房地产开发，内环路建设，解放大桥建设，解放路、中山五路、中山六路改造修建，北京路、吉祥路、小北路、教育路、诗书路、六榕路、禺山路、惠福路、靖海路、劳动路、越秀北路、越华路等95条路段进行扩建或修铺彩色砖人行道；东

① 《越秀区环境保护局2002年工作总结》，越秀区环保局档案室资料。

风西路跨荔湾北路、盘福路、解放路、小北路至仓边路等立交桥建设；人行天桥（隧道）建设，地铁建设，人民公园改造工程，沿江路建设，状元坊商业街改造整饰工程，广州市儿童公园迁建工程，五仙观绿化广场建设，社区绿化广场建设工程等等。每天排放出大量的粉尘，城区上空经常雾色蒙蒙。环境污染日益严重，危害人民的身体健康，群众十分不满，每天都有来信反映，要求解决。对此，越秀区委、区政府高度重视群众的反映意见，一方面加强执法监督，另一方面做好施工单位的文明施工工作，从源头上遏制工地的扬尘污染。结合"一年一小变"的创建文明城区的工作，加强对辖内在建施工工地进行检查监督的力度，严格按《广州市余泥渣土管理条例》《广州市建筑条例》和建筑工地文明施工标准狠抓落实，要求施工方按规定对施工场地进行围蔽，对工地扬尘进行洒水处理，减少了扬尘对大气的污染，建筑工地文明施工达标率达100%。

2. 整治后的大气环境质量逐年改善。

越秀区大气环境质量，经区环保局监测站监测显示：1992—2000年二氧化硫平均浓度优于国家二级大气质量标准；氮氧化物平均浓度超出国家二级标准；总悬浮颗粒物平均值超出国家二级标准，降尘略超暂行标准。1991—2000年与1981—1990年相比，二氧化硫年平均值下降29.3%；氮氧化物上升1.7%；总悬浮颗粒物下降20.2%；降尘变化不大。2001年起，区内环境空气污染逐年改善。2002年与2001年相比，空气中的二氧化硫年平均浓度从0.035 mg/m^3下降到0.028 mg/m^3；二氧化氮从0.073 mg/m^3下降到0.063 mg/m^3；总悬浮颗粒物从0.191 mg/m^3下降为0.182 mg/m^3；月平均降尘由6.76吨/平方公里降至5.664吨/平方公里，以上前3项主要指标均优于国家环境空气质量二级标准，降尘量优于广州地区暂行标准，与2001年相比，各项空气污染物浓度均呈不同程度下降趋势，环境质量得到进一步改善，空气污染指数（API）有5周为优，47周为良[①]。

① 越秀区地方志编纂委员会：《广州市越秀区志（1991—2005）》，广东人民出版社2000年版，第117页。

（三）严控水质污染源，确保水质稳定

越秀区的水环境主要由人工湖——流花湖及玉带濠、司马涌、西濠涌组成。其中3条濠涌流经居民稠密区或饮食服务业密集地带，汇集大量餐饮服务业废水、生活废水和工业废水，造成河涌水质受到严重污染。废水中的主要污染物是化学耗氧量、生化需氧量、石油类、氨氮。

1. 水质污染的整治。

（1）餐饮服务业废水排放的整治。越秀区内餐饮服务商家数量多，分布广，大小不等，除规模较大的餐饮店具有较完备的治理设施和专人管理，其他大部分餐饮店受规模、资金、技术、场地及管理的限制，其产出的含油污水每天都有几十万吨，小部分只是初级隔油隔渣处理，大部分未经处理就排入下水道，或经濠涌流入珠江，防洪时排入流花湖造成江湖水体污染，使餐饮服务业的废水成为污染严重的源头。为此，区有关职能部门对餐饮服务业的废水排放进行整治，规模较大的餐饮店都有专人管理废水处理设施，但一些小餐饮店只是做初级隔油隔渣处理，与要求仍有差距。自2000年始，通过严格监管和行政执法严查污染现象，废水及污染物排放量大幅下降。详见下表：

1992—2002年越秀区辖内餐饮服务业废水及污染物排放量情况表①

年份	废水排放量（万吨/年）	其他污染物排放量（万吨/年）			
		悬浮物	化学耗氧量	生化耗氧量	动植物油
1992	2023.4	2573	7124	3627	572
1993	1977.8	2348.3	9469	4003.8	780.9
1994	1999.3	2468.7	8821.8	4068.5	491.3
1995	1831.9	1568.7	5657.1	2816.2	547.5
1996	1355.9	1409	6554.9	2238.2	409.9
1997	1681.3	1509	7104.9	2438.2	459.9
1998	1362.6	1369.5	7088.1	2532.5	589.2
1999	1237.7	1242.4	6510.7	2236.4	534.6

① 越秀区地方志编纂委员会：《广州市越秀区志（1991—2005）》，广东人民出版社2000年版，第118页。

（续表）

年份	废水排放量（万吨/年）	其他污染物排放量（万吨/年）			
		悬浮物	化学耗氧量	生化耗氧量	动植物油
2000	660	739.2	3795.2	1267.3	297
2001	209.35	234.47	1203.76	401.95	94.21
2002	307.76	436.22	1961.4	683.23	34.85

（2）生活废水排放的整治。越秀区的生活污水排放量随着区人口增加而上升。1992年，越秀区户籍人口为46.8万多人，全区污水排放量为7785.5万吨，至2000年污水排放量达8927.9万吨。越秀区的生活废水排放由广州市污水处理厂处理，处理后的水质指标达到国家和广东省污水排放一级标准，直接排入珠江。

1991—2000年越秀区生活污水排放量统计表①

年份	全区生活污水排放量（万吨/年）	各种污染物排放量（万吨/年）			
		化学耗氧量	生化耗氧量	动植物油	氨氮
1991	7546.9	17810	9962	1607	1830
1992	7785.5	18374	10277	1658	1892
1993	8401.5	19827	11089	1789	2041
1994	8849.6	20885	11681	1885	2150
1995	9083.4	21436	11990	1935	2207
1996	9175.8	21655	12112	1927	2202
1997	9581	22611	12647	2012	2299
1998	9145.3	21583	12072	1921	2195
1999	9073.1	21413	11977	1905	2178
2000	8927.9	21070	11785	1875	2143

（3）工业废水排放的整治。越秀区的工业污染源主要来自于辖内中小型工业企业排放的废水。这些企业受到条件限制，只有简单的废水处理设施，对废水作初级处理后便排入湖涌。自20世纪90年代初开始，工业

① 越秀区地方志编纂委员会：《广州市越秀区志（1991—2005）》，广东人民出版社2000年版，第118页。

企业外迁逐年增多，废水排放量从1991年的671万吨减至2000年的159.2万吨，化学耗氧量从938吨减至131.3吨，石油类从23.11吨减至4.23吨，重金属从0.63吨减至0.073吨①。至2004年，区内工业企业已全部外迁，工业废水排放问题得到彻底解决。

2. 整治后的水体环境质量保持相对稳定。

1991—1995年，越秀区内的流花湖、玉带濠、司马涌水质污染年均指数（WQI）分别为4.82、15.56、14.1；1996—2000年，污染年均指数分别为4.06、12.13、11.89。1996—2000年整体水质比前五年虽有所好转，但有机污染仍然严重。除流花湖属重度污染外，玉带濠、司马涌、西濠涌均属严重污染，主要的污染物是石油类、化学耗氧量、生化需氧量、氨氮和总磷，水质属劣V类。2001—2002年，虽经多次治理，但除湖水，濠涌水质部分指标仍超地面水V类水质标准。

2002年4月的流花湖畔

（四）加强噪声监测，降低噪声污染

越秀区的噪声污染源主要有商业噪声、交通噪声。

① 越秀区地方志编纂委员会：《广州市越秀区志（1991—2005）》，广东人民出版社2000年版，第119页。

1. 噪声污染的整治。

（1）商业噪声污染的整治。越秀区每年都多次组织区环保、公安、工商、卫生、城监、建设等部门，联合对商业噪声污染进行治理，噪声污染有了明显好转。1994年，经广州市检查验收，越秀区的东风、六榕、北京、广卫、越华、大新、纸行、解放南、解放中、光塔、流花11条街道为“低噪声达标街”①。

（2）交通噪声污染的整治。越秀区对交通噪声污染的整治工作也是常抓不懈，但老城区道路网密集、路窄车流量多等原因，制约了交通环境质量的进一步改善。1997年以后，广州市进行交通管制和交通噪声的治理，尤其是1997年广州市政府颁布了禁鸣汽车喇叭令后，1998年区内的交通噪声骤降3.8分贝。2000年，内环路建成使用，区内的车流量分流，2000—2002年，年均值保持在69.8分贝，达到国家规定标准，并呈下降趋势。②

2. 整治后声环境质量有较大的改善。

越秀区通过对辖区内的噪声进行治理，环境取得明显好转。区环保局监测站按照《中华人民共和国环境噪声污染防治法关于噪声标准的界定》对区域环境噪声、商业功能区环境噪声和道路交通噪声进行了监测，其中区域环境噪声，1991—1996年的年均值62.36分贝，超过国家二类混合区标准（60分贝）；1997—2002年的年均值58.5分贝，优于国家二类混合区标准③。商业功能区环境噪声，1992—1995年的昼间年均值67.6分贝，夜间57.16分贝；1996—2000年，昼间年均值67.16分贝，夜间56.1分贝；2002年，昼间为68.66分贝，夜间60.46分贝。1991—2002年，商业功能区环境噪声超过国家规定的二类混合区标准（昼间为60分贝，夜间50分贝），噪声污染依然严重④。道路交通噪声，1991—1999年的年均值为72.55分贝，超出关于交通干线70分贝的国家标准；2000—2002年，年均值保持在69.36—

① 广州市越秀区地方志编纂委员会：《广州市越秀区志（1991—2005）》，广东人民出版社2000年版，第145页。

② 同①，第120页。

③ 同②。

④ 同②。

69.8分贝之间，达到国家规定标准，并呈下降趋势[①]。

2002年4月，贯通广州东西的主干线东风路

（五）加强宣传教育，不断提高全民环保意识

越秀区每年坚持积极宣传国家有关环保法律、法规和环保知识，提高广大干部、群众的法律意识和环保意识。一是区领导带头学习有关环保法律、法规。每年，区委中心组组织学习班坚持把有关环保法律、法规作为学习的内容抓紧抓实。1994年，区五套班子的领导参加了区组织的有关环境保护法律、法规知识的测试，为干部群众做出了榜样。二是举办环境保护法律、法规和环保知识培训班。据不完全统计，1994年之后的8年间，全区各级共举办各类环保培训班100多期，参加学习的机团、企事业单位的干部职工超过2万人。1997年，区委将环保教育的内容纳入区委党校干部培训课程，先后在党支部书记培训班和中青年干部培训班举办了环保知

① 越秀区地方志编纂委员会：《广州市越秀区志（1991—2005）》，广东人民出版社2000年版，第120页。

识的学习和研讨，将实施可持续发展战略和保护环境有机地结合起来，使各级领导在学习中增强环境管理意识。1999年，区人事局、普法办公室等部门对1561名越秀区干部开展学法考试考核工作，将考核成绩作为干部晋升考核的凭证之一录入“干部学法登记本”，进一步调动全区各级党政干部学法、用法的积极性。同时，还将环保知识教育纳入区内中小学、幼儿园素质教育3年规划和学期教学计划①。三是开展环境宣传活动。1998年，越秀区环保部门以环保宣传月为契机，开展了一系列颇具创意、吸引力的宣传教育活动。在宣传活动月期间，组织了全区性的“环境与人”摄影大赛，与科技局联合举办了“环保科技在你身边”大型咨询活动；与区妇联共同开展了百名“绿色小天使”评选活动和“妇女·环境·家园”环保知识竞赛；与教育局联合举办了小学生环保书画、童谣大赛和环保小论文比赛等活动；并与南方航空公司联合举办了有空中小姐参加的“地球是我家，真情系蓝天”咨询活动和宣传演出。特别是6月3日，配合世界环境日“为了地球上的生命——拯救我们的海洋”这一主题，与海军38001部队共同举办“军民共护母亲河——珠江”清洁大行动，省、市、区领导和部队指战员及社会各界代表踊跃参加，引起了社会强烈的反响。1999年6月，越秀区为纪念“六五”世界环境日举行环保文艺汇演活动，此活动由于区委、区政府高度重视，发动面之广，群众参与程度之高，是以往少有的。全区44个部门均组织节目参加汇演，光演员就有635人，从创作、排练到初赛、决赛，均吸引了广大群众积极参与。活动决赛当天，演员全情投入，观众反响热烈，把竞赛活动推向高潮，《南方日报》《广州日报》和省、市电视台等13个新闻媒体均对活动作了宣传报道。此外，各部门、各街道也开展了形式多样的文化宣传活动，寓环境保护教育于各项活动之中。2000年，越秀区组织了一支由主管区长领导的、由环保技术骨干组成的环保巡回宣讲团，宣讲团由环保局局长带头，分别到机关、部队、街道、企业、学校等30多个单位进行环境状况、环保知识和有关法律、法规的宣讲。据统计，全年参加听讲的达8000多人次。四是开展创建“绿色

① 《越秀区环保局1999年工作总结》，越秀区环保局档案室资料。

社区”“无‘六乱’社区”活动。社区是整个社会的细胞，创建“绿色社区”“无‘六乱’社区”，是让群众得到实惠的有效措施和重要载体。早在20世纪90年代中后期，越秀区提出了“环境立区”的发展战略，全面开展社区环境综合整治建设工作，为创造适宜创业、适宜居住的社会生活环境，全面提升区经济发展“软环境”打下了良好的基础。2002年，越秀区投入经费1200万元，在全区10个街道151个社区中选择东风街凉亭坊、广卫街都府、洪桥街三眼井、流花街流花桥4个条件相对比较成熟的社区开展创建“绿色社区”活动，怡乐里、桂花岗、小东营、嘉和苑、越秀山、豆腐寮、天秀、七株榕、旧南海县、盐运西10个社区开展创建“无‘六乱’社区”活动，在全区范围内形成了“区委、区政府重视，环保部门牵头，有关部门配合，街道社区主持，社会各界支持，群众广泛参与”的创建格局。通过活动，凉亭坊等4个社区创建为“越秀区绿色社区”，怡乐里等10个社区创建为“越秀区无‘六乱’社区”，为全区未达标的社区提供了借鉴。五是开展创建“绿色学校（幼儿园）”活动。1997年起，在全区138所中小学和幼儿园中开展创建“绿色学校”环保活动。至2001年，先后建成省级“绿色学校”的有桂花中学、光孝路小学、东风西小学、民航广州幼儿园、中山六路幼儿园5所，市级“绿色学校”有知用中学、朝天小学等22所。

三、越秀区环境保护取得成效的经验启示

随着经济和社会的高速发展，环境保护与发展速度之间的矛盾也日益突出。正确处理经济发展与环境保护的关系，已成为各级党和政府的重点工作。越秀区环境保护工作，通过重新布局、调整、投入、治理等措施，使得环境污染问题得到遏制，并逐年好转。但是，越秀区环境保护也面临着严峻的挑战，任务依然还很艰巨。因此，要保持清醒的头脑，科学谋划环保工作，才能确保经济和社会与环境可持续发展。

（一）必须坚定不移地实施可持续发展战略

环境保护是我国的一项基本国策，是一个城市实施可持续发展战略的

关键环节，是推动招商引资、促进城市经济社会和各项事业健康发展的必要条件，是改善民生、优化城市环境的重要途径。加强城市环境保护，逐步改善环境质量是提升城市品位，促进对外开放的重要措施。优美的环境是资源、是财富，更是竞争力。只有像经营品牌一样经营好城市环境，才可能在更大范围内配置资源，集聚人流、物流、资金流、信息流，走出一条环境保护与经济社会发展的双赢之路。越秀区委、区政府始终高度重视环保工作，通过重新布局、调整、投入、治理等措施，不但使环境得到了改善，而且促进了经济高速发展，人民的生活水平和居住环境迈上新的台阶，城区面貌发生了历史性变化，成为适宜生活居住和创业发展的平安和谐新城区。实践证明，只有坚定不移地实施可持续发展战略，才能促进环境与经济协调发展。

（二）必须用前瞻性的思维科学谋划环保工作

环境是人类赖以生存的最基本条件，如果破坏了环境，就等于破坏了人类生存的条件。目前，我国生态环境日趋恶化。解决突出的环境污染问题，促进经济、社会与环境协调发展，是各级党委、政府责无旁贷的历史责任和担当。因此，各级党委、政府必须要用前瞻性的思维科学谋划环保工作。在宏观上，第一，把环境保护纳入中长期及年度国民经济和社会发展计划之中，促进经济和社会发展与环境保护协调发展、相得益彰。第二，要注重区域空间的环境综合治理规划，重点解决江河流域、上下风向之间环境污染问题，把污染源控制在最小的范围内。第三，在引进开发建设项目之前，要组织专家对该项目实行环境影响评价制度，避免过去先上马后治理的恶性循环、得不偿失的做法。第四，要充分利用市场调节手段引导投资，促进经济结构转离高污染、高能耗的产业，逐步形成更益于环境保护的绿色农业、环保工业和服务行业，引导消费者转向更加清洁、更绿色、更环保的消费品。在微观上，要逐步将城市中污染严重的工厂企业迁到与居民区相距较远的工业园区中，并对其污染进行集中处理。与此同时，还要加强宣传教育，要从学生抓起，把环保、减排、绿色、可持续发展等理念在小学阶段就灌输到学生的价值观里，从小培养良好的环境保护观。只有立足长远，才能够在世界大潮流中站稳脚步，跟上这个时代前进的步伐。

（三）必须不断创新环境保护工作机制

随着社会经济的不断发展，环境保护的新情况、新问题层出不穷，环保工作只有坚持与时俱进、不断创新，才能取得更大的成绩和进步。在过去较长时期内，环保工作都是环保部门在单打独斗，跨区域需要协调的环保事项推进不力，对下督查缺乏有力的抓手，导致环境保护工作资源未能得到有效整合。为此，越秀区政府专门成立了由公安、建设、城管委、城监、环保、工商、卫生等部门领导组成的环保执法工作领导小组，制定了环境保护工作联席会议制度，定期或不定期地由区政府主管环保工作的副区长负责主持召开环保工作联席会议，形成相关会议纪要，并在实际工作中加强联合执法，确保了环保治理工作的顺利开展。与此同时，还设置了“越秀区人民政府环境保护执法专用章”，区政府委托区环保局代表区政府行使对违法排污企业“限期治理”“责令停业、关闭”等职权，确保了执法的力度。在饮食服务业的污染防治工作中，越秀区在全市率先确立了环保、建设、城管委、城监、工商、卫生等部门共同把关的联合审批机制，有效控制和杜绝新污染源。实践证明，只有不断创新环保工作机制，开展有效的联合执法、环境监管，并将此纳入常态化轨道，从整体上控制地区的环境排污总量，才能实现环保工作成效的提升。

（四）必须用高科技手段推动环保工作的发展

环境保护是一项系统工程，专业性、科学性强，涉及面广，必须用科学思维和科学方法去对待，不断引入和利用现代化高新科技手段，改进并提升环保监管能力，是环保工作向高层次发展的重要手段，也是解决环保工作适应新的城市管理需求的问题的必然选择。越秀区环保工作坚持以信息化技术为基础，不断创新环保管理模式，提升环保管理水平，打破传统环保管理方式，用好环保设备、设施，以现代化技术促进环保管理工作上新台阶。比如对油烟净化设施的监测方面，越秀区在全国率先开展了饮食业油烟净化设施无线实时监控，解决了一直以来难以全面监控、全天监控、及时监控的难题，有效地提高了对油烟污染的监控力度和工作效率，对解决饮食服务业油烟污染扰民、改善环境空气质量具有积极和重要的作用，提高了环境管理的精细化水平。只有不断加强高科技全面监控，才能提高环境监管执法水平。

（五）必须坚持民生为本，维护好人民群众的环境权益

随着经济社会的发展和人民生活水平的提高，对良好生态环境、优质生态产品的需求越来越迫切。为切实维护好、实现好和发展好人民群众的环境利益，越秀区在多年的环保工作中，始终以“群众利益无小事”为宗旨，相继出台了一系列的工作制度和管理制度，使信访工作逐步走上了规范化管理的轨道，为积极沟通政府部门和广大市民的联系，及时把握环境污染隐患，切实解决群众关心的环境热点和难点问题，加强环境保护的公众参与和社会监督创造了有利条件。与此同时，区环保局还完善了局长接访制、重案要案领导包案制、层级包案制、信访汇报制和信访回访制等信访制度。影响较大的环境信访案件则由局领导班子成员进行“包案”处理，做到包督办、包调处、包办结，形成了全方位、立体化处理环境信访的工作格局。1992—2002年，全区共收到群众投诉3065件，办案率98.5%（其中市长专线、人大代表议案、政协委员提案等393件，办案率为100%），群众对办案结果的满意率为100%。[①]只有坚持深入基层、深入群众，认真倾听和反映民声、民意，维护好人民群众的环境权益，积极推动影响可持续发展和人民群众生产生活环境问题的解决，才能让人民群众喝上干净的水，呼吸清新的空气，吃上放心的食品，实现人与自然和谐共处、和谐发展。

（六）必须不断提高全民环保意识

进行全民环保教育对提高全民环保意识、促进环保事业、建设生态文明发挥着先导、基础、保障和监督等不可替代的积极作用，是促进生态文明建设的关键。越秀区始终把通过环保宣传教育提高各级领导干部和人

① 《越秀区环保局1992年—2002年工作总结》，越秀区环保局档案室资料。

民群众的环保意识作为环保工作的重点常抓不懈，每年通过“六五”世界环境日开展的大型环保宣传、咨询、互动等活动，让人民群众了解环境保护的法律、法规和有关环保知识，让人民群众了解污染环境的危害性，明白环境保护的重要性。同时，组织环境保护宣讲团深入街道、社区、企事业单位、学校宣传环境保护的重大意义。只有扎实地做好全民环境保护宣传教育工作，让广大人民群众尤其是企事业单位的负责人提高环保意识，自觉自愿地履行保护环境的责任和义务，真正将环境保护基本国策落实到每个单位、每个家庭和每个人，才能让生态文明观念在全社会牢固树立起来，形成全社会关心、支持、参与环境保护的良好氛围。

（作者单位：中共越秀区委党史研究室）

5 迅速腾飞的区域经济

在改革开放的大潮中，广州各区抓住各种时机，用各种方式加快发展进程。个体经营经济的发展为番禺的发展提供了无限的活力，华侨捐资捐赠使海珠侨乡发生了改变，白云机场的搬迁给花都带来了空港经济的繁荣，村村通水泥路给从化经济发展打下了良好的基础，支柱产业助推了增城迅速腾飞的区域经济。

从化实现村村通水泥路

■ 中共从化区委党史研究室

1998年以前从化的村道大部分是沙土混合路面，给村民出行、农产品运输造成很大困难，且严重制约了农村发展。1999年8月，从化决定用3至4年时间对辖区内210条行政村公路进行水泥路面改造。工程总投资约人民币4.8亿元，里程达570多公里。2001年12月29日，“从化市①行政村道建设竣工庆典”举行，标志着从化全面实现村村通水泥路目标。改造工程的完成，为农村经济社会的发展、新农村建设、构建和谐社会提供了坚实保障。从此，人民群众走上了奔康致富的新路。

一、农村发展，受限于道路交通发展的滞后

从化是一个传统农业县，1997年广州市人均地区生产总值为2.75万元②，而从化市人均地区生产总值为0.89万元③。从化市人均地区生产总值还没达到广州市平均水平的三分之一。发展经济成为当时从化市各级党委、政府工作的第一要务和头等大事。1998年初至1999年上半年，从化市

① 1994年3月，撤销从化县，设立从化市，属广州市代管。2014年2月12日，撤销县级从化市，设立广州市从化区，以原从化市的行政区域为从化区的行政区域。

② 广州年鉴编纂委员会：《1998年广州年鉴》.http：//www.guangzhou.gov.cn/yearbook/20year/html/19150.htm。

③ 广州年鉴编纂委员会：《1998年广州年鉴》.http：//www.guangzhou.gov.cn/yearbook/20year/html/19060.htm。

委、市政府经过深入研究和讨论，广泛听取人民群众的意见和建议，确认道路交通发展滞后，特别是农村村道建设落后，是制约从化经济尤其是农村经济发展的重要原因。

（一）20世纪90年代从化对外交通飞跃发展

中华人民共和国成立以来，从化人民以前所未有的热情投入生产建设中去。从初期修复战争期间毁坏的公路，逐渐发展到改建、扩建、新建公路。至20世纪70年代末期，辖区内公路总长906公里，其中国道152.2公里，除国道为二级公路以外，其他全部为三级公路。[①]20世纪80年代，105国道从化段先后进行了4次升级改造，对道路进行了裁直，全程由原来的104.8公里缩短为90.0公里；进入90年代，从化又掀起了公路建设新一轮的热潮。1991年至1994年105国道从化段全面升级改造，改造后的105国道广州至温泉镇路段全长74.3公里，全程新铺水泥路面；从化市温泉镇至吕田镇与韶关市新丰县交界处全长60.6公里，由原老旧沥青路面改建成水泥路。[②]1994年5月至1998年8月，106国道从化段先后2次进行全面升级改造，对路面进行水泥铺设和拓宽。[③]1991年至1998年期间，从虎、龙塘、良地[④]等省道公路陆续进行升级改造或建成通车。[⑤]县道包括吕田至新丰、神岗至棋杆、街口至人和、良口至东明也陆续进行升级改造，基本都新铺设了水泥路。

经过几十年的发展和几代人的共同努力，特别是进入20世纪90年代，随着多项公路扩建和新建项目的完成，从化有105、106国道分别纵贯南北和横贯东西，里程120多公里；省道四通八达，里程约64.5公里；二级公路长180多公里，公路桥梁248座；[⑥]京珠高速从化段准备动工建设，街北高速进入环评阶段。此时与中华人民共和国成立初期相比，从化城镇对外交

① 从化市地方志编纂委员会：《从化市志（1979—2004）》，广东人民出版社2010年版，第207页。
② 同①，第209页。
③ 同②。
④ 从虎是指256省道从化市至东莞虎门镇路段；龙塘是指353省道从化市至龙门县地派镇路段；良地是指354省道从化市至佛冈县四九镇路段。
⑤ 从化市地方志编纂委员会：《从化市志（1979—2004）》，广东人民出版社2010年版，第210页。
⑥ 从化市地方志编纂委员会：《从化年鉴（1999年）》，广东人民出版社1999年版，第297页。

通状况得到质的改善，对外交通路网基本形成，为从化经济社会的发展提供有力的支撑。

（二）农村在从化整个社会经济发展中举足轻重

1998年从化市下辖15个镇和5个场（处），共有210个村民委员会和21个居民委员会。①工农业总产值120亿元，财政收入2.4亿元。②农业总产值13亿元。1998年底，从化市总人口49.65万人，农业人口36.82万人③，占人口总数的74%以上。

在经济作物种植方面，随着水稻、蔬菜、水果、花卉等经济作物新品种的引进，种植技术、病虫害防治水平的不断提高，农业生产高速发展。1998年全从化市水果种植面积达到23万亩，农业人口人均种果面积超过0.5亩；④蔬菜种植面积达14万亩，复种面积达到26万亩，年产量超过20万吨⑤。种植荔枝、杨梅、三华李、柿子、毛竹、兰花等经济作物成为农民发家致富最重要的渠道。同时，农村集中了数量最大的消费群体，是从化经济发展可靠、持久的动力源泉。1999年7月6日《从化报》头版头条刊登中共从化市委书记陈建华的讲话：卖荔枝是当前政府要做好的大事情，为避免出现过往市场鲜果荔枝积压成患，造成价格急跌的事件，各镇、各流通部门要定出措施搞活荔枝的流通。在20世纪90年代末期，农产品的生产和销售已成为从化市各级党委、政府高度重视的问题。每逢蔬果收成季节，农民增收、蔬果产量和价格等问题均成为人民群众关心和报纸、电台、电视台新闻报道的焦点。

（三）农村道路建设迫在眉睫

随着从化农产品产量急剧增加，农产品销售方式发生了变化，自产自销或仅在从化范围内销售的传统方式已不适应市场流通需求，增加农产

① 从化市地方志编纂委员会：《从化年鉴（1999年）》，广东人民出版社1999年版，第1页。
② 同①，第271页。
③ 同②。
④ 从化市地方志编纂委员会：《从化市志（1979—2004）》，广东人民出版社2010年版，第297页。
⑤ 同④，第292页。

品外销数量和扩大流通渠道成为从化农业发展的重要途径。1997年，从化市在广州各大市场、超市设立多个蔬菜销售批发点，仅在江南果蔬批发市场就设有15个，在越秀市场设有8个。各级政府想方设法帮助农民打开销路，促进农产品流通，提高农民收入。但是，广大农村交通运输能力不足，严重延误农产品销售的时效性，成为农村经济加快发展的主要瓶颈。

1998年，从化市辖区内的村道570多公里，绝大部分是沙土混合路面，仅有145公里水泥路面[①]。每到春夏季节，建在大山岭之中的村道，受洪水、山石、险涧等因素影响，受侵蚀损坏，坑坑洼洼。荔枝是广大农村最重要的经济作物，成熟季节恰逢雨季，此时果农感受最深："我们请了工人摘果，还要请人运输，路不好走，运输收费贵，这样我们钱还没赚到，雇工费就花不少，碰上下雨天，荔枝只能堆在家里烂掉。"有农产品加工企业来从化考察设厂，看到农村村道的状况，根本没有信心进行投资。农民"靠山吃山"，农产品运输渠道不畅顺，辛苦种植的农产品不能变成财富，农民深受村道建设落后之苦。

20世纪90年代中后期，从化农村道路建设严重滞后于农村发展的问题逐渐受到从化市各级党委、政府和职能部门的重视。改善农村交通状况的

1998年雨季，路面泥泞的从化村道

① 从化市地方志编纂委员会：《从化市志（1979—2004）》，广东人民出版社2010年版，第212页。

呼声，在从化群众、农产品加工企业以及人大代表、政协委员中都变得越来越高。

二、集思广益，决策启动村道改造工程

（一）深入调研，确立决策依据

1998年3月，从化市第十二届人大一次会议结束后，从化市人大常委会领导班子成员对公路交通建设的问题，进行深入的调查研究和探讨。年底，从化市人大常委会相关领导负责人到韶关市仁化县学习考察。考察组发现“要想富，先修路”“路通财通”等思想已经成为仁化县委、县政府和广大人民群众的共识。同时，仁化县采用的全党动员、全民动手，广泛发动群众，多渠道筹集公路建设资金的“民办公助”等方式来促进道路改造的做法，给从化的人大代表很受启发。调研结束后，从化市人大常委会相关部门与从化市交通局共同研究，并提交了村道建设的议案。

1998年末，陈建华到任从化市委书记后，多次深入到各镇、村开展调研，听取镇村干部和村民对于发展经济的意见和建议。1999年2月，陈建华到东明镇调研经济发展情况时，东明镇提出要改造东明镇至韶关市新丰县沙田镇沙东公路的设想。该公路是东明至沙田的一条乡道，沙田镇已经将两车道水泥硬底化道路建到与东明镇接壤的地方。为方便两地民众的交流往来，促进经济发展，东明镇建议从化路段也进行升级改造。听取了东明镇的汇报和建议，在调研活动当场，陈建华提出了“省争取一点资金，广州市争取一些，从化出一点，镇出一点，村干部村民集资点，社会捐资一点”的设想。1999年3月，在从化市第十二届人大二次会议召开前夕，市委听取市人大常委会关于改造全市村级道路的意见和建议。从化市人大常委会主任朱炳烈对从化市人大常委会在公路交通问题上所做的调查研究工作和建议作了汇报，代表人大常委会提出村道建设的动议。陈建华在听取报告后提出：“解放已经50年，再也不能让群众饱受行路难的痛苦，否则无法向50万人民交代。要千方百计创造条件于今年启动改造村级公路工程。”从化进行村道改造工程建设，形势紧迫。

（二）全面研判，面对困难达成共识

获知从化市委、市政府将计划实施村道改造的意向，从化市部分领导干部，甚至领导班子中出现了不同的声音，认为目标“不切实际、难以实现”。从化市委、市政府和相关职能部门在了解和收集到这些不同的意见后，开展了深入调查和研究。经过到外地开展调研、到农村实地调查、经费测算等工作，从化市委、市政府认为要全面改造全市210条行政村村道存在的困难很多[①]。

在从化市委、市政府提出村级公路硬底化改造工程初期，绝大部分群众抱着支持、欢迎态度。但随即又提出“民办公助”的筹资方式，部分建设资金要村筹资和村民集资，这种做法令很多群众，甚至部分村干部对村道改造抱有不理解和抵触的情绪。同时，村道改造要占用部分群众的土地，甚至可能是免费占用，群众的抵触情绪更加强烈。1999年，从化市财政收入为3.8亿元左右，属于“吃饭型”财政。当时根据地方公路技术规定编制的工程造价预算，工程总投资约4.8亿元。要筹措建设资金，很多领导干部心里都没“底”，资金问题成为村道改造面临的最大困难。而另一个摆在从化市委、市政府面前的问题是从化市辖下面积1974.5平方公里，210个行政村，约1100个自然村落，基本分布在山区，村道改造点多线长，遍地开花。要在4年时间内完成征地、拆迁、工程建设、验收通车，还要做好建设工程管理、安全生产、落实督促检查等工作，难度空前。在村道改造动员大会上，从化市委、市政府明确要求各级领导干部要将“质量是百年大计”的思想牢记心中。但是公职人员队伍中专业技术人员少，要做到确保工程质量，让人民群众放心满意，困难也很大。从化市委、市政府认为采取逐步改造的方式，用时较长，或将会错失全面发展农村经济的良机。这时是选择迎难而上或是放弃初衷，是对从化各级党委、政府决心和广大群众智慧的重大考验。

① 村道建设工程指挥部办公室：《从化市村道建设的主要困难及应对措施》。

（三）利用政策，实施村道全面升级改造

经过近半年的调查研究，通过听取人大代表、政协委员、镇村干部和广大群众关于村道改造的意见和建议，从化市委、市政府最终决定对210条村道进行全面升级改造。

1999年3月，在从化市第十二届人大二次会议上，人大代表再一次提出建设9条村道、改善交通的议案。大会上，从化市人大常委会主任朱炳烈提出对乡村道路改造要突破旧的思维定势，要借鉴粤北山区的经验，实行民需民建、国家补助的方式。3月中旬，广东省交通厅到从化市视察道路交通建设问题，听取从化市委、市政府关于改造村级公路的设想，并表示了赞同和支持。从化市委、市政府决定借助广东省、广州市对山区扶贫的政策和要求"村村通公路"的"东风"，结合广东省委实施"三个三"工程中要"加强科教、农业、交通能源通讯3个基础建设的要求，从而实现告别贫困、走向富裕，告别愚昧、走向文明，实现现代化的目标"的工作部署。4月在从化市农村工作会议上，从化市委、市政府提出加强农村基础设施建设，争取尽快全面推进改造村级公路的要求。8月从化市市委常委召开会议，商讨村道建设问题，并正式提出全面进行行政村村道水泥路改造建设工程的决定。8月30日，从化市委、市政府召开全市村道建设动员大会。9月24日，从化市委、市政府联合发出《关于加快我市村级公路建设的通知》（从发〔1999〕26号），决定用4年时间实现村村通水泥路的目标。

三、众志成城，村道改造工程提前圆满完成

1999年3月至2001年12月，从化各级党委、政府带领近50万群众艰苦奋斗，发扬无私奉献精神，聚集和依靠广大人民群众的智慧和力量，提前一年半圆了农村群众期盼已久的坦途"梦"。

（一）做好群众工作，发挥党员先锋带头作用

村道改造是一项"民心工程"，也是一项"艰难工程"。从化市各级党委、政府和人民群众做到思想上重视，行动上支持，充分发挥了党员的

先锋模范作用，发挥劳动人民智慧，全力推动村道改造建设。

1. 广大党员干部做好表率。村道建设初期，由于受到“民办公助”资金筹资方式，以及市、镇领导干部要包片联系各村、责任到人等因素的影响，干部队伍中出现了一部分不同的声音，甚至有人认为村道改造只是政绩工程，劳民伤财。针对干部队伍中出现的错误思想，市委、市政府在印发《关于加快我市村级公路建设的通知》文件中，明确提出要求各镇党委、政府要从增创农村经济发展优势和实现农民奔康致富的战略高度认识村道改造的迫切性，清除各级干部“等、靠、要”的思想，早日将村道改造工作提上议事日程。同时各级领导干部在多个不同的场合发表动员讲话，做党员领导干部思想工作。从化市委书记陈建华在村道建设工作会议上的讲话指出：村道建设是我市人民奔康致富的重大行动；各党委政府要从增创农村经济发展新优势和如期实现农民奔康致富的战略高度，深刻认识加快村道建设的重要性和迫切性；实践证明，“大路大发，小路小发，烂路难发，无路不发”，只有“路通”才能“财通”。原来思想上不理解、态度上不坚决的党员干部，看到热火朝天的施工现场、人民群众捐款的热情以及新闻媒体的报道等，也迅速投入到村道改造建设的大潮中。

2. 加强对群众的宣传教育。在全从化市范围内广泛宣传中央、广东省、广州市关于加强地方公路建设的有关精神，宣传广大党员干部和人民群众在村道改造中的感人事迹，在各条村道上悬挂宣传标语。从1999年底至2002年，《从化报》刊登关于村道改造的专题宣传报道超过60篇。党员领导干部深入农村家家户户，向广大农民宣讲村道改造的目的、意义和做法，使村道改造工作家喻户晓，人人皆知，引导群众自觉加入到村道改造建设工程中，逐渐在全从化市掀起一场村道改造的群众性热潮。同时发扬民主精神，让少数条件较差的自然村自主抉择是否修路。例如，地处广州市最北面的吕田镇鱼洞村，村里有72户居民，村民292人。鱼洞村村委会距离从化市区66公里，离吕田镇政府10公里。起初面对广播、电视、报纸为村道建设大张旗鼓的宣传和报道，鱼洞村人表现冷漠，他们认为自己是“被遗忘的角落”，不相信整洁平坦的水泥路能通到家门口。而且经测算修建鱼洞村村道6.9公里，需要资金300多万元。面对这一个村民数量少，改造建设费用高，村民积极性不高的村，从化市委、市政府萌生过鱼洞村

改造后的吕田镇鱼洞村村道

整村搬迁的想法。获知消息的鱼洞村民强烈地向镇、市反映，革命老区鱼洞村是他们祖祖辈辈生活的地方，也将是他们子孙辈辈继续生活的地方，希望能够将鱼洞村的村道改造一起规划、一起建设。从化市委书记陈建华亲自到鱼洞村进行现场办公，过问鱼洞村村道是否建设的问题，了解修建要面对的困难。此后，鱼洞村村民也改变过去的消极态度，积极号召村民捐资，出现了鱼洞村14个出嫁女回家捐资赞助修路的感人故事。面对鱼洞村村民极大的热情，市委、市政府认为鱼洞村的村民也应该有享受社会经济发展成果的权利，向村民作出如期进行村道改造的承诺。

3. 勇于担当，发扬奉献精神。1999年10月，成立“从化市村道建设工程指挥部”（以下简称市工程指挥部），从各单位各部门中抽调了工作能力强、熟知农村群众工作、具备一定公路建设和施工管理知识的干部到市工程指挥部工作。市级领导和各镇班子领导全部进行挂钩联系各村，对重点、难点村由书记、镇长亲自督战。从化市委副书记钟山在2001年4月

10日的“在全市村道建设工作会议上的讲话”中指出在任务重、资金缺、时间紧的情况下，保证年底全面完成村村通水泥路的“死任务”，有任务的镇，第一把手要立下“军令状”，从实践“三个代表”的政治高度打好村道建设的“歼灭战”，要有“年底不完成任务誓不为官”的决心和勇气。包村联系的广大干部时常利用节假日，到工地检查施工进度，协调解决实际问题。广大的施工人员披星戴月，加紧施工。为了村道建设，大家毫无怨言。

（二）寻求援助，共筹村道建设资金

资金是进行村道改造的关键。从化采用“民办公助”方式筹措资金，从化市财政给吕田、良口、东明三镇拨款每公里25万元，其余各镇每公里20万元的改造资金。同时，发动广大群众、社会组织、热心人士齐来筹集建设资金。具体做法是：争取上级政府补助一点，市财政出一点，镇财政出一点，村出一点，村民集资捐助一点，受益单位资助一点，扶贫单位扶助一点，外出干部职工捐一点；发动热心人士捐一点。在筹资过程中，发生了很多感人的故事。

1. 争取到广东省和广州市及上级部门给予资金支持。从化市委、市政府清楚认识到要解决资金困难问题，除要自力更生，主要还得依靠广东省、广州市和上级相关职能部门的支持。从化市和各单位各部门的领导干部，多次到广东省、广州市有关部门申请，利用山区扶贫政策、专项资金等，争取资金支持。1999年至2002年期间，广州市和广东省交通厅的有关领导多次到从化考察和指导村道改造工作，为解决资金困难提供了极大的帮助。2000年9月，广州市市长林树森带领广州市各有关单位主要领导到从化召开市长现场办公会议，对从化市村道硬底化改造工作给予了肯定，认为村道改造是践行“三个代表”重要思想的具体表现和为民办实事的做法，决定广州市给予一定的专项资金补助。2002年3月，省交通厅领导来从化考察调研村道硬底化改造工作，在听取从化市委市政府关于改造村道的工作汇报后，当即表示赞同和支持，并按山区公路建设的标准每公里给予5万元的资金补贴。至2002年底，广东省和广州市共给从化村道建设补助资金2.17亿元。其中广州市补助资金1.87亿元，广东省交通厅补助资金

2940万元，这两笔资金成为从化村道硬底化改造的重要保障。

2. 集资和捐资为村道改造提供重要资金补充。村道的改造工作，随着部分先动工的村道如火如荼的建设，逐步得到广大群众的拥护和支持。1999年10月开始，各镇、村陆续召开动员大会，此后从化市上下掀起捐资、集资改造村道的热潮。为调动村民集资的积极性，龙潭镇不再实行逐步改造的计划，采取"谁先达到筹资任务70%的谁先开工"的办法，对完成集资计划的村先实行村道改造。其间，涌现出许多为村道改造慷慨解囊的动人事迹。在太平镇，领导班子成员带头每人捐资500元，镇村干部、机关企业单位职工基本全员捐资。在东明镇，东联村书记陈国平、村委会主任潘亚发从积蓄中借出5万元现金垫付工程款，使东联村村道得以继续建设。在桃园镇，密石村一名老党员，将自己多年节约下来的几百元现金全部送到村委；在吕田镇，鱼洞村的一名出嫁女，得知家乡修水泥公路，率先捐资2000元，在她的带动下，全村14名出嫁女全部回村捐资，共计7780元；在江埔镇，一位曾在鹊塱村务农的广州知青得知搞村道改造，专程从广州赶来捐资1000元，以表示他对"第二故乡"人民的支持和祝福；在灌村镇，新田村一个体户捐献水泥500吨。到2002年，全市通过各种渠道共筹得资金4724.99万元（广东省、广州市支持资金和从化市本级财政筹资除外）。

3. 无偿服务及降低工程造价缓解资金压力。为尽量降低工程造价，从化市属各职能部门为村道改造建设工程提供了无偿服务。从化市村道建设动员大会召开后不久，市村道改造工程指挥部提出全市有关职能部门应为村道改造建设提供无偿服务。交通主管部门要为村道建设提供免费测量、设计；招投标服务中心将免费进行招投标；电力局、电信局等免费迁移管线；对村道改造实行零税零费等优惠措施，尽量降低每一条村道改造建设的工程造价。一些企业和社会机构也响应号召，积极提供无偿赞助服务等。例如，神岗连塘公路改造工程总造价180万元，京珠高速公路广东省长大公路工程公司21标段分公司无偿赞助80万元承建该工程。

（三）重视工程建设管理，力争按时完成建设任务

从化市工程指挥部负责全市村道建设工程的协调管理、组织实施。全

市18个镇（场）共抽调98人到指挥部开展日常工作。各镇相应成立村道建设工程指挥部。市和镇两级工程指挥部成为村道改造建设工程管理的责任主体。

1. 运用规章制度来管村道改造建设工作。在抓工程建设管理方面，市工程指挥部采取了“十个统一”的做法。就是在村道改造建设工程中，要统一指挥、统一规划、统一设计、统一规格、统一招标、统一施工、统一监控、统一质量、统一验收、统一评定。1999—2002年期间，工程指挥部相继出台了《从化市村道建设工程招投标暂行办法》《从化市村级公路工程技术标准与质量监控》《从化市村道建设工程施工注意事项》《关于强化村道建设工程管理的规定》《强化质量管理的决定》《从化市村道建设工程招标投标暂行办法补充规定》《关于自然村道动工期限的规定》等16项规章制度。16项规章制度的出台实施，使村道建设的每一个环节、每个步骤有章可遵、有规可守，为各镇工程建设指挥部提供清晰的指引，使建设工程项目在立项、招标、施工管理、工程验收等方面有严格的管理规范，保证每条村道改造建设工程项目有完善的报批手续，按照工程招标流程进行招标，建立完善的工程施工档案卡，确保各项村道改造建设工程有条不紊地推进。

2. 把好立项招标、质量管理和工程验收“三关”。对立项、招标的程序进行严格把关，《从化市村道建设工程招投标暂行办法》明确村道改造建设工程的立项、招标标准和程序，要求成熟一条，立项一条，对已立项的村道，全部实行公开招标。凡未经过公开招标或未经市指挥部同意而邀请招投标的村道，不给予款项补助。同时，质量管理从细节抓起，责任落到部门，到一线，到个人。从工程设计的源头抓起，建立工程质量管理市、镇、村三级责任制。市工程指挥部作为质量监控的主体，主要履行监督、监测职责，负责监督审查招标单位、施工单位资质；镇主要领导为本镇工程质量的第一责任人，履行督促、检查职责；村民委员会作为其村道建设的主体，对工程质量负直接责任。市、镇、村派出专职质量督查员，对现场施工进行检查。工程指挥部到各镇举办质量督查员培训班，召开质量管理施工现场会。发现施工单位出现质量不合格的，及时纠正。另外，市和各镇均成立专门的工程竣工验收小组，验收要具有专业资质的第三方参与其中。根据工程设计方案，严格按照技术标准对主体工程、附属工程、隐秘工程中间验收和竣工验收，做到达标一条验收一条。

3. 以倒计时制度力促建设工程进度。2001年4月10日，从化召开村道建设工作会议，从化市委副书记、市工程指挥部总指挥钟山在会上讲话指出：村道建设从启动至今虽然还不到一年半时间，任务过半；我们必须清醒认识到，仍有村道尚未动工，村道的攻坚战还在今年，啃“硬骨头”的战斗才刚刚开始。市工程指挥部针对部分村道改造建设工程进度慢问题，派遣4个调查小组到各镇（场）调查村道建设的推进情况，清查未动工、未完工和停工的村道改造工程。调查小组将调查情况上报从化市委、市政府，从化市委、市政府召开专门会议，针对良口镇团丰、和丰、达溪、赤树、合群等村道工程推进较慢的村，决定采取定点联系和倒计时措施。市工程指挥部负责安排专人定点联系、督查和协调，确保能完成的村道改造尽快完成。市工程指挥部主动与市属各职能部门联系，共同为村道建设出力献策。电信、电力等部门加班加点工作，加快电线杆、光纤电缆的迁移工作。水利部门针对哄抬沙石价格的现象进行打压。2002年，从化“7·20”洪灾后，工程指挥部专门召开紧急会议，组织工作组到鳌头、民乐、龙潭、东明、吕田等镇了解情况，指导各镇对受洪水冲毁的村道工程进行修复，确保工程的进度。

施工人员在严寒天气中进行村道施工

4. 跟踪联系确保难点村“不拖后腿”。从化村道有很多是修建在弯多坡陡的地方，在改造建设过程中，路窄的地方要加宽，坡陡的地方要削平，坚硬的岩石还要用炸药来炸开。例如，鱼洞村村道基本都是依山势而建，曲折蜿蜒，有101个弯道。在改造过程中，其中就有300米的地方完全是用炸药炸开，工人曾幽默地说：我们在修那段路时简直是在“蚁行”。对施工难度大的村道，从工程设计、测量、预算、施工、监理等方面要求严格把关，市工程指挥部要各镇（场）做到“建一条成一条”，不能拖延工期，不能“烂尾”，规定对每条村道，施工队中标后要将30%的资金存放银行，直到工程验收合格后才能将30%的资金撤走。同时各镇（场）采取包片负责方式，镇领导班子成员重点跟踪，遇困难随时汇报，召开现场会解决。

（四）控制工程造价，资金专款专用

资金使用是否科学、合理直接关系到村道改造的成败，影响政府的社会公信力。市工程指挥部为确保每一分钱都用在刀刃上，制定了一套严密的资金使用程序，设立了财务组，负责工程补助金的监控工作，直接对工程指挥部总指挥负责。资金实行专账专户、专款专用、专人审批、专项监督、专门公布的“五专”制度，定期对各镇资金的管理使用情况进行监督检查。指挥部办公经费与村道改造资金完全脱钩，指挥部办公经费完全由市财政拨付解决。拨付村道补助资金要实行逐级检查，严格实行总指挥“一支笔”的审批制度。同时实施“三不准”制度，指挥部工作人员和镇、村干部不准插手工程招标，不准介绍施工队包揽工程、购买材料，不准接受施工方宴请或礼物。

（五）上级领导和各级部门亲切关怀和大力支持

在村道建设过程中，从化市委、市政府秉着自力更生的原则，积极争取上级党委政府和各部门支持，先后得到广东省、广州市的领导和有关单位的关怀和大力支持。2000年3月22日，广州市副市长张广宁一行到从化视察公路建设情况，对从化掀起村道建设热潮表示赞赏。2000年4月22日，广州市政协主席陈开枝前来视察村道建设，并捐赠2000元给桃园镇密

石村，支持村道建设。4月25日，广东省村委会通公路工作会议在从化市温泉镇召开。从化市市长邓伟强在会上作了“统一思想、全面行动、民需民建、民办公助，加快村级公路硬底化改造”的汇报。9月22日，广州市市长林树森一行专程到从化现场办公，确定在村道建设方面对从化给予具体支持。2000年12月14日，省人大常委会常务副主任张帼英率省人大视察团以及省交通厅、省公路局和广州市公路局有关人员到从化视察村道建设情况。2001年4月20日，中共广东省委副书记、中共广州市委书记黄华华一行到从化开展调研和视察，对村道建设取得的成绩给予肯定，认为村道建设实现了人民群众期盼已久的心愿，是党委、政府真正为群众办的实事好事。

2001年12月29日，良口镇达溪村村道最后一板水泥路的合龙，标志着从化市村道改造取得了历史性的胜利，比原计划提前一年半时间实现了“村村通水泥路”的目标。为铭记各界之襄助，褒扬建设者之功绩，从化市委、市政府于2002年2月，在从化风云岭森林公园山顶上竖起石碑1座。石碑由中共广州市委常委、从化市委书记陈建华题写“村道建设碑铭”，石碑上刻上了为从化村道改造做出贡献的单位、企业和个人的名录。

四、在村道新“路”上，群众奔康致富

21世纪初，从化广大农村有了新路，村民在致富的问题上也找到了“出路”。农村交通条件的改善，让农民群众亲身感受到党和政府的关怀和改革开放带来的成果，极大地鼓舞了农民的信心，为从化农村经济发展和社会进步创造了新的条件。从化农村经济持续发展，农村社会全面进步，为解决农业生产落后的瓶颈问题带来了极大帮助，为加快新农村建设和构建和谐社会发挥了重要作用。

（一）为广大农村产业结构的调整提供保障

吕田镇鱼洞村，村道改造前人们的经济收入只靠毛竹、红柿等少量经济作物，每户种植几分地蔬菜，蔬果仅能自给。2000年12月村道进行硬底化改造后，广州从玉菜业发展有限公司利用该村优越的地理条件，办起

“公司+农户”经营模式的无公害化蔬菜生产基地——“从玉菜场鱼洞分场”。全村蔬菜种植面积由0.67公顷猛增到12公顷，占全村耕地总面积的57%。良口镇溪头村山高林密，溪流清澈，奇石错列。村道九曲十八弯，改造前路面泥泞，在良口镇是著名的偏远难进之地。村道改造后，该村抓住了创建“社会主义新农村建设实验示范村”的契机，经过近10年的发展，成为经济繁荣、功能齐全、环境优美、生态协调、文明进步的农村建设典范。现在，溪头村被誉为“广东省最美丽的乡村”，有“长寿村”“美女村”之称，成为生态旅游胜地，其青梅、三华李、砂糖橘远销全国。

（二）农产品经济效益逐渐提高

从化是著名的水果之乡，盛产荔枝、龙眼、青梅、杨梅、火龙果及砂糖橘等，还有著名的高山番薯、吕田芥菜等特产。在1999年以前，从化大部分村落还处在“山里山外两重天” 的局面，农产品运输难、出售难、货损多、成本高、价格低的问题没有从根本上得到解决。实现村村通水泥路以来，逐渐有人到偏远山区进行农产品收购，农产品的价格也得到很大的提升，农民收入迅速增加。良口镇长流村盛产青梅、砂糖橘和红柿。长期以来，由于山路难行，产品运输成本高。20世纪90年代末期，每千克青梅最高只卖1元，柿子0.60元。2001年，村道改造完成后，果贩开始进村收购，每千克青梅价格达到2元。一位姓梁的香港商人协助村民办起青梅加工厂，每年收购青梅高达25吨，基本解决了村民担心的销路问题。龙潭镇宝溪村，过去由于地方偏僻，交通不畅，土地无人愿意承包，集体经济薄弱，农民人均年纯收入2300元，村级集体年收入只有5000元。村道改造后仅一年时间，农民通过种植蔬菜，大大增加收入，人均年纯收入增至3200元，村级集体年收入增至5万元。全市农民人均年纯收入逐年增长，1998年为3316元[①]，2002年增至4187元[②]，2013年增至12639元[③]，比1998年增长3倍多。

---

① 从化市地方志编纂委员会：《从化年鉴（1999年）》，广东人民出版社1999年版，第273页。

② 从化市地方志编纂委员会：《从化年鉴（1999年）》，广东人民出版社2003年版，第95页。

③ 从化市地方志编纂委员会：《从化年鉴（1999年）》，广东人民出版社2014年版，第467页。

（三）改变村容村貌促进乡风文明

实现村村通水泥公路后，从化市立刻着手实施村村通客运工作，加快了农村人流、物流、信息流的流通，有效地促进农村各业发展。整洁顺畅的水泥公路拉近了从化城乡之间的距离，城市和农村之间的交流日益增多。在水泥公路修通后，从化市相继组织开展了改水、改电、改房、改厕、垃圾污水处理等工程，村民生活习惯和乡村习俗也在潜移默化中变化。水泥村道不仅成为从化市农村经济发展的重要加速器，也是从化市这么多年以来，建设社会主义新农村、“美丽乡村”等的重要切入点。2001年开始，广州市第二公共汽车公司逐步开通城区和镇墟至村委的客运专线。到2001年11月，乘坐公司客车的客流量从原日均3000人次上升至6000人次。以往东明镇长流、乐明等村农民赶集要步行4至5小时。现在，村民坐1小时的汽车就到达集市。从前，村民一个月甚至一个季度才到镇墟一次，现在村民一个星期，甚至一天就去镇墟一次从事各种商品交易活动。

（四）农民生活水平迅速提高

路通就财通，10多年以来从化市农民的生活水平逐步提高，大批高档次的消费品如彩电、电冰箱、洗衣机、空调、高级音响等进入农家，摩托车成为农民出门的代步工具和生产工具。2001年，全市摩托车新入户数比2000年增加1万多辆。2001年12月，《人民日报》记者张毅深入从化考察，他写道：“记者分明感受到从化人工作在一种兴奋的状态之中。鼓舞他们的就是他们所说的‘村道精神’”。2001年12月4日，《人民日报》刊发张毅写的通讯《从化的“村道经济学”》和编辑点评文章《多办得民心的事》。文章写道：“村道建设，在发达的平原地区看来是平常的事；然而，在偏僻的从化山区，条条村道打通了经济发展的血脉，使那里各种资源聚合所释放出来的能量超出了人们的想象”，“从化的村道建设及其连锁效应中蕴涵着一个‘村道经济学’”。

（五）密切了党群干群关系

在村道改造过程中，从化共产党人面对建设资金短缺、少数党员领导干部有畏难情绪、工程技术人员少等困难，决策者们胸怀群众，选择与人民群众同呼吸、共命运。从化人民吃过了交通落后之苦而又初尝“路通财通”之甜，做到“齐心聚力，艰苦奋斗”，在困难面前昂首阔步，奋勇向前。村道改造是从化共产党人实施“察民情、知民意、解民忧、促民富”的百年大计，凝聚了党委、政府的心血，凝结了广大建设者和人民群众的汗水，成为了党和人民群众密切联系的桥梁和纽带，使从化人的凝聚力充分地体现，并淋漓尽致地得以发挥，是共产党人和广大人民创造和睦相处美好家园的典范。

回顾过去，那段波澜壮阔、艰苦奋斗、自力更生的岁月里，从化共产党人胸怀宗旨，人民众志成城，凝结出“齐心协力，艰苦奋斗，无私奉献、争创一流”的从化“村道建设精神”。2016年，从化由广州市代管的县级市变成广州的一个区。这是从化的新机遇，也是新挑战。忆往昔，那段激情燃烧、可歌可泣的岁月永不落幕，启迪和激励着从化人知难而上，开拓进取；“村道建设精神”将永远长存，支持和鞭策着从化人要不忘初心，继续前进。展望未来，从化区委、区政府将坚定不移地走“绿水青山就是金山银山”的发展之路，在建设幸福美丽的生态之城的大道上迈出新步伐。

新塘牛仔服装业由朝阳产业向支柱产业转变历程

■ 增城区新塘镇人民政府

广州市增城区新塘镇在改革开放之初，工农业年产值1120万元，其中工业产值260.4万元，人均年收入124元[①]。而到20世纪末21世纪初，工农业年产值达80.64亿元，其中工业产值78.02亿元，城镇职工年人均收入13800元，农民年人均收入7672元。经济飞速发展的关键所在，便是牛仔服装产业的兴起和发展。

新塘牛仔服装业，是广州最为典型的乘改革开放东风兴起和发展起来的产业。而1992年至2002年，是“建立和发展社会主义市场经济”提出之后，广东经济利用外资、外向型经济的特点实现爆发增长阶段，也是新塘牛仔产业发展的新一轮高潮和实现朝阳产业向支柱产业转变的重要节点。

一、新塘牛仔服装产业崛起的背景

新塘镇位于东江下游北岸，广州东部，增城南部，总面积85.09平方千米，土地平坦，河涌交错，宋代就曾在此设水陆驿站。随着中原士族的南迁和不断围滩筑塘，逐步形成现在的新塘城区（古新塘圩），成为种田、养鱼、育蚕的综合性农业生产之地。至明朝中叶，随着家庭织布、漂染、造船等手工艺和商业贸易的迅速发展，新塘尤以“荔枝市”和“米市”

① 数据来源：《改革开放为增城新塘镇插上腾飞的翅膀》，载中共广州市委党史研究室：《亲历改革开放②——广州改革开放30年口述史》，广州出版社2008年版。

著称，成为广东有名的四大商贸墟市之一。清乾隆年间新塘已成为东江下游的重镇，既是农业高产地区，又是东江流域与穗港澳沟通的重要转口商埠和大米、荔枝干、咸鱼、杉木等商品的集散地。鸦片战争后，海禁开放，新塘扩大了与港、澳及海外的经商贸易，成为东江一带外来海味、食盐等产品的中转商埠。1911年广九铁路通车后，新塘商贸经营种类也日益增多，逐渐形成了以街坊为单元的专业化经营方式。民国时期，新塘的制衣业和造船业得到长足发展。著名的制衣店有万利、基记、陈贵寿、振昌等，产品有唐装、西服等①；造船户有30多家，规模较大的有志兴、诚兴等，业务远达梧州、惠州、中山等地。良好的自然环境和水运交通区位优势，使新塘成为重要的农业生产地和东江流域与穗港澳沟通的重要商埠；手工艺的逐渐成熟和商贸业的发展，为新塘的工业发展，特别是牛仔服装产业的发展奠定了传统基础。

中华人民共和国成立以后，新塘在私营工商业改造和合作化基础上，在以国营商业为主导、合作商业为助手、个体商业为补充的社会主义商品流通体系下，发展了一批包括食品、粮食加工、造船、船舶修理等行业的国营工业，并将木器、竹器、服装、修理、雕刻等手工艺改造发展成“轻工类”集体企业。但1955年私营企业工商改造后到1979年的25年间，由于个人不准经商，得到发展的是社队企业，如1958年办起的公社建筑材料厂、1964年创办的农机修配厂、1970年建的水泥厂，以及水泥预制件厂、万头猪场、粉厂等。从1949年至1978年间，政治因素成为新塘经济产业发展的主导因素，个体工商户被抑制，国营工业和社队企业发展迅速，为改革开放后新塘的工业化提供了准备。

1978年实行改革开放，广东成为全国最早对外开放的省份之一。新塘依靠良好的贸易基础与地理区位，顺理成章地立于改革开放试点发展前沿。1980年全镇实行“联产承包制”，大批农村剩余劳动力转向务工、经商、搞副业、跑运输。依靠侨乡优势，大量捐赠建设和投资设厂开始出

① 今新塘读岗公园以东一带土名“晒布地”，说明当时制布业的发展。

现，其中尤以“三来一补”[①]、中外合资合作、集体所有制工业企业最为活跃，新塘牛仔服装产业，就是在这一时代背景下兴起和发展起来的。1980年，新塘镇（公社）看准发展势头积极引导香港客商投资，办起了第一家牛仔服装企业——新塘制衣厂（“三来一补”企业），此后又创办了“勤昌制衣厂”和“金冠制衣厂”，为引进外资和先进设备及管理办法摸索了经验。其中1982年由镇企业办与香港黄国雄合办的金冠制衣厂，至1988年，共引进设备400多台，年加工费收入达580万港元。80年代，镇政府鼓励在香港商人所办工厂打工的湛福明等本地年轻人合伙办起了第一家新塘人自己的服装加工厂——信华制衣厂，接着这班年轻人又分别办起了制衣厂。自此，新塘牛仔加工厂不断发展，村办、合股办、个体办的牛仔裤厂、洗水厂不断增多，产品从以外销为主扩展到内外销并举，牛仔服装业迅速成为朝阳产业。尽管新塘不是产棉区，最初一段时间，以纯棉料为主的牛仔服装业，因面料缺乏而感到困惑。但在镇政府的多方努力下，不久便有海内外的面料商看准商机来新塘办供应点，几年时间内面料供应点发展到170多家，使新塘很快成为国内牛仔面料最大的市场。1988年，全镇服装行业税收达144.75万元，超过1973年以前的全镇工商业总税收。特别是1983年由人民公社改为镇后，新塘于1985年被广东省人民政府批准为珠江三角洲经济开发区第一批重点工业卫星镇，享受税收优惠政策，新塘成为外商和港台商人投资的热点，被称为穗港澳的“黄金走廊”。至1990年，新塘全镇工业企业发展到523家，从业人数达1.15万人，产值达14100.5万元。其中新塘工业加工区从1988年兴办以来，兴办三资企业26家、“三来一补”企业13家，年产值达5400万元。改革开放初期，新塘借助政策利好和侨乡优势，集体经济和外来资本并驾齐驱，为牛仔服装名镇的崛起铺平了道路。[②]

---

① “三来一补”，即来料加工、来样加工、来件装配和补偿贸易，是中国内地改革开放初期尝试性地创立的一种企业贸易形式。

② 数据来源：增城县新塘镇人民政府：《新塘镇志》，广东人民出版社1993年版。

二、牛仔服装专业村的兴起和发展

（一）新塘牛仔服装专业村的源起

谈新塘牛仔服装的发展，就绕不开“中国牛仔服装第一村”——大敦。大敦村既是新塘牛仔服装业的发源地，也是牛仔服装专业村，素有“全国牛仔看新塘，新塘牛仔看大敦”之誉。

大敦村位于新塘镇东部，总面积约8平方千米，耕地面积2812亩，改革开放初期户籍人口已有6000余人，长期处于人多地少的状态。1982年，新塘制衣厂的港商黄林计划另辟地方开厂，通过镇干部介绍和引导，其在大敦的亲戚找到大敦村团支部书记卢关湖，问村里是否有意引进外资办一间牛仔服装厂。然后，大敦村党支部与港商黄林多次协商，采取将村里的知青房改建成厂房等措施，于1982年8月8日办起了第一家“三来一补”制衣厂，开始加工牛仔裤。

由于进厂打工只能赚到一些工钱，且较辛苦，看到制衣厂生意日渐红火，很多村民便萌生自己办厂的念头。1984年，诞生了第一家个体服装厂——时新服装厂。此后私营企业纷纷兴起，1987年，大敦村党支部研究决定，在原有的创业东路开辟专门的产业区。于是，这一地段便出现了一个个小厂房，或以家庭为单位的小作坊，成为新塘第一个小型牛仔服装开发区。

（二）大敦牛仔服装专业村的发展过程

大敦牛仔服装专业村的发展过程，大体可分为3个阶段。

一是邓小平南方谈话后快速发展期（1992—1995年）。1992年至1993年间，可以说是大敦牛仔服装业的腾飞时期。邓小平视察南方发表谈话之后，大敦村人倍受鼓舞，纷纷放下犁耙，洗脚上田，甩手大干，牛仔服装加工厂遍及全村家家户户。而到1994年、1995年间，家庭作坊开始向集约化、专业化企业过渡，有的企业还专门从香港运来“衣车”出售，有的专门销纱，有的专门裁布。大敦村先后迈入增城和广州市乡镇企业亿元村行列，全国各地的人纷纷来大敦村寻找致富之路，来此开厂、打工者络绎不绝，流动人口日益增多。短短几年里，大敦村牛仔服装产业群初具规模，从牛仔布纺织、染整、设计、绣花、制造，到包装、运输、

1994年，广州市人民政府授予大敦村“乡镇企业创亿元村”牌匾

贸易流通，分工协作的一条龙产业链完全形成，大敦村从而一跃成为全国著名的“牛仔村”。

二是仿冒名牌和假名牌治理期（1996—1997年）。由于缺乏市场经济相关知识，在利益的驱使下，新塘镇出现了许多企业仿制名牌服装出售的现象。有的企业购买了大批如“皮尔卡丹”“苹果”“蓝威龙”等名牌的假牌子，使产品摇身一变成了国外“名牌”，价格自然直线上升，一些企业凭此赚了不少钱，但是给市场造成了极大的混乱，引起了工商、技监、公安等部门的注意。1996年11月7日，广州市打假办和广州市公安局进入大敦村开展查假行动，因村民法律意识淡薄，现场出现了抗法现象，有的人抢走了被没收的假冒牛仔服装，甚至发生了打伤人抢走随行记者录像带的事件，影响十分恶劣，《广州日报》连续4天进行报道，《南方日报》《羊城晚报》等报纸也相继报道。此后，广州市、增城市加大查假力度，在新塘镇和大敦村“两委”的配合、有关领导的劝导教育下，大部分企业认识到自身的错误，决定不再假冒名牌。然而，一些老板又因此陷入认识上的困境，他们认为，如果不做假冒名牌，企业又何去何从？没想到的是，这次打假事件经过媒体的报道成了免费广告，使更多的人知道了大敦，有更多的人前来大敦制衣厂订货。于是，从1997年开始，新塘镇政府和大敦村顺势引导企业转变思路，致力于提高产品质量，做自己的品牌。

虽然这一时期企业还没有形成著名的牛仔品牌，但各种品牌百花齐放，各种商标百家争鸣，迅速打开了国内牛仔服装市场。

三是金融危机挑战期（1998—2002年）。正当大敦牛仔产业步入发展正轨之时，亚洲金融危机波及大敦村。面对国内许多企业被迫停产的局势，镇政府和大敦村着力引导企业从两方面努力，使大敦的牛仔产业出现了创新局面。一方面，在进一步提升牛仔服装质量上下功夫，在工艺上精益求精。率先采用蒸汽洗水方法，即用蒸汽煮水，用蒸汽烘干，大大提高了牛仔洗水的速率。另一方面，面对激烈的市场竞争，在开拓市场上积极转换思路，主要是采取由内销转为外贸出口的办法。到2002年，大敦村的牛仔服装销售主要面向的国家和地区有美国、俄罗斯、沙特阿拉伯以及中东地区，并深受这些国家和地区的欢迎。①

（三）牛仔服装专业村的兴起和发展对全镇牛仔产业的影响

在大敦村的影响下，牛仔服装厂如雨后春笋般迅速在新塘遍地开花，短短几年内，大小厂家多达千家，新塘逐渐成为中国最大的牛仔服装生产基地。其中，群星、久裕、甘涌等村（包括时属沙埔镇现为新塘沙埔片区的部分村），成为继大敦之后的牛仔产业大村。到20世纪90年代末，新塘全镇共有牛仔服装相关企业1393家，牛仔服装产值达78亿元，占增城市工业产值的24%，外贸出口额为全市的60%。邻近的永和、仙村等镇也随之发展，邻近省市一些外地打工者，在大敦学到相关技术后回老家办厂，四川、广西、河北石家庄等地先后出现了制衣产业基地。②

大敦村牛仔的产业发展经历了兴起—发展—治理—再发展的过程，是新塘牛仔产业发展的缩影。邓小平发表南方谈话后的最初一段时间，新塘牛仔服装产业是“村村点火，户户冒烟，遍地开花”的发展模式，然后是仿造、假冒品牌，乱排污水，一度成为全省打假、治污的重点区域。后来通过治理，引导企业更新、改造、升级，逐步走上品牌化、专业化、规模化、集约化道路。据1988年起步的新塘荔隆服装纺织有限公司经理余锡

---

① 广东省教育促进会等：《东江明珠——大敦》（广东新农村建设成果巡礼系列丛书），2009年。

② 《新塘总规修编专题——产业发展与空间布局研究专题报告》。

培所述，当时他所在的白江村每家每户都在生产牛仔服装，全国各地的客户都来入货。那时都没有商标意识，大家做出来的牛仔裤都差不多，都没有商标，一些客商提出要出名的牌子货，他们就弄了许多假牌子来，客商要什么牌子就贴什么牌子。政府开始打假以后，看着生产的牛仔服装被没收、罚款、封厂，村民们就接受不了，认为政府多管闲事，一时陷入了困境，有的甚至想转行做其他生意。但与此同时，打假又迫使他们找到了真正的出路。余锡培说，当他吃也吃不下、睡也睡不着的时候，转念一想：既然人家有牌子，我们为什么不可以有自己的牌子呢！于是，在亲友的支持下，他在群星村另开了一间像样的新厂，添置了一批先进设备，招聘了一批技术人员，开辟了一片新天地，创建了自己的品牌，产品远销俄罗斯、欧美等地。①

三、牛仔服装龙头企业的兴起和发展

在大敦牛仔服装产业迅速发展的同时，随着新塘全镇牛仔服装产业的迅猛发展，一些企业迅速做大做强，成为新塘乃至增城、广州和广东省的龙头企业。

邓小平发表南方谈话后，珠江三角洲成为一个具有独立意义的经济区域，广东省政府迅速提出了建设珠三角经济区的构思，成立了珠江三角洲规划协调领导小组，编制了相应的规划。这时的新塘，也在珠三角经济区宏观发展背景下实现自身发展的不断积累，1995年广州经济技术开发区进行了整合，在原有西区的基础上，在新塘西北部新开辟东区和永和经济区（台商投资区）。此时的新塘，与邻近的永和、沙埔相互联系，形成以牛仔休闲服装产业为龙头的服装产业带。这一阶段，迅速崛起、达到一定规模的服装企业有佳景、龙望、时新、泰兴、乐华、顺景、丽新、华丽斯、穗华、增致、金得丰、金秋华、广英、创兴②、康华、华景等，纺织企

① 中共广州市委党史研究室：《亲历改革开放②——广州改革开放30年口述史》，广州出版社2008年版，第414-416页。

② 其时，“广英”“创兴”尚属沙埔镇，现为新塘沙埔片区。

业有康辉、东海、懋丰、致诚、柏迪、粤华等。它们最为显著的标志和特征有4点：

（一）许多企业做大做强

其中最具典型意义的是广州诚裕纺织服装有限公司①、广州康威集团体育用品股份有限公司、广州东英纺织品有限公司等企业。广州诚裕纺织服装有限公司成立于1990年，首先，凭借逐步完善的质量管理体系和合理的产品结构，在全国各大中型城市建立了销售网络。其次，凭借逐步完善的专卖管理机制和健全的人才管理体系，及时建立了终端卖场的指导培训机制。最后，凭借务实的经营理念和科学的管理体系，成为依托高科技创新型企业，并发展成为一家集织布、印染、服装研发、生产、销售于一体的企业。因此，在短短的几年内，公司主打品牌“增致牛仔”迅速在同行业崛起，成为全国著名品牌，在行业内拥有“牛仔专家”的美誉，成为广东省牛仔服装龙头企业之一。

广州康威集团体育用品股份有限公司成立于1986年，是中国最早专业生产、销售体育用品的公司之一②。它的发展，有自己的理念，也有自己的模式。建立之初，便是集研发、生产、销售、品牌经营为一体的综合性体育用品公司，拥有运动服、运动鞋、运动配件等多个产品生产线，在全国多个城市设有股份公司。因此，几年内逐步形成了覆盖全国的营销网络和分销体系，终端销售网点2000多家。到2002年，“康威”品牌获得“计量保证体系合格证”，同年获得“广州市著名商标证书”“广东省著名商标证书”和“广东省名牌”称号。这一年，康威集团还投资2.3亿元开发占地面积23万平方米的康威运动城，所创立的康威服装获得国家产品质量免检证书和“中国驰名商标”，企业荣获了“广州市优秀民营企业”“广州市企业百强”等称号。

广州东英纺织品有限公司③也是这一时期迅速崛起的企业。公司始建

① 诚裕，2010年更名为“恒裕”。

② 康威产品，从狭义上虽不属于牛仔服装，但在新塘牛仔发展史上，一直习惯于将之归入“新塘牛仔服装”系列，这里仍然沿袭。

③ 东英公司于2008年由新塘城区搬迁至仙村片区，即现仙村镇。

于1988年10月，由于始建规模较大，通过短短几年的努力，迅速成为建筑面积30000平方米，拥有员工2000多人，衣车设备1300多台，集国际最先进织布、制衣、洗水、服务于一体的公司。产品销售欧美、中东等世界各地，创建了J&E，广东省著名商标BRAWNY、EDWANK、KENAFSS、BLUFF等知名品牌，连续多年获得本地区“先进私营企业”“诚信企业”等荣誉称号，并取得了ISO 9001质量管理体系认证，年出口创汇6000万美元。

（二）规上企业①不断创建

在一些企业迅速崛起的同时，通过政府的宣传与引导，一些投资者看准了新塘牛仔发展态势与商机，于是投资规模大、起点高的规模以上牛仔服装企业也迅速增多②。1992年至2002年间，先后有广州市创兴服装集团有限公司、广州增城市广英服装有限公司、广州市骏展纺织制衣有限公司（港商独资企业）和拥有“SML”品牌的广州市思曼龄服装有限公司、拥有“笨小孩”品牌的广州市通利服装有限公司、通过国际质量管理体系认证的广州增城市甜蜜鸟制衣有限公司，以及广州超能制衣有限公司、广州市迪泰纺织服装有限公司等多家企业建成投产，与这一时期做大做强的相关企业一道，成为新塘支柱产业中的支柱。

其中，广州市创兴服装集团有限公司和广州增城市广英服装有限公司，是这一时期创建的规模较大的牛仔服装生产企业。广州市创兴服装集团有限公司成立于1992年，其特点主要有：一是规模大。创兴工业园占地面积480亩，设计、裁剪、车缝、洗水、整烫、包装、销售一体贯穿，日生产能力5万余件，员工达2000余人，是一家专业提供牛仔休闲服装生产、服务的企业。二是产品实行专卖。自创建以来，由于产品具有较强的市场竞争力，旗下的两大系列产品迅速成为知名品牌，产品以专卖形式辐射全国30多个省市自治区，其“创兴”牛仔休闲系列成为国家驰名商标。

① 规上企业：是规模以上企业的简称，一般以年产量作为企业规模的标准，按国家统计局规定，年营业务收入2000万元以上的企业称为规上企业。

② 据新塘制衣厂第一任厂长叶志球回忆，当时投资者普遍对政策顾虑较多，政府宣传引导难度较大。这一时期投资规模较大的企业主都是相对年轻的老板，由于年轻，历史顾虑相对较小，后来成为新塘牛仔崛起的中坚力量。

与此同时，开发女装时尚系列产品与国内外ODM业务[①]。其女装时尚系列“HITWON（喜为王）”成为“广东省著名商标”。国内外ODM业务，服务的品牌有ARMANI、ONLY、VERO MODA、JACK&JONES、LEE COOPER、WITCHERY、ELLE、LACHAPELLE、MO&CO、GOELIA、欧时力、雅戈尔、森马、博马努瓦、以纯等。2002年4月获得ISO 9001质量管理体系认证，后获“广东十大牛仔优势企业”“广州市百强民营企业”“中国纺织服装企业竞争力500强”和广州市“A级纳税人”等荣誉称号。

广州增城市广英服装有限公司（含广州南大地纺织服装有限公司）成立于1996年，其发展理念主要是实施名牌战略。在实行严格的现代管理制度保证产品产量的同时，公司较早实施了ISO 9001质量管理体系认证和环保认证，在多个国家和地区注册了“VIGOSS”等商标。注册的国家有美国、日本、韩国、澳大利亚以及台湾、香港等地区。经过不懈的努力，“VIGOSS”品牌已成国内外家喻户晓的知名品牌，在欧美地区形成了较大的销售网络，并打入欧美高端服装市场，年牛仔服装销售总额近6亿元。在世界经济萧条、亚洲金融危机期间，其自有品牌服装出口额达1亿美元。通过短短几年的努力，广英服装有限公司发展成为资产总值5亿多元，厂房10万平方米，员工6500人，年产能1000万条（套）的企业。其“VIGOSS” 品牌被认定为中国驰名商标、广东省著名商标、广州市著名商标、广东省出口名牌和广州市重点出口知名品牌。公司被省、市行业主管部门授予“广东服装百强企业”“广东十大牛仔优势企业”“牛仔休闲服装十大品牌企业”等称号，被广州市政府评为“广州市优秀民营企业”，被广东省人民政府列为直通车重点服务企业，并获广州“A级纳税人”“重合同守信用单位”“广东信用企业”等称号。[②]

（三）知名品牌不断涌现

随着牛仔服装龙头企业的兴起和发展模式的逐步形成，区域品牌建

① ODM，即英语Original Design Manufacturer的缩写，直译为“原始设计制造商”。

② 朱卫东：《新塘牛仔的品牌突围战》，载《赢周刊》第1874期，2012年10月。

设也成为新塘牛仔服装业的重要发展标志。特别是1996年11月广州市打假办和广州市公安局进入新塘开展查假行动后，通过新塘镇政府和有关部门的着力引导，企业自主品牌意识不断增强，许多企业在贴牌加工的同时转向了自有品牌建设。尤其是诚裕（恒裕）、康威、创兴等一批龙头企业，相继创建并注册自有品牌，经过几年时间迅速成为全国知名品牌。在政府的引导和龙头企业的引领下，注册品牌逐步成为企业发展战略，涌现了增致、凯蒂猫、米高、小魔鱼、康威、得萨斯、金波路、迷城等国内外较为知名的品牌。到20世纪90年代末，“新塘牛仔”区域品牌中，在国内外注册的知名品牌有“VIGOSS”“HITWON”“增致”等上千个。其中，后来成为“中国驰名商标”的企业有2个（康威、广英），成为“广东省著名商标”的企业有4个（广英、胜兴隆、创兴、东英），成为“广州市著名商标”的企业有4个（广英、创兴、胜兴隆、东英），成为“广州市百强民营企业”的企业有3个（康威、广英、胜兴隆），成为“广东省名牌服装企业”的企业有3个（康威、广英、胜兴隆），同时拥有多个行业知名品牌。

（四）发展模式逐步形成

随着广深高速公路和107国道建设的完成，新塘进入公路时代并成为穗莞深联系通道上的重要节点，镇政府遂将中心开始从东江沿岸向107国道周边转移。于是，政策的优惠与交通地理的嬗变促使新塘牛仔产业逐步形成新的发展模式。与东江南岸的“东莞模式”比较，新塘牛仔产业的发展模式有两个方面的明显不同。一方面是本土民营乡镇企业迅速发展，欣欣向荣；另一方面是外资不断注入、外企不断入驻，与民企并行不悖，从而形成一种内外资同时拉动经济发展、内外型经济兼顾的发展模式。这种“东莞模式”与“顺德模式”相结合的发展模式，在改革开放的深入和香港产业转移的大背景下，使新塘牛仔产业依靠低廉的劳动力资源和各种建设硬件，取得了爆发式的增长成效，成为增城南部经济发展的重心。

除上述4个特征外，产业配套不断完善，也是这一阶段中龙头企业兴起和发展的重要标志。在产业配套方面，新塘最初只有制衣、洗水工艺，随着牛仔服装产业的发展，相关配套产业也逐步发展起来，其中东海纺织有限公司自1995年投产后，逐步发展形成包括纺纱、织布、染整、制衣、制线、绣花、印花、洗漂等工艺在内的配套功能完善的整个服装生产系统，其设备大都是国内和国外先进的机械。配套产业的完善，为新塘牛仔服装产业的不断壮大，形成完善的生产系统和产业链奠定了坚实的基础。

四、工业园和牛仔专业市场的建立

（一）新塘民营工业园和新塘环保工业园的建立

2001年中国加入世贸组织，标志着我国对外开放进入一个新阶段。对于新塘来说，意味着外部市场除了面向港澳台，还将面向更广阔的世界市场，以前依托港澳台为跳板的局面将被直接融入经济全球化所取代。虽然那时亚洲金融危机对港澳台投资的影响还未消退，亚洲市场尚在冰解中，全球的外资还未大举投入，实际利用外资时有波折，但随着全球市场的逐步开放，新塘民营企业的信心得到了极大的激励和刺激，2000年，新塘全年外贸出口总额达33765万美元。在上述背景下创建的、占地1500多亩的新塘民营工业园和占地2100多亩的新塘环保工业园建成投产以后，整合资源，实行强强联合，实施“产销联动”和实现可持续发展，为加快新塘牛仔产业规模化、品牌化、国际化发展步伐起到了较大的积极作用。

1. 新塘民营工业园。

新塘牛仔制衣行业发展到21世纪初，在全国乃至世界都已具备一定的名气及市场占有率，2002年创产值35亿元，实现利税3.8亿元。其时虽然涌现了许多龙头企业和名牌产品，但在当时2000多家牛仔制衣企业中，规模大、品牌响的并不多，大多数牛仔企业是由家庭作坊式工场发展而成，企业自身管理及后续发展意识较薄弱。为适应我国加入世界贸易组织后的市场竞争形势，新塘镇政府创建了民营工业园，它的功能定位是：为本镇牛仔制衣行业创造一个功能完善（含规范管理、专业生产、网络交易等功能）的生产基地，让部分强势企业入园经营，实现强强联合，共同发展，并结合新塘国际牛仔商贸城等交易平台建设，进一步巩固新塘中国牛仔服装名镇的地位，打造全国最大的牛仔服装生产、销售集聚基地。

新塘民营制衣工业园于2002年3月立项，同年7月动工开发建设。占地约1500亩，总投资3.5亿元人民币，采取“政府统筹、企业协作”的形式进行建设，即由政府统筹园区市政工程建设，以利于园区建设用地、市政道路等的合理规划，外观标准整齐等，使园区能有序、协调发展；由企业协作，能使企业积极参与，共同监督，节约成本。自动工开发后，先后有28家规模较大的企业（主要是牛仔服装制衣企业）购地进驻，嗣后建成投产的有27家。并有部分企业将厂房出租，或将厂区一分为二，园区企业进驻总数逐步发展到36家，园区工人约1.5万人。新塘民营工业园的建成，为牛仔制衣行业做强做大和新塘民营经济集聚发展提供了支持，为新塘牛仔由朝阳产业转变为支柱产业创造了条件。

2. 新塘环保工业园。

20世纪90年代以来，新塘牛仔产业逐步发展壮大，作为产业不可或缺环节的洗漂印染生产，其所带来的环境问题也逐渐凸现，加强洗漂印染污染整治成为新塘镇政府的重要任务。在2000年“一控双达标”整治中，新塘关闭了位于饮用水源二级保护区的26家漂染企业，使二级保护区内漂染企业减少至76家。2000年后，新塘又启动了76家漂染企业关停搬迁工作，并规划建设新塘环保工业园专门承接搬迁企业入园生产经营。

新塘环保工业园于2002年6月在新塘镇西洲村及南埔村正式建立，属新塘镇总体规划中的X-1分区，处于广州市东江水源保护区下游，由新洲环保工业园（以下简称东区）和西洲环保工业园（以下简称西区）两个园区组成，计划用地面积约2100亩。以洗水、漂染业为主，附以高科技产业的环保生态工业，以集中供热、集中供水、集中供电、集中处理“三废”（废水、废气、废渣）的方式解决新塘环境污染问题。工业园建成投产后陆续接纳76家关停企业入园生产经营，至21世纪初期，加上工业园周边原有企业，共有洗漂印染企业84家。其中东区面积约710亩，入园洗漂印染企业23家，建有广州新滔水质净化有限公司（已建成10万吨/日污水处理设施）；西区面积约2150亩，入园洗漂印染企业61家，建有广州市盈隆污水处理有限公司（已建成25万吨/日污水处理设施，实际处理量10万吨/日）、广州市旺隆热电有限公司（已建成两台30万千瓦热电联产机组）、广州市中电荔新电力实业有限公司（已建成两台15万千瓦热电联产机组）。园区企业中属于规模以上的有52家，年产值约63.1亿元，税收4.3亿元，就业人数约2.5万人。工业园是一个集科研、生产、生活、商务于一体，将传统洗漂印染业与现代高科技相结合的多功能环境生态工业园，实现了热电联产、统一供气、统一供水、统一集中污水处理，在一定程度上较好地解决了洗漂印染行业带来的环境污染问题，并促进了行业的升级发展，之后成为广东省洗漂印染定点生产基地和广东省第四批省市共建循环经济产业园区。

新塘民营工业园和新塘环保工业园的建立，虽然在加快新塘牛仔产业规模化发展步伐上起到了较大的积极作用，但仍限于“强强联合”，因此，“前店后厂”仍为主要产销连接形式。同时由于牛仔产业生产有季节性（一般每年4至6月为淡季），极大部分制衣厂仍为农村型以家庭为单元的作坊式。就近建立交易市场从而促成分工，形成“村口为市场，村内是一大群中小生产企业”的“前店后厂”格局，成为企业聚集的主要特点。此外，环保工业园建成投产多年以后，由于规划等历史原因，随着企业的集聚与房地产业的发展，与周边形成了企业与住宅杂聚，使治污难度逐渐加大，这也是客观事实。

（二）新塘国际牛仔服装城的建设

随着城市交通的日趋完善和经济的迅猛发展，新塘的物流业得以飞速发展，到2002年，新塘的各类专业或综合市场已达36个。此时，牛仔服装产业已成为增城市的支柱产业，全镇牛仔服装企业及相关配套企业达3000多家，从业人员达20多万人，拥有注册牛仔服装品牌1000多个，产品远销全国各地和俄罗斯、美国、欧盟、香港等几十个国家或地区，平均每天有250万件牛仔服从新塘流出，全国60%的牛仔服装出自新塘，30%的出口牛仔服出自新塘。到21世纪初，实际利用外资达16080万美元，外贸出口总额达44987万美元[①]。

① 数据来源：《增城年鉴2000—2005》，广东旅游出版社。

为使全镇的牛仔零散“珍珠”串连在一起，着力打造新塘牛仔服装品牌，新塘镇镇政府采取了政府引导规划扶持、企业投资集中兴建的方式，在牛仔产业集中的区域、土名“牛仔谷”的东侧四望岗南面兴建“新塘国际牛仔纺织服装城”。2002年11月，由滔记公司、新好景酒店、太阳城酒店和顺欣公司四家大型企业联合组建的广州新塘牛仔服装纺织有限公司筹资兴建的“新塘国际牛仔纺织服装城”落成。新塘国际牛仔纺织服装城地理位置优越，地处广州、东莞、番禺、深圳、香港等发达地区之间，107国道北侧，紧连广州经济技术开发区和广州科学城，处于广州通往深圳、香港和粤东地区的交通咽喉之地。服装城规模宏大，占地面积19万平方米，建筑面积26万平方米，营业面积50万平方米，商铺3000多个，集纺织、服装批发、零售、设计、展览、信息发布、仓储、物流功能于一体，包括看样下单、专卖代理、连锁加盟。优势明显，为全国最大的牛仔服装专业批发市场，有增城市政策重点扶持，厂家直销，价格便宜，商场通道宽敞，备有中央空调、自动扶梯、货运电梯、电子通讯及完善的消防系统，商场附近设有大型停车场和大型货运场，市场环境优美，集生产、贸易、科研、居住、旅游为一体。与广州世贸中心、中天广场、天河城广场一同被誉为最具时尚商城。

新塘国际牛仔纺织服装城

此后，新塘还根据《新塘镇现代商贸业发展规划》，采取相应的模式不断加强牛仔纺织服装产业的商贸配套，先后建有多个配套专业市场。

与新塘国际牛仔纺织服装城相配套的是举办“中国广州（新塘）国际牛仔服装节”。2002年新塘国际牛仔纺织服装城建成以后，促使新塘牛仔服装产业登上全国领先地位，从这一年开始，新塘镇政府每年在这里举办“中国广州（新塘）国际牛仔服装节”。每届服装节，包括了服装纺织及其相关产品展示与交易、牛仔服装产业发展论坛、牛仔服装流行趋势信息发布、著名牛仔服装品牌作品演绎、著名服装设计师作品发布等内容，年参展企业由600多家发展到1000多家，接待商客由6万人次增加到10万人次，覆盖产业链的各个环节，迎来了新塘牛仔服装产业发展的又一次辉煌，从而掀开了新塘区域产业发展的新纪元。同时推进了新塘牛仔的文化塑造，“牛仔时尚文化”与“牛仔服装区域产业”成为新塘面向世界的名片。

第一届“中国广州（新塘）国际牛仔服装节”

因此，2002年也成为新塘牛仔服装产业发展的最关键之年。这一年，牛仔服装业及相关配套企业占全镇工业企业的60%，年产值为增城市纺织服装产业的79.37%，实现利税占增城市纺织服装产业的86.99%。2002年12月，中国纺织工业协会和中国服装协会授予新塘镇“中国牛仔服装名镇”称号，此时的“新塘牛仔”，已成为中国牛仔服装的风向标。

中国纺织工业协会授予新塘镇“中国牛仔服装名镇”称号

五、结束语

1992年至2002年，是新塘牛仔产业的“爆发增长期”。这一时期，新塘牛仔服装产业的发展除以上所述外，尚有3点值得注意：

一是地理嬗变与政策利好互为因果。新塘位于东江下游与珠江汇合处，地理条件得天独厚。清朝广东巡抚苏昌在上书乾隆的奏章中说：“增城县之新塘墟，外通海道，内接崇山，舟车辏辐，户口殷繁，实为水陆扼要之区。”改革开放初期的港台投资，就是凭此和政策扶持而对新塘发展起推动作用的。而持续发展，却有着重要的地理嬗变因素。特别是广深高速公路和107国道建设的完成，新塘由水路时代进入公路时代并成为穗莞深联系通道上的重要节点，新塘镇党委和政府迅速决策，将中心从东江沿岸向107国道周边转移，新塘毗邻广州、东莞、深圳的“多城辐射效应”自此形成。因此有人说，把握了新塘牛仔产业发展的偶然，就能管窥珠三角改革开放发展的必然。

二是民间资本与市场形成良好结合。新塘牛仔服装产业是20世纪80年代，在当地工商业传统基础上通过外商直接投资驱动及相互作用下形成的特色产业。农村实行联产承包制后，随着广东对外开放，一些农民在人多地少的压力下，通过政府的引导，利用优惠政策吸引本地在港澳及海外的亲戚朋友回乡投资并获得成功，从而引发全镇效仿。到90年代，在此基础之上，利用制度创新、市场创新与技术引进，逐渐形成产业聚集。因此，新塘牛仔服装产业的形成机制，是以家庭为单元的市场与产业互动。由于形成之初的投资基本上来源于外资与本地私人资金，这就决定了集群基本上都是非公有制企业构成。新塘纺织服装产业成分，主要是民营企业和外资企业，其中民营企业占90%。

三是产业聚集与蓄势构成空间演变。牛仔产业规模的快速壮大，形成了配套齐全的产业链。到21世纪初，新塘已有达到国际先进技术水平的各类服装纺织制衣设备5万多台（套），拥有全套国际先进水平的棉纱束状染色设备、牛仔面料剑杆织机、制衣设备和水洗、漂染、防缩等后整理设备。纺织服装产业有纺织、染色、织布、整染、印花、制衣及饰物装潢、拉链纽扣、商标印刷、塑料包装等产业链较为完善的一条龙生产基地。制衣配套企业主要有绣花、洗水、防缩、毛织、浆染等专业企业。形成了以牛仔、休闲、运动等服装为主的多样化产业结构，在一定程度上形成了产业集群发展优势。这种产业集群发展优势，不但成为“新塘牛仔”持续发展的基础，同时也促成了后来的“五镇合一”[①]整合和新塘产业发展的空间演变——广州本田汽车第二厂、五羊—本田摩托车（广州）新工厂两大龙头企业相继落户新塘，对新塘乃至广州东部汽车、摩托车产业基地的发展壮大起到了带动和聚集效应[②]。

（执笔：高尚平）

① 牛仔服装产业的迅速发展，给新塘带来繁荣的同时也与周边乡镇形成了差异。2004年，增城市为解决南部五镇城乡差异悬殊问题，实行镇级行政区划调整，将原永和、仙村、沙埔、宁西四镇并入新塘，实现五镇合一。

② 2004年11月广州本田汽车第二厂落户新塘，同年12月、五羊—本田摩托车（广州）新工厂在新塘奠基。

广州白云国际机场对花都经济发展的带动影响

■ 何　权

1993年，广州白云国际机场选址整体搬迁于花县（1993年6月，国务院批准撤销花县，设立花都市。2000年5月，国务院批准撤销花都市，设立花都区）与白云区的交界处。2004年8月，白云机场正式转场启用。新机场的建设和启用给花都经济带来千载难逢的发展机遇。10余年来，花都从一个经济发展较落后的地区一跃成为广州北郊的副中心，实现经济社会的腾飞，依托广州白云国际机场的花都空港经济，逐步成为花都经济发展一个新的增长点，对花都经济的辐射作用日趋增强。

2004年8月5日，广州白云国际机场正式启用

一、旧白云机场的迁建

（一）历史背景

白云机场于1932年由陈济棠组织修建于广州市白云区西侧，1933年竣工，最初主要用于军事目的，后改建成民用。1938年日军侵华战争期间，白云机场被日军侵占。1949年10月广州解放后，为适应社会主义建设的需要，白云机场陆续进行了包括加长主跑道，扩建候机楼、停机坪、滑行道，新建宿舍、食堂等建设。经过不断的扩建，白云机场具备了与国外通航的基本条件，成为可供国际航线使用、设施比较完善的大型国际机场。1980年起，白云机场的飞机起降架次开始跃居全国第一。1990年，白云机场已达到国际一级机场的标准，平均每天进出港的飞机近200架次，全年旅客吞吐量600多万人次，是中国内地旅客流量最大的机场①，旅客吞吐量和起降架次均位居全国第一。1998年，白云机场占地总面积330万平方米，航站楼面积达7.9万平方米，建有长3380米的跑道和与跑道平行的滑行道，飞机停机位48个，年旅客吞吐量达1241万人次②。

20世纪90年代，改革开放进一步深入，广州地处对外开放的前沿，社会经济发展迅速，航空需求量急剧增长，白云机场经过多次扩建，仍然难以满足日益增长的航空需求。机场由于本身的扩建条件受限制，已经没有扩建的空间。周边机场（深圳黄田机场、珠海机场）对白云机场的分流作用不大，因此白云机场在珠江三角洲仍将长期占据主导地位。而且，白云机场紧邻市区，与广州市城市建设发展的矛盾突出，白云机场不仅制约广州市城区的发展，噪声和安全问题也严重影响城市居民的生活。

1984年9月，国务院在《关于广州城市总体规划的批复》中指出："白云机场紧邻市区，对市区建筑高度限制和噪声干扰影响较大，其飞行区不宜再行扩建。为适应民航事业发展的需要，结合珠江三角洲的经济发展和城镇布局，由广东省会同民航局和有关部门着手进行新机场的选址工

① 广州市地方志编纂委员会：《广州市志（1840—1990）·卷四》，广州出版社2000年版，第701页。

② 广州白云国际机场迁建领导小组办公室：《广州白云国际机场迁建情况介绍》，1998年9月16日，花都区国家档案馆资料。

作。”[①]因此，尽快新建一个既能适应广州地区改革开放和社会主义发展需要，又能与广州城市建设总体规划相契合的现代化大型国际机场，取代当时的白云机场是非常必要的。

（二）新机场选址花县

1992年12月，由中南管理局（中国民用航空中南地区管理局）牵头，会同白云机场，广东省、广州市有关部门以及广州军区空军的领导、专家，组成新白云机场选址工作组开展选址工作，同时开始白云机场迁建的筹备工作[②]。

花县在得知白云机场要搬迁的消息后，县委、县政府认为，如果新机场选址花县，对花县社会经济发展具有重要的促进作用。为此，县委、县政府领导多次召开联席会议讨论研究兴建机场选址问题，并为民航部门提供兴建机场的方案。1993年2月28日，花县县委、县政府向广东省委、省政府提交《关于在花县兴建国际机场的请示》（花字〔1993〕2号），提出在花县兴建国际机场的有利条件，如“土地平坦、视野开阔、净空条件好，地质基础好、防震能力强，交通方便，气象条件好，战略位置好，建筑材料丰富、施工条件良好，村民意识好、负面影响少”等，并表示县委、县政府将“全力以赴，坚决支持新机场的建设”，“对预选新机场所遇到的征地补偿、拆迁、安置问题，我县可实行三包”。而且，预选机场区需要搬迁的村、户也纷纷呈书，都表示对征地补偿拆迁、人员安置等全力配合，支持建国际机场。

1993年2月至3月，选址工作组在广州市周围半径60千米范围内，先后对花县、从化、番禺、增城、清远、四会6个新白云机场备选场址进行实地考察、认证。1993年3月9日，中国民航局的9位民航专家来到花县考察预选机场区地址，民航专家和省市有关方面的领导、技术人员首先听取了县委书记石启仁介绍花县的情况，石启仁在历数了花县建机场的优越条

① 广州市地方志编纂委员会：《广州市志（1840—1990）·卷四》，广州出版社2000年版，第982页。

② 广州白云国际机场迁建领导小组办公室：《广州白云国际机场迁建情况介绍》，1998年9月16日。

件后，坚定表示："我们花县要像中国争取奥运会一样争取在花县建机场。"民航专家听取县委介绍后，到预选机场区的新华镇团结村进行实地考察，在团结村六队，石启仁问一群村民愿不愿意在他们村修飞机场，村民们欢笑着异口同声说："愿意，愿意！"[①]后来经过进一步论证，民航和广东省有关方面的领导认为，番禺这一选址在航线上会与香港、澳门、深圳及珠海的机场重复，况且珠三角设置的机场已经显得集中，倘若选择一个珠江以北的地址建新机场，那么在布局上会合理很多。于是新机场候选址范围缩小到广州北部的花县，以及白云区的人和镇，钟落潭、太平场一带。花县预选机场区地势平坦开阔，可容纳3条飞机跑道，地层是硬底的优质地；没有高层建筑物，选址上空也没有太多航线交叉，净空条件良好；花县离白云机场不远，机场迁建后空中航线变动不大，而且花县供水、供电条件较好，交通方便，可直通105、106、107国道和京广铁路[②]。经过反复比较，综合权衡，考察专家和领导一致认为位于花县的机场选址区条件明显优于其他地方，建议采用新白云机场选址花县的方案。

1993年3月，广东省政府召开会议，拟定将花县（含广州市白云区人和镇一部分）机场选址区，作为广州新白云机场选址的意见上报国务院、中央军委。5月，广东省政府、民航总局联合向国务院、中央军委上报《关于迁建广州白云国际机场的请示》[③]。于是，在"硬件"条件完全符合建机场、花都政府和人民强烈支持的前提下，最终新白云机场选址确定在距离广州市区北部28千米的花都新华街、花山镇、花东镇和白云区人和镇的交界处。

---

① 《民航专家来我县考察机场选址》，载《花县报》1993年3月13日第1版。

② 花都市地方志编纂委员会办公室：《花都年鉴（1998）》，广东人民出版社1998年版，第48页。

③ 广州市地方志编纂委员会：《广州市志（1840—1990）·卷四》，广州出版社2000年版，第982页。

二、广州新白云国际机场的建设

（一）工程立项和可行性研究

新白云机场选址确定后，机场迁建工程立项和工程可行性研究工作开始推上日程。1994年11月25日和1995年1月28日，广东省委书记谢非、省长朱森林向党中央、国务院汇报广州白云国际机场的迁建问题。1995年2月27日，由国家计委牵头的中央调查研究小组来穗，开始对广州迁建白云国际机场立项进行全面深入的调查研究。根据调查研究小组的意见，6月9日，民航总局和广东省政府联合向国务院、中央军委呈送《关于上报广州白云国际机场迁建工程项目建议书的请示》。9月30日，广州白云国际机场迁建领导小组正式成立，负责协调白云国际机场迁建过程中的重大问题以及制定有关政策，对新白云机场建设项目实施监督和负责融资、筹资及资金使用的管理，负责新白云机场开发策划和组织实施。1997年7月2日，国务院、中央军委联合发文同意迁建广州白云国际机场的立项。6日，国务院、中央军委批准广州白云国际机场迁建。10月，白云机场迁建工程部筹建办公室成立，负责在新白云机场指挥部组建前，与机场迁建领导小组办公室协调开展前期工作①。

白云机场迁建工程立项后，随即正式开展工程可行性研究工作。1998年1月17日，广东省政府、民航总局联合向国务院作出《关于上报广州白云国际机场可行性研究报告的请示》。1998年4月2日至6日，中国国际工程咨询公司受国家计委委托，组成专家组与国家开发银行在广州对《广州白云国际机场迁建工程可行性研究报告》进行评估和贷款条件评审②。1999年5月3日，中国国际工程咨询公司完成广州白云国际机场可行性研究报告的评估，并将评估报告上报国家计委。10月19日，国家计委批准了白云机场迁建项目的可行性研究报告。在国家计委组成的专家组提出的评估意见的指导下，机场终端规模确定为建设有三条跑道，设置一整

① 广州市地方志编纂委员会：《广州市志（1991—2000）·卷四》，广州出版社2010年版，第982页。

② 广州白云国际机场迁建领导小组办公室：《广州白云国际机场迁建情况介绍》，1998年9月16日。

套与航空业务量相匹配的现代化设施，满足技术更先进、容量更大的未来飞机机型。

按照国务院、中央军委对白云机场立项的批复要求，新白云机场实行一次规划，分两期进行建设。主体工程分为飞行区、航站区、货运区、航管设施等，配套工程包括供油工程、基地工程。飞行区等级为4E，按满足B747和A340类型飞机全重起飞设计，建两条远距离跑道，东跑道长3800米，宽60米，西跑道长3600米，宽45米。航站楼由主楼、连接楼、指廊和高架连廊四大建筑结构组成，分两层式设计：一层为货物处理系统以及机场轻轨的出口；二层为办票大厅。征地1600亩，白云机场迁建项目可行性研究报告提出首期工程按满足2005年业务量预测要求，即飞机起降17.3万架次，旅客吞吐量2700万人次，货邮吞吐量80万吨设计建设。计划第一期工程总投资为人民币196亿元，其中机场工程人民币148亿元，南航基地工程人民币35.5亿元，供油工程人民币6.9亿元，航管及中南管理局工程人民币5.2亿元。

（二）征地、拆迁、安置工作

对于新白云机场，国家明确要求必须在2001年投入使用，以担负起全国第九届运动会交通运输的重大任务。鉴于白云机场迁建工程的迫切性，机场迁建领导小组召开会议决定该工程于1998年底开工，2001年8月建成并投入运营。

新机场选址定在广州市白云区人和镇西城、东华、高增村及花都市新华镇广塘、团结村，花山镇东湖村，花东镇凤凰、九一、山下、七庄、李溪村。场区主体工程用地面积14.4平方千米；移民搬迁安置区用地2.5平方千米；被征地后农民用于发展第二、第三产业，安置剩余劳动力的留用地1.9平方千米。上述3项用地合计18.8平方千米[①]。由于机场工程涉及地域范围广，而且横跨两个区，因此做好征地、拆迁、安置工作成为建设好新白云机场的关键前提。征地、拆迁、安置工作虽由广州市政府负责，但分为

① 花都市地方志编纂委员会办公室：《花都年鉴（1998）》，广东人民出版社1998年版，第48页。

白云区、花都市两大主体区域工程，分别由白云区、花都市政府总承包，于1998年2月全面展开，于11月底前完成[①]。

为了建设好新白云国际机场，1993年6月25日，花县县委、县政府研究决定，成立花县机场经济开发区管理委员会和县机场经济开发总公司[②]，着手进行机场建设的前期准备工作。1994年3月，花都市开始对机场场址区域内的人口、土地、村庄、农作物、建筑物、企事业单位等情况进行了初步的普查摸底。1994年10月，花都市成立机场工作领导小组，领导小组下设办公室，开展第二次普查，采取每村逐户查核丈量，并由户主、经济社社长和有关镇国土所所长分别签字确认，彻底弄清需要搬迁的人口、户数和拆迁的房屋面积等详情。经过普查，初步认定需搬迁人口总数为2463户共8943人；确认需拆迁的房屋建筑总面积为0.6平方千米。花都市委、市政府经过反复研究和广泛征求意见，制订机场区安置方案，对拆迁户实行异地集中安置：一是在机场正式动工时，基本完成安置，争取避免庞大的临迁；二是在离新华镇城区不远处划15平方千米土地作为安置区，实行统一规划、统一设计、统一市政建设来进行建设。

1998年2月5日，花都市政府正式接受广州市政府交办的广州新白云国际机场征地任务，为确保按时完成新白云机场的征地拆迁安置工作，花都市政府随即制定《机场建设拆迁安置补偿办法》《机场区征地补偿实施办法》和《机场征地拆迁安置工作计划》。2月18日，花都市委、市政府召开联席会议，决定成立花都市机场征地拆迁安置工作指挥部，并由市委书记黄水记任总指挥。指挥部下设办公室，由200多名市、镇机关和企业干部、业务骨干组成，办公室下设拆迁组、征地组、工程组、宣传资料组、后勤组、群众接待组等6个工作组。同时，各有关镇相应成立由镇委书记任组长，镇长任副组长的工作领导小组，并抽出专门人员负责日常具体工作。同时，花都市委、市政府发出《关于加快机场区征地拆迁和安置区建设步伐的决定》，要求充分认识新机场建设和搞好机场征地拆迁安置工作

① 广州白云国际机场迁建领导小组办公室：《广州白云国际机场迁建情况介绍》，1998年9月16日。

② 花县机构编制委员会办公室：《关于成立县机场经济开发区管委会的通知》（花编字〔1993〕55号），1993年6月25日。

的重要意义；明确工作计划，按计划推进征地拆迁安置工作；坚决贯彻执行中共广州市委、市政府关于机场征地拆迁安置各项政策；加强组织领导，各级各部门要密切配合；做好宣传发动工作；实行层级负责制，一级抓一级；搞好拆迁区、安置区的社会稳定工作，确保征地拆迁安置工作顺利进行；关心群众生活，注意工作方法。

1998年2月20日，花都市委、市政府召开机场区征地拆迁安置动员大会。大会要求加快速度，全面搞好机场征地拆迁安置工作，坚决在1998年12月15日前完成8.8平方千米、3000多户、12000多人的征地拆迁安置任务，交出新机场建设用地。2月21日，花都机场区征地、拆迁、安置工作全面铺开。为顺利开展征地拆迁安置的各项工作，花都市委、市政府派出9个工作队共119人，分赴新华镇团结村、花东镇凤凰村、花山镇九湖村等9个村，协助做好机场移民安置工作。同时，加大宣传力度，编印《机场征地拆迁安置工作简报》和《新机场征地拆迁安置工作问答》发放到拆迁安置户手中，使群众消除了疑虑，从而积极配合征地、拆迁、安置工作。至1998年10月底，整个拆迁补偿工作全部完成，为拆迁区移民顺利搬迁打下了基础。

在安置区建设上，机场移民共分4个安置区5个安置点安置，选址于三东大道东段、龙口村和新和村之间，安置方式以一户一楼为主，每户占地面积96平方米，建筑面积80平方米，配有小花园，楼高设计三层半。1998年3月8日，安置区正式动工，至11月底，安置区各项建设工程基本完工。搬迁安置是机场征地拆迁安置工作最后一阶段，1998年11月10日、17日、19日，花都市机场指挥部先后召开检查会和现场会，对搬迁安置进行具体部署。由于拆迁户对拆迁补偿、征地补偿和安置区建设都比较满意，因而搬迁积极性较高。11月8日至20日，开展分房工作，由镇村干部、驻村工作队主持抽签工作，做到公正、公平，拆迁户对抽签也都比较满意。11月21日，搬迁全面开始，广大拆迁户主动拆除旧屋，自觉搬迁，至12月底，拆迁户全部搬到安置区。12月25日，花都市委、市政府召开机场征地拆迁安置工作总结大会，副市长袁桂扬作工作情况汇报，市委书记黄水记作总结讲话。黄水记强调，必须把征地拆迁安置工作作为1999年全市工作的头等大事来抓，必须如期完成征地拆迁安置任务，交出机场建设用地；继续加强安置区社会稳定工作和进一步完善安置区各项建设，帮助解决移民生活出路问题，发挥机场优势，发展经济等。至此，历时11个月的机场拆迁安置工作顺利完成，共丈量复核房屋土地面积85.5万平方米，完成机场安置楼、公寓7所，新建扩建安置学校的土建工程30万平方米，完成市政建设施工10万多平方米，修筑排洪河、水利灌溉设施、排污渠31条共长47千米，建桥梁10座，顺利安置了3116户移民1.2万多，使8.8平方千米的机场建设用地按规定时间顺利交付。至2000年，广州新机场工程基本完成征地拆迁等开工前的准备工作。

三、广州新白云国际机场的建设及启用

1999年9月，国务院批复同意《关于审核广州白云国际机场迁建工程可行性研究报告的请示》，按照一次征地、分两期建设的原则，新白云机场征地面积为14.6平方千米，相当于老白云机场征地面积的4.6倍。近期建设2条远距平行跑道，远期可规划2条近距平行跑道和一条远距跑道。航站区引入大型枢纽机场运作理念，采用集中处理、分散登机的流程进行设计。位于机场中间地带的航站区将机场的飞行区划分为东、西两部分。东飞行区等级指标为4F，可满足包括A380型飞机在内的各类飞机的使用要求；西飞行区等级指标为4E，可满足B747、A340飞机全重起飞的要求。两条南北向的远距离平行跑道中心线间隔2200米。西跑道长3600米，宽45米，两侧道肩各7.5米；东跑道长3800米，宽60米，两侧道肩各5米。东、西跑道内侧各设置两条宽度分别为25米和23米的平行滑行道，相应的快速脱离道及联络道。跑道主降方向设置为Ⅱ类精密进近仪表着陆系统和助航灯光系统，次降方向设置Ⅰ类精密进近仪表着陆系统和助航灯光系统[①]。

1999年10月27日，广州白云国际机场有限公司暨广州白云国际机场迁建工程指挥部举行挂牌仪式，标志着白云机场迁建工程进入实质性阶段，白云机场有限公司与迁建工程指挥部实行“两块牌子，一套班子”。白云

① 国家发展计划委员会：《国家计委关于审批广州白云国际机场迁建工程可行性研究报告的请示》（计基础〔1999〕1356号）。

机场有限公司是广州新白云国际机场工程的项目法人，对项目的资金筹措、建设实施、经营管理、债务偿还和资产保值增值实行全过程负责，同时还负责项目的招投标。指挥部则是白云机场有限公司的项目实施机构，具体负责机场工程的建设，指挥部对迁建领导小组和白云机场有限公司负责。

2000年6月1日，新机场航站楼土石方工程正式动工。8月28日，新机场航站楼主楼、东西连接楼及指廊桩和基坑工程开工，标志着新机场工程的战役拉开序幕。9月28日，新机场飞行区土石方、排水及场外排水工程开工。11月25日，新机场北货运区土石方工程开工。花都区则继续完善机场征地拆迁安置工作，如征地拆迁，绿化移民安置区，铺设安置区水泥路，完成新机场航站楼西连廊、指廊土方工程，做好新白云国际机场配套建设工程工作，如解决新机场周边村民行路难问题、机场移民安置区绿化工作等。

2001年4月，国家发展计划委员会在批准了项目的初步设计概算后，正式下达了广州白云国际机场迁建工程项目开工计划①。在各级部门和建设者的努力下，新机场工程建设进展迅速，2001年，基本完成新机场全部工程的初步设计和施工图设计，航站楼和飞行区两大主体工程全面启动。7月，航站楼基础工程全部结束，10月，飞行区土石方及排水工程竣工验收，飞行区道面工程正式动工，12月底，主楼已具备钢结构吊装条件②。2002年，飞行区道面工程完成投资的95%，道面砼施工工作量完成97%，飞行区桥梁工程完成总投资的99%。主楼钢结构吊装已完工，东西两翼高架连廊钢结构的吊装基本完成③，12月，飞行区东、西跑道顺利贯通。2003年，飞行区工程基本完工，航站楼精装修工程基本完工。2004年，先后完成飞行区工程、航站楼工程、机电工程、弱电工程和统合配套工程等项目的建设。6月30日，新机场工程顺利通过国家竣工验收，工程整体被评为优良。

2004年8月2日，新白云机场举行迁建工程落成庆典，共3000多人参加

---

① 国家发展计划委员会：《国家计委关于下达2001年第二批基本建设新开工大中型项目计划的通知》，2001年4月17日。

② 广州年鉴编纂委员会：《广州年鉴（2002）》，广州年鉴社2002年版，第173页。

③ 广东年鉴社：《广东年鉴（2003）》，广东年鉴社2003年版，第256页。

了新白云国际机场落成的庆典仪式，中共中央政治局委员、广东省委书记张德江出席庆典仪式，省委副书记、省长黄华华致辞，中共广州市委常委、常务副市长林元和主持庆典仪式，国家民航总局局长杨元元代表民航总局向广东省机场管理集团公司总裁张春林颁发了“广州白云国际机场使用许可证”。建成后的广州新白云机场总投资198亿元，年旅客吞吐量2500万人次，货物吞吐量100万吨。

新机场建成后，与旧机场的交接转换便成为摆在各级部门面前的一道难题。在机场工程建设渐近尾声的时候，就已经开始了新旧机场转场的相关筹备工作。2003年，白云机场成立转场工作领导小组和办公室，确定搬迁工作指导思想和总体原则，制订转场搬迁实施方案，建立驻场单位、联检单位联席会议制度和联络协调机制，并召开转场搬迁动员大会①。2004年，为确保新旧机场转场顺畅有序、万无一失，机场、航空公司和空管部门等单位加强配合，联合开展多次转场演练，通过演练发现问题，解决问题，逐步适应新机场运作流程。经多次商议后，正式出台新机场转场指挥总体方案，方案对飞机转场实施过程中可能遇到的特殊情况进行预计和防范，并对飞机转场的各相关实施、保障单位提出了具体工作要求。2004年

2004年8月5日，白云机场成功实现一夜无缝隙转场

① 广州年鉴编纂委员会：《广州年鉴（2004）》，广州年鉴社2004年版，第266页。

6月28日，中南空管局终端管制中心进近管制室率先进驻航管楼，成为民航第一家在新白云机场现场运行的单位。8月5日，白云机场成功实现一夜无缝隙转场，这也意味着广州新白云国际机场正式启用。新机场正式启用后，总体上运作正常，创造了国内机场最大规模转场的先例，在国际机场搬迁史上也是堪称奇迹①。

四、新白云机场对花都经济发展的带动影响

自2004年8月新白云国际机场转场启用以来，花都区委、区政府紧紧抓住机场转场的历史机遇，依托坐拥空港的区位优势，高度重视培育空港经济发展，努力打造花都区新的经济增长点。2007年，花都区委十二届二次全会确立了“机场带动物流，物流促进高新科技产业，花都与机场共赢”的发展方针，重点围绕35平方千米的花都空港经济区（包括机场高新科技产业基地、广州空港国际物流园区、联邦快递配套产业园区、临空商务区四大产业园区），大力夯实发展空港经济的各项基础性工作，努力打造空港支柱产业，加快空港经济发展步伐。

（一）物流业日益壮大

广州新白云国际机场的正式运营，为花都区物流业的发展提供了契机。总投资约24.6亿元的联邦快递亚太区转运中心于2006年1月开工建设，2009年2月6日正式投入运营。投入运营以来，转运中心运营良好，每周有16条国际货运航线共136个航班进出转运中心。2009年，在联邦快递项目的带动下，新白云国际机场全年货邮吞吐量达95.53万吨（含联邦快递），比2008年增长39.3%。在机场效应的影响和联邦快递项目的带动下，与临空产业相关的物流企业纷纷落户。截至2010年，落户广州空港国际物流园区的仓储物流企业、货运公司达100多家，包括UPS（联合包裹速递服务公司）、伯灵顿、TNT、普洛斯公司、广州白云国际物流有限公司、南航二

① 广东年鉴编纂委员会：《广东年鉴（2005）》，广东年鉴社2005年版，第250页。

2012年11月6日，广东省机场管理集团公司与花都区政府以及顺丰速运公司在花都铂尔曼酒店举行“广州白云国际机场空港经济区重大项目签约仪式”

级监管仓、富力金港城的富力航空物流中心、祈福航空物流中心、银仓保税物流有限公司等大型物流企业，为花都空港经济带来了大量的资金、技术和人才，带动了其他产业的发展。2009年11月，广州空港综合保税区的核心区——广州空港保税物流中心（B型）正式运营。2010年7月3日，广州白云空港综合保税区已获得国务院批复。

（二）飞机及零部件维修和制造产业取得新突破

继广州飞机工程维修有限公司（GAMECO）落户花都后，2009年，新科宇航广州飞机维修项目与花都区政府签约，正式落户联邦快递配套产业园区。该项目是由全球最大的第三方飞机维修企业——新加坡科技宇航有限公司和广东省机场管理集团公司在花都区正式注册成立的一家中外合资公司，主要经营飞机维修保养业务。项目总投资约30亿元。该项目共建设8个飞机维修库，其中首期规划建设5个机库（G1−G5），二期规划建设3个机库。项目首期建成后，年产值约20亿元，预计缴纳税收约1亿元。新科宇航广州飞机维修项目的进驻，不仅完善和延伸了花都区飞机维修的产业链，增强了花都区飞机维修配套的能力，也对后续一系列空港经济项目的发展起到很好的示范和带动作用。

（三）临空商务业集聚初步形成

临空商务区是花都空港经济区的重要组成部分，该园区位于与机场相连的迎宾大道两侧，规划面积6平方千米，主要发展航空公司基地、总部经济、商业、会展、贸易、金融、餐饮、娱乐、高端住宅等项目。花都区从2005年开始推进园区的规划用地和城市规划设计等工作，致力于打造现代化城区门户形象，建设现代化的新城区。从2006年开始，该园区先后吸引了众多国内外知名企业前来考察，截至2010年，深圳航空公司广州分公司、海南航空公司广州分公司、合和集团、五星级华钜君悦酒店、五星级嘉华皇冠假日酒店、云峰酒店、广州迎谊商业有限公司、新东豪酒店等企业纷纷进驻该园区，临空商务业集聚初步形成。

（四）高新科技产业纷纷进驻

广州白云国际机场的巨大辐射效应在积极影响花都区临空产业集聚的同时，也带动了花都区高新科技产业的发展。花都空港经济区内的机场高新科技产业基地距离机场北出口4千米，规划面积16.5平方千米，重点发展电子信息、半导体照明（LED）、航材制造、生物制药、节能环保、智能装备制造等高新科技产业，该园区由区空港委负责开发建设。2006年至2010年期间，区空港委按照“规范管理、科学统筹”的原则，着力推进产业基地基础设施建设，先后完成了机场高新科技产业基地金谷路、花北路、产业基地土方平整，DN 1000供水主干管，市政排水渠等重点工程。产业基地配套设施日趋完善，众多高新科技企业纷至沓来。截至2010年，机场高新科技产业基地累计完成工业用地出让12宗，好丽友食品、（国电集团）国电南方、维翔航空科技、必勇狮汽车部件、鸿利光电、宏原汽配、科能化妆品、亮美集灯饰等一批优质项目纷纷落户产业基地，其中好丽友食品、必勇狮汽车部件、南方国电物资等项目已于2009年先后投产运营。

（五）花都空港经济区周边配套设施建设取得良好进展

2006—2010年，花都空港区累计投入约4.4亿元，着力推进花都空港经济区及周边基础设施建设。总投资9000多万元的金谷南路和投资5000多万元的花北路于2007年初建成并顺利通车；机场高新科技产业基地内启东路、新科路71盏LED路灯示范工程顺利竣工；220 kV广州空港变电站和投资6255万元的花都联安110 kV变电站均已竣工投入使用；临空商务区投资500多万元的东湖灌渠改道工程竣工验收；联邦快递专用道——联邦快递亚太转运中心周边市政道路（机场东环路、现代路、联邦大道）于2008年8月建成并已顺利通车。此外，在大力推进空港经济区基础设施建设的同时，着力进行机场周边被征地农民的安置区建设。截至2010年，花都区分别完成了联邦快递项目凤凰安置区、保良安置区，联邦快递周边市政道路安置区等多个项目安置区建设，搬迁农民顺利乔迁入住。

从新白云国际机场选址花县到建成启用，白云机场对花都经济发展的助推作用逐渐凸显出来，花都空港经济也从无到有，并日益成为花都的支柱式增长点。

（作者单位：中共花都区委党史研究室）

番禺个体私营经济改革发展回顾

■ 中共番禺区委党史研究室

番禺个体私营经济①是伴随改革开放浪潮不断成长、发展和壮大的。改革开放初期，番禺县委、县政府敢于排除“左”的思想干扰，大胆探索引导，实现个体私营经济的艰难起步；1992年5月番禺撤县设市②至2000年7月撤市设区③期间，番禺加大对个体私营经济的扶持发展力度，私营企业积极参与国有及个体企业转制，使个体私营经济迅猛发展；2000年7月番禺设区后，番禺个体私营经济融入广州华南中心城市的大发展环境中，进入做强做大的阶段。从1978年起步至2005年这27年间，番禺个体私营企业已发展到4.95万户，从业人员18.26万人，注册资金114.53亿元（不含南沙区）。其中私营企业7876户，注册资金97.32亿元，从业人员8.55万人。④个体私营经济成为番禺经济的重要组成部分。

一、排除“左”的思想干扰，实现个体私营经济的艰难起步

番禺改革开放初期，从1978年改革开放至1992年5月番禺撤县设市的

① 个体私营经济包括个体经济和私营经济。个体经济是指个体工商户，生产资料属私人所有，以个人或家庭劳动为主，雇工人数在8人（不含8人）以下，以营利为目的的一种经济形式。私营经济是指私营企业，企业资产属私人所有，雇工人数在8人（含8人）以上，以营利为目的的一种经济形式。

② 1992年5月20日，经国务院批准，撤销番禺县，设立番禺市（县级）。

③ 2000年7月10日，番禺撤市设区，并举行挂牌仪式。

④ 广州市番禺区地方志编纂委员会：《番禺年鉴（2006）》，方志出版社2006年版，第13页。

10多年，是番禺个体私营经济艰难起步、实现突破的阶段。1978年，番禺县个体小商贩仅有54户。到1979年，个体工商户已有600多户。[①]番禺县委、县政府为了发展个体私营经济，排除“左”的思想束缚，采取“扶上马、送一程”的政策支持，在做好恢复个体工商业的登记管理工作的同时，结合番禺实际，逐步放宽对发牌照对象、经营范围和经营方式的要求，推动个体私营经济的起步发展。

（一）排除“左”的思想干扰，确立个体私营经济的地位

改革开放初期，一些干部受“一大二公”[②]和“文革”极左思潮的侵蚀较深，对发展个体私营经济的意义和作用认识不足，甚至提出“几个不准”：不准私人购买汽车、大船搞运输；不准私人合伙办工厂；不准把社队企业投给私人经营；不准跨地区开投和租耕土地；不准私人雇工剥削；大小队只能出售本身生产的农副产品，不准搞进口物资和工业品经营。[③]但随着当时许多城镇下乡下农场劳动锻炼的年轻知青回城，农村包产到户后出现剩余劳动力，以及一些国有、集体企业实行班组或个人承包等改革措施，使一些富余人员下岗或处于重新择（就）业的状态，要求解决城镇适龄就业人员的就业、再就业问题的民声日渐高涨，成为当时县委、县政府当务之急。为了鼓励扶持个体工商业发展，番禺县委、县政府积极响应民众呼声，研究制定相关措施。1983年，县委、县政府一方面积极以党的十二大关于“鼓励劳动者个体在国家规定的范围内和工商行政管理下适当发展”的精神，广泛向各级领导和有关部门进行政策宣传和发动；另一方面针对农村包产到户后剩余劳动力大量转移投入商业活动，但不领取营业执照的状况，发出了《关于开展个体无证工商业、运输业、建筑行业普查登记的通告》，做到边发动、边登记、边安排，为个体工商业的发展提供了政策保障，有效地促进了番禺个体工商经济的起步发展。

1. 鼓励城镇人员自谋职业，帮助城镇人员解决就业出路问题。20世

---

① 广州市番禺区经济贸易促进局：《番禺工业发展史》，方志出版社2015年版，第202页。

② “一大二公”，是指人民公社规模大，人民公社公有化程度高。

③ 《县三级干部会议贯彻中央精神研究农村工作　进一步完善生产责任制　积极发展多种经营》，载《番禺报》（第844期）1981年5月1日第1版。

纪80年代初，番禺县委、县政府为鼓励城镇人员自谋职业，大力引导城镇再就业人员，从事以个体户形式经营餐饮、服装、日杂、五金、理发、家电维修等与市民生活密切相关的服务性行业，也就是后来的第三产业。县政府工商部门在城镇自谋职业人员自主创业申请牌照方面提供便利，县税务部门在税收方面提供减免税费优惠。为方便对个体户集中经营管理，县政府决定在市桥镇北郊试办以个体户经营为主的专业市场——易发商场。易发商场最初共有180多个铺位，由县房地产公司负责建设并租给当地城镇待业人员，从事餐饮、服装销售等。到20世纪80年代中后期，易发商场的商铺纷纷转营进口电视机、照相机、录像机、摄像机、音响等中高档家用电器。由于易发商场所售家电商品质优价廉，又由于当时国内家电的紧缺，使得易发商场闻名全国。当时全国各省市经营电器产品的个体户中有近八成从易发商场进货，然后分销到全国各地大大小小的电器商店。易发商场有的商铺年销售额达几千万元，甚至上亿元，有人形容易发商场是“中国最富裕的一条街”。

2. 允许国有、集体单位体制内人员“下海”经商办企业，壮大个体私营经济。20世纪80年代初，为了解决当时一些国有、集体企业人员众多、企业长期亏损的状况，当时番禺县委、县政府参照兄弟地区的一些经验做法，允许国有、集体单位体制内人员“下海”经商办企业，这一政策

图为拍摄于1998年的番禺易发商场及其家电商铺

措施改变了一些人的前途命运，有的人后来成为番禺个体私营企业家的突出代表。如1953年7月出生于原番禺县榄核镇新涌大队的黄文仔，20世纪70年代从农村“洗脚上田”出来工作，曾被安排到当地榄核镇食品站当猪肉销售员，由于他工作勤奋、表现好，又有经济头脑，被提拔为食品站副站长。他带头打破食品站卖猪肉“凭票供应”“肥瘦肉骨头一刀切”的计划经济模式，改为“肥瘦肉骨头分开卖、不同价”等市场经济模式，在创造了单位经济效益的同时，也招来了一些非议，认为黄文仔搞的是“投机倒把”，是“资本主义尾巴”那一套。他一怒之下，于1982年辞去榄核镇食品站副站长职务，“下海”到外地从事建材生意。黄文仔说：“现在回过头看，当时我下海经商是对的”，“1984年我就过百万了”。1994年6月，黄文仔结束了12年的建材生意，创办了广州市宏宇集团有限公司，从事贸易、物流、实业并涉足房地产项目，任董事长兼总经理，又是广州星河湾集团董事长。

3. 允许农民“洗脚上田”经商，造就一批农民企业家。农村实行联产承包责任制后，农民劳动生产积极性和生产效能得到较大提升，一些农村劳动力在农闲季节便成为剩余劳动力。为了支持鼓励当地农村富余劳动力到城镇经商，各级政府部门通过制定相关政策措施，广泛宣传动员，发挥个体劳协作用，把支持农民自理口粮到城镇务工经商，支持重点户、专业户、个体实体和经济联合体，作为发展个体经济的重点工作，从而不断壮大番禺个体私营业主队伍和经济规模，有的私营企业的经营者发展成为当地知名的农民企业家。如原番禺县大石镇农民出身的苏志刚，改革开放之初，利用农闲季节骑着自行车到处卖些小物件，做过水泥匠。20岁时，为改善生活便去卖猪肉，摸熟了门路以后，给宾馆酒家送货，生活慢慢富裕起来，也完成他人生事业的原始资本积累，为后来办成香江酒家和长隆集团，积累了宝贵的资金和经验。

像苏志刚这样从农民发展为企业家的成功人士虽然为数不多，但“洗脚上田”从农民变为城镇个体工商业主的却不少。据番禺工商部门统计，到1983年，全县个体工商业户数已发展到7321户，从业人数达1万多人，分别比1982年增长3倍和2.4倍。[1]

（二）探索完善各项管理，保障个体私营经济的合法正当经营

为了营造公平、自由、平等、竞争的市场环境，引导个体工商业主守法经营，健康发展，依法查处违法经营行为，同时依法扶持守法经营的个体工商户，1984年番禺县委、县政府先后制定了一系列扶持个体私营经济发展的具体政策措施，进一步放开个体私营经济的经营范围，允许涉足经营当时比较敏感的行业及商品，如烟、酒、生猪屠宰业、客货运输、建筑材料等。

改革开放初期，由于政府鼓励发展个体工商业，当时个体工商户发展较快，而政府部门的政策法规管理跟不上，政策措施滞后。虽然当时绝大部分个体工商业主都依法经营，但是存在一些紧迫需要解决的问题，如一些个体工商业主存在"挣快钱、谋暴利"的不良心态，存在售卖走私商品、制假售假、欺行霸市、强买强卖等不良行为，严重影响了当时的市场秩序和社会环境。番禺县各级党委、政府加强对个体私营工商业的管理，以"教育为主，处罚为辅"为原则，一方面打击不正当经营活动，另一方面保护正当合法的经营。主要抓了以下5个方面的工作：

1. 坚持取缔无证照经营。由番禺县工商执法部门每年进行1至2次大检查，取缔个体工商户无证照经营。同时发挥基层工商所的作用，较好地维护了正当经营者的合法权益。

2. 打击假冒、伪劣商品。为了有力打击假冒、伪劣商品，维护消费者合法权益，专门成立了番禺县"打假"领导小组，组织协调各相关部门对假冒、伪劣商品进行清查和打击，依法管理，规范经营。

3. 打击走私贩私。针对一些个体工商户存在售卖走私商品的违法行为，严重影响当时的市场秩序的问题，组织开展打击走私贩私行动，积极引导个体私营经济走正当、合法经营的道路，促进其健康发展。

4. 成立各种组织及时处理问题。针对服务设施比较紧张，不适应当

[1] 番禺市工商行政管理局：《明确方向　摆正位置　积极支持我市个体私营经济的发展》，载《广州市个体私营经济工作会议材料（之五）》，1992年12月。

时个体私营经济快速发展的问题，在各商场设立相关领导小组，协调各有关部门，及时处理和解决个体私营企业出现的各种问题，同时引导个体私营工商业搞好行业自律管理，守法经营。

5. 鼓励守法经营致富。针对一些个体工商户和私营企业存在制假售假、欺行霸市、强买强卖等不良行为及经营作风，开展"守法经营致富，回报国家人民""优质优惠服务月""信得过商店"评选等活动，提高个体私营业主依法守规经营和道德操守水平，涌现了许多遵纪守法、文明经营的个体私营企业。如风达钢具有限公司被国家工商局、中国个协评为"户户讲道德，店店无假货"活动的先进单位，私营企业主广州长隆集团董事长苏志刚光荣当选为全国人大代表。

（三）调整优化行业结构，推动个体私营经济向实业型发展

番禺的个体私营经济从改革开放初期以小副食、小五金为主，逐步扩展到工业、流通、建筑等领域。随着国民经济和社会事业的全面发展，科技、信息、咨询、房地产等新兴行业企业日益增多，一批高档次行业也随之崛起。

到1988年，番禺个体经济在总户数以及人员结构、行业构成、企业规模和营业额方面都发生了巨大的变化。但与周边地区相比，番禺的个体经济主要以商业为主，办实业的比较少，番禺县委、县政府及时提出个体私营经济要向实业型发展的要求，一方面采取了一些优惠措施，如协助贷款、减免税收和工商管理费等；另一方面召开个体私营劳协会议，学习国家的有关政策和国家扶持个体私营经济以及相关的产业政策，学习兄弟地区个体私营企业办实业的经验，正确引导，调整布局，促使番禺个体私营经济向实业型发展。1988年全县出现首家私营企业——威乐办公用品有限公司。番禺个体私营经济由此开始走向规模经营的发展阶段。

截至1989年，番禺全县的1.3万多户个体私营企业户中，工业企业有1270户。[①]实现了工业、商业、服务业同步发展，完成了县委、县政府调

① 番禺市工商行政管理局：《明确方向　摆正位置　积极支持我市个体私营经济的发展》，《广州市个体私营经济工作会议材料（之五）》，1992年12月。

整个体私营经济行业的部署。1991年3月，县委、县政府召开了全县个体私营企业勤劳致富经验交流大会，传达了中央、广东省和广州市关于加快个体私营经济发展的政策措施，表明国家支持个体私营经济发展以及开放搞活的政策不会变的态度。番禺个体私营经济持续发展，至1992年，番禺个体私营经济已发展到19622户，从业人员36883人，注册资金19701万元。个体私营经济上缴财税7100多万元，占番禺市财税总收入的25%。[①]个体私营经济的迅速起步发展，为番禺经济发展做出了积极贡献。

二、制定优惠政策措施，促使个体私营经济迅猛发展

1992年邓小平发表南方谈话，极大地鼓舞和促进了番禺个体私营经济的发展。从1992年 5 月番禺撤县设市至2000年 7 月番禺撤市设区这一时期，是番禺个体私营经济迅猛发展的阶段。番禺享受了撤县设市的优惠政策，加大了对个体私营经济的扶持发展力度，使个体私营经济异军突起，迅猛发展，并成为重要经济组成部分。

1994年7月，番禺市委、市政府制定了《关于加快个体和私营经济发展的若干规定》（番发〔1994〕7号），进一步放宽个体私营经济政策，明确对个体和私营经济要切实做到“政治上给予关心，资金上给予扶持，技术上给予指导，合法的给予保护，高新技术产品税收给予优惠”。政策措施共有50项内容，其主要内容一是放宽个体和私营企业的经营范围及经营方式；二是鼓励个体工商户和私营企业开展横向经济联合；三是妥善解决个体和私营企业的生产经营场地及报装费用的优惠；四是设立个体、私营经济试验区；五是对个体和私营企业放宽财税政策和信贷政策；六是提高个体工商户和私营企业的设备折旧率；七是支持个体工商户和私营企业从事对外经济活动；八是切实解决个体和私营企业技术人员的实际问题；九是保护个体工商户、私营企业及其职工的合法权益。通过采取一系列措施，有效地推动个体私营经济的迅速健康发展。

① 番禺市工商行政管理局：《关于设立番禺市个体私营经济试验区的调查意见》，1993年10月26日。

（一）坚持对外开放，积极发展外向型经济

由于番禺市委、市政府对个体私营经济向外向型发展采取了新措施，积极支持鼓励个体私营经济业主承接“三来一补”业务，与外商合资合作合办企业，因此企业逐步摆脱了小作坊式的落后生产状态，设备不断更新，技术力量增强，科技含量提高，形成了一批有一定规模和实力的私营企业群体。如市桥镇友利塑料有限公司，至1994年已发展成为有300多名员工，8600平方米的厂房，拥有先进的生产工艺流程，颇具实力的私营企业，产品销往日本、欧美等市场，年出口额为人民币1500万元。同时通过积极主动向外商宣传我国对外开放的政策，宣传番禺优越的投资环境和鼓励外商投资的优惠措施，番禺增强了外商投资信心。在合作形式上，除了原有的来料加工、合资、合作、独资、补偿贸易等形式，还采用以下几种形式：

一是转让老企业产权。老企业可以对外租赁，由外商承包管理，或中方以厂房、设备作价入股，也可以采用国际租赁方式，引进设备，以利润偿还等办法。

二是利用当地的土地、厂房、基础设施、工业产权、商标、专利作为投资，与外商进行合作经营，共同管理，共负盈亏，或由外商直接管理，由外商保证我方的收益。

三是出租、转让土地、厂房，由外商独资经营。在外资的投向上，积极引导发展能源、交通、通讯、原材料工业，房地产开发、旅游业，发展原材料和产品出口“两头在外”、出口创汇的项目。

（二）排忧解难，扶持发展

在番禺市委、市政府的高度重视下，各职能部门进一步明确了为个体、私营经济服务的指导思想，想方设法为他们排忧解难。

1. 灵活变通，放宽经营。在不违反政策法规的前提下，结合当地的实际，灵活变通，进一步放宽经营范围、经营方式。如：允许经营钢材、水泥、木材三大建筑材料；允许一部分具有经营能力的个体户从事兼营零售业务。

2. 政策优惠，重点倾斜。协调各有关部门在政策允许范围内给予优

惠。如：在税收、工商管理费上对经营有困难的工商业户实行减、缓、免，扶持其渡过难关。

3. 营造环境，扩大规模。积极培育和建设市场，完善各项设施，大力解决个体私营经济经营场地问题。从1979年至1992年番禺县（市）政府共投入1亿多元用于建设农贸市场，可供经营的场所面积达23万平方米。市桥城区工商业市场活跃，设有易发商场、东宝商场、繁华商场等近10家大规模的个体商场。

4. 勇于突破，敢为人先。率先批准市桥镇易发商场部分商户经营彩电、空调机、录像机等家用电器、电子产品。允许有关个体工商户在省内向持有上述商品经营权的商店采购有发票的商品在易发商场零售，成立由番禺市政府领导参加的易发商场综合领导小组，协调各方面关系，排除各种阻力和非议，争取省、市有关部门的支持，解决个别部门因政策不明朗而扣留的物品。番禺市工商系统还到湖南、江西以及广东省内各地，积极协助个体私营企业解决被扣留的总价值超过1500万元的货物。易发商场在广东省、广州市和番禺市委、市政府的支持帮助下，知名度不断提高，迅速发展成为20世纪八九十年代全国知名的大型家电专业销售批发市场，共有360多家家电专业销售店，年销售额180多亿元。[①]1994年7月14日，番禺市委、市政府召开了全市个体私营经济表彰大会，对全市60家先进企业进行表彰。

（三）加大探索，设立个体私营经济试验区

20世纪90年代初，党的十四大提出“坚持以公有制为主体，多种经济成分长期共同发展”的方针，鼓励进一步加快个体私营经济发展。1993年，中共广州市委、市政府《关于加快个体和私营经济发展的决定》（〔1993〕14号）的第九条第一款提出：“探索有广州特色的个体和私营经济发展的新模式，为全市个体私营经济的发展起示范和先导作用。”1994年 7 月，番禺市委、市政府制定了《关于加快个体私营经济发

① 番禺市工商行政管理局：《关于设立番禺市个体私营经济试验区的调查意见》，1993年10月26日。

展的若干规定》，决定在市桥地区设立个体私营经济试验区，以探索具有番禺特色的个体私营经济的新模式，为全市个体私营经济的发展起示范作用。经过番禺市相关部门的调研和广泛征求民意，个体私营经济试验区选址在市桥镇，面积约500亩。

1. 试验区内实行统一政策、统一管理、统一收费。试验区的发展目标为：形成以生产型、科技型、外向型的个体私营企业为主，商业、服务业等第三产业相结合的工贸型加工区。在经营范围、方式上全面开放，平等竞争。

2. 成立番禺市个体私营经济试验区筹备领导小组，协调有关部门制定试验区的优惠措施。领导小组从计划、城建、国土、税务、银行、工商、外经、水电、环保等部门抽调人员组成。领导小组的主要职责是：研究制定试验区发展的整体规划；领导和规划试验区的全面建设；统筹解决试验区各项管理问题。从根本上改变个体私营经济多头领导、政出多门、各行其是的状况。

3. 对试验区进行规划。试验区分为工业区、商业区、生活区，并配套建设一定数量的写字楼（展销试验区内企业的产品及洽谈业务用）、职工宿舍、食堂，使市桥地区，成为城市建设和规划的一个内容。

4. 实行税收政策优惠。试验区在税收贷款方面享受高新技术开发区的优惠政策，按中共广州市委、市政府〔1993〕14号文第二条执行。

5. 鼓励建设企业厂房。个体私营经济可购地自建厂房。部分自筹购地资金不足的，允许私营企业用固定资产（厂房、设备）作抵押，贷款50%—70%，归还贷款期限5—8年。（14号文规定：抵押物的抵押率一般不超过抵押物现值的80%，用于固定资产投资项目，自筹资金须占40%以上）。

6. 开拓新的筹资渠道。试验区内设有由银行管理的，由个体、私营以及外资等企业筹资设立的合资（股份制）财务公司及信用合作社，专门办理试验区内个体工商户和私营企业的存贷业务。对在试验区投资建厂的私营企业，贷款问题上予以支持，其贷款利率按国营、集体企业同等对待。

（四）全面落实政策，加速推进发展

1997年，番禺市委、市政府制定《关于进一步加快个体和私营经济发展的若干规定》（番发〔1997〕14号），在土地使用、资金借贷、税费优惠、用人用工等方面都进一步对个体私营经济发展给予有力扶持，有效地促进全市个体私营经济的加速发展。1998年，为进一步加快番禺个体私营经济的发展，根据广东省政府《关于促进个体私营经济发展的通知》（粤府〔1998〕3号）和中共广州市委、市政府《关于进一步促进个体、私营经济发展的补充规定》（穗字〔1998〕11号）的精神，1998年8月，番禺市委、市政府又制定了《关于进一步加快个体和私营经济发展的补充规定》（番发〔1998〕17号）文件，规定支持个体工商户和私营企业购买、兼并国有、集体企业；个体工商户和私营企业承包、租赁、兼并或购买国有、集体企业后，原国家干部身份的企业职工，可到番禺市人才交流中心办理人事代理；鼓励下岗人员和大、中专毕业生到私营企业工作；等等。从而为个体私营经济的改革、发展提供了有力的政策保障，推动了番禺个体私营的商业、交通运输业、饮食、旅游服务业的全面发展。

至1998年年底，番禺全市个体工商户达27616户，71929人，注册资金6亿元；私营企业1388户，16587人，注册资金16亿元；个体私营企业的产值约134亿元，占全市总产值的20%；零售额27亿元，占全市社会商品零售额的56.3%。[①]番禺市个体、私营企业交纳税金2.5亿元，占全市的15%。[②]

1999年1月6日，番禺市委、市政府召开番禺市个体私营经济表彰大会。会上对93个先进个体工商户、私营企业给予表彰奖励，并授予“光彩之星”名誉。番禺各级党委、政府的重视和支持，有效地促进了当地个体私营经济上规模、上档次，个体私营经济向股份民营经济转变。涌现出长隆集团、珠江钢管有限公司、裕丰钢铁有限公司等在全省乃至全国知名的大型民营企业。众多的个体户、私营企业者饮水思源，致富不忘国家和人民，为公益事业慷慨捐助。通过开展优质优惠服务月、信得过商店评选等

① 番禺市工商局：《个体私营经济在改革开放中健康成长》，1999年7月25日。

② 广州市番禺区经济贸易促进局：《番禺工业发展史》，方志出版社2015年版，第202页。

活动，提高个体劳动者的思想觉悟和道德水平，涌现了许多遵纪守法、文明经营的好企业。

三、深化企业改革，为个体私营经济发展提供强大推力

1992年5月至2000年7月，番禺市委、市政府鼓励和支持私营企业、三资企业[①]参与国有及集体企业转制工作，出台了一系列的改革政策措施，利用民间资本，盘活国有和集体资产，企业改革由初期的"放权让利"的承包经营逐步向"转换企业经营机制"和"建立现代企业制度"转变，为个体私营经济发展提供强大推力。

（一）选好试点，转让产权

对规模较小、效益差和长期亏损、前途不大的企业，采取公开拍卖方式转让企业产权。如由番禺市管辖的大岗镇酱油厂是一家小型国有企业，自1990年起连年亏损，至1993年共亏损359万元，职工年人均收入仅4729元。1994年4月11日，经清产核资，以960万元转让，转让所得资金，除偿还该厂债务、安置员工及支付办理转让所需的资金，所剩资金用于70多名职工补偿安置费。该厂成为全番禺市第一家以产权转让方式转制的企业。

（二）镇企转制，壮大私企

截至1996年底，灵山、东涌、榄核等镇大部分镇属企业转为民营企业。鱼窝头镇对镇属企业实行全面清产核资，理顺企业责、权、利三者关系。灵山镇以产权转让为核心，对16家镇办企业进行多种方式的改革。石楼镇对全部工业企业实施股份合作制改造。如原番禺南村电缆厂原本是一家南村镇办集体企业，1998年3月，民营企业家王锦荣、冯洪波斥资1亿元收购南村镇属企业番禺电缆厂、番禺华南电解铜厂、番禺罗兴铜业制品

① 三资企业，指在中国境内设立的中外合资经营企业、中外合作经营企业、外商独资经营企业三类外商投资企业。

公司、番禺华南无氧铜杆厂，通过转让产权后，成立了广东广州番禺电缆集团有限公司。公司并通过建立现代公司法人制度，不断加快新产品研发，现已发展到拥有6家生产研发子公司，2个电缆全结构产品及延伸产品的省级企业研发中心，以及2个电线电缆产品的大型专业生产基地。

（三）形式多样，参与转制

不少个体私营企业主注资收购国有和集体资产，参与企业转制。如大石镇大石家豪工艺木制品厂出资210万元收购原国有企业市机电设备厂厂房、土地5400平方米，并接收安置原企业大部分职工；大岗镇真兴皮具厂出资1700多万元收购镇办企业大岗化工厂；广东华达集团公司出资1600多万元收购大岗镇办企业万新时装厂转产摩托车；鱼窝头糖厂以1723万元转让给当地私营企业；番禺氮肥厂将所持番氮化工有限公司49%股权转让给私营企业；沙湾大来木业公司出资900多万元收购原镇办企业沙湾砖厂5万多平方米土地、厂房，扩大木业生产规模；广州番禺糖果有限公司的中方股份（占总股本49%）以2.2亿元的价格转让给西班牙的亚古利民公司；原国有企业东方石油气具厂把部分土地转让给外商；外商企业大岗力奇家具厂租赁经营大岗宾馆。至2004年12月底，全区有154家国有企业、198家区属集体企业和389家镇属集体企业，通过拍卖等方式转让产权，转为私营经济。

四、适应现代企业发展潮流，把私营企业做强做大

2000年7月番禺撤市设区后，番禺个体私营经济融入广州华南中心城市的大发展环境中，进入做强做大的阶段。面临国内、国际市场的激烈竞争，番禺许多私企业主明白，只有适应现代企业发展潮流，才能使自身企业立足生存，做强做大。

（一）发展特色旅游业，形成规模效应

1987年，苏志刚在大石镇购买了一块地筹建香江酒家。1989年8月28日香江酒家正式开张，酒家以大排档方式经营，形成了独特的饮食风格，

生意出奇红火。若干年后，苏志明积累了一定的资金和经验，1994年5月在迎宾路段开办了香江大酒店，并发展为一间有餐饮与旅业的高级酒店。1995年，苏志刚看准了一项既可保护野生动物，又有发展前景的事业——兴建野生动物园。经过周密的计划，番禺香江野生动物世界试业。香江野生动物世界开业仅几个月就创造了国内旅游界奇迹，拥有几项全国第一，甚至世界上也很少见的纪录。经过几年苦心经营，香江野生动物世界成为全国最大的野生动物园，拥有2万多只来自世界各地的野生动物，拥有全国最多的极为珍稀的野生动物。此动物园自1997年开始接待国内游客，当年接待旅客达800多万人次，还曾创造了日接待游客8万人次的纪录，成为国内外知名的动物园之一。2000年12月底，苏志刚斥巨资建起中国首家且世界最大的夜间动物园——番禺长隆夜间动物世界。2001年12月，全国首创的动物主题生态酒店——长隆酒店开业。酒店按五星级标准进行建设，拥有1500间主题客房和全国唯一放养白老虎和火烈鸟的中庭花园。2004年鳄鱼养殖场改建为广州鳄鱼公园，进行产业化开发加工，填补了国内大规模养殖鳄鱼及开发利用的空白。长隆集团先后被评为中国国家级5A景区、国家级文化产业示范基地等，多次荣获“广东省百强民营企业”荣誉称号。

建于中国首家、世界最大的番禺长隆夜间动物世界内可容纳万余名观众的月亮演艺广场

（二）瞄准先进制造业，树立行业标杆

番禺珠江钢管有限公司董事长兼总经理陈昌，于1964年参加工作，先后在石碁镇办企业当过学徒、工人、班组长、供销员、车间主任、副厂长、厂长、总经理、董事长。他先后创办了广州市珠江机床厂、番禺珠江钢管有限公司、香港光中集团有限公司、广州富菱达电梯有限公司、番禺珠江（珠海）有限公司、番禺珠江钢管（连云港）有限公司等10多个公司。1993年他创建珠江钢管有限公司，是中国大口径直缝双面埋弧焊管行业的开拓者和奠基人，在中国钢管工业发展中，开创并引领了一个领域。他一改中国传统钢管行业发展管理模式，走出了一条富有特色的新路子。在配合国家能源结构调整、发展低碳经济、促进石油天然气发展、开发海洋能源方面，引领珠江钢管创出一个个新产品替代进口产品，以民族品牌参与国际竞争，为中国直缝钢管行业创下多项第一，改变了国际钢管巨头在中国的垄断局面，成为中国直缝钢管行业的标杆。其“PCK”产品已是国际著名品牌，为新疆油田、兰成渝管线、广东 LNG 项目、中海油海南

国内最大的直缝埋弧焊管生产和出口基地番禺珠江钢管有限公司

环岛管线、西气东输、川气东送、伊朗国家石油公司、孟加拉气体储运公司、印度燃气局、巴西天然气公司、壳牌石油公司、马来西亚石油公司、中亚管线、俄罗斯远东管线等国内外重大能源项目及大型建筑工程项目提供优质钢管。

（三）实施“两个转变”，增强私企核心竞争力

2005年9月成立的广州市裕丰企业集团有限公司，是一家集建筑钢材生产与销售、物流运输、糖业生产与销售、房地产投资服务于一体的大型民营企业集团公司。裕丰集团以创新促发展，实施结构调整产业升级战略，实现“两个转变”，即由产品经营向品牌经营转变，由生产型企业向服务型企业转变。裕丰集团推动企业转型升级，应用国家“十一五”重点推广新技术，发展商品化钢筋项目。其战略定位是构筑产业链，创新企业的商业模式：以商品化钢筋为手段，以终端用户整合能力为基础，通过提供多种增值服务，聚合下游众多终端用户，打造一个高集中度的钢筋供应链平台，构筑技术优势和核心竞争力，成为中国钢筋供应链整合的领跑者。裕丰集团以品牌整合社会资源，与多家大型国企结成战略合作关系，拥有百余家省内外主要钢材经销商、终端用户等客户群体，成为建筑行业最佳服务商。通过广辟销售渠道，裕丰钢材广泛应用于高速公路工程、铁路工程、房地产工程、基础设施工程等重点项目。广州番禺综合物流园是广州市“十一五”物流发展规划五大区域性物流园区之一，园区规划面积2070多亩。首期由裕丰集团牵头在园区开发建设裕丰综合物流基地，研究制定了钢铁板块、物流板块、农业产业板块的三大板块发展战略，发展以商品化钢筋加工配送为龙头，交易总部经济为特色的现代钢铁物流项目。裕丰集团荣获2004年度“广东省百强民营企业”“广东省先进文明私营企业”和“广州市最具竞争力制造业和高新技术企业100强”等荣誉。

2005年底，番禺个体私营企业已发展到4.95万户，从业人员18.26万人，注册资金114.53亿元，交纳税金22.69亿元（不含南沙区）。其中私营企业7876户，注册资本97.32亿元，从业人员8.55万人。规模以上私营（民

营）企业[1]工业产值186.86亿元，占全区规模以上工业产值（786.28亿元）的23.77%。[2]广州长隆集团董事长苏志刚等7位个体私营企业家被评为2005年“广州市优秀中国特色社会主义事业建设者”，有7家私营企业入选“中国私营企业纳税百强”。番禺个体私营经济成为番禺经济的重要组成部分，在番禺经济社会发展中发挥了重要的作用。

① 规模以上私营（民营）企业是指年主营业务收入达到500万元及以上的法人私营（民营）企业。

② 广州市番禺区地方志编纂委员会：《番禺年鉴（2006）》，方志出版社2006年版，第13页。

改革开放时期港澳台胞华侨捐资与推动海珠区的经济和社会发展

■ 陈炳恒

改革开放时期，海珠区经济和社会发展实现跨越式腾飞，离不开旅居海外的华侨和港澳同胞的鼎力支持。回首改革开放的30多年，海珠区接受海外华侨、港澳同胞以建设家乡、兴办公益事业为目的的各种捐资捐赠，其数量之大、参与人数之广、影响之深前所未有，它强有力地推动了海珠区经济建设和社会各项事业的发展。从党的十一届三中会召开至2008年底，海外华侨、港澳同胞捐资海珠区教育、公益福利事业金额达人民币5亿元，对海珠区经济和社会发展做出了不可磨灭的贡献。

一、改革开放为华侨报效祖国敞开了大门

（一）解放思想、拨乱反正使华侨对祖国恢复了信心

1977年底，邓小平在接见港澳同胞代表团时指出“海外关系是个好东西”，消除了“海外关系复杂论”的极左思想，为新时期侨务工作奠定了理论基础。1978年初，国务院侨务部门负责人廖承志在《人民日报》发表了《批判“四人帮”所谓“海外关系”问题的反动谬论》，有力批驳“海外关系是‘反动的政治关系’”的谬论，明确指出华侨和归侨侨眷绝大部分是劳动人民，是爱国统一战线的重要组成部分，在侨务战线率先举起了纠正“左”倾错误路线的大旗。党的十一届三中全会后，国务院制定了“一视同仁、不得歧视、根据特点、适当照顾”的侨务工作16字方针，把侨务工作摆上了议事日程，制定和落实了一系列的侨务政策，让归侨侨眷

的冤假错案得到昭雪平反，把历次政治运动中遗留的侨房、侨眷的政治成分等问题一一解决，让海外华侨看到了希望，恢复了对祖国的信心，重新唤起他们的爱国爱乡热情，使他们从此萌生了向家乡捐助的想法。

刚开始，捐资的侨胞主要是早期漂流海外、出洋谋生的华人，这些人当中大多数是为生活所迫到海外谋生做苦力的“华工”，当然也有一些是家境较好、有条件出国留学、出洋经商的华人。虽然他们身份不同，但都有一个共同的特点：出生地在中国，有强烈的思乡恋土情结，时刻关心家乡的变化。改革开放后，中国对外交流的大门敞开，海外赤子把目光投向了自己的家乡。他们看见家乡贫困落后的状况，“捐助家乡、报效母亲”的心愿便油然而生。

（二）改革开放政策给侨捐提供了机遇

改革开放，国门打开，为海外游子实现“回乡认祖，报效祖国”的抱负提供了历史机遇。随着改革开放的不断深入，党和国家根据实际情况，把侨务工作的基本方针、原则具体化为一系列的政策，为侨胞回乡捐资捐助公益福利事业、改善亲人的生活和家乡环境提供了现实条件。

二、“筑巢引凤”，海珠区委、区政府积极开展侨务工作

（一）以落实侨房政策为落实侨务政策第一要务

落实党的侨务政策，是开展侨务工作的着力点。华侨漂泊海外，在家乡的祖屋就是他们在祖国的根基。侨胞素有“落叶归根”的思想，很多侨胞把祖屋视为怀念祖国、日后衣锦还乡、寻亲问祖的精神依归。但是，由于受“左”倾思潮的影响，有合法产权的侨房在历次政治运动中被没收、被挤占、被代管，严重挫伤了侨胞的爱国热情，也一度成为海外华侨、港澳同胞回归祖国、支持并参与祖国现代化建设的瓶颈。

党的十一届三中全会后，党和国家陆续出台了一系列落实华侨房屋政策，如《中共中央办公厅、国务院办公厅转发〈关于加快落实华侨私房政策的意见〉的通知》（中办发〔1984〕44号）、《中共广东省委、广东省人民政府关于进一步全面落实侨房政策的通知》（粤发〔1984〕24号），

广州市政府相继制发了《转发市落实侨房政策办公室关于处理我市土改拍卖侨房工作有关问题请示的通知》（穗府办函〔1996〕63号）等多个文件，研究解决落实侨房政策过程中遇到的困难和问题，把落实侨房政策作为党在新时期侨务工作重中之重的任务来抓。

为切实贯彻落实中央、省、市关于落实侨房政策的一系列文件要求，海珠区于1984年11月成立了落实侨房政策工作领导小组，将落实侨房工作作为常规性工作来抓。落实侨房政策工作主要分3个阶段：

1. 大力宣传政策阶段。

落实侨房政策工作政策性强，加之城乡挤占、代管侨房是个历史遗留问题，时间跨度大、情况复杂、牵涉面广，任务十分艰巨。为落实侨房政策的立案、审核、上报、发还等一系列工作，在起步阶段，海珠区采取了大宣传、大发动形式，通过会议、社区和村镇宣传栏、侨务政策专题咨询活动、区海外联谊会、有关社团和侨联分会等，广泛宣传落实侨房政策各项具体规定和要求，采取任务包干到人、保质保量的工作措施，政府部门密切沟通、通力合作，为落实侨房政策打开了良好局面。

2. 逐户摸查审核阶段。

依靠有关部门，调动村、街、居委会的力量，穿街过巷，夜以继日，上门逐一甄别鉴定、逐一核实，逐户建档立案、寻找业主，逐步摸清了全区侨房被挤占、代管的基本情况。在摸查过程中遇到了不少棘手的问题，如：由于时代变革、人事变迁，不少侨房已改变原貌，找到房子找不到业主，又或者是找到业主又找不到房子；还有一些人不理解政策，抵触情绪大，如新滘镇一些村民认为清退土改侨房是“为地主翻案”，称侨房办工作人员是“还乡团”；还有在城区挤占侨房的住户担心退房后无房安置，不愿配合；也有业主认为土改拍卖了的侨房补偿款低，不愿领取补偿款。面对种种困难，区落实侨务政策的工作人员坚守原则，不畏艰辛，作出了不懈努力。不少华侨业主在接过补偿款时激动地说，补偿款虽然与真正的房屋价值有很大差别，但它充分体现了党和政府尊重事实、保护华侨合法权益的决心和良苦用心。

3. 重点清退房屋阶段。

在全面落实侨房清退工作基础上，区委、区政府要求注重解决好华侨、港澳同胞知名人士、统战对象的落实侨房政策工作，将其列为重点，专门立案，专人负责。美籍华人周励桐退休前是美国联合航空公司华务经理，曾任美国旧金山中华总会馆通事，一直负责美籍侨团工作，多次协助我国驻美领事馆做好接待国家主要领导人访美事宜，是一位在侨界中很有影响力的爱国华人。周励桐在广州有近千平方米的祖屋被长期占用，他之前曾多次来信并专程回穗要求归还，但一直未能如愿。区侨房办获知此情况后，立即组织展开调查，通过派出所查阅解放初期户籍档案，得知周励桐的祖屋被广州明兴制药厂用作生产车间后，迅速与厂方沟通商谈，研究落实退还华侨房屋的相关工作事宜，并得到厂方支持配合，一年内就将房屋退还业主。周励桐对海珠区这种工作态度和办事效率十分满意，最后主动捐资10万元赞助海珠区博物馆建设，捐资2万元资助海珠区工会解困救难基金①。

改革开放初期，海珠区还为多位知名爱国华侨落实了侨房政策，其中包括爱国民主人士、全国政协委员周宝芬，广州市政协委员周宝琛及其家族拥有的90幢私宅；香港特别行政区立法会主席范徐丽泰的公公范廉的侨房；美国拜占廷皇室御医兼领远东区巡回大使、爵士江乃驹的侨房；澳门著名企业家、慈善家马万祺夫人的侨房；等等。

因落实侨房政策需要人力、财力和物力支持，根据广东省委〔1984〕24号文的精神，海珠区把落实侨房政策所需资金列入地方财政，专项拨款，专款专用。从该项工作启动起至1989年，海珠区政府光是划拨新滘镇落实侨房的专项资金就达76.3万元，镇政府也拨款21.35万元，两级政府共拨款97.65万元；此外，各村共拿出资金17.6139万元②。这些决策举措，充分体现了党的“侨为国力、国力为侨”的政策。

从改革开放起至2000年，海珠区发还“文化大革命”时期挤占侨房167家、3682.60平方米；完成发还华侨住宅出租1000平方米以下的侨房3496家、614.95平方米，侨眷1户、42.40平方米，港澳业主343户、74354.86平方米，归侨业主49户、11209.904平方米；发还私改侨房677户、106520.40平方米，土改没收侨房226户、33168平方米，土改拍卖侨房12户、2826.83平方米；发还补偿款1413415元；代管侨房做住宅300平方米以

① 广州市海珠区政协委员会：《改革开放三十年纪事》，2009年版，第17页。

② 新滘镇政府：《新滘镇政府侨务工作总结》，1989年。

下发还126户、16979.5523平方米；代管侨房做住宅300平方米至500平方米以内发还2户、2043.1073平方米。至此，有还因土改、私改而被占用的侨房工作基本完成，代管做住宅的侨房发还工作进一步落实。1999年，海珠区被评为“广州市落实侨房政策工作先进单位”。

（二）侨务部门积极搭建与侨胞联系的桥梁

“文化大革命”结束后，海珠区侨联恢复活动。初期，侨联没有专职干部、没有经费、没有办公桌，百废待兴。1979年，印尼归侨游汉光当选为海珠区侨联主席，他带领侨联一班人自己掏钱，发动侨眷捐资捐物改善办公条件，以满腔热情使侨胞感受祖国的温暖，让他们了解改革开放带来的巨大变化，身体力行地把侨联办成“侨胞之家”。游汉光经常说：“为华侨、归侨侨眷服务是我的本分工作，个人利益事小，祖国发展事大。”改革开放初期，游汉光积极开展“三来一补”穿针引线工作，几年间由他牵线引进的项目就有10多宗，为发展经济，他牵头集资10多万元，兴办了“侨星华侨服务部”“侨星综合店”“侨星玻璃工艺社”等经济实体。1986年底，广州市政府任命游汉光为市政府参事室参事，享受副处级待遇，游汉光在海珠区侨联主席的岗位上一干就是18年[①]。

随着改革开放的不断深入，侨务和外事活动更加频繁，海外华侨、外籍华人、港澳同胞前来海珠区洽谈贸易、交流科技、旅游探亲以及做爱国爱乡好事的已越来越多，海珠区“三来一补”企业、外贸企业、中外合资合作企业越办越多，给区街增添了不少经济增长点。20世纪90年代初，区侨务办、区侨联为积极联络海外华侨、港澳同胞，推动海珠社会和经济发展，采取“走出去、请进来”的形式，不断为华侨、港澳同胞联系沟通穿针引线、搭建桥梁，为招商引资、繁荣海珠区经济起到了积极的推动作用。

21世纪初，海珠区常住人口123万人，其中华人华侨7.5万人，港澳同胞3.5万人，归侨侨眷22万人。早在1999年，区侨务部门就把社区侨务纳入全区社区建设总体规划，列入议事日程并明确分工，形成了一个集区、

① 广州市海珠区政协委员会：《改革开放三十年纪事》，2009年版，第283-285页。

街、居委、辖内单位、归侨侨眷于一体的侨务网络体系，侨力资源得到充分利用。至2002年，接受华侨、港澳同胞捐赠的兴办公益事业资金达人民币22088万元，引资美金21919万元。海珠区先后向广州市推荐了10名爱国华侨、港澳同胞为广州市荣誉市民①。2002年6月，海珠区获得国务院侨务办公室授予的"全国社区侨务工作示范单位"称号；2004年，获国务院侨务办公室颁发的"全国侨办系统先进单位"称号；2005年，分别获得广东省、广州市侨务工作先进单位称号。

三、倾心尽力，广大华侨热心报效祖国、造福桑梓

1990年底，第七届全国人大常务会议通过了《中华人民共和国归侨侨眷权益保护法》，此后，国务院制定了《中华人民共和国归侨侨眷权益保护法实施办法》并在2004年再作修订；1999年6月，第九届全国人大常务会议通过了《中华人民共和国公益事业捐赠法》，此后，广州市根据国家捐赠法和省的规定，颁布实施了《广州市接受华侨港澳同胞捐赠兴办公益事业规定》等相关文件。由此可见，改革开放30年，从中央到地方，对侨务工作、华侨权益、华侨捐赠的关心和支持从未间断，陆续出台的法律规定对保护华侨权益、保护华侨港澳同胞投资捐赠家乡建设和公益福利事业给予了充分的保障。

改革开放30年，海珠区及区辖内单位（含中央各部属、省市属单位）接受海外华侨、港澳同胞捐赠教育、公益事业资金达人民币5亿元。海外侨胞、港澳同胞为促进海珠区经济和社会发展做出了巨大贡献②。

（一）侨胞纷纷捐资办学，振兴家乡教育

国之兴盛，教育为本。早期出国的海外华人深深体会到，西方国家国力强盛主要靠人才，只有人才兴旺才能创造财富，国富民安国力才能强盛，而人才兴旺与教育息息相关。故此，海外游子竞相捐助桑梓教育。改

① 广州市海珠区人民政府：《海珠区政府向国务院侨办作社区侨务工作情况的汇报》，2002年。

② 海珠区侨务办公室：《改革开放三十年海珠侨务》，2008年版。

革开放以来，在海珠区接受华侨捐资捐赠的公益福利项目中，无论是捐赠项目数还是捐赠金额，捐资捐赠教育事业都是排在第一位。2009年，海珠区侨务部门在行政区域内进行了一次侨捐全面登记清查，经统计确认，华侨、港澳同胞捐资教育项目共81个，捐赠金额达41030.292万元，占华侨、港澳同胞捐资捐赠海珠区公益福利事业款项10.4亿元的41.03%以上[①]。华侨、港澳同胞捐赠教育的内容十分广泛，涵盖基础教育、高等教育、普通教育、职业教育，既捐资兴建基础设施，又捐赠教学仪器设备、书籍等；既设立教学教育基金又开设学生奖学基金，为家乡的教育尽心尽力。

1. 兴建中小学校，投资基础教育。

由于历史原因，海珠区基础教育相对薄弱，在广州市老四区（指东山、越秀、荔湾、海珠四个老城区）中，办学场地、教学设施、师资力量均比较薄弱。改革开放初期，不少海外华侨为改善家乡的办学条件、教育设施，把目光投向捐资家乡的基础教育。

海珠区石溪劬劳小学就是香港恒生银行创办人、香港恒生银行董事长何善衡及何伯爽昆仲于1937年为纪念其母刘太夫人暨事业始成，捐资10万银两委托村人创建而成。校名取意于《诗经·蓼莪》“哀哀父母，生我劬劳”诗句，以训导后人牢记父母养育子女的艰辛。至2007年，何善衡、何伯爽昆仲为石溪劬劳小学共捐赠港币460万元。1985年，何善衡向新滘镇

何善衡、何伯爽捐赠建设的石溪劬劳小学

① 广州市海珠区侨务外事办公室：《海珠区贯彻执行〈广州市接受华侨港澳同胞捐赠兴办公益事业规定〉的自查汇报》，2009年。

何耀光向新滘中学捐赠兴建教学楼

劬劳中学捐赠人民币250万元；1992年，与梁兆洪、谭锦生共同捐赠人民币25万元用于土华小学的校舍修建。1985年8月何耀光向新滘中学捐赠人民币70万元兴建教学楼。1986年，香港太平绅士何镇东捐赠港元31万元给海珠区万松园小学兴建文体大楼。1993年至2008年，梁仲彭捐资海珠区基础教育项目有：黄埔初级中学受捐人民币150万元兴建教学楼；同福中路第一小学受捐人民币15万元修建现代化电教室；江南新村第二小学受捐港币200万元兴建体育楼；客村小学受捐人民币100万元兴建教学综合楼。

对华侨、港澳同胞造福海珠教育事业的善举，区委、区政府通过关心侨胞侨眷生活工作情况、落实侨务政策、组织海外侨胞回国观光游览、异地拜访、组织座谈咨询活动、通报侨捐项目的建设使用情况等多种形式予以答谢和反馈。通过各种形式的交流、沟通，加深了彼此的了解，让第一次与国内侨务部门接触的一些华侨代表，与海珠区的工作人员交上了朋友，并一再表示常来常往，为祖国的四个现代化建设多出一份力量[①]。

① 广州市海珠区侨务外事办：《接待香港捐资办学代表工作小结》，1986年。

2. 投资高等教育，设立教育奖学基金。

地处海珠区的全国知名高等学府——中山大学（以下简称中大），早在1982年就接受了香港十大慈善家之一的梁銶琚600万港元投资，建起了中大梁銶琚堂。梁銶琚堂为改革开放以来第一座由华侨在内地高校捐资兴建的建筑，其风格独特，功能齐全，集大中小型会议室和娱乐、文艺汇演舞台功能于一体，结束了中大没有大礼堂的历史。梁銶琚开创了港澳同胞支持国内高等教育事业之先河。从1985年开始，海外华侨、港澳同胞陆续捐资捐赠国内高等教育，投资金额和投资力度一浪高于一浪。从1982年起至2010年，投资捐赠中大、仲恺农学院的建设项目就超过40个。从1980年至2008年5月，仅中山大学（含个别中大附属医院）接受的海外华侨、港澳同胞捐资捐赠人次就达569次，捐赠总金额达5.1271亿元。

投资捐赠捐助上述两所高等学府的港澳同胞、爱国企业家、慈善家众多，其中捐资金额位居前列的有著名企业家、慈善家何善衡。1985年至2003年，何善衡先后捐资港币5060万元、人民币880万元，在中大兴建善衡堂教学大楼、善衡楼教师宿舍、中山医科大学附属第一医院何善衡楼等教育、医疗大楼。有香港知名实业家，第八、九、十届全国政协副主席，香港中华总商会永久名誉会长，中山大学名誉博士霍英东。1986年，霍英东向中山大学捐赠港币1456.5万元、人民币48万元、美元58万元兴建该校英东体育中心，该中心成为中国内地第一个“中国大学生体育训练基地”。此后，霍英东向中山大学捐赠港币480万元兴建该校管理学院酒店管理培训中心，向仲恺农业技术学院捐赠50万元、港币1000万元兴建英东楼。2009年至2010年间，霍英东的长子，身为全国人大代表、广东省政协常委、香港中华总商会会长的霍震寰，向仲恺农业工程学院捐赠人民币500万元兴建文化活动中心。有金利来集团有限公司董事局主席，第八、九、十届全国人大常委会委员的曾宪梓。1991年至1994年，曾宪梓先后向中山大学捐赠人民币2738万元，用于兴建曾宪梓堂和党政办公大楼中山楼，其中曾宪梓堂是中山大学生命科学学院的教学、科研和办公大楼，广东省省长叶选平为该大楼题词。有香港合生创展集团有限公司主席朱孟依。1997年和2006年，朱孟依分别捐资人民币800万元、3000万元，兴建了中大外国语学院和中大中文堂。此外，投资捐赠中山大学和仲恺农业技术学院的知名港澳同胞、实业家、慈善家还有马万祺、何厚铧、何鸿燊、邵逸夫等政商界精英[1]。伍舜德（前香港陆海通有限公司经理、香港美心食品集团企业董事长兼总经理）捐资超过1000万元；伍沾德［香港美心集团主席、美心发展（中国）有限公司主席］捐资超过2000万元；姚美良（马来西亚南源布庄私人有限公司董事经理、南源永芳集团公司董事长），捐资超过1000万元。

在软件建设方面，侨商巨贾们也投入了大笔资金，比如捐资设立教育基金、奖学金。1985年，何善衡捐资港币2000万元成立中山大学何氏教育基金，以其每年100万港元的利息资助中大管理学院的教学、科研和师资培养。1993年，何善衡再次与友人梁銶琚、何添、利国伟各捐资港币1亿元设立何梁何利基金，用于奖励在基础科学方面做出突出贡献的内地科学家；冼为坚是香港万雅珠宝有限公司董事长、新世界发展公司董事、中山大学荣誉顾问，2007年，将自己在1988年捐资兴建的面积约4000平方米的冼为坚堂（中大高等学术研究中心大楼）及其中的所有设备，和在香港中山大学高等学术研究中心基金会的存款人民币1100多万元、港币约36万元无偿捐赠给中山大学，另捐港币500万元设立中山大学冼为坚助学金。值得一提的是，2005年，中山大学岭南（大学）学院董事会向中大岭南学院捐赠港币4000万元用于兴建岭南MBA（工商管理硕士学位）中心，中心于2009年底落成。中山大学岭南（大学）学院董事会成立于1988年，是一个热爱祖国、热爱教育的社团。20多年来捐赠中山大学总计超过港币2.5亿元。中大岭南（大学）学院董事会名誉主席、名誉教授叶葆定于1999年以个人名义捐赠1200万元兴建中大教学大楼——叶葆定堂。

由于华侨捐资办学办教育的拉动，海珠区及区辖内高校的建设和管理跃上了新的台阶。1989年，海珠区制定了《海珠区经济和社会发展战略规划（1989—2000年）》，提出了“百年大计，教育为本”的发展战略规划，明确教育发展的目标定位：到20世纪末，海珠区教育事业要达到国内先进水平。规划对基础教育的办学、教育教学质量、教学设施、教师队伍建设等方面都作出了明确具体的指标要求，规划提出努力改善办学条件，

① 广州市人民政府侨务办公室：《侨爱颂》，广东经济出版社2012年版。

多层次、不拘一格地办教育，鼓励港澳台胞和华侨捐资办学。这一规划的制定，为加快海珠区“教育强区”建设铺设了一条绿色通道。由于把教育强区放在重要战略位置，采取全方位、多渠道的资金投入、人才招募、教师队伍培养等一系列措施，2003年12月，海珠区通过了广东省政府教育督导领导小组考核验收，获得了广东省“教育强区”的荣誉称号。

（二）捐赠投资给侨乡带来了巨大变化

1. 捐资捐赠推动侨乡新滘镇面貌日新月异。

海珠区新滘镇是个海外华侨、港澳同胞众多的侨乡①，据1989年统计数据显示，该镇华侨总人数相当于镇总人数的十分之一，其中旅居海外的华侨有1334人，港澳同胞达6979人之多，台湾同胞51人，分布在全世界28个国家和地区②。其中又以黄埔村、石溪村、沥滘村较为集中，新滘镇为侨乡，黄埔村更是著名侨村。侨乡是海外华侨的祖籍地，是他们了解祖国变化的窗口，有他们难以割舍的亲情，是他们报效祖国、造福乡梓的最好的平台。党的十一届三中全会后，国门打开，新滘镇、黄埔村的海外游子和广大爱国侨胞一样，很快把目光聚焦在祖国和家乡这片热土，新滘镇、各村（乡）与旅居海外的侨胞、港澳同胞实现了沟通联系、互动交往，此后日益频繁，乡镇积极为华侨回归故里、认祖归宗牵线搭桥。1981年4月21日，郊区新滘公社召开首次归侨、侨眷代表大会，出席大会代表89人，选举产生了新滘公社归国华侨联合会第一届委员会③。

新滘归国华侨联合会作为群团组织，它的成立为加强侨乡与海外华侨的联系搭建了平台。在新滘镇侨务办公室的指导下，新滘归国华侨联合会早期主要采用“请进来”的方式开展海外联谊，如举办龙舟竞渡，由各乡分别邀请海外侨胞回乡观看，或邀请他们回乡品尝家乡盛产的水果、组织环岛游等活动，让他们亲身体验家乡的巨大变化。到20世纪80年代末，在海珠区委、区政府的大力支持下，新滘镇侨务部门采用“走出去”的方

① 1962年8月，新滘划归广州市郊区管辖；1984年1月，改为新滘区公所，1986年5月划归海珠区管辖，1987年2月改为新滘镇政府。

② 新滘镇政府：《新滘镇政府侨务工作总结》，1989年。

③ 新滘镇编辑委员会：《新滘》，2002年版，第141页。

式，把联谊工作做到海外，如通过侨联委员、各村侨务干部到国外境外旅游、参观学习、专程拜会等机会拜访各村联谊会、同乡会、宗亲会的牵头人，进一步主动加强与海外华侨的联系。在联系方式上，与时俱进地增加了派发侨讯等宣传资料，节日发放贺年卡片，做好侨胞侨眷的信访接待、解释、查办工作等。1989年春夏之交的政治风波发生后，海外流传谣言较多，海外侨胞对祖国的政局、政策施行产生疑虑。为使侨胞感受国内安定团结的政治局面，由区、镇倡议，黄埔村组织落实，专门安排了一次华侨港澳同胞同乡联谊会活动，邀请侨胞及他们的亲属回乡团聚吃荔枝，所见所闻让海外乡亲解开了心结，爱国爱乡的热情迅速回归，此后一路升温，1998年至2001年，镇、村侨联组织接待华侨港澳同胞3000多人次，团结联系海外朋友1575人[①]。

在海珠区侨务办、区归国华侨联合会的指导帮助下，新滘镇侨办、镇侨联积极拓展侨务工作：一方面竭诚为侨服务、情暖侨心，为华侨、归侨侨眷解决切身利益问题；另一方面以侨引资，激发华侨、港澳同胞的爱国爱乡热情，引导海外华侨为家乡建设捐资出力，这些工作在改革开放的头20年效果尤为显著。

在农村，落实党的侨务政策主要体现在落实侨房政策工作上，新滘镇华侨多，侨房也多，全镇需落实侨房总面积32979平方米，除一部分为镇集体占用需要清退的侨房，其余为村需要清退的侨房，面积23250.97平方米。20世纪80年代，新滘镇把落实侨房政策列为侨务工作重中之重，全力以赴开展工作，截至1989年底，农村已落实应清退部分21460平方米，完成任务92.3%[②]。除侨房外，“祖坟”也是海外华侨对家乡的寄托和牵挂。知名港澳企业家、爱国侨胞何耀光在海珠区原新滘镇联星村有祖坟，位于现燕子岗体育场地块。随着城市化的推进，该地块要兴建燕子岗体育场。为安置何耀光家族的祖坟，镇领导与侨务办陪着何耀光在镇辖地段寻找，由他自主挑选祖坟墓地。最后，他在北山村选了一个山头。为此，何耀光还捐资200万元建造了北山公园。此后，镇侨务办除管理墓地外，每年清

① 广州市海珠区政协、海珠区委统战部：《海珠水、故乡情》，第91页。

② 新滘镇政府：《新滘镇政府侨务工作总结》，1989年。

明，都安排人力协助他及家人回来扫墓拜祭祖先。也正是由于回乡扫墓，何耀光才发现偏于海珠区一隅的赤沙、北山、仑头、官洲村的农家子弟上学要走很远的路程，于是从1984年开始，何耀光共投资75万元兴建何贵荣纪念中学，此后他不断投资海珠区和新滘镇的各项建设，尤其是广州市的各项公益福利事业。1991年10月，广州市政府授予何耀光“广州市荣誉市民”称号。

“以侨引资、筑巢引凤”，积极做好华侨、港澳同胞回乡经商办企业的穿针引线工作，是新滘镇发展经济的一个着力点。党的十一届三中全会后，乡镇企业迅猛发展，利用外资兴办的“三来一补”企业如雨后春笋，遍地开花。新滘镇不失时机引进项目，充分调动海外华侨、港澳同胞的积极性，团结他们为家乡建设献计献策、投资出力，开创了新局面。1986年1月建成投产的广州百事可乐汽水厂，就是新滘镇利用外资、引进技术开办企业的典范。继百事可乐汽水厂之后，新滘镇成功地与香港时泰有限公司、新加坡杨协成公司合作组建了广州百成食品有限公司[①]。1992年，以百事可乐汽水厂为龙头组建了广州新珠江食品饮料集团公司。1995年，新珠江食品饮料集团与百事可乐国际公司共同投资兴办中外合资企业——广州百事可乐饮料有限公司，投资总额近2775万美元。该公司严格按照百事可乐国际公司的管理运行模式运作，产值、销量屡创佳绩，1999年实现销售、利润双丰收，夺得“百事中国区1999年度最佳灌瓶厂”奖项。改革开放头20年，新滘镇人不断开拓进取，使乡镇经济不断迈上一个又一个新台阶。20世纪90年代，新滘镇大办企业、办大企业呈现出一派繁荣景象，在海珠区区属经济“三足鼎立” 的格局中，具有举足轻重的实力，新滘镇城乡建设、乡村面貌、社会福利和经济建设也发生了翻天覆地的变化，1990年，新滘镇被评为“全国百强镇”。

2. 华侨的善举让侨乡黄埔村焕发新生。

黄埔村是海珠区著名的侨村，在明末清初时，黄埔已被辟为广州对外贸易商港，海运的开辟给村民出洋提供了方便。这种海外贸易的发展，促使

① 广州百成食品有限公司，后改为杨协成（广州）有限公司。

黄埔村出洋人数多、时间也早，催生了一代又一代华侨。到了清代，黄埔村民出国留学、经商、谋生的开始增多，因而产生了一代代名人贤能。如外交家胡璇泽、梁诚、梁洵；商业巨子梁韬、梁经国、梁纶枢；专家学者胡栋朝、冯锐、梁方仲；军事专家冯肇宪、梁广谦等。据1990年统计资料表明，当地村民3029人，旅居海外和港澳的有1446人，占村民数的47.7%[①]。

改革开放后，旅外黄埔乡亲及后裔陆续从海外回乡探亲，认祖归宗，造福乡梓。1979年，定居香港的同胞胡广春回黄埔村探亲，看到家乡的生活设施简陋、交通不便，心存焦虑。1981年7月，收回侨房的胡广春心怀感激之情、怀揣报效之心，捐赠一部崭新面包车、一台26寸彩色电视机（当时价值约港币5万元）给家乡黄埔村，带头掀起了黄埔村海外华侨、港澳同胞向家乡捐赠投资的热潮。

1985年，黄埔村华侨、港澳同胞同乡联谊会成立，村政府十分重视联谊会工作，腾出冯氏、梁氏、胡氏3间宗祠作为活动场所。联谊会成立当年，海外华侨、港澳同胞乡亲回归故里，济济一堂，充分体现党的改革开放政策深入人心、温暖侨心。成立同乡联谊会后，每年都举行周年庆典。1988年，由香港爱国侨胞、实业家梁仲彭接任联谊会会长，联谊会活动更加活跃，海外同乡队伍不断扩大，在新滘镇各村产生了连锁效应。1991年至2000年，新滘镇各乡纷纷成立华侨港澳同胞同乡联谊会，先后有琶洲、石溪、沥滘、龙潭、仑头、五凤、小洲、红卫、赤沙等10多条村亦组织了联谊会，各同乡联谊会活动如火如荼，以1989年至1995年最为活跃。

那一段时期，黄埔村所有的集体福利基本都是华侨、港澳同胞捐赠的。1990年，港澳同胞梁嘉林捐资人民币60万元；1998年，梁广寿捐港币50万元兴建黄埔小学；1994年，梁广尧先后捐资人民币105.4万元建造村文化中心、捐资86.4万元建黄埔公园，2004年，黄埔文化中心经重新修葺后，已变身黄埔古港历史陈列馆，成为传承黄埔村文化的新载体；1996年，港澳同胞胡惠颜捐资人民币108.9万元给黄埔经济联合社兴建柏宁会所，为村民提供了一个学习、交流的活动场所。黄埔村人杰地灵，名人辈

① 广州市政协、广州华侨研究会、中山大学东南亚研究所、海珠区政协：《名城明珠黄埔村》，广州出版社2001年版，第84页。

出，其中梁广尧、梁仲彭、胡广春、胡惠颜、梁广寿等黄埔侨彦，从1989年至1997年，热心捐赠社区建设，先后捐建黄埔中学、小学、幼儿园、托儿所、医院、图书馆、公园、文化中心、村马路、柏宁会所、老人公寓等，共计人民币650.8万元①。这些项目设施极大地改善了社区的文化教育氛围和居住环境，可谓惠泽乡梓。

（三）报效祖国的善举展现了爱国情怀

海外华侨受中国传统文化影响，具有浓厚的血缘和地缘观念，虽然远在异国，却念念不忘家乡。改革开放后，国门一打开，这些海外赤子便怀着“心系桑梓、报效祖国”的炽热情怀，对家乡建设纷纷施予援手，用他们的乐善好施行为报效家乡、报效祖国，他们利用捐资、捐赠、捐助等形式资助社会公益事业，引进经济建设项目、兴建楼宇、购赠设备、设立基金等，有力地促进了家乡建设和发展。为表彰这些海外赤子、善长仁翁对国家的杰出贡献，广州市政府专门为他们设立了“广州市荣誉市民”的荣誉称号。改革开放以来，海珠区先后向广州市政府推荐了一大批海外侨胞、港澳同胞，为他们申报“广州市荣誉市民”称号。从1991年至2012年，经海珠区人民政府推荐、广州市人民政府批准，海珠区被授予“广州市荣誉市民”称号的华侨、港澳同胞共有17人，以授予“广州市荣誉市民”时间顺序为序，这里历数几位爱国慈善家的事迹。

1991年被评为“广州市荣誉市民”的何耀光，从1952年起连任多届香港建造商会会长职务，任香港博爱医院总理等多个慈善机构职务，1996年被香港政府授予MBE勋衔，意为“奖给有贡献于香港社会事业者”。何耀光从1985年至身故，捐资广州市等地区社会福利事业2500多万元，仅海珠区何贵荣纪念中学、南石头何耀全福利院、海珠区福利院接受捐赠就达700多万元。

1993年被评为“广州市荣誉市民”的梁广尧，早年曾是军队一名航空兵，因抗战时期为运送抗日物资，冒着枪林弹雨多次飞越著名的“驼峰航

① 广州市人民政府侨务办公室：《侨爱颂》，广东经济出版社2012年版。

何耀光捐资兴建的南石头街何耀全福利院

线”（从昆明到印度新德里）而受到嘉奖，后旅居香港，为中国航空公司飞行员。梁广尧爱国爱乡、造福桑梓，晚年用退休金捐助家乡黄埔村，先后捐资230多万元兴建黄埔村幼儿园、小学、公园等公益项目。

1993年被评为“广州市荣誉市民”的何善衡是香港恒生银行创办人，香港著名爱国人士，先后赢得了众多荣誉。1979年至2001年9月，向广州市捐款总额达港币1.1亿元，其中海珠区接受捐赠港币4000多万元，广州市其他区接受捐赠港币7000多万元。他热心教育和公益慈善，捐资项目涵盖教育文化（大、中、小学）、医疗卫生、新滘镇石溪村基础设施建设改造，并捐资设立何氏教育基金会、慈善基金会等。

1993年被评为“广州市荣誉市民”的梁仲彭，因热心公益慈善事业，担任多个香港社团组织职务，1986年被授予香港英女王荣誉奖章。曾任海珠区政协第十届委员会委员、第十一届政协常委，海珠区海外联谊会名誉会长，黄埔村华侨港澳同胞联谊会会长。1979年至2001年9月，共向海珠区及新滘镇、黄埔村公益、教育事业捐助近千万元善款。

1996年被评为“广州市荣誉市民”的何世柱，曾担任各种社会公职有几十个之多。自1992年至2001年，先后捐资海珠区何贵荣纪念中学、何耀全福利院、海珠区福利院、广州市教育基金会及慈善会等福利事业440多万元，资助广州学生数千人。

1996年被评为“广州市荣誉市民”的卢沃棠，曾担任香港镇泰集团公司副董事长、广东省玩具协会副会长。1977年创办香港镇泰集团公司，1983年起投资内地，先后在海珠区、白云区投资办厂，成为改革开放30年广东最大的玩具生产厂商。多年来，他以镇泰集团公司名义为广州等地区捐资捐助社会福利事业超过6000万元，在海珠区先后捐资兴建海珠区镇泰实验小学、海珠区实验小学镇泰体育楼综合楼、海珠区少年宫镇泰爱心乐园、土华幼儿园镇泰楼等。

1996年被评为“广州市荣誉市民”的岑义安，为新加坡时泰有限公司总经理。1992年与海珠区新滘镇新珠江集团公司联合成立百成食品有限公司，新珠江集团公司曾被评为中国最大规模乡镇企业第28名，被中国饮料行业评为中国饮料行业最大规模乡镇企业第一名，曾捐资200万元给新滘镇兴办技术学校和文化活动中心。

被授予该荣誉称号的还有谭湛佳、黄新民、钟志华、何湛雄、陈年胜、李业顺、何世樑、何世铿、胡伟民、何世杰。拳拳赤子心、殷殷桑梓情。海外华侨身在海外，心怀桑梓，他们对祖国、对家乡的建设和发展做出了不可磨灭的贡献，将永远载入史册。

四、海珠区华侨捐资捐赠现象的启示

1. 纵观海珠区改革开放30年，区域经济实现了跨越式腾飞，城市建设迅猛发展，城市管理日臻完善，社会各项事业和精神文明建设呈现了崭新面貌。今日海珠，已经实现了从80年代初广州人流传的“宁要河北一张床，不要河南一间房”的落后状况，到如今拥有157.58万常住人口（2013年统计数据）的“海上明珠”的蜕变，并且实现了成为广州市中心城区核心区域的华丽转身。海珠区改革开放30年的巨变，得益于党的改革开放政策的引领，有赖于区委、区政府坚定不移执行党的方针政策，和贯彻实施过程的正确决策和领导，离不开全区上下广大干部群众的精诚合作、协同努力，还有一点不可忽视——离不开爱国华侨、港澳同胞的鼎力支持和倾心奉献。

2. 回顾海珠区早期捐资的形式，主要是捐赠公益类实物建筑，侨乡、受捐单位多以他们的名字命名，以表彰他们的仁爱善举。捐资科研技术类、改善公共环境类、看不见实体的公益项目类的很少，捐资用于生产性投资的也很少，这与他们的传统观念与经济实力不够雄厚有关，比如侨乡人不赚家乡人钱、曾经生产性捐资失败、侨乡社会人际关系复杂、捐赠强调本乡本土、个别建造命名建筑有炫耀之嫌等，都是早期华侨捐资过程存在的问题。

3. 侨务工作在管理上也有一些滞后因素。一是华侨捐资管理。以海珠区为例，华侨、港澳同胞捐资相对集中在20世纪80年代初至90年代中，而《中华人民共和国公益事业捐赠法》在1999年才公布出台，前期捐资项目管理上存在不够统一规范的问题。二是华侨权益保护政策滞后。《中华人民共和国归侨侨眷权益保护法》1991年出台，《广东省归侨侨眷权益保护实施办法》等法规此后陆续出台，基层侨务工作在改革开放初期已启动，党的政策法规出台后，落实政策过程中一些热点难点问题要研究磨合，致使一些归侨侨眷权益保护未能依法依规得到及时有效的解决。三是爱国情怀的延续。改革开放之初，上一辈华侨、港澳同胞出生地在中国，他们心系家乡，造福桑梓，多以捐资捐赠形式表现对祖国、对家乡的热爱。而他们的第二代、第三代出生在异国他乡，对中国、对家乡的认同感相对薄弱。如何通过有效的形式和渠道，将他们乃至他们的后代对祖国的向往、对家乡的热爱转化为精神上、道义上的关切，让爱国情怀在海外侨胞、港澳同胞中世代相传，将是党和政府亟待解决的一个重大课题。

改革开放初期，海珠区旅居海外的华侨、港澳同胞捐资捐赠、鼎力支持，大大促进了全区经济和社会的发展，其历史功绩必将流芳百世，绵远流长。

（作者单位：中共海珠区委党史研究室）

6 各项事业改革的亮点与特色

20世纪90年代，广州各项事业的改革稳步推进。非公有制经济领域党的建设以及为外来务工人员量身打造的“金雁文化”成为广州改革事业的亮点，社会保险制度的创立与发展以及首创全国第一个报警服务平台为建设和谐社会打下了基础，为妇女儿童服务质量的提升以及青年志愿服务的发展成为广州改革事业的特色。

非公有制经济组织党建“广州模式”的探索历程（1978—2002年）

■ 余宏檩

改革开放以来，我国出现了个体、私营、外资等非公有制经济[①]，这是中国社会主义初级阶段经济发展的必然结果。在社会主义公有制为主体、多种所有制经济共同发展的经济制度下，“在社会变革中出现的民营科技企业的创业人员和技术人员、受聘于外资企业的管理技术人员、个体户、私营企业主、中介组织的从业人员、自由职业人员等社会阶层，都是中国特色社会主义事业的建设者”[②]，他们分布于各行各业的非公有制经济中。积极加强非公有制经济组织中党的建设，对于巩固党的阶级基础、扩大党的群众基础，有着重大的理论与现实意义。1978—2002年间，广州作为改革开放前沿城市，在促进非公有制经济发展的同时，对非公有制经济组织中的党建工作方面做了可贵的探索。2001年7月8日，广州与会代表在全国个体私营企业党建工作研讨会上作了经验介绍，广州的做法得到了充分肯定和好评，被与会者誉为非公有制经济组织党建的“广州模式”。[③]

① 非公有制经济，这个定义是1997年9月中国共产党第十五次全国代表大会才正式提出的，它是我国除了公有制经济形式以外的所有制经济结构形式，包括个体工商户、私营企业、外资企业等多种经济成分。

② 江泽民：《全面建设小康社会，开创中国特色社会主义事业新局面》，2003年10月9日。

③ 《同在鲜红的党旗下——广州市私企党建工作纪实》，载《人民日报·华南新闻》2002年6月27日第1版。

一、广州非公有制经济组织党建工作的历史背景

广州解放初期，曾是广州经济中的主要成分的个体私营经济，在经过社会主义“三大改造”之后，在社会经济中所占比例逐年减少。据统计，1957年底，广州全市商业批发总额国营性质所占比重达90.5%，零售总额私营商业下降到只占3%[①]。1978年中国共产党第十一届中央委员会第三次全体会议召开以后，我国重新开始允许和鼓励发展非公有制经济，提出劳动者可以从事个体工商业，冲破了计划经济的禁锢。1979年7月，在享有全国同等政策的同时，中央赋予了广东 “先走一步”率先实行改革开放的政策[②]。从20世纪70年代末80年代初起，广州放开价格，搞活流通，逐步打破国营商业一统天下的格局；继1984年中央扩大包括广州在内的14个沿海港口城市地方权限和外商投资优惠政策之后，同年12月起，广州开始建设经济技术开发区，集中举办中外合资、合作、外商独资企业和科研机构，促进外资经济的发展。

（一）党建“盲区”的出现

随着非公有制经济的发展，多元化、新型的经济关系的出现引起了工人队伍、党员队伍的变化。

首先是作为党的阶级基础的工人队伍出现了变化。

一是工人队伍扩充了。1979年，广州个体营业户3500多户，共4000人[③]。到1989年底，全市私营企业雇工2.38万人；全市有个体工商户8.86万户，从业人员13.85万人；外资企业已发展到1191 户[④]，在外资企业打工的人越来越多。随着经济体制改革的深入和劳务市场的形成，劳动力的供求出现多种流通渠道，大量外来劳动力进入广州。

二是工人队伍的分布发生变化。经济结构的变化，改变了投资主体和

① 广州市地方志编纂委员会：《广州市志·卷六》，广州出版社1996年版，第7页。

② 《中共中央、国务院批转广东省委、福建省委关于对外经济活动实行特殊政策和灵活措施的两个报告》（中发〔1979〕50号文件），1979年7月19日。

③ 《本市已发放3000多个个体户营业执照》，载《广州日报》1980年1月13日第1版。

④ 广州年鉴编纂委员会：《广州年鉴（1990）》，广东人民出版社1990年版，第381–388页。

产权结构，使原来处于单一的国有企业和集体企业的工人被分布在各种不同所有制形式、不同经济结构的企业里；产业结构调整，使许多工人转向第三产业，第一、二产业职工比重下降，个体经营比重相对大的第三产业从业人员从1980 年仅占全市职工总数的10%增到1986年的30%[①]；从所有制类型结构上看，公有制企业职工比重下降，私营、全民与私人合营、集体与私人合营企业等非公有制企业的职工比重上升。

其次是党员队伍发生变化。

一是党员分布的变化。1980年下半年起，广州市在自行车工业公司、绢麻纺织厂、南方大厦百货等企业试行“独立核算、国家征税、自负盈亏”的政策，开始打破“铁饭碗”。1984年起，广州作为国家计划单列市，率先改革，对企业产权制度和劳动制度进行改革。特别是根据国务院《国营企业实行劳动合同制度暂行规定》的精神，从1986年起，广州劳动合同制扩大到全民所有制单位的固定职工。同时，政府机构的改革，广州劳动力的再分配和流动，使党员的分布，从主要集中在机关、国营企业等国有单位，慢慢转向有一部分在非公有制经济组织。

二是党员角色的变化。20世纪80年代中后期出现“干部下海潮”现象，有一部分党员过去是行政机关或事业单位的干部，“下海”成了私营企业主；有一部分党员过去是国企职工，离开原单位后在私营企业打工，成了雇用劳动者。其中，私营企业主是党员的单位中，党员之间的关系变成了雇主与雇员之间的关系；等等。

三是党员财产的变化。1984年开始，广州市国有企业进行股份制试点，出现了法人持股、国有企业职工内部持股、公众持股等形式，农村也推行股份合作制，有的党员成了股东，而有的党员仍是雇员；实行以按劳分配为主体的多种分配形式，部分文化科研水平较高、拥有高新技术产权的党员，也参与剩余价值的分配；成为私营企业主的党员拥有一定资产——党员之间财产差距逐渐显现。

工人、党员队伍的变化，使得党建的“盲区”渐渐出现了——作为

① 广州年鉴编纂委员会：《广州年鉴（1987）》，广州文化出版社1987年版，第477-494页。

党最坚实最可靠的阶级基础，很多工人离开公有制经济领域后脱离了党组织的视线；很多党员渐渐流动到没有党组织的非公有制经济领域；有的离开公有制经济领域后因为长期脱离组织生活渐渐不再看重甚至忘记自己的党员身份；等等。这部分党员和可能发展成为党员的人，处于一种脱离党组织的状态，这对党的工作提出了新课题，亟待党作出对策。如果不把这些党员进行有效的组织和管理，势必出现党员流失的现象，影响党的向心力、凝聚力和战斗力。无论是私企党员的情况，还是生产力发展的客观要求乃至党建工作的需要，客观上都要求非公有制经济党建工作尽早被提上日程。

（二）相关主体认识上的分歧

由于诸多原因，20世纪80年代前后，对于能不能和怎样在非公有制经济组织开展党建工作，按照传统的党建理论和观念是无法完全解释清楚的。在这种情况下，与非公有制经济组织党建工作相关的各个主体，如各级党委、非公有制经济经营者以及非公有制经济中的党员，都还存在认识上的分歧：

各级党委怎样应对非公有制经济党建工作，在当时是没有先例可循的，一些理论问题和政策问题还有待明晰，尤其是怎样与非公有制经济经营者达成共识的问题；由于改革开放初期，政策滞后、管理不规范、人才与资金匮乏及知识经验不足等问题，非公有制经济组织一方面急切需要得到相关部门帮助，另一方面对党组织的介入缺少心理上和思想上的准备，认为建立党组织是多余的，甚至认为建立党组织等于给自己树立一个对立面，担心党组织的监督作用会限制生产经营的自由；非公有制经济中的党员，大多数则认为不在国有单位，党员身份没什么意义，认为追求经济效益才是最实际的。

这些因素在一定程度上制约着广州非公有制经济组织党建工作的启动和开展。

二、非公有制经济组织党建“广州模式”的探索进程

从20世纪80年代到21世纪初，广州非公有制经济组织党建工作的探索经历了3个阶段：

（一）早期的探索

20世纪80年代，面对非公有制经济发展与党建理论、传统观念的困境，广州解放思想，一切从实际出发，在全省乃至全国较早成立非公有制经济党组织进行了早期探索。

党的十一届三中全会以后，全国性的“实践是检验真理的唯一标准”解放思想大讨论，纠正了“左”的错误认识，为广州非公有制经济党建工作奠定了必要的思想基础。在面对各方面制约因素的情况下，中共广州市委认识到“想把广州的工作搞上去”，“不解放思想，不敢冲破‘禁区’，什么都从本本出发”是不行的，一定要“解放思想，努力研究新情况、新事物、新问题，坚持实事求是、一切从实际出发的原则”[①]。这也是在非公有制经济组织内发展党员和进行党建工作的思想基础。

由于是创新性工作，这个时期非公有制经济组织党建工作开展是有阻力的。1981年10月17日，《中共中央、国务院关于广开门路，搞活经济，解决城镇就业问题的若干决定》指出，个体劳动者是我国社会主义的劳动者。他们的劳动，同国营、集体企业职工一样，都是建设社会主义所必需的，都是光荣的。对于他们的社会和政治地位，应与国营、集体企业职工一视同仁。其中的先进分子，符合党员、团员条件的，同样可以按照党章、团章规定，吸收入党入团。在从事集体经济和个体经济的人员中，要根据需要，逐步建立党、团组织。这个政策的出台无疑是一个突破，但是，由于传统观念的禁锢，全国各地在实践中都还处于一种相对保守和停滞不前的探索状态。

1985年，广州出了个“高德良事件”——第一个个体户入党：广州

① 焦林义：1979年2月13日在中共广州市委常委扩大会议上的讲话。

东山区一个名叫高德良的个体户，他在1980年上书中央呼吁开放个体户雇工、减轻个体户税费、给个体户贷款和立法保护私有财产，得到中央重视并于1981年1月批示允许广州成为国家个体经营者贷款的试点①。1985年，高德良萌发加入中国共产党的念头，当时不少人劝他改加入民主党派。他不顾劝阻，仍主动向东山区党委递交入党申请书，这在当时是不可思议的事。同年7月30日，东山区工商局三所党支部召开讨论高德良入党的通表大会，并同意他加入中国共产党，高德良如愿成为广州第一个个体户党员②。这个事件成为一个思想观念的突破口，一改以往人们对个体私营企业主的政治地位的看法，同时也给非公有制经济组织党建工作带来新的思维。

针对外资企业和外商投资的不断发展，从1985年起，中共广州市委每两年召开一次外商投资企业党建会议、工作联席会及经验交流会、现场会，推动外商投资企业党建工作。1986年，为配合党建工作，广州由市委宣传部开办名为“橙色计划”的个体劳协骨干培训班，各区、县也相继全面推行，加强对个体户的政治思想教育。每年受教育人数达10万人以上，不仅在广州工商企业界引起强烈反响，而且得到中宣部、司法部的表彰③。同时，从这一年起，为了更好地引领非公有制经济组织，广州各级党委在市委的领导下，开始在一些非公有制经济组织中建立党组织：在中国大酒店和花园酒店等中外合资企业中成立首批合作企业党组织，开创依托工会开展党建工作的先河；广州荔湾区成立了广州第一个个体户党支部。广州非公有制经济组织党建工作迈开了新的一步。

为了把非公有制经济组织党建工作纳入广州市党建工作中来，1989年起，中共广州市委每年召开一次党建工作会议，并把部署非公有制企业党建工作作为重要的内容之一来讨论。此后，市领导和各有关部门经常下基层调查研究，加强对非公有制企业党建工作的具体指导，解决实际困难。

---

① 《国务院领导过问太爷鸡》，载《羊城晚报》1981年5月9日第1版。

② 《为个体户鼓与呼最落力》，载《羊城晚报》2007年9月20日第T31版。

③ 《广州工商局党委书记在全国私企党建研讨会上发言》，http：//www.southcn.com/news/gdnews/hotspot/ssdjgzms/gzmuzwj/200210190306.htm，2002-08-22/2017-01-01。

（二）运行机制的建立和完善

非公有制经济组织党建工作的实践并不一帆风顺：1995年起，由于经济体制改革、国有企业改革的推行，下岗职工中的党员、下海经商的党员、外来务工党员及谋求职业的大学生党员，越来越多地加入个体工商户和私营企业员工的行列。这部分党员流动性强、分散，难以掌握，要把这部分党员纳入管理，现实操作中存在较大难题——主要是缺少有效的途径和措施掌握这部分党员，尤其是很多非公有制经济组织都还没有党组织，失业的那部分党员在社区也没有登记和过组织生活。另外，除了规模大、组织和管理比较规范的非公有制经济组织对党建工作比较支持，规模小、人数少的非公有制经济组织普遍对党建工作有抵触情绪，思想工作不好做；雇用色彩普遍存在，基本没有私企业主党员，党组织的经费缺乏，党组织作用不明显，在群众中缺少吸引力。为解决这些难题，20世纪90年代，广州在非公有制经济组织党建工作方面进行了一系列探索与实践。

1. 寻找组织管理形式的突破口。

为了对非公有制企业党建工作加强管理，1990年中共广州市委建立起由组织、宣传、统战部门，工会、共青团、妇联、工商联组织，以及工商、劳动、人事部门领导参加的联席会议制度，一起分析沟通非公有制企业党建工作的情况。党的十四大以后，中共广州市委在调查研究的基础上，针对非公有制经济中不同类型的企业情况，于1993年先后制定了《关于加强外商投资企业党建工作的意见》和《关于加强乡镇企业党建工作的意见》，对非公有制企业中党建工作的领导、组建党组织工作、探索党组织的职责和作用、党的工作方法和活动方式，以及党组织的战斗堡垒作用和党员的先锋模范作用等方面提出明确的要求，围绕非公有制党建工作的制度化、规范化及日常化进行探索。

因为探索还处于初期阶段，所以这个时候，很多非公有制经济组织还没有党组织。1994年7月22日，中共广州市委《每天快报》基层呼声版刊登了《私企900多名党员盼望有个“家”》的报道，非公有制经济党建工作再度引起了市委领导的重视。随后，根据市委主要领导的批示，中共广州市委组织部与广州市工商局党委专门组成专题调查组，对私营企业的党员状况开展了深入调查研究。

通过调查研究，中共广州市委在组织管理上寻找突破口，于1994年12月下发了《关于加强私营企业党建工作的意见（试行）》，在外商投资企业实行“谁兴办企业，谁考虑组建党组织”的做法；从便于管理、有利工作的角度出发，由工商行政管理部门党组织负责组建和管理私营企业（包括个体工商户）的党建工作。在实际工作中，广州各级工商行政管理局通过私营企业协会党组织来实现管理工作。在农村，私营企业党组织由镇党委或由镇党委委托村党组织代管。对其他非公有制企业，从实际出发，采取多种管理形式。如番禺从有利于开展非公有制企业党建工作出发，对新办私营企业以及个体私营企业所收购（或兼并、租赁、承包）的国有和集体企业，坚持“谁发牌，谁组建”的原则。同年，增城工商局在镇龙镇组建了广州市第一个个体私营协会分会党支部，把个体和私营企业中分散的党员集中起来加以管理，并且每年拨专款作为该支部的活动经费。

从1995年5月起，中共广州市委组织部和市工商局党委，会同市个协、市私协组成联合调查组，用1年多的时间，对全市4500家私营企业中的1200名党员进行调查和摸底[①]。1996年4月，经中共广州市委批准，市私营企业协会成立了由市工商局党委管理的广州市私营企业协会党委，正式把私营企业中的党员交给各级工商行政管理部门党组织管理[②]。接着，广州各区、县级市工商局都成立了党委，区、县级市私协也成立了党总支或党支部，协会均配备专职干部负责私营企业党建工作。从1995年到2000年间，广州还通过组织实施“堡垒工程（1995—1997年）”“1996—1998年党建工作规划纲要”以及“先锋工程（1998—2000年）”等，对非公有制企业党建工作特别是组建党组织工作的基本要求提出了具体指标，明确责任部门和责任人，提出“四个到位”，即：认识到位、人员到位、责任到位、措施到位。

这种归口管理形式，从隶属关系上基本结束了党员无人管理、难以管

① 《广州工商局党委书记在全国私企党建研讨会上发言》，http://www.southcn.com/news/gdnews/hotspot/ssdjgzms/gzmuzwj/200210190306.htm，2002-08-22/2017-01-01。

② 《激情飞跃新空间——广州市工商局推动个体私营经济发展纪实》，载《广州日报》2003年7月21日第A13版。

理、多头管理、分散管理的局面。一改过去各区县分散管理的局面，初步形成了在广州市工商局党委统一领导下，以市私协党委为龙头，以各区县私协为依托，以党总支和党支部为主干，以群团组织为后备的管理组织架构体系。

2. 推动组织系统的建立。

根据各非公有制经济组织的整合程度、活动方式、私企业主对问题的认识程度、党员人数分布差异等条件的不同，广州不断创新组织的设置形式：一是单独组建式，具有一定规模的企业，正式党员在3人以上，以独立形式建立党支部；二是联合组建式，即组建联合支部，根据一些党员数量较少、不具备单独建立党支部的情况，按照“就近地域，行业归口”的原则，把分布在不同企业的零散党员合并起来，按地域或行业建立企业联合党支部，实行就地就便管理；三是挂靠组建式，即将一些个体工商户党员或编入街道、居委会党支部，或纳入工商、个体协会党组织，以便联系与管理。

在建立党组织的把关上，广州私企协会党组织坚持成熟一个组建一个的原则，对条件成熟的，抽调专人，分组深入开展组建工作；对条件不具备的则通过工会、共青团、社区党建联络员等方式来联系群众；实行组建工作跟踪管理，及时查找工作迟滞的原因，寻找对策；做到应建尽建，不成熟不勉强；组建之后，注重选好私企党组织负责人，要求政治素质好、党的观念和组织纪律性强，熟悉党和国家的政策法规，熟悉行业生产经营，有开拓精神、善于与外商或企业主共事，并担任较高的行政领导职务的才可当负责人。如：广州轻工集团公司制定了《关于对轻工系统外商投资企业中方各级领导干部管理的意见》，规定党组织书记一般由中方党员行政领导担任。

另外，私企党组织充分发挥工会等群众组织的作用，通过领导和支持工会开展工作来实现党组织的意图。工会负责人大多数是由一名党组织负责人兼任，通过工会来维护员工在安全生产、生活福利等方面的合法权益。如番禺大岗塑料机械厂工会在取得企业主支持的情况下，成立了由支部书记、工会主席、副厂长、财务组长和员工代表组成的7人“福利小组”，由厂拨专款做启动基金和“职工福利基金”，负责困难职工及有病职工的救助工作，还为全体职工购买了工伤、意外事故、人身、医疗4种保险。①

经过努力，形成了以市私营企业协会党委为龙头，以各区、县级市私营协会党总支为骨干，以众多党支部为基础，以广泛的群团组织为后盾的组织架构体系。

3. 引领组织功能的准确定位。

党组织建立后，首要任务是要明确私营企业党组织的地位和作用。私营企业党组织的定位，在理论界和实际党务工作中，没有一个明确的界定。如果定位不准确，党建工作的随意性就很大，就无法建立一套完整有效的党建工作机制和运行机制。针对私营企业生产经营、人员状况等特点，从1993年起，广州市工商局党委在实践中引导私企党组织找准定位：

以“发挥政治核心作用，紧紧围绕企业生产经营开展工作”为准则。围绕政治导向、保证监督、自身建设、领导群团、精神文明建设和统战协调等方面，寻找党建工作与私营企业运作的结合点，从结合点上找到开展党建工作的有效载体。通过实践探索，从正确处理好“五个关系”入手，找到在私营企业开展党建工作的“五个结合点”——其一，处理好工商行政管理部门与私营企业的关系，通过工商行政管理部门党委—私营企业协会党委—私营企业党组织，强化管理和服务的效果，使私营企业感受到党的领导的英明正确，从而对党建工作产生认同感，从营造外部环境上找到党建工作的结合点。主要措施是：在完善私营企业政策法规体系的基础上，提出了“三个一视同仁”（即“前置审批手续一视同仁、资源配置一视同仁、入户和出国一视同仁”），为私营企业经济发展创造一个公平的市场环境；通过简化办事程序、减少审批事项、方便企业办事，增强行政管理透明度，从服务水平和质量上，积极主动为私营企业发展排忧解难。其二，处理好私营企业党组织与私营企业主的关系，从党组织对私营企业主的帮助、监督和企业主依法经营的结合点上开展党建工作。党组织通过支持企业主搞好生产经营，赢得私营企业主对党建工作的支持，监督企

① 中共广州市委组织部：《广州市非公有制企业党建工作情况报告》，2002年11月12日。

业依法经营，不“无原则的迁就顺从”。其三，处理好思想政治教育工作与经济工作的关系，帮助私营企业建立积极向上、团结协作的企业文化，稳定员工队伍，从思想政治工作与经济工作的结合点上开展党建工作。其四，处理好党组织与员工的关系，在党的优势和对员工的凝聚力上寻找结合点，增强党组织在员工中的号召力和影响力，紧扣经济与党建相互促进的工作思路，帮助非公有制经济组织聚积人才，把党集聚优秀人才的优势转化为企业的先进生产力。其五，处理好党组织与群团组织的关系，在党组织和各种群团组织行使各自职权的结合点上，为形成“抓党建、带团建、促工建、妇联建”的工作格局提供了组织保证。[①]另外，非公有制经济党组织在开展活动中，不照搬行政事业单位和国企的做法，根据中共广州市委提出的“小型、业余、灵活、务实”[②]的原则，因企制宜。在不影响非公有制经济组织正常运营的情况下，以分散活动和业余时间搞活动的形式进行。

在运行机制的建立和完善过程中，一些非公企业党组织在上级党组织的引导下，结合本身企业特点，走出了成功之路，五羊—本田摩托（广州）有限公司、白天鹅宾馆等的工作就是鲜活的例子。

五羊—本田摩托（广州）有限公司是一家1992年成立的中日合资企业。刚合资时，中方管理人员都是从国有企业过来的，对在合资条件下怎样开展党的工作都没有经验，而日方更是认为没有成立党委的必要。为了对症下药，该公司党委在实践中找出合资企业与国有企业党建的区别：第一，在国企中，重大问题、重大决策都要经过党委来讨论决定，而合资企业不行，决策机制与国企有很大区别，一切重大问题决策权都在董事会，董事会决定后由总经理实行，总经理向董事会负责。在这样的条件下，党委参与决策的难度比较大。第二，合资企业的整个管理机制比较科学，在资源配置方面比较细，因此不可能像国企那样有一批脱产的专职党务干部。第三，合资企业的整个生产管理、流程、节拍很科学，特别是人力资

① 《广州工商局党委书记在全国私企党建研讨会上发言》，http：//www.southcn.com/news/gdnews/hotspot/ssdjgzms/gzmuzwj/200210190306.htm，2002-08-22/2017-01-01。

② 中共广州市委：《关于加强私营企业党的工作的意见（试行）》（穗字〔1994〕17号），1994年12月28日。

源的配置比较优化，生产工作期间腾不出开会时间。对此，五羊—本田摩托（广州）有限公司党委经过实践找出了解决的办法：

首先，党委不能直接参与决策，就间接参与决策。在合资企业不可能把党委讨论了的东西交给董事会，也不可能以党委书记的身份去参与董事会或者总经理室的工作，因此重大问题包括用人，在党委讨论之后就以个人的身份、以部门的身份带到总经理室或者董事会去表述。通过这样来发挥党委参与决策的作用。

其次，为更有效地工作和解决没专职党务干部的问题，采取“相兼相容、复合多能”的做法，将党务的职能与行政职能比较相近的放在一个部门，比如组织部设在企管部，组织部长同时也是企管部长，宣传部设在工会，纪委与监察室合而为一。这样，很多具体实际的问题合并的部门比独立出来的党务部门要解决得好，不存在行政干部与党务干部之间互相扯皮的现象。

另外，把党务工作变成了企业管理文化的一部分，融入企业管理的战略和企业宗旨、企业精神、企业口号等，使员工形成了一种共同的价值观。经过一年的努力，1993年代表公司中层的80％多的部长和70％的科长都是党员，在公司发展中起着中流砥柱的作用，日方也渐渐认可了党组织的存在和作用①。因企制宜，改变观念，创新思路，是广州非公有制经济党组织的总体工作特点。五羊—本田摩托（广州）有限公司原党委书记钟瑞洪说：“我从事党务工作的时间比较长，最大的感受是在合资企业从事党务工作能使我放开思想，结合实际，创造性地从事党务工作。最重要的就是建立有鲜明特色的企业文化，创造一种氛围”，“我们的党建思想工作要有一种创新，不创新就跟不上时代发展”。②

中外合资酒店白天鹅宾馆，被誉为印证改革开放成功的典范、改革开放的标志之一，是国内首个世界一流酒店组织成员，20世纪90年代前后连续多年被国际知名媒体评为国际商务人士到广州的首选酒店。而这样一家中外合资酒店，中层以上管理人员绝大多数是中国共产党党员，高层包括

---

① 《合资企业党建大有可为》，载《南方都市报》2002年10月16日第A4版。

② 同①。

总经理在内也全是共产党员。党组织在该合资企业发挥了重大作用，“可以这么说，是一批‘五星级’的共产党人率领员工办出了白天鹅这家五星级宾馆”[①]。1993年成立的从化市云星实业有限公司的总经理潘伟明在谈到公司不到10年成为从化同行中首屈一指的企业时，认为这与公司党组织的工作密不可分，公司的党员始终以无私奉献精神带动身边的员工，一齐为公司的业务冲刺[②]。利建企业集团的总裁贺丹青，在介绍为什么自己不是共产党员却积极支持党组织在企业开展活动时，道出了内心话：是因为党组织的活动在公司企业文化建设中发挥出了巨大的作用，和谐促进企业的发展[③]。

广州市利建企业集团党支部生活会

20世纪90年代这一历史时期，广州通过一系列的摸索总结，已经有了非公有制经济组织党建工作的总体思路，理顺了组织管理架构和运行机制，积累了丰富的经验，并在实践中日趋成熟。

（三）“广州模式”的基本形成

步入2000年，随着广州非公有制经济组织党建工作的推进，形势越来越有利于工作的开展。2001年11月，在“解剖麻雀”式调研广州市攀达国际集团有限公司、利建企业集团有限公司、珠江物资集团有限公司等8家私营企业中，共有236名党员，5个私企成立党支部，三分之二以上的私营

① 《“五星级”共产党人——白天鹅宾馆纪事》，载《半月谈》1991年第13期。

② 《激情飞跃新空间——广州市工商局推动个体私营经济发展纪实》，载《广州日报》2003年7月21日第A13版。

③ 同②。

企业主和员工支持在企业中建有党组织[①]。八九十年代一些私企业主对开展党建工作心存顾虑的现象不复存在，取而代之是私企业主的肯定：成立党组织，带来很大的好处，很多具体工作如提建议、发展企业文化、搞集体活动、做员工思想工作等都由党组织承担；主要岗位的管理人员和技术人员很多都是党员，他们发挥先锋模范作用，带动全体员工共同为企业发展出谋划策[②]。另外，党组织能着眼于非公有制经济组织之所需，能够围绕生产经营的实际，避开生产经营旺季开展活动，这点也深受私营企业主的认可。

2000年起，在中共广州市委的领导下，广州市工商行政管理系统党组织进一步推进非公有制经济组织的党建工作。

1. 世纪之初的探索实践。

一是推行“条块结合、以块为主”的管理新体制。

鉴于广州市当时私企党建覆盖面还不够广的实际情况，对私营企业党组织及其党员的管理，单靠归口工商系统党组织的“条”形管理或社区、乡镇党组织的“块”形管理，都有人手不够、力量单薄的问题。从2001年起，广州充分发挥“条”“块”各自的优势，把“条”形管理和“块”形管理有机地结合起来：利用工商管理系统登记注册及私协的服务功能等，积极协调地方党组织摸清私企党员数目，完成私营企业党组织的组建工作；利用社区、乡镇党组织开展计生、综合及共建文明活动和履行工商日常监管职能，加强和改进对私企党组织及其党员的教育管理工作，在寻找“条”“块”结合点的问题上，定期召开“条”“块”党组织联席会议，研究解决疑难问题，实现数据共享。通过一个阶段的实践，充分发挥“条”“块”各自的优势，建立起“条块结合、以块为主”的非公有制经济党建工作管理新体制。

另外，广州工商行政管理部门党委发挥“双轨制”的组织管理体系的作用，通过各级私协组织和工商企业登记、监管、巡查，加强对私营企业

① 《“广州模式”引路私企党建 8家典型私企党建调查》，http://www.southcn.com/news/gdnews/hotspot/ssdjgzms/gzmszll/200210190355.htm，2002-08-22/2017-01-01。

② 王晓玲：《贯彻“三个代表”要求 全面开拓私企党建工作——广州市私营企业党建工作调查报告》，载《中国工商管理研究》2002年第6期。

的调查摸底和宣传引导，在征求企业主同意的情况下，根据因地制宜和因企制宜的原则，按照独立式、联合式、挂靠式、派入式、统建式等5种模式，开展党组织组建工作。如：中国南方人才市场，就是以挂靠的形式接收人事档案挂靠在中国南方人才市场的流动党员的组织关系，定期召集他们过组织生活。

二是发展优秀个体户、私营企业主入党，扩大党建工作的覆盖面。

2001年江泽民总书记的“七一”讲话，对如何看待私有企业主的非劳动收入作了明确的回答，对党的性质和宗旨、党员条件作了新阐述，为广州非公有制经济党建工作指明了方向。从这一年起，在新的规定没出台之前，广州工商管理部门党委按照市委1994年《关于加强私营企业党建工作的意见》进一步开展工作，围绕以下方面进行实践探索：

一方面，按照“坚持标准，保证质量，改善结构，慎重发展”①的原则，在严格把关的同时，广纳那些符合党员条件的优秀个体户、私营企业主入党。把个人的政治态度和业务能力作为考察标准。政治态度就是承认党的纲领和章程，拥护党的路线；业务能力就是在本职工作中创造一流成绩。在党的政策号召下和广州工商管理部门党委的努力下，陆续有私营企业主申请入党。如：广州市华力祥电力物资有限公司董事长陈兆良，从1980年白手起家开一家小面馆到1989年成了颇具规模的私营企业当家人的他，因感恩于党早有入党心愿，但当时按规定雇工8人以上的私营企业主不能入党，2001年8月递交了入党申请书。他感慨地说：“我们终于得到承认了。”②

另一方面，在铺开覆盖面的过程中，注重搞好自身建设，通过党建工作联席会等方式增强与非公有制经济组织的沟通联系；通过党组织的战斗堡垒作用和共产党员的先锋模范作用，在充分发挥党的优势和增强党组织对员工的凝聚力的结合点上，开展“创优秀党员”“光彩工程”“青年文明号”“巾帼文明岗”等活动载体，增强对员工的影响力，争取员工先进分子积极向党组织靠拢；增强对未建党组织的企业的影响力，使私企业主主动向党靠近。2000年7月，广州市东山区的私企东兴顺商业有限公司老

① 《中国共产党发展党员工作细则》，2014年6月11日。

② 《广州私营企业主争入党 工商局称将发展“白领”党员》，载《新快报》2001年12月3日。

板主动找到街道党工委希望成立党支部。原因是东兴顺的6位党员全都是企业各个部门的负责人，在企业发展中发挥重要作用，因此他对成立党组织发挥党员的作用，带动其他员工共同奋斗很有信心[①]。2002年，广州8位私企老板主动要求建立党组织。他们认为，私企建立党组织还有两个好处：一是可以参加区各街道的社区党建工作联席会，既扩大影响，又可与街道加强交流，互通信息；二是私企有了党组织，有利于树立企业的诚信形象[②]。

三是加强制度建设，进一步推动组建工作。

在制度建设上，广州工商管理部门党委借鉴国企一些好的做法，采取“先试点，后总结，再推广”的办法，先后制定出私企党组织组建制度、党员发展制度、入党积极分子培养考察制度、党建工作联系员制度（党建工作指导员制度）、党组织工作制度、党员学习生活会制度、党员定期报告制度、党费收缴及使用制度、流动党员跟踪管理制度、定期听取私营企业主和党员职工意见制度、党员私营企业主教育管理制度等多项制度。2002年6月起，广州以东山、天河两区作为试点，推行社区党建工作指导员制度，并于第二年在全市铺开。作为试点的东山区委向全市公开招聘20名专职社区党建工作指导员，充实到东山区10个街道党务工作队伍中，从而帮助更多的私营企业和中介组织建立党组织[③]。

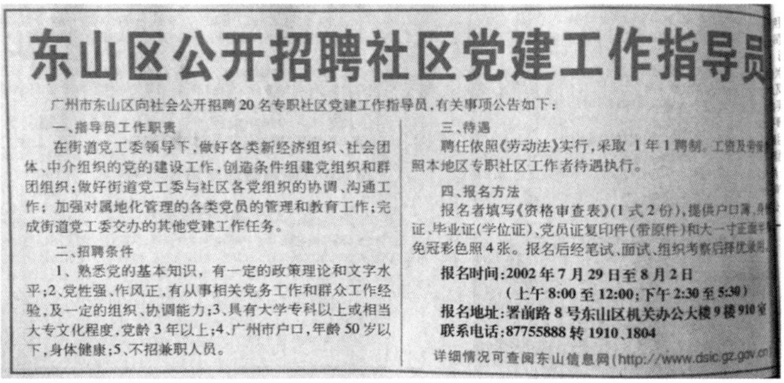

东山区公开招聘社区党建工作指导员

广州市东山区向社会公开招聘20名专职社区党建工作指导员，有关事项公告如下：

一、指导员工作职责

在街道党工委领导下，做好各类新经济组织、社会团体、中介组织的党的建设工作，创造条件组建党组织和群团组织；做好街道党工委与社区各党组织的协调、沟通工作；加强对属地化管理的各类党员的管理和教育工作；完成街道党工委交办的其他党建工作任务。

二、招聘条件

1、熟悉党的基本知识，有一定的政策理论和文字水平；2、党性强、作风正，有从事相关党务工作和群众工作经验，及一定的组织、协调能力；3、具有大学专科以上或相当大专文化程度，党龄3年以上；4、广州市户口，年龄50岁以下，身体健康；5、不招兼职人员。

三、待遇

聘任依照《劳动法》实行，采取1年1聘制。工资及待照本地区专职社区工作者待遇执行。

四、报名方法

报名者填写《资格审查表》（1式2份），提供户口簿、证、毕业证（学位证）、党员证复印件（带原件）和大一寸正免冠彩色照4张。报名后经笔试、面试、组织考察后择优录

报名时间：2002年7月29日至8月2日

（上午8:00至12:00；下午2:30至5:30）

报名地址：署前路8号东山区机关办公大楼9楼910室

联系电话：87755888转1910、1804

详细情况可查阅东山信息网（http://www.dsic.gz.gov.cn

■ 2002年7月，东山区公开招聘社区党建工作指导员

① 《东山招聘20名党建指导员》，载《广州日报》2002年7月28日第A2版。

② 同①。

③ 同①。

四是尝试推行党员活动身份证，提高党员管理的科学性。

据统计，到2002年，全市有外商企业8727户[①]，私营企业6.6596万户，个体工商户24.5505万户[②]，经过调研，在这些非公有制经济组织中，存在着这样一些“口袋党员”：这些党员不论走到哪个私营企业，都是把自己的党员关系放在口袋里或原来单位。有的不愿转组织关系，是因为一旦把组织关系转到私营企业，原单位就会取消其分红或其他福利待遇；有的转不了组织关系的党员，例如退了休的老党员，原组织关系所在单位不让转出组织关系；等等。

针对这种情况，广州市工商部门采取了灵活有效的措施：只要党员原组织关系所在单位，能够开具一个证明，证明该党员的工作经历和党员阅历，私企党组织就要将该党员纳入组织管理，并同其他党员一样参加组织生活，除了暂时不行使被选举权外，其他权利都应允许行使。为了解决党员流动性大、开具证明不科学的问题，2001年广州私企党建领导小组经过调研，决定给每一位确认身份的党员制作和发放IC卡，尝试推行党员活动“身份证”。实现一名党员一张IC卡，作为党员参与组织活动的一个身份证明，一旦某个党员流入另一个企业党组织，则只需组织之间交换IC卡，而不再需要流动党员来回开具证明信。这样做既方便个人又方便组织管理，提高了党员管理的科学性。

五是充分利用现代化传媒手段，进行宣传和教育管理。

针对私营企业驻地分散、活动时间不易统一、集中管理难等特点，广州工商行政管理部门充分利用互联网为信息传播的新媒体，在广州“红盾网”上建立和完善全市个体私营企业党建工作网站，开通“信息窗”“建议箱”和“党员谈心室”。2002年3月，在广州市电视台开辟了《广州红盾》专栏，通过电视宣传党和政府对个体私营企业的政策、私营企业的发展以及私营企业党建工作的情况，极大地提高工作的效率及宣传的效果。另外，创办《私协党委工作动态》《协会信息》，与《亚太经济时报》合办《老板周刊》，利用多种渠道建立与私企党员的沟通联系。

① 广州年鉴编纂委员会：《广州年鉴（2003年）》，广州年鉴社2003年版，第364–371页。

② 同①，第312–317页。

2. “广州模式”的最终形成。

至2002年前后，通过一系列措施的实行，广州非公有制经济组织党建工作极大地提升了覆盖面，并且坚持原则性与灵活性相结合，将数量与质量结合考虑，形成了较为完整的组织系统网络；较大程度上满足基层党组织阵地建立的要求。

非公有制经济中的党员和党组织呈现快速发展的趋势。截至2002年5月底，广州已建立1个私营企业协会党委，15个私营企业协会党总支部，1个私营企业党总支，191个私营企业党支部，1365名私营企业中的共产党员纳入了党组织管理，绝大多数私企党组织的工作和生活，都已步入了正常轨道，初步形成了具有广州特色的私企党建工作模式①。是年7月3日和30日，广州先后召开全市工商系统私营企业党建工作经验交流会和个体私营经济发展工作会议，表彰了先进私营企业党组织10个、私营企业党建工作优秀党务工作者10名、私营企业优秀党员15名，以及支持私营企业党建工作的先进个人6名②。广州全市绝大多数非公有制经济党组织的工作，已步入正轨，在经济建设和社会进步中起到越来越重要的作用。

经过多年的努力，广州在实践中摸索出一套在全国颇有影响的、已经

2002年7月3日，召开广州市工商系统私营企业党建工作经验交流会

① 《哪里有企业就在哪建党组织——广州市私营企业党建工作回顾与探索》，载《人民日报.华南新闻》2002年7月1日第3版。

② 广州年鉴编纂委员会：《广州年鉴（2003年）》，广州年鉴社2003年版，第312-317页。

比较成熟的非公有制经济党建工作的“广州模式”。概而言之，至2002年已取得了4个新的突破：

一是模式上的新突破。组织体系大胆突破，实行“条”“块”归口分级管理。

二是管理架构上的新突破。初步形成了“双轨”三级管理架构。已初步形成了“市工商局党委—工商分局党委—工商所党支部”和“市私协—区私协—私协分会党组织”的“双轨”三级管理架构。

三是私企党组织在组建速度上的新突破。广州市个体、私营企业的党建组织工作全面铺开，初步形成了一个比较完整的建设网络。

四是组织管理上的新突破。坚持围绕“一个中心”——促进个体私营经济发展抓好党建工作；切实做到“三个转变”——思想认识由“重建轻管”向“重管重效”转变，组织活动由“单一性”向“多样性”转变，教育管理由分散向集中、传统向现代转变；正确处理“五个关系”——工商管理部门与私营企业的关系、私企党组织与私营企业主的关系、思想政治教育工作与经济工作的关系、私企党组织与员工的关系、私企党组织与群团组织的关系等；注重发挥“六大职能”——即私企党组织的政治导向职能、监督服务职能、管好自身职能、领导群团职能、文化建设职能和协调统战职能。

这4个新突破，使广州私企党建工作面貌一新，使得各级党组织对私企党组织及其党员的管理逐步走向规范化和科学化。

三、非公有制经济组织党建工作“广州模式”的思考

经过多年的努力，作为改革开放前沿阵地的广州，非公有制经济组织党建工作从无到有，从弱到强，从零散杂乱到系统规范，最终有计划、分步骤、合规范地发展起来，并取得喜人的成果；在全国较早形成系统性、操作性强的有效管理体系，形成一个比较完整的建设网络；明确了各级党组织的工作责任和管理关系，形成了齐抓共管的工作格局。以“双轨”三级制组织体系为管理架构的“广州模式”已基本形成并日趋成熟，为党的建设丰富了新经验和新做法。

（一）坚持实践是检验真理唯一标准的启示

广州和全国其他地方一样，改革开放后面临社会阶层关系的新变化和非公有制经济从业群体出现的问题。随着非公有制经济从业队伍的出现和壮大，他们在社会经济中的地位和作用也日益提高，对管理的需求变得更为全方位，从经济需求走向政治需求。

广州作为改革开放前沿城市，中央赋予的“先走一步”的政策推动着广州较早面对这个事实和应对这个事实。个体户、私营企业、外资企业、合资企业等非公有制经济组织能不能建立党组织，其经营者能不能入党，党员当了私营企业主需不需要退党等问题，在当时都没有现成的答案。从改革开放允许和鼓励搞私营经济，到十二大定性私营经济是国民经济有益的、必要的补充，到全国九届人大二次会议提升到市场经济的重要组成部分，再到江泽民“七一”讲话、党的十六大，对非公有制经济及其代表者的认识和观念的更新不断完善，非公有制经济党建工作也逐步有了明确方向。但是，问题的解决和实践的探索不可能等待理论的完善，广州坚持实践是检验真理的唯一标准，借助中央赋予的“先走一步”的改革开放特殊政策，在社会主义经济建设和体制改革中大胆实践，并从20世纪80年代起，开始探索非公有制经济的党建工作，终于在21世纪初走出一条成功之路。坚持实践是检验真理的唯一标准，这是非公有制经济组织党建“广州模式”的思想基础。

（二）探索属地管理模式的启示

改革的深入、社会主义市场经济体制的建立，所产生的人力资源中党员的流动性问题，使党的建设必须实现战略性转移，重新整合社会基础，即从原来单一的单位移向非公有制经济组织。广州为解决非公有制经济党组织建立难、党员流动性大、活动开展难等问题，积极探索“条”“块”归口管理体系和“双轨”三级管理架构党建工作模式，实现党组织基层设置方式与管理方式的转移。用党组织和党员队伍管理属地化模式，取代原来统一的以单位为重心上下垂直管理模式，进行了有效的管理。

广州探索出来的这种属地管理模式，以非公有制经济组织为空间，以

“条块”和“双轨”为架构，组织党员、发展党员，加强党建工作：一方面，使党能够有效地掌握跟踪党员的去向，防止党员流失，重新整合这部分流动党员，并能不断吸纳社会精英，有利于保持党的覆盖面与先进性。另一方面，能使党准确把握非公有制经济组织的政治导向，团结最广大的阶层为社会主义建设事业服务，提升党的执政能力，夯实党的执政基础。这种做法，为加强非公有制经济党组织建设的方式、方法的科学性提供了有价值的参考。

（三）找准定位，提升认同感的启示

广州的实践充分说明，由于财产私有化的特点，党组织要在非公有制经济组织中建立和存在，必先要得到非公有制经济组织的认可，才能有所作为。心理上的认同意味着非公有制经济从业人员能更自觉接受党的领导，意味着党可利用的政治资源更丰富，执政基础更牢固。而增强非公有制经济从业人员对党组织的认同感，需要党组织在实现党的建设的同时，以顾及各方利益为前提而有所作为。广州市非公有制经济党组织找准定位，在非公有制经济发展中发挥积极作用，得到了非公有制经济组织的一致认同。为在社会阶层多样化、利益主体多元化的现实社会背景下，对党组织以何种方式来代表不同阶层的利益，实现所代表的阶级、阶层或集团对它的认同感，这一崭新的命题做出创新探索：

从非公有制经济组织代表者的政治利益出发，围绕非公有制经济的发展，制定制度，建立党组织，收纳重组管理党员，吸收一些先进分子入党，有利于扩大党的群众基础，调动各方积极因素为社会进步服务；党组织的作用不体现在人事管理权和经营决策权方面，而主要体现在政治核心作用方面；肯定非公有制经济组织的社会价值和为社会所做的贡献，鼓励其与国有经济展开公平竞争，增强了社会主义市场经济的活力；从实际出发，尊重和兼顾不同阶层、集团、群体的权益，认真体察和努力实现最大多数人的利益，通过党建工作把他们团结凝聚起来；用鲜活的事例、鲜明的对比，让企业主实实在在地感受到重视党建工作带来的好处和变化，从而调动他们支持企业党建工作的热情，最终实现双赢互利和共同发展。

这种党组织功能发挥的过程，也是非公有制经济组织认同与接纳党组

织的过程。这种做法，为非公有制经济党组织建设的有效实施提供了有价值的参考。

综上所述，在社会主义市场经济条件下，加强非公有制经济组织党的建设，不仅是非公有制经济健康发展的必然选择，也是新时期党建工作的重大课题。广州在1978年至2002年的探索实践，为非公有制经济党建工作提供了一种很有借鉴意义的“广州模式”，是难能可贵的。但是，正如习近平总书记所说：“非公有制企业党的建设在探索中前进、在创新中加强，取得显著成绩。同时也要看到，非公有制企业仍属于党建工作新领域，新情况新问题多，工作基础薄弱，需要下大力气来抓。”[①]广州非公有制经济组织党的建设工作，任重道远。

（作者单位：中共广州市委党史研究室）

① 习近平2012年3月21日在全国非公有制企业党的建设工作会议上的讲话。

广州开发区“金雁文化”的起源与发展

■ 广州开发区工委组织部

广东省是全国外来务工人员第一大省，跨县（市、区）流动的人口有3128万人，其中2150万人口属于省外。[1]20世纪80年代中期，广州东部划出一块“金三角”——广州经济技术开发区（以下简称广州开发区）。广州开发区是中国首批国家级开发区之一，虽然面积只有9.6万平方公里，却以其蓬勃发展的经济吸引着成千上万的外来务工人员来到这里。外来务工人员作为一支重要的社会力量，为推动广东省经济社会发展做出了积极贡献。因此，这群奋斗在不同岗位上的外来务工者被赋予了一个美好的名字——“金雁”。广州开发区坚持“以人为本、融合发展”的理念，认真做好外来务工人员服务管理工作，使他们尽快融入当地，共享改革发展成果，从根本上充分调动了他们投身改革发展的积极性、创造性。

建区以来，广州开发区对外来务工人员秉承 “以人为本、共建共享、融合发展”的管理理念，不断推进外来务工人员的管理服务创新。从“金雁”飞入开发区到“金雁文化”的初步形成，再到今天覆盖全区的成熟文化管理模式，开发区实现了从单纯解决外来员工的物质需求到满足其文化娱乐与个人发展的价值和精神追求的转变，探索总结出“自我管理、自我教育、自我服务”的“三自”管理模式，从而打造出高度融合企业文化、群众文化、党建文化、人文关怀，以“和谐共享、自我提升、奉献社会”

① 数据来源：第六次全国人口普查。

为内涵的外来务工人员文化——“金雁文化”①。

一、“金雁”飞入开发区

1979年4月的中央工作会议上，广东省委第一书记习仲勋代表广东省委向中央“要权”，希望中央充分发挥广东毗邻港澳、华侨众多、对外交往早的优势，赋予广东在对外经济活动中先走一步的权力。1979年7月，中央正式批准广东、福建两省在对外经济活动中实行特殊政策、灵活措施。从此，广东迈开了改革开放的历史性脚步，在全国社会主义经济建设和体制改革中发挥了先驱和排头兵的作用。

随着改革开放的强势推进，广东的经济建设迅猛发展。广州经济技术开发区于1984年经国务院批准成立，是全国首批14个国家级经济技术开发区之一，位于广州东部黄埔区行政范围内。1998年、2000年、2002年，分别与广州高新技术产业开发区、广州出口加工区、广州保税区实现合署办公（统称“广州开发区”），实行“四区合一”的管理体制，规划面积78.92平方公里。“30年来，广州开发区从珠江边的一片蕉林荒滩起步，逐步发展成为珠三角对外开放的示范窗口、外向型经济基地和自主创新基地，成为广州经济发展的重要增长极、科技创新引擎、创新驱动发展核心区，主要经济指标长期位居国家级开发区前列”②。广州开发区的成立和发展给广州乃至广东的经济发展做出了突出的贡献。

广州经济得到快速发展的同时，对劳动力的需求也在迅速扩张，成千上万的外来务工人员南下广州，逐渐成为广州经济建设、社会发展不可忽视的力量。20世纪80年代末90年代初，广州开发区已经有不少外资企业和中外合资企业进驻，吸引了来自内地四面八方的外来务工人员，由于配套设施还不完善，他们的衣食住行都面临着十分窘迫的境地。“居住在开发区的外来务工人员主要呈现如下几个特点：一是绝大多数的外来务工者

① 《关于实施羊城“金雁计划”的通知》，团穗联字〔1994〕4号。

② 《广东省人民政府转发国务院关于同意广东省调整广州市部分行政区划批复的通知》（粤府函〔2014〕31号）。

都是年轻人，以35岁以下的年轻人为主，由于学历、身份等因素的影响，绝大部分是企业生产一线的普通工人，从事较繁重、艰苦的体力劳动；二是他们有一定的文化程度，但缺少生产技能，岗前培训不足；三是由于受时间、空间、条件的限制，外来务工者的业余文化生活较为单调枯燥，工作之余的时间没有办法享受更多的消遣娱乐活动，精神文化需求根本就是空谈；四是外来务工者的住宿条件和饮食条件都比较差。开发区可供外来务工者居住生活的员工楼大概有几种情况：一是由总公司筹建，以营利为目的而建设的员工楼；二是个别企业租用空置的旧厂房做宿舍，有的企业甚至安排男女100多人混住在一起，有的企业在15平方米的房间里安排住14人，拥挤不堪；三是开发区附近农民的廉价出租屋。”[①]“脏乱差、黄赌毒”一时成为社会对这些外来务工人员的认识，随之而来的还有各种社会问题。这些问题解决得不好，不但会影响他们自身的工作和生活，也可能影响到全区的安全生产和社会稳定。开发区工会最早的工作者之一巫水标在对外来务工人员的衣食住行做了大量调研的基础上，向管委会领导提交了一份调研报告，引起开发区领导的高度重视，领导批示开发区的外来务工者问题一定要解决好，因为开发区不同于别的经济区，它是以引进外资、先进制造业管理为目标，开发区90%以上的企业是外资企业，95%以上的员工是外来务工者，而且大部分来自农村，受教育程度低，个人素质参差不齐。提高员工素质，关系到开发区的投资环境，也关系到开发区企业的发展和将来。这些外来务工人员的存在刺激了开发区劳动力市场的竞争，为开发区经济发展储备了足够的劳动力资源。这支员工队伍是开发区的主力军，是工人阶级的一部分，开发区的财富是靠这支队伍创造出来的，如果不把这些外来务工人员照顾好、关心好、培养好，未来的发展就谈不上。

为了加强对他们的教育、管理、服务，稳定社会秩序，1994年，广州市团市委、劳动局联合发文，实施“金雁计划”[②]。由此，“金雁”就成为了这群奋斗在不同岗位上拼搏人生的广州外来务工人员的代称。

---

① 朱秉衡：《广州开发区20年》，广东人民出版社2006年版，第530页。

② 《关于实施羊城“金雁计划”的通知》（团穗联字〔1994〕4号）。

广州开发区管委会为完善投资配套，投资1.6亿元建成第一员工大厦和第二员工大厦，并于1995年6月成立了直属区总工会领导的事业单位——广州开发区员工服务中心（以下简称服务中心），负责两幢大厦的管理和对入住大厦的外来务工人员的培训、教育工作。1.6亿元在当时无疑是一笔巨额资金，将这笔资金用于建设员工大厦，足见开发区管委会的魄力与远见。

二、“金雁文化”现雏形

以员工大厦和员工服务中心为原点向外辐射，在党群组织的引导和帮助下，将开发区的外来务工人员凝聚在一起，在此基础上，开发区不仅使外来务工者的衣食住行得到最好、最安全的保障，而且还帮助他们不断提升自身的素质，满足他们的精神文化需求。从最初的物质需求保障到后来实现精神文化层面上的满足，在这个不断完善的过程里逐渐孕育出独具特色的外来务工人员文化——“金雁文化”。它是一种外来务工青年自成一体的文化，它不仅拥有自己的注册商标，具有核心的文化理念——“今日广州建设者，明天家乡创业人”。这个理念彰显了人文关怀的核心价值观，在“三自管理”[①]的理念指引下潜移默化地深入到开发区外来务工人员的思想里，在一代又一代务工青年的身上打下了深深的烙印。

（一）筑起外来务工者的家——员工大厦

1994年，开发区管委会开创政府出资兴建员工大厦的全国先例，第一员工大厦和第二员工大厦分别位于开发区西区和东区，投资1.6亿元，建筑面积共计65211平方米，共有1088间标准房，可容纳9000多人。两幢大厦的建成，受到了区内广大企业的欢迎，特别是大厦完善的生活配套、娱乐设施，周到的管理服务和良好的员工文化教育氛围，让两幢大厦常年基本保持100%的入住率。为了更好地利用员工大厦，更好地解决当时企业外来务

① “三自管理”，即“自我管理、自我教育、自我服务”的管理模式。

1994年7月，开发区西区员工大厦动工

工人员的居住、生活需求，广州开发区员工服务中心于1995年6月成立。作为两栋员工大厦的管理者，服务中心以人性化的管理方式赢得了外来务工者们的心。服务中心的管理团队在成立之初便对管理理念达成共识：管理就是服务，管理人员就是服务中心的服务员，住在这里的外来务工者就是员工楼的主人，服务员理应为主人服务，员工的需要就是我们的工作。员工大厦是员工的家园、校园和乐园。要让员工有回家的感觉、有归属感，让员工可以在这里学习知识和技术、锻炼和提高自己，让员工在枯燥单调的8小时以外可以在这里得到娱乐、休闲、放松。

1995年7月，大厦迎来首批外来工入住。然而，员工入住大厦之初，宿舍脏乱差，公共走廊等处垃圾多，员工不适应封闭式管理，与保安冲突频繁等现象屡有发生。于是，服务中心要求管理人员以身作则，每天上班的第一件事就是一起打扫大厦的公共卫生，为入住员工树立讲卫生的榜样；大厦宿舍的床板是管理人员抬到各个宿舍的，草地是管理人员亲手铺设的，让入住员工感受到管理人员并不是高高在上的，而是和他们一样的劳动者。如此一点点地融化着员工的心，让员工感受家的温暖，引导他们走向文明。室外的卫生问题解决了，室内的卫生问题则采用检查评比的方式来解决，以集体荣誉感和一定的物质奖励加强员工的内驱力，并邀请企业参与到评比活动中，从而取得了非常好的成效。企业重视，员工欢迎，使得这项内务卫生管理制度延续实施了整整18年。此外，宿舍文化的引领是员工大厦的一个极具特色的方面，服务中心引导员工们成立园艺组，设置盆景区，绿化阳台和广场；在走廊悬挂名人画像、格言，展示员工自己的书法、绘画、摄影作品；在每个楼梯装上“整容镜”，潜移默化地影响员工，使其重视仪容仪表，陶冶审美情操。因此，员工大楼常年保持着窗明几净、干净整洁、富有文化气息的环境，不仅居住环境得到了保障，员工的吃饭问题也得到很好的解决。政府对承包员工饭堂的商家实行免承包费、免税金政策，用特惠政策换取惠民伙食，保证员工一日三餐安全、卫生、营养。员工吃得放心又实惠，住得安全又舒服，心就定下来了。

1995年6月，新落成的第一员工大厦

外来务工人员的文化水平、素质参差不齐，因此服务中心十分重视对员工的普法教育，经常举办法律咨询活动，请区法制办、区法院、区总工会、区检察院相关人员到员工楼做咨询和讲座，组织员工到监狱帮教、法院听审，参观劳教人员的生产现场，了解他们的失足经历，用活生生的案例教育员工树立正确的人生观；通过宣传橱窗、《金雁报》，并结合讲座、知识竞赛等不同形式，宣传国家的方针、政策、法律法规，使法制观念深入人心。员工遵纪守法，员工大厦几乎没有违法犯罪行为，未发生任何刑事案件，因此员工大厦有了“安宁之家”的口碑。同时，这些教育和培训也让员工懂得用法律来保护自己，争取自己的合法权益。

员工大厦的入住率达到100%，企业满意度非常高，员工大厦很快成为开发区招商引资的法宝之一，有外商来考察势必会来参观员工大厦。比如德尔福派克公司的人力资源部经理参观了解东区第二员工大厦后，立刻决定把员工的宿舍安排到第二员工大厦。她说，之所以这么做是因为员工大厦安全，配套设施齐全，乒乓球室、图书阅览室、桌球室、歌舞厅等样样都有，文化氛围非常好，而且整个活动场所都是免费的。过去企业每个月给员工发80元的文化经费，员工住到这里后连80元也省下了。“作为职业经理人，我当然应该首选员工大厦，我必须让员工享受到最好的福利。”又如东区某企业的后勤主管曾讲起：“佳大时代公寓落成，就在我们公司旁边，员工走路过去不用10分钟。公司的领导考虑佳大公寓比较新，居住环境比第二员工大厦要好，而且如果员工入住可以节省每天往来的车辆交通费，所以就决定把员工从第二员工大厦搬到佳大公寓。没想到，在公司工会征求员工意见的时候给否决了，理由是住第二员工大厦‘方便’；过了两年，位于第二员工大厦10米之遥的佳大时尚公寓落成了，公司出于改善员工居住环境考虑，又准备让员工搬到时尚公寓，结果，在征求员工意见的时候再次被‘否决’了，理由还是住在第二员工大厦‘方便’。公司领导就纳闷了，之前佳大时代公寓是因为配套设施不太完善，可佳大时尚公寓就在第二员工大厦边上，怎么还不‘方便’？就问我原因是什么。记得当时我说：宿舍哪里有家方便呢？金窝银窝不如自己的狗窝，我们的员工是真正把第二员工大厦当作自己的家了啊！”给入住的员工以家的温暖便是“金雁文化”最大的优势，当然，“金雁文化”的优越性并不局限于此，它的管理模式、文化理念都是它受到企业和员工喜欢的原因。

（二）从“被动”到“主动”——“三自”管理模式

服务中心成立之初的工作人员只有16人，因此，中心不够人手、没有精力去管好这些来自不同企业、因为工作的流动性而常常变动的几千人，更不要说组织各种活动去丰富他们的精神生活了。开发区秉承“共存共荣、共建共享”的理念，鼓励外来务工人员参与社会管理服务，积极推动将“本地人管理模式”转化为“本地人与异地人共同管理模式”，培育员工对社区的共同责任感，化被动参与为主动融入，创造性地激活管理活动的主力军。经过十几年的探索，服务中心实现了从单纯的管物到管人和管物，再到管人的精神和文化的转变，总结出一种独具特色的员工“自我管理、自我教育、自我服务”的管理模式，充分发挥员工骨干的带头作用，放手让员工自己管理自己、自己教育自己、自己服务自己。

服务中心将员工楼的青年团员骨干组织、凝聚起来，先后成立团支部、团总支、团委，通过各种培训、活动吸引他们参与，从中发现人才，培育种子。

自我管理——引导外来务工青年建立党工团组织，进行切实有效的自我管理。中心依据员工的兴趣、爱好、特长和愿望，在各员工大厦成立了一系列由异地务工青年自我管理的青年社团，并在经费、活动场地、骨干培养方面给予指导和帮助。如成立了羽毛球协会、乒乓球协会、桌球协会、金雁文学社、金雁艺术团、读书俱乐部、广播台、电影队等数十个青年社团。这些社团无论是内部事务，还是场地、资金都是由员工自行管理。这些青年社团在中心的支持下，逐渐成为联系和管理不同青年的纽带。

服务中心十分重视党工团的建设，通过党建带团建，团建促党建，依托党、团的力量，开展工会工作。服务中心1995年成立了员工服务中心团总支，1998年成立了金雁党支部，1999年成立了金雁工会联合会。通过引导外来务工青年加入党、工、团组织，外来务工青年变被管理者为管理者，从而实现自我管理。

自我教育——引导外来务工青年开展多种形式的自我教育。由于大多数青年来自农村，他们文化程度普遍不高，思想素质、文化素质都相对较低。针对这些情况，中心通过举办“权益知识讲座”“劳动法知识讲座”“形象礼仪知识讲座”等讲座或座谈会，有针对性地开展各类培训，帮助他们提高思想素质和职业技能，并通过举办“形象设计大赛”“千人签名向不文明行为告别”等寓教于乐的活动，使员工在活泼的形式中接受教育，在教育中陶冶情操。在每次的文娱演出中，许多青年的自我创作反映出自身的生活情景。他们自己写的剧本，排演的小品、相声，自编自导自演的舞蹈，受到了各界领导、企业和员工的一致好评。这些活动，对外来务工青年树立科学的人生观和世界观，培养对真、善、美的追求，起到了推动作用。

自我服务——创建充分展示自我的舞台，引导外来务工青年开展多种形式的自我服务。在员工大厦居住的大多数员工平时工作都比较紧张，参加业余生活的条件有限。中心有意识地通过党工团引导、发动广大青年开展多种形式的青年文化体育活动。如每周一次的露天电影，每年一届的篮球赛等活动已经成为员工业余生活中十分重要的内容。每逢重大节日，中心举办各种文艺和娱乐晚会等活动，组织开展外来青工歌手大赛，书法、摄影大赛，征文大赛，才艺大比拼等。全年大大小小的活动从未间断，很多员工不仅是活动的观众，还自觉参与组织、表演、竞赛等，成为活动的主人。这不仅为广大外来务工青年提供了多种多样的文化活动选择，这里还成为展现青年聪明才智的舞台，提升了服务中心的社区文化氛围和凝聚力，成为开发区精神文明建设的一面旗帜。

经过服务中心和员工们的不断实践和完善，“三自”管理模式运行高效，收获了众多成果。员工们通过这样的平台锻炼自己，展示才华和特长，结识新朋友，整个氛围既充满青春的活力又特别有凝聚力；而服务中心在中间起着引导和协助作用，不必再面临人力资源短缺的大难题。

（三）“金雁文化”的理念产生与实践

1. “今日广州建设者，明天家乡创业人”——“金雁文化”的核心理念。

继“三自”管理模式理念提出之后，服务中心再次提炼出“今日广州建设者，明天他乡创业人”的愿景和目标。这是一种理念，是一种信息，传递出政府和社会对外来务工人员为广州建设做出巨大贡献的认可；它更是一种激励，激励广大外来务工人员努力工作、刻苦学习、不断成长。第一故乡、第二故乡，皆为创业之乡；本地青年、外地青年，都是有为青年。外来务工人员今天在广州开发区打拼，不断学习，不断成长，他日在异地开拓新天地，成为社会有用之才。

在这种思想的无形影响下，外来务工人员的行为逐渐发生改变，他们的心安定下来，变得更加积极、更有活力，心中也有了归属感，很多员工表示："开发区是我们的第二故乡，而员工楼是我们第二故乡的美好家园。"与此相应地，企业的离职率大大降低，工作效益提高，企业非常满意。

2. "金雁文化"主导下的员工天地与发展。

在开发区各级组织的领导关怀下，在服务中心的带领协调下，通过入住员工的努力，"金雁文化"形式多样，极大地推进了自我管理、自我服务、自我提升的文化氛围和成效。

（1）组建广州市第一支外来工志愿者服务队。

1996年底，员工自发策划、组织、成立了广州市第一支外来工志愿者服务队，并发起了"千人签名向不文明行为告别"行动。以"奉献、友爱、互助、进步"为服务精神，号召热心社会活动、有一定特长、乐于奉献、志愿为广大员工服务的异地务工人员成为青年志愿者服务队中的一员。员工大厦的各个社团、组织、协会的日常管理工作都由志愿者服务队完成，如每周的电影放映、舞会组织、电器维修，包括桌球室、电脑室、歌舞厅、读书俱乐部等员工自娱自乐场所都由志愿者负责管理和安排值班。此外，每年举办的篮球赛、羽毛球赛、外来工歌咏比赛、外来工形象大赛、读一本好书征文比赛以及书法、摄影比赛等，这些都离不开志愿者的参与、组织和服务。

其中，心理咨询热线组和绿色环保组最具代表性。心理咨询热线组的志愿者每天晚上都要轮流值班，接受员工电话心理咨询，这对缓解员工心理压力、释放情感非常有帮助，甚至挽救过差点轻生的员工。绿色环保组是一个别出心裁的服务队，他们组织绿色义务活动，植树、捡垃圾，甚至还走进社区，清扫商业街，维护环境，协助维护交通，义务宣传文明，等等，他们还深入孤寡老人的家里帮助做家务。这些身披"青年志愿者服务队"绶带的年轻人感动了街坊市民，不少市民主动要求加入志愿者的行列。

（2）创办《金雁报》。

1998年3月，服务中心成立金雁文学社，把员工大厦里的文学爱好者聚集在一起。自此，首批 18 名成员在属于他们自己的文学天地开始了打工文学创作。《金雁报》就是他们独有的舞台，从征稿、投稿到编辑、排版、印刷、派发，都由他们全程负责。从最开始的手抄报到彩印对开报，《金雁报》的主创们倾注了极大的热忱，他们心中的那团火感染了所有人，也收获了员工大厦的所有粉丝，成为外来务工人员最期待的“精神食粮”。

2002年1月，开发区第一本外来务工人员作品集《金雁心语》公开出版，当中精选《金雁报》发表的优秀作品300余篇，出版六册。这些作品来源于员工的日常生活又高于生活，浓缩了外来务工人员务工生活中的酸甜苦辣和喜怒哀乐。《金雁报》就像一根火柴，点燃了所有外来务工人员的心，它又像一份心灵鸡汤，爱好写作的人因为有了发表的平台而得到满足，广大外来务工人员从《金雁报》上找到了情感的共鸣，心灵得到慰藉。

（3）搭建文艺平台。

在为员工解决好基本的生活和安全问题后，服务中心开始着力为外来务工人员搭建一个文艺平台，以满足他们更深层次的精神需求。

在原有的教育培训厅、职工娱乐厅、读书俱乐部、桌球室、乒乓球室、会议室、篮球场、羽毛球场、排球场、溜冰场、露天舞场、IC（集成电路）卡电话、联接每个宿舍的传呼系统基础上，再次投入资金改造建设一个多功能青年文化广场——“金雁乐”。“金雁乐”很快成为员工大厦的年轻人下班后最喜欢去的地方。正如一位员工所说：“我每天要在自动化流水线上干8小时，太闷了，下班回到员工大厦，来到金雁乐，参与各种文化活动，才找到一点打工的乐趣，只有在这个时候，我才感觉找到了自我。”1998年12月28日，广州开发区迎来14周年庆。员工大厦金雁文体队作为开发区的建设者，第一次登上了开发区的大舞台。女外来务工人员身穿翠绿的裙子，手拿粉红色的羽扇，以饱满的热情和青春的奔放在区文艺汇演中表演舞蹈《春天的故事》，赢得全场热烈的掌声，一举获得三等奖。对外来务工人员而言，获奖不是重要的事情，重要的是用这样的平台让他们融入到开发区的精神生活中去，那才是具有划时代意义的，这意味着开发区最早的一代外来务工人员真正“洗脚上田”了。

（四）搭建企业与员工之间的桥梁

开发区是一个直接以经济发展为中心和目标的经济功能区，外来务工人员是一个相对特殊的劳工群体。正是由于“金雁文化”深刻地认识到这一点，因此它的管理模式和文化理念更加贴合企业和员工的需求，一方面，它积极引导员工实现自身素质的提升和自我价值的实现；另一方面，它不仅为企业解决了员工业余的生活保障问题和精神保障问题，还为企业培养了更加优秀的员工。那么，“金雁文化”为何能够做到让员工和企业都收获满满呢？总的来说，有以下4点：

一是建立了健全的组织体系。要搞好外来务工人员的教育、管理、培训、服务等工作，必须建立健全的、具有相当的凝聚力和号召力的组织体系，没有组织，任何工作都无法落实。工会是职工的群众组织，既有群众性又有鲜明的先进性和政治性，在外来务工人员中有较强的影响力，加上党、团组织及其他社团都在外来务工人员中建立了组织，通力合作，形成合力，扩大影响，为外来务工人员的教育与管理工作发挥了应有的作用。

二是建立了“以人为本”的教育与管理体制。教育与管理的内涵就是“教”“管”的强制与“育”“理”的疏导，两者和谐的统一。在工作中注重做到“教”“管”要依法而教、依法而管，管而有度；“育”“理”要以情而育，以情而理，理而有节，理是以人为本的管理基础。根据员工的才能、管理、特长、秉性，对其进行有效的教育与引导。

三是工作领域注意向内渗透与向外扩展的结合。向内渗透就是要向员工工作岗位上渗透，向8小时渗透，紧紧围绕企业的发展和员工岗位成才作文章。向外扩展则是开展思想教育、文化娱乐、社会公益活动时，必须坚持不占用工作时间，向8小时以外辐射。把工作向企业内部渗透和企业外扩展紧密结合起来，围绕企业的生产经营、企业文化建设和人力资源开发，同时也围绕丰富员工的业余生活和成长成才需要，在工余开展学习、娱乐、生活等全方位的服务。

四是优化外来务工人员的打工创业的环境，发挥新闻舆论导向作用。大胆揭发举报严重侵犯外来务工人员合法权益的企业和行为，广泛宣传外来务工人员在开发区经济建设和社会发展中的积极作用，利用报纸、电视、宣传画等各种宣传媒介宣传、表彰优秀外来务工人员，树立正面形象，向全社会展示他们在三个文明建设中所发挥的积极作用，从而营造外来务工人员开发创业的良好舆论氛围。

三、“金雁文化”放光彩

随着“社会资金、企业自筹资金、村民集体筹资”等多种形式的“非公”公寓、员工楼的不断涌现，服务中心“三自”管理的深入人心，“金雁文化”在广州开发区员工文化、管理工作中的影响和作用日趋重要。2009年8月，服务中心根据管委会要求进行改制，从原来负责两幢大厦的管理服务工作转移到“对全区员工楼（集体公寓）、个体出租物业进行‘三自’管理和‘金雁文化’辐射以及负责全区外来务工青年的文化体育、宣传教育、咨询、维权等服务”的职能上来。改制后的中心，在巩固、完善“三自”管理和“金雁文化”成果的基础上，开始了全区性的“三自”管理和“金雁文化”辐射工作。[①]但是，服务中心改制，没有现成的经验，没有预定的方案，只有一个方向：将“金雁文化”覆盖到开发区的每一个角落。

2010年上半年，服务中心工作的主旋律就是走访，一周5天中有4天都在走访企业，有的企业敲不开门，他们就求助于总工会。在困难面前，服务中心没有放弃行动，没有停止寻求新的方法。去到企业，服务中心的工作者就不厌其烦地给企业介绍服务中心是做什么的，讲“三自”管理，同时真诚地了解企业的需求。2010年的大半年时间，服务中心就是这样频密地走访企业和做类似的活动，从而建立起一个又一个“金雁文化”的“根据地”。每走一处，他们就把行动计划落地一处，把资源带给企业，带给公寓，一点一滴地付出，一步一步地积累。企业看到服务中心确实在做工作而不是高高在上指导工作；虽然是政府的事业单位，但他们的做事风格更贴近企业。这种务实、落地的作风最终赢得了企业的认可和赞赏，从吃

① 广州开发区员工服务中心（人文关怀中心）：《幸福萝岗我探路，人文关怀我先行》，2014年12月。

闭门羹，到企业敞开大门，服务中心收获了雨后的彩虹。

2011年9月，开发区服务中心以其在人文关怀方面的先知先行和做出的突出贡献，获准加挂“广州开发区人文关怀中心”牌子，编制扩充到8人。8个人的团队，有背后各级主管部门作为强大的后盾，以及在上万名金雁志愿者的支撑下，服务近30万人的庞大的异地务工人员队伍。开发区群众工作部部长、总工会主席曾繁强说：“人文关怀中心的挂牌，标志着开发区创新社会管理、人文关怀工作已走向常态化。”

（一）“金雁文化”与企业文化

企业也好，公寓也好，这么多员工，服务中心关注的重点是怎样让他们过得更开心、更有归属感，怎样将政府需求，企业、公寓需求和员工需求有机结合起来。于是，通过工作会议讨论，服务中心决定对一些大的公寓、员工楼分门别类地有所侧重地进行打造，根据它的不同需求和不同的人员结构量身定做。因此，就出现了以“特色文化”建设为亮点，针对各个公寓不同的特点孕育其特色的公寓文化，如“快乐乐飞”“书香明泰”“活力日晶”“魅力捷普”“温馨索尼”“幸福创维”“和谐佳大”等一批特色异地务工人员集体公寓。在这里，“金雁文化”与企业文化融合在一起，异地务工人员在公寓里实现“自我管理、自我教育、自我服务”。

（二）“金雁文化”与群众文化

1. 金雁文化网。

员工服务中心顺应互联网发展趋势，于2011年7月发布全国第一个由外来务工人员参与策划、管理的综合文化官方网站——金雁文化网，并在乐飞家园设立“金雁文化网站培训基地”，搭建公寓、企业和外来务工人员学习交流的网络平台，促进了区内公寓、企业建立良好互动。网站延续“三自”管理理念，提出“幸福萝岗我探路，人文关怀我先行”的口号，开办法律咨询、缘分天空和金雁原创等特色栏目，发挥了外来务工人员之间互通资讯、交流思想、沟通感情的网络平台作用。网站还特别设置了金雁心语、原创影音等，建设青年产业工人作家协会创作联络基地工作平台，大大丰富了外来务工人员的精神文化生活。

2. 金雁个人展示平台和互动平台。

成立金雁艺术团，搭建外来务工人员个人特长发挥、展示平台。企业成立金雁艺术团分团的条件是很宽松的，只要员工有这样的意愿，想把企业文化、员工文化做得更好，服务中心都是敞开大门欢迎的，而且一旦成立艺术分团，企业每年会得到一定的财政经费用于员工培训、活动支持。开发区很多有活力的企业，自身企业文化做得很好，但还是特别需要有外界专业的技术团队、艺术专家的指导。所以这几年，服务中心也在不断对接各种艺术团队，给企业提供各种艺术资源打造企业的节目，这样企业分团排出来的节目不仅能拿到本集团的活动中上演，还能代表企业参加区、市甚至省里的演出。金雁艺术团目前已经有创维、乐晶、旭日、捷普等31个家分团，每个分团都有几百人，艺术团培养的骨干已经超过5000人，“金雁文化”常年志愿者一万多人，而且不断有新鲜血液加入，特别是一些刚毕业的大学生，他们的加入带来活力，带来创新，也带来新的理念。

2014年，开发区建区30周年，服务中心出版了广州开发区异地务工人员原创歌曲专辑《金雁成行》，为建区30周年献礼。专辑主打歌曲《金雁成行》《爱的天空》分别由金雁艺术团和区总工会领导携区内企业的高管共同演绎，唱出了开发区各级领导、企业对异地务工人员的人文关怀及多年来默默为“金雁”营造体面的工作、生活环境以及构建和谐、温馨的“爱的天空”的浓浓情怀，也表达了开发区对金雁成长、成才的全方位关爱和关怀，彰显了开发区的社会创新管理理念。

除搭建个人展示平台外，服务中心还积极建立良好的互动机制，搭建横向、纵向的文化互动和交流平台，并在此基础上广泛开展各类区域性、行业性的外来务工人员文化交流、合作活动，通过“走出去，请进来”的方式，实现了与兄弟单位间的沟通和交流。一直以来，服务中心非常重视与区内各公寓、企业建立良好的互动，并坚持以“员工的需要、企业的需要就是我们的工作”为工作理念，以帮助、服务企业为宗旨，在企业和员工的需求上下功夫，依托企业开展文化建设。首届金雁文化艺术节的举办，正是这样一个多向互动平台，既满足了员工才艺展示的需要，又满足了企业文化发展的需要，是一次全员参与的“金雁文化”盛会，一次“金雁文化”和企业文化的交融互通，更是沉淀已久的以“员工和企业需要”为核心的“金雁文化”理念长期贯穿于员工服务中心工作的一次集中体现；同时它是开发区企业文化“走出去”的一大步，更是开发区“金雁文化”迈向全面发展的一大步。

（三）“金雁文化”与人文关怀

时代在前进，服务中心的工作也在不断地发生变化。当前中心要做的不仅是多开展一些交流活动，更是要在服务中凸显人文关怀，切实提升异地务工人员的幸福感。2011年设立的人文关怀中心在全区异地务工人员中培养了众多的“三自”管理带头人，他们在管理服务教育中发挥模范带头作用，所有活动自己组织，所有设施自己管理，所有教育培训自己发动，对新生代外来务工人员开展政治、思想、精神、亲情、发展等全方位的人文关怀，引导他们明确奋斗目标，找到人生价值，点燃工作激情和生活热情。通过政治关怀，指引外来务工人员积极参与社会管理；通过思想关怀，拉近了与外来务工人员的心灵距离；通过精神文化关怀，极大地丰富了外来务工人员的文化生活；通过举办大型集体婚礼、大型情缘交友活动，成立区金雁情缘协会，开展小金雁关爱行动、金雁家庭关爱活动等亲情关怀，解决外来务工人员的后顾之忧；通过成立金雁学院、常态化开展金雁系列培训讲座等发展关怀，促进外来务工人员的成长成才。这一系列举措，有效营造了“员工信赖、企业满意、政府支持、和谐发展”的人文关怀氛围。

一是重点打造“金雁情缘交友”。在外来务工人员群体中，60%以上的员工在工作两三年之后就步入婚恋阶段，交友、婚姻问题很大程度上决定了员工的去留，决定着外来务工人员最终能否在这安居乐业。区员工服务中心2008年8月大胆探索推行金雁情缘交友，并成功打造“爱的传递　金雁有约”外来务工青年婚恋交友常态化平台，每月组织举办不同规模、不同形式的外来务工人员情缘交友活动，为不同年龄、不同层次的外来务工青年解决婚恋问题。

二是成立各类“金雁”文体、兴趣协会。服务中心在区内各公寓、企业成立篮球协会、羽毛球协会、网球协会、乒乓球协会、瑜伽协会、化妆协会等由员工自己管理的金雁文体协会组织，实行常态化运作，并不定期组织各公寓、企业间开展友谊赛、交流赛，丰富了广大员工的业余生活，增进了员工与员工之间、公寓与企业之间，以及员工与公寓、企业之间的友谊。

三是全面开展金雁系列培训。每年在全区范围内举办包括安全知识、法制教育、技能培训、文明礼仪知识讲座、瑜伽舞蹈培训等丰富内容的金雁系列培训200余场。同时通过整合资源，丰富教育、培训、咨询项目，重点利用“金雁文化”网站，聘请有资质的心理咨询师，探索开展长期、定点心理咨询服务；实行网站和上门服务相结合，深入、持久地开展对外来务工人员的教育、培训、咨询等各项服务，使广大外来务工人员从中得到实惠，全方位促进外来青工成才成长。

四是关爱异地务工人员家庭建设。关爱大、小金雁及其家庭，每一季度举办一次外来务工人员“家庭关爱活动”，倡导健康、和谐的家庭生活；关注外来务工人员子女成长，利用“金雁文化”志愿者资源定期举办外来务工人员子女假期艺术培训班，丰富外来务工人员子女假期生活，让展翅欲飞的“小金雁”不掉队。

五是关注“打工文学”，培养产业工人作家。引进广东省青年产业工人作家协会创作联络基地，通过发展企业、公寓“特约通讯站”，与省青年产业工人作家协会共同举办“金雁杯”广东省青年产业工人“梦想与成长”文学大赛等，发展繁荣异地务工人员文学文艺事业，发现培养优秀青年产业工人作家，培育原创打工文学。

六是常规开展人文关怀系列活动。每年在各公寓、企业、社区播放免费电影1000场；举办员工生日同乐会、中秋游园、化装舞会、才艺大比拼、春节文艺晚会等大大小小活动100多场次。每年一场“千人饺子宴、万人大盘菜”春节慰问活动，全年大型节日不间断的各类晚会，大大丰富了员工业余生活。

对于由中心牵头组织的以上各类文化活动，公寓、企业十分重视，大力配合，员工参与热情高，参与面广。广大员工逐渐在活动中形成主人翁的自主性、自豪感，每年大大小小的活动，都成为员工欢聚的盛会。一路走来，服务中心不断在外来务工人员的管理服务工作中进步、提升，创新社会管理模式，实现了从单纯的管物到管人和管物，再到管人的思想、文化的转变，以“小组织服务社会大版图”，形成了全区共推“金雁文化”品牌的良好局面。

2005年1月，第一员工大厦举办春节慰问留区过年异地务工人员饺子宴

（四）“金雁文化”与党建文化

为了深入贯彻落实党的十七大提出的“加强和改进思想政治工作，注重人文关怀和心理疏导”的以人为本的执政理念，按照省委、市委提出实施党建创新“书记项目”的要求，2012年3月16日，区委书记凌伟宪亲自带队调研基层党建的发展情况，并结合区域实际，经过有关部门反复筛选、深入调研、分析，最终确定了“人文党建服务社会大版图”为书记项目，通过金雁党建引领、“党工青妇”工作一体化，向“两新”组织八小时以外延伸，向“两新”组织员工集中居住地——员工楼延伸，实现党的组织和党的工作在“两新”组织的有效覆盖，形成金雁党群人文管理体系、人文关爱体系、人文服务体系的人文党建服务网络。“人文党建服务社会大版图”书记项目的立项，标志着广州开发区人文党建工作的全面启动。

2012年4月，开发区组织部下发《关于加快推进党建创新“书记项目”实施的通知》，并出台了《关于推进党建创新书记项目——人文党建服务社会大版图的实施方案》，实施方案开宗明义确定了书记项目的总体目标：“在区党委的领导下，结合我区实际，建立健全金雁‘党工青妇’四位一体的组织工作新机制，充分发挥金雁党组织在我区新生代产业工人社会服务中的领导统筹协调作用，增强金雁党工青妇组织的生命力、战斗力和影响力，通过‘金雁文化’品牌的有效推广和传播，构建我区以企业（包括国有、非公企业）、员工公寓金雁党工青妇组织为载体的金雁关怀网络，全面开展金雁人文关怀工程，形成对我区新生代产业工人思想、文化、教育、生活等全方位的社会服务体系，总结出台我区‘人文党建服务社会大版图’的创新社会管理模式。”

开发区着力发挥党组织旗帜引领、战斗堡垒、组织核心作用，坚持党建带工建、工建促党建、党工团妇一体化，以书记党建项目“金雁工程”立项为契机，在区内60家500人以上规模的员工公寓成立了金雁党、工、团、妇组织，并开发专门视窗管理系统实现实时有效管理。区内符合条件的非公企业全部建立党组织，非公企业党员全部纳入管理，其中全区外商投资企业（含独资和控股）已建立112个党组织，在全市率先实现规模以上非公党组织组建率100%。通过党工团妇工作网络的构建，推动异地务工人员从社会人转变为“组织人”，从原来的分散管理走向集中管理，实现了管理服务的网络化和组织化。[①]金雁工程以“对准来穗务工人员，选点准；把人文与党建有机结合，把党的主张深入宣传到务工人员的心中并取得成效，结合好；把各项文体活动开展到员工宿舍区，手段很新、管理很活”的鲜明特色屡获好评。

广州开发区先后荣获“全国模范劳动关系和谐工业园区”“全国工会贯彻落实工资集体协商三年规划先进集体”“平等协商和集体合同培训优秀单位”“全国工会系统先进集体”和广东省“双爱双评先进单位”“女职工建设先进集体”以及广州市“模范达标先进单位”“五一创新奖”“精神文明建设先进单位”等称号。这些奖项的收获代表着国家、政府、

① 《打造共建共享的“金雁文化”，让异地务工人员有更多获得感》，载《领导参阅》2015年11月4日第138期。

企业对“金雁文化”的认可和褒扬，而“金雁文化”也不负众望，在服务员工的同时，不断完善、提升自己，努力成为一个响亮的文化品牌。

“金雁文化”的理念本质是尊重人、相信人、关爱人，通过搭建平台、拓展空间，充分发挥人的主观能动性和潜能，形成一个良性互动、激情绽放、正能量聚合的人文环境，营造出员工信赖、企业满意、政府支持、主动传播、影响力不断扩大的和谐发展氛围。“金雁文化”走过的20年，是员工心路历程的20年，也是开发区政府引导、教育、培育外来务工人员的20年。“金雁文化”在开发区、广东甚至在全国已经形成一个温暖、正能量、有影响力的外来务工人员文化品牌，在上百万外来务工青年的心中撒下自尊、自强、自爱、自重、自立、自信的种子，自我管理、自我教育、自我服务的“三自”管理模式不仅培养、锻炼、成就了一批又一批的打工青年，而且其先进、科学的管理内涵和管理手段上的突破与创新已经延伸，被引入企业、学校、公寓、社区，甚至政府机构。

广州市社会保险制度创立与发展（1984—2002年）

■ 黄远飞　陈泰才　王俊聪

社会保险是社会保障体系的核心内容，它包括了五大险种，分别是养老保险、医疗保险、失业保险、工伤保险和生育保险。其主要功能在于解除劳动者及非就业人口的后顾之忧，有效应对养老、疾病、失业、工伤等风险。

20世纪80年代之后，随着改革开放的推进，解放企业的活力，提高企业的竞争能力，是计划经济体制向社会主义市场经济体制转变的核心内容，也是改革开放成功的关键。而在当时，职工的劳动保障完全由企业自己承担，职工的生老病死，都需要企业承担相应的费用支出，企业负担重，发展动力不足，经济发展受到严重的阻碍。因此，尽快建立社会统筹的保险制度，解决各类企业在社会保险领域的负担问题成为当时迫在眉睫的重要工作，成为改革开放继续推进的关键。广州市作为全国改革开放的前沿阵地，建立完善社会保险制度，为改革开放保驾护航，是历史赋予的使命。

一、创立社会保险制度的历史背景

（一）中华人民共和国成立后劳动保险制度情况

中华人民共和国成立后，为了保障企业职工的劳动保障权益，维护各产业工人间的平等，也为了鼓舞广大职工生产热忱，尽快恢复国民经济，国家政务院在1951年2月26日颁布《中华人民共和国劳动保险条例》（以下简称《劳动保险条例》），对职工养老、因工伤残、疾病及生育时的待遇做出了制度安排。企业按全部职工工资总额的3%提取劳动保险金，其中30%上缴中华全国总工会，作为劳动保险总基金，70%存于企业工会，作为劳动保险基金，用于支付职工各项劳动保险费用。截至1952年底，全国实行《劳动保险条例》的企业有3861家，职工302万人，连同他们供养的直系亲属在内，有1000万人左右，支付劳动保险费用1.7亿元。[①]

《劳动保险条例（草案）》公布当天，“报纸立即被竞购一空，职工群众争先阅读”，对比新旧社会，感慨万千，工人们从心底欢呼：“农民有土地，工人有劳保”，“社会主义好，生老病死有劳保！”[②]这一时期的劳动保险制度由企业和国家共同提供保障，为以后社会保险制度的发展奠定了基础。

在广州市，截至1957年底，全市实行《劳动保险条例》的企业单位共650家，职工198310人，签订劳动保险合同的职工4万人，合计238310人，占全市企业职工总数85%。

（二）“文化大革命”对劳动保险制度的冲击

“文化大革命”时期，劳动部、各级工会组织遭受严重冲击，处于瘫痪状态，“社会保险业务干部或者受批判，或者进干校，使社会保险工作处于无人管理的局面”[③]，劳动保险制度被污蔑为“鼓励懒汉”，“形式上为工人好，实际上腐蚀工人意识”，劳动保险金的收缴无法继续维持。在迫不得已的情况下，国家取消了劳动保险基金，颁布《关于国营企业财务工作中几项制度的改革意见（草案）》，规定国营企业一律停止提取劳动保险金，职工的劳动保险待遇由企业营业外列支，由企业自身负责职工劳动保险待遇。自此开始，职工的生老病死，都由企业负担相应的费用，企业负担大大加重；再加上“大跃进”、人民公社化运动、“文化大革命”的冲击，人民的生活、生产很困难，部分企业无法有效经营，经济收

---

① 严忠勤等：《当代中国的职工工资福利和社会保险》，中国社会科学出版社1987年版，第305页。

② 胡晓义：《我们为什么要搞养老保险》，载《中国社会保障》2001年第12期。

③ 邵雷、陈向东：《中国社会保障制度改革》，经济管理出版社1991年版，第39页。

入严重滑坡，企业职工无法得到相应的劳动保障。

（三）经济社会发展为社会保险制度创立奠定了基础

改革开放之后到2002年这一时期，广州市的经济、社会发展取得了巨大的成就，城市综合竞争力明显提升。2002年，广州国内生产总值达3001.48亿元，按可比价格计算，比1978年增长22倍，年均增长14.1%，经济总量在全国主要大城市中位居第三位。城市居民人均可支配收入为15003元，农村居民人均年纯收入6130元，分别比1978年增长32.9倍和23.5倍。外向型经济不断增强，1979—2003年，全市累计实际利用外资325.4亿美元，年平均增长27%。来广州投资的国家和地区由1988年的21个增加到2003年的39个，来广州投资的世界500强大企业由65家增加到115家。1987—2003年，广州市外贸出口总额共计1319.4亿美元，年均增长17.9%。

在加快经济发展的同时，广州市不忘推进社会建设，广泛开展“新时期广州人精神”大讨论和“讲文明讲卫生讲科学树新风”活动，广大市民思想道德素质和科学文化素质、城市文化品位、城市文明程度明显提高。2002年，广州荣获“全国创建文明城市工作先进城市”称号。各项社会事业不断取得新进展，2003年，广州各类研究机构有182个，比1979年增加63个，全市普通高等院校由1950年的12所增加到44所。2002年，广州市民平均期望寿命为76.8岁，全市人口自然增长率为2.24‰，出生率为7.92‰，已接近西方发达国家的水平。①

社会各方面的快速发展，使人民群众的物质生活水平大幅度提高，思想观念的转变、视野的开拓，让广大市民对社会保障有了更高的期盼，为社会保险制度的创立奠定了基础。

① 广州市统计局：《广州市社会经济统计报告（2003-2004年）》，2005年，第133-138页。

二、改革开放对创立社会保险制度的必然要求

（一）企业发展的要求

随着改革开放的推进，企业的发展面临着新的形势和压力，对社会保险制度也提出新的改革要求，主要体现在以下3个方面：

一是劳动保险制度基础发生变化。改革开放以前，我国处于传统的计划经济时代，国有、集体企业盈利时，利润须全部上缴政府财政；企业亏损时，财政拨款为其弥补。企业不是自负盈亏的经济实体，没有破产倒闭的风险。而随着改革开放的推进，计划经济体制向市场经济体制转变，国有、集体企业改革的核心内容就是政企分开，改变企业对国家的依附性，扩大企业的经营自主权，让企业充分参与市场竞争，自主经营，自负盈亏。这样，国有、集体企业就可能因为竞争失利而走向破产，由企业支撑的劳动保险制度就不再有稳固的基础。

二是企业面临生存的压力。企业成为自主经营、独立核算的经济主体，各项劳动保险支出由企业自身承担，这使得企业利润与保险待遇支出、企业利益与职工权益存在冲突。保险待遇支出压力大的企业，其成本压力大，竞争能力受到压制，无法在市场经济体制的环境中生存。

三是各类企业在市场经济体制中公平竞争的要求。不同类型的企业，在保险待遇支出方面的差异较大，企业难以在同一“起跑线”上开展市场竞争，严重阻滞了市场经济公平竞争机制的建立。例如，1984年纺织行业的退休职工人数相当于在职职工的49%，退休金支出相当于在职职工工资总额的46%。而新兴发展起来的石化行业，退休金支出仅相当于在职职工工资总额的2.5%。企业间的负担差异由此可见一斑。①

（二）职工个人保障的要求

随着人口结构与经济发展的变化，劳动保险制度覆盖范围愈显狭窄，待遇支付愈显困难。体现在以下两个方面：

① 裴世安：《关于改革退休金制度的思考》，载《经济与管理研究》1986年第5期。

一是部分人员无法纳入保险制度范围。多种经济形式、多种用工制度的发展，导致我国已有一大批处在“铁饭碗”体制之外的从业人员，没有纳入到社会保险安全网中，包括合同工、临时工、外资企业职工、私营企业职工等，连同流动就业人员、进城务工人员等。截至1979年，全国城镇待业青年接近1200万人[①]，其中包括大批返城的下乡插队知识青年、退伍复员军人等，而当年城镇正规部门职工人数只有9967万人[②]。这表明传统的劳动保险制度已经无法覆盖到全部职工，游离于劳动保险制度外的人数越来越多。

二是个人保险待遇无法得到保障。20世纪80年代以后，我国人口老龄化趋势开始出现，1978年至1985年，全国企业负担的退休金占城镇职工工资总额的比例从2.8%上升到10.6%，离退休人数从314万迅速增加到1637万，在职与离退休人数之比从30∶1下降到7.5∶1[③]。退休人数大幅增加，退休金待遇稳步提高，导致费用支出急剧增加，确保待遇支付，对于企业自负的保险模式来说是严重的困难。

（三）社会保障制度发展的必然结果

中华人民共和国成立后到20世纪80年代，劳动保险经过30多年的发展，劳动保险制度为中华人民共和国成立初期的恢复建设起到过重大作用，但由于受到“文化大革命”的破坏，变得支离破碎。在党的十一届三中全会以后，面对着改革开放的伟大历程，再加上一系列内部与外部条件的变化，劳动保险制度的改革便是水到渠成的事了。

特别是劳动保障、工会等部门陆续重建，1979年国家劳动局设立了福利保险局，社会保险的管理经办机构逐步恢复。到1982年劳动人事部成立，社会保障工作具备了组织条件。同时，我国打开对外窗口，开始了解西方国家社会保障制度，对自身劳动保险制度进行反思并开始深入思考解

① 《劳动工作》编辑部：《消除千家愁换来万人欢——一九七九年全国七百万城镇待业青年得到安置》，载《劳动工作》1980年第3期。

② 国家统计局国民经济综合统计司：《新中国五十年统计资料汇编》，中国统计出版社1999年版，第2页。

③ 姜向群：《老年社会保障制度——历史与变革》，中国人民大学出版社2005年版，第172页。

决方法，重新审视国家、企业和职工在社会保险制度中的责任分担；计划生育政策实施带来家庭人口结构模式的变化，对家庭保障依赖程度逐步降低，对社会保险待遇提出更高要求；经济改革的洗礼，使整个社会在观念上开始变化，自我负责、自我保障的意识逐渐确立；社会主义的优越性要求得到具体体现，企业保障必须向社会保障迈进。

三、广州市社会保险制度改革历程

广州市五大险种的创立在时间上并不是统一的，有先有后，在制度完善的步伐上也有区别。

（一）养老保险制度创立过程

自20世纪80年代开始，广州市开始探索创立社会统筹的养老保险制度，尝试建立国家、企业和职工三者分担养老保险缴费责任的长效机制。在建立统筹的基础之上，先后在合同制职工、临时工、固定工中进行个人缴费，并建立养老保险待遇计发办法。

1. 开始建立企业、个人共同缴费机制阶段。

20世纪80年代以前，我国实行以固定工为主体的用工制度，这其实是一种无条件的“终身制”，它同分配上的平均主义结合一体，形成了“铁饭碗”“大锅饭”，弊病严重。其主要表现是能进不能出、能上不能下，干多干少一个样，技术高低一个样，一线二线一个样。这种制度在客观上起了打击先进，保护落后的作用，束缚了生产力的发展。因此，改革用工制度、推行劳动合同制势在必行。

自1983年开始，广州在中国大酒店、广州钢铁厂、友谊商店等企业开展劳动合同制试点，公开招收新职工，严格考核，择优录用，打破了几十年来国企招收职工按照国家行政指令“统包统配”的旧制度。是年，广州市有劳动合同制工人2800名。1984年5月，广州市政府印发了《广州市劳动合同制若干问题的试行规定》（穗府〔1984〕28号），开始试行企业合同制，借此契机，同时在此人群中试行参加养老保险，规定企业与职工两者分别承担养老保险缴费，用人单位按照工资总额的15%缴纳社会劳动保险费，合同制工人按照工资的2%缴纳社会劳动保险费，由退休基金支付合同制工人的养老待遇，企业无需再承担合同制工人的养老待遇支付。合同制工人是当时的新生事物，选择从这一人群开始改革，是因为阻力相对较小，并且退休人员少，基金支付压力轻。此次改革具有里程碑式的意义，自此拉开了广州市养老保险改革的序幕。

20世纪80年代中后期，国家实行经济紧缩政策，市场疲软，生产不景气，企业经营出现了各种各样的困难。这使得退休费由各企业自己支付所引发的问题越来越突出，不仅影响了企业的经营，也影响了退休人员的正常生活，还给经济改革带来严重影响，不利于社会的安定。广州市开始着手将各类企业和不同用工制度人员纳入退休基金统筹制度内。1985年6月，市政府颁布《广州市全民所有制单位职工退休基金统筹暂行办法》，规定由单位按职工工资14%缴纳养老保险费，退休金由统筹基金支付，市长朱森林出席了全市社会劳动保险工作会议并作动员讲话。1988年8月，市政府颁布《广州市属集体所有制企业、事业单位职工退休基金统筹暂行办法》，要求集体所有制企业、事业单位也由单位参保，纳入基金支付，但仍未开始职工个人缴费。1989年10月，转发省人民政府《关于颁布〈广东省临时工养老保险办法〉的通知》（穗府〔1989〕74号），规定临时工个人按实际工资收入的2%缴纳养老保险费，用人单位按临时工工资总额的15%缴纳，养老保险待遇参照合同制职工规定执行。

至此，广州市全民所有制单位职工和合同制职工、市属集体所有制职工、三资企业职工、区和县属全民所有制职工、区街集体所有制职工、临时工的退休金都纳入了社会统筹管理。至1990年底，全市参加社会统筹的有2534个全民单位，共60多万在职职工、近18万名退休职工；有418个市属集体单位，共12万在职职工、5万名退休职工；有3528个合同制用工单位，17多万职工；有700多个临时工用工单位，1.5万职工。

1992年7月，广州市颁布《关于实施企业固定职工个人缴纳养老保险费的通知》（穗劳险字〔1992〕第006号），规定在原来企业缴费的基础之上，对固定工实行养老保险个人缴费，既为减轻企业负担进行了富有成效的实践，也为日后建立体现公平与效率原则的新型的社会保险制度进行了积极有益的探索。

从这一时间开始，广州市国有、集体企业的所有工种，包括固定工、合同制职工和临时工，都开始由企业和职工本人缴纳养老保险费，共同承担养老保险缴费的长效机制开始确立，“工作就应该参保，参保就可以享受养老待遇”的理念开始形成。

2. 建立兼顾效率与公平的养老金计发办法阶段。

1992年，邓小平南方谈话发表和党的十四大召开，标志着改革开放和现代化建设事业开始进入一个新的发展阶段，建立更加科学、规范、统一的养老保险制度的需求日趋迫切。社会各界逐渐认识到单一的社会统筹存在着“激励机制不强、平均主义成分过大，对参保人的参保积极性有所抑制”[①]等局限性，无法适应人口老龄化的发展。广州市印发《广州市企业职工基本养老金计发办法》（穗府〔1993〕93号），率先在全国提出以职工缴费工资确定缴费指数[②]、以缴费指数确定基本养老金的做法，解决了统筹兼顾效率与公平的问题。其中基础养老金以上年度全市职工月平均工资为计发基数；附加养老金实行以职工缴费工资确定指数、以指数确定基本养老金的新做法。实现了缴费跟工资走，待遇跟缴费走的新的养老保险待遇计发模式。这种制度模式，完全符合1993年11月党的十四届三中全会颁布的《中共中央关于建立社会主义市场经济体制若干问题的决定》所提出的“基本养老保险实行社会统筹和个人账户相结合的制度模式”。

按照《广州市企业职工基本养老金计发办法》规定，广州市开始建立养老金调整机制，在1994年7月首次对企业离退休人员基本养老金进行正常调整。自此之后，广州市每年对企业离退休人员养老金进行调整，到2015年底，月人均养老金达3200元，位居全国前列。

① 刘志峰：《深化社会保障体制改革前景光明》，载《人民论坛》1995年第6期，第6–7页。

② 蔡国萱、黄玉等：《广州蓝皮书·广州社会保障发展报告（2013）》，社会科学文献出版社2014年版，第260页。

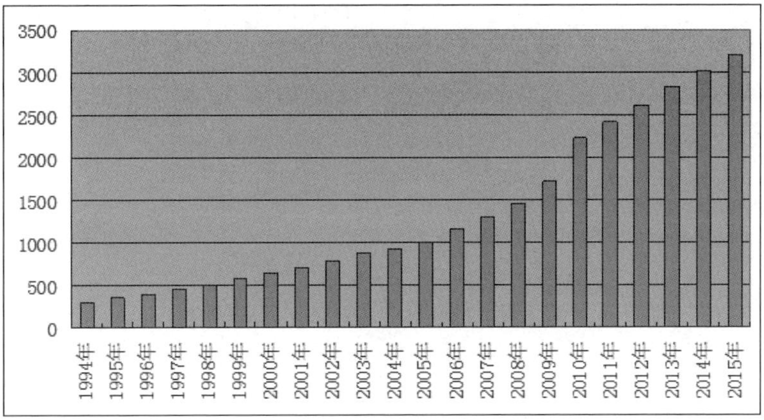

1994—2015年养老金调整情况

至此，广州市基本创立了社会统筹的养老保险制度，实现养老保险费统一征集、统一管理、统一调剂使用，完成了从企业单方负担向国家、企业和个人共同负担的转变，还原了养老保险的基本功能，实现了分散风险、平衡互济。

（二）养老保险制度发展过程

20世纪90年代中期，广州市在养老保险制度基本建立的基础之上，开始对制度模式进行改革，从单一的社会统筹向"统账结合"[①]过渡。同时，扩大养老保险覆盖面，从传统的国有集体企业扩大至各类所有制企业，从本市户籍人员扩大至所有户籍人员，同时把个体工商户和灵活就业人员也纳入参保范围，既顺应群众的期盼，把更多的人纳入养老保险制度范围内，又增强了养老保险基金的支撑能力，为制度的可持续发展不断注入能量。

① "统账结合"指的是社会统筹与个人账户相结合的制度模式，其特点是：由企业和个人共同缴费，为每个人按其工资一定的百分比建立个人账户；其余部分为统筹基金，是所有参保人员的共同基金。达到规定条件后即可享受相应的待遇，这种制度可以形成一定的资金累积，同时不失灵活性，既避免了现收现付制缺乏长期考量而导致的负担过重问题，也避免了完全积累制初期资金需求量大的困难，同时既可以减轻老龄化的威胁，也考虑到了养老金代际之间的再分配，符合社会保障的公平性。

1994年广州市举行社会保险改革十周年总结表彰大会

1. 扩大养老保险制度覆盖范围阶段。

1995年9月，广州市人大常委会发布第34号公告，实施《广州市社会保险条例》，比广东省颁布的《养老保险条例》早了3年。《广州市社会保险条例》分总则、机构职责、基金筹集与管理、保险待遇、基金监督、法律责任、附则等7章，共45条。《广州市社会保险条例》的颁布实施，标志着广州市社会保险开始走上法制化的轨道。

1997年8月，广州市出台了《关于我市机关事业单位工勤人员劳动管理若干问题的通知》（穗人字〔1997〕67号），对广州市机关事业单位工勤人员实行劳动合同制，各级机关事业单位和社会团体招用的工勤人员，从1998年1月起统一纳入社会养老保险，由单位和个人共同缴纳养老保险费。自此机关事业单位工勤人员开始纳入养老保险统筹范围。

1998—1999年，广州市先后出台《广州市私营企业和个体工商户从业人员基本养老保险实施办法》（穗府令〔1998〕4号）、《关于非本市城镇户籍劳动者参加基本养老保险的通知》（穗社保〔1999〕21号）和《关于广州市乡镇企业职工参加基本养老保险的通知》（穗社保〔1999〕26号），把个体工商户和私营企业的业主与员工、乡镇企业的员工以及非广州市城镇户口的员工全部纳入了社会养老保险的统筹范围，在广州市参保缴费满15年的，可以享受按月领取养老金待遇。自此，私营企业和来穗务工人员参加养老保险有了制度上的安排，到广州工作可以得到相应的社会保障，极大促进了全国各地人员流动到广州，为广州市改革开放事业添砖加瓦。

为了实现养老保险收支平衡，促进养老保险制度的可持续发展，1999年10月，广州市政府召开扩大社会保险覆盖面动员大会。全市各级劳动保障部门采用分片区负责、责任到人的办法，成立专责小组，与对应的所属街道、片区企业联系，对政策进行解释，对企业、职工权利与义务进行说明，促使企业全员、足额参保。2000年，扩面工作取得全国瞩目的成就，养老保险参保人数达到152万，打破了参保人数多年徘徊在70万人的局面，取得了历史性的突破，实现了养老保险全年收支平衡，2001年养老保险基金积累率达到职工个人缴费的10%。

2. 建立“统账结合”制度模式阶段。

20世纪90年代中期，我国不断加大国有、集体企业改革的力度，优化和调整经济结构。实施“减员增效”和“关、停、并、转、破”后，国有、集体企业不但吸纳社会就业的能力大幅度萎缩，自身还有大量富余人员需要社会安置，需要为这些人员提供相应的社会保障，以保障其基本生活。1996年到2000年，广州市每年新增数万名下岗职工。1997年，全市国有、集体企业下岗职工总数为4.5万人，1998年为6.85万人，1999年为4.27万人，2000年为3.4万人，其中1998年下岗职工累计数最高，达到10.4万人。

为了适应国有企业改革的推进，再加上全国各地养老保险在缴费比例、待遇计发标准、管理层次、个人账户规模等方面存在较大差异，企业职工养老保险制度多种方案并存，影响了劳动力在地区间和行业间的自由流动，阻碍了养老保险制度的改革进程①。国务院在1997年7月发布《关于建立统一的企业职工养老保险制度的决定》（国发〔1997〕26号），要求各地统一企业职工养老保险制度，规范缴费比例，统一个人账户规模，统一养老金计发办法，扩大养老保险覆盖面，加强养老保险基金管理。

1998年9月，广东省九届人大常委会通过《广东省社会养老保险条例》，自当年11月1日起在全省施行。《广东省社会养老保险条例》分总

① 李志明：《中国城镇企业职工养老保险制度的历史性研究》，知识产权出版社2015年版，第102页。

则、养老保险基金的征集、养老保险待遇、养老保险管理、监督检查、法律责任、争议处理、附则等8章，共43条。《广东省社会养老保险条例》的颁布实施，标志着广东省养老保险开始走上法制化的轨道。

1999年4月，根据国家养老保险统一制度的要求，广州市印发《关于广州市建立统一的企业职工基本养老保险制度实施意见的通知》（穗府〔1999〕25号），建立"社会统筹与个人账户相结合"的模式；逐步调整企业和职工的缴费比例；为所有参加养老保险的职工建立了养老保险个人账户；明确基本养老金由基础养老金、个人账户养老金、过渡性养老金组成，并统一计算办法。至此，广州建立起适应社会主义市场经济体系的不分户籍、不分职工身份、不分企业所有制的开放式的养老保险体系。此时，广州在全市范围内建立起了统一的城镇企业职工基本养老保险制度。

1990—2000年广州市养老保险缴费比例表（不含非公有制）

缴费时间	单位缴费比例	个人缴费比例	缴费时间	单位缴费比例	个人缴费比例
1990年7月—1992年6月	21.5%	—	1996年7月—1997年6月	24%	3%
1992年7月—1993年6月	21.5%	3.5元	1997年7月—1998年6月	23%	4%
1993年7月—1994年6月	24.5%	2%	1998年7月—1999年6月	23%	5%
1994年7月—1995年6月	24.5%	2%	1999年7月—2000年6月	22%	6%
1995年7月—1996年6月	24%	3%	2000年7月—2001年6月	21%	7%

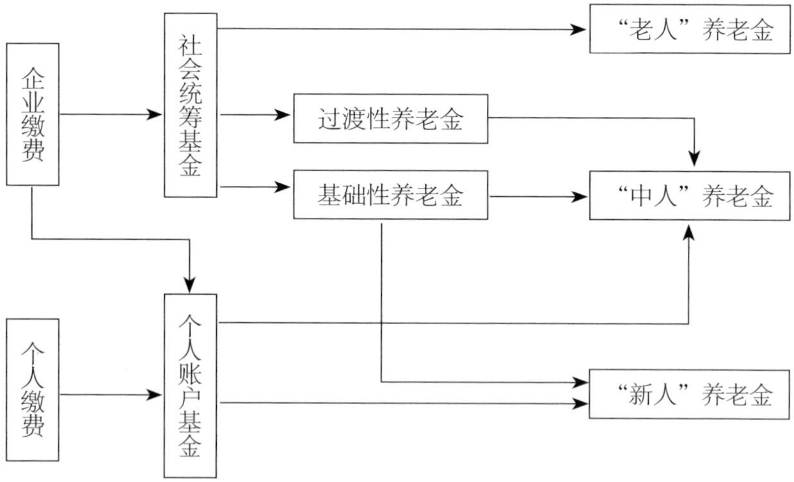

养老保险"统账结合"制度模式图

经过1984年至2000年的制度建立与完善，广州市基本完成由单位保障的劳动保险制度向社会化的企业职工养老保险制度的转变，并且完善了缴费标准、个人账户管理、待遇计发办法和年度调整机制，为2000年以后广州市出台一系列补充人群养老保险制度和城乡居民养老保险奠定了坚实的基础。

1985—2002年广州市养老保险基本情况表

年度	参保单位数/个	参保人数/万人	全年征收额/亿元	全年发放额/亿元	退休人数/万人	月人均养老金/元
1985	962	56	0.31	0.28	—	—
1986	975	58	1.08	0.94	12	66
1987	1601	63	1.34	1.19	14	71
1988	1675	67	2.73	2.36	17	116
1989	1759	68	3.52	3.15	18	146
1990	1758	65	3.5	3.36	18	155
1991	6066	71	5.35	4.3	21	171
1992	7183	73	5.96	4.47	24	155
1993	7155	62	8.04	6.9	31	186
1994	6958	64	12.6	11.6	32	307
1995	9473	73	18.7	13.9	37	355
1996	9364	71	21.4	16.6	39	404
1997	9638	69	24	16	40	454
1998	11649	70	25.7	22.2	41	505
1999	20470	78	25.6	26	43	580
2000	106658	152	37	31	44	640
2001	124549	158	43.4	36	45	707
2002	216748	161	51.5	43.4	47	782

（三）工伤保险创立过程

1992年，随着邓小平南方谈话的发表，广州掀起了新一轮改革开放热潮，社会保险事业也迎来了发展良机。广州市政府颁布了人民政府令（第1号）《广州市企业职工社会劳动保险规定》，要求在全市范围内建立五险齐全的社会保险体系，这是首次以政府规章形式对广州市社会保险长远规划做出了制度性安排。自此开始，各个险种迎来了发展的新机遇。

1992年，广东省人民政府印发了《企业职工工伤保险规定》。1993年7月，广州市劳动局印发了《广州市企业职工工伤保险实施细则》（穗劳险字〔1993〕008号），明确从当年8月1日起建立企业职工工伤保险制度。该《细则》仍具有前瞻性、普惠性和意愿性，具体体现为认定条件清晰、补偿项目齐全、待遇标准较高。例如：将上下班时间按正常所经路线在上下班途中遭受非本人主要责任的意外事故纳入工伤保险范围；因工负重伤但医疗终结后评不上伤残等级的工伤职工，也发给6个月社会平均工资的一次性工伤补偿金；非本市城镇户籍的工亡职工，其供养直系亲属（如父母等）均可领取到一次性供养亲属抚恤金，真正体现了人本主义；明确工伤康复是工伤保险待遇的一项重要内容，职工工伤康复和职业康复所发生的费用，由工伤保险基金支付。[①]

1993年8月，广州市建立工伤保险制度，坚持以人为本、大胆探索、开拓创新，使工伤预防、工伤康复与工伤补偿"三位一体"的工伤保险体系不断完善和发展。工伤保险制度的建立，在保障职工健康、促进安全生产、减轻参保单位负担、提高基金使用效率、完善市场经济等方面起了重要作用。

1998年，广东省人大颁发《广东省社会工伤保险条例》（省人大常委会公告〔1998〕25号），2002年，广东省政府颁发《广东省社会工伤保险实施细则》（省政府令〔2002〕58号）。广州市据此完善了工伤保险制度，印发了《广州市社会工伤保险实施办法》（穗劳社工伤〔2002〕1号）。

在工伤康复方面，广州市走在全国前列，投资建立全国第一家工伤康复专门机构——广州市社会劳动康复中心（2003年更名为广州工伤康复中心）。2001年开始试运营，2002年10月正式开业，接收参保单位具有工伤康复价值的工伤者进行康复检查、医疗康复和职业康复。2002年7月，广州市劳动和社会保障局印发了全国首个工伤康复管理的专门规定——《广

① 陈泰才：《广州市工伤和生育保险制度发展研究》，载《广州蓝皮书·广州社会保障发展报告（2013）》，社会科学文献出版社2014年版，第86页。

州市工伤保险工伤康复管理试行办法》，提出了工伤保险坚持“先治疗康复，后评残补偿”原则，明确工伤康复对象条件和康复期间的待遇[①]。中央电视台对此作了新闻报道，原劳动保障部对这一工伤康复原则予以肯定和推广。此外，广州市在全国率先建立了劳动能力鉴定标准体系，2002年，原劳动保障部以广州市的《职工伤病劳动能力鉴定暂行标准》为蓝本，制定印发了全国《职工非因工伤致残或因疾病丧失劳动能力程度鉴定标准》，广州市还参加起草制定国家标准《劳动能力鉴定职工工伤与职业病致残等级》。

1994—2000年广州市工伤保险基本情况表

年度	参保单位数/个	参保人数/万人	全年征收额/万元	全年发放额/万元	发放人数/个
1994	2522	76	4518	107	100
1995	8641	103	6998	861	291
1996	9115	102	8452	3404	635
1997	10013	100	9282	8759	948
1998	11014	104	10192	5241	2538
1999	14043	103	12440	5141	2553
2000	23552	106	11288	7133	5923

（四）生育保险创立过程

1994年，原劳动部印发《企业职工生育保险规定》，广州市自1995年7月建立职工生育保险制度，起初是由生育保险基金按顺产1600元、难产2400元的定额向用人单位支付医疗费。为了适应改革的需要和医疗费快速上涨的客观实际，自2001年起，广州市建立一套保障水平适宜、管理科学、支付及时的生育保险医疗费结算办法，建立“定额结算、目录规范、不设封顶、高额核销、异地不限、产后跟踪”的管理新制度，由医疗保险经办机构直接与定点医疗机构定额结算生育医疗费。共设立了27个结算标

① 陈泰才：《广州市工伤和生育保险制度发展研究》，载《广州蓝皮书·广州社会保障发展报告（2013）》，社会科学文献出版社2014年版，第87页。

准，只要符合生育保险三个目录范围，均可由定点医疗机构全部记账，再由生育保险基金支付。

1995—2000年广州市生育保险基本情况表

年度	参保单位数/个	参保人数/万人	全年征收额/万元	全年发放额/万元	发放人数/人
1995	5314	62	1827	623	1642
1996	7842	68	4147	3216	8352
1997	8138	65	4738	3645	2916
1998	8738	63	5256	3820	7762
1999	12507	67	6011	3971	8044
2000	25682	69	6927	4881	9256

（五）失业保险创立过程

从1986年10月1日起，广州市在国营企业建立职工失业保险制度，其保障对象还包括了机关、团体、事业单位的劳动合同制工人。1993年4月，国务院发布《国有企业职工待业保险规定》，将失业保险范畴扩大到城镇集体企业和外商投资企业。1994年7月，广州市将失业保险覆盖到全市各种所有制职工。1996年5月，广东省政府颁布的《广东省职工失业保险暂行规定》（粤府〔1996〕42号），扩大了失业保险的保障范围，提高了待遇标准，建立了调剂金制度，理顺了管理体制。1999年国务院颁布《失业保险条例》（国务院令第258号），2000年9月，广州市实施《广州市失业保险实施细则》，规定失业保险金和医疗补助的发放标准分别按本市最低工资标准的80%和10%逐月计发，全市统一了失业保险金发放政策性调整尺度。2002年，广东省人大通过《广东省失业保险条例》（省人大常委会公告第137号），标志着失业保险制度得到进一步完善，广州市失业保险事业也随着对这些条例的贯彻执行，进入一个新的发展阶段。2002年7月，广州市将领取失业保险金期间的失业人员纳入基本医疗保险体系，给失业人员提供更好的医疗保障。

1991—2000年广州市失业保险金发放标准表

年度	发放标准	医疗补助费
1991	65元/月	5元/月（工龄不满15年），7元/月（工龄15年以上），病退：15元/月
1992	80元/月，工龄6年以上，每满一年加2元	8元/月（工龄10年以下），工龄11年以上每满1年增加1元，最高不超过20元，病退：18元/月
1993	100元/月，工龄5年以上，每满一年加2元	8元/月（工龄10年以下），工龄11年以上每满1年增加1元，最高不超过20元，病退：18元/月
1994	130元/月	10元/月（工龄10年以下），工龄11年以上每满1年增加1元，最高不超过20元，病退：18元/月
1995	250元/月（工龄1-6年），285元/月（工龄7-10年），320元/月（工龄11年以上）	10元/月（工龄10年以下），工龄11年以上每满1年增加1元，最高不超过20元，病退：18元/月
1996	295元/月（工龄1-6年），340元/月（工龄7-10年），380元/月（工龄11年以上）	10元/月（工龄10年以下），工龄11年以上每满1年增加1元，最高不超过20元，病退：18元/月
1997	340元/月（工龄1-6年），388元/月（工龄7-10年），437元/月（工龄11年以上）	10元/月（工龄10年以下），工龄11年以上每满1年增加1元；因病或非因公负伤，工龄10年以下20元/月，以后每年增加2元
1999	395元/月	10元/月（工龄10年以下），工龄11年以上每满1年增加1元；因病或非因公负伤，工龄10年以下20元/月，以后每年增加2元
2000	395元/月	45元/月

（六）医疗保险创立过程

1994年4月，国家颁布《关于职工医疗制度改革的试点意见》，确定在部分地区开展医疗保险制度改革试点工作，其中九江、镇江两市的“统筹结合型”模式得到国务院的认可，“两江”模式迅速在全国得以推广。

1998年，国务院颁布了《国务院关于建立城镇职工基本医疗保险制度的决定》（国发〔1998〕44号），标志着我国医疗保险制度改革进入一个崭新的阶段。这次改革的主要目的，一是建立用人单位和职工共同缴费的机制；二是建立统筹基金和个人账户，发挥互助互济和个人自我保障作用，控制医疗费过快增长，杜绝浪费。[①]

2000年1月，广州市启动了3万名社会化管理退休人员的医疗保险改革试点工作，经过一年的推进，逐步扩大到覆盖社会化管理退休人员数量12万人。2001年12月，广州市实施了《广州市城镇职工基本医疗保险试行办法》（穗府令〔2001〕第17号），建立了城镇职工基本医疗保险及重大疾病医疗补助制度，将本市行政区域内企业、事业单位、国家机关、社会团体、民办非企业单位及其在职职工和退休人员纳入了基本医疗保险范围。至此，广州市建成包含养老、工伤、生育、失业、医疗五大险种在内的社会保险体系。

（七）经办服务发展过程

1. 经办机构建设情况。

随着社会保险制度的建立，社会保险经办机构也应运而生。1985年，广州市社会劳动保险公司成立，负责办理市属单位养老保险业务，在之后的两年时间里，各区劳动局先后成立了劳动保险公司，办理各行政区划内企业的养老保险业务。当时，在业务管理模式上按照企业用工形式的不同实行分块管理，在业务办理手段上采用纯手工办理的方式，建立合同制职工劳动保险卡，手工记录职工历年的参保情况。待业保险业务则由劳动服务管理公司负责办理。

1993年工伤保险及1995年生育保险开展后，社会保险经办机构分别设立了工伤保险部和生育保险部，1997年失业保险也划归社会保险经办机构负责管理，从此社会保险经办实现了4险统管的业务管理模式。

1998年，随着国家“收、支两条线”基金管理规度的出台，广州社会保险管理模式也更改为“收、支两条线”业务管理模式，业务科室设置上对应成立了负责社会保险费征收的征缴科及负责待遇支付的核发科。

广州于2001年实现五险社会保险费统一征收、参保数据统一管理。2001年9月，广州市医疗保险服务管理中心成立，负责办理医疗保险待遇

① 黄丞等：《我国城镇基本医疗保险制度改革》，上海交通大学出版社2014年版，第32–36页。

20世纪90年代企业办理参加社会保险

支付，定点医疗机构管理，公费医疗管理以及工伤、生育、失业、医疗费审核等工作，为参保单位和人员提供专业的医疗管理服务。2001年12月，广州市劳动保障信息中心正式成立，标志着广州市劳动保障信息化建设正式迈向专业化的道路。

2. 信息化过程。

1987年，社会保险经办机构已使用计算机辅助处理财务打单业务；1990年，社会保险业务信息系统实现了社保信息化按险种征收的计算机管理；1992年，计算机管理在基金征缴、待遇核定等业务处理和财务的托收、托付、记账等具体业务工作中得到了广泛的应用；1993年，实现了对职工个人管理、单位管理、养老金管理、工伤管理、生育管理、财务记账管理、个人养老金缴费管理。1998年3月，按“收、支两条线”业务建立的社会保险信息系统投入使用，逐步实现了老八区社保数据同市属社保数据的整合集中，实现了业务规范和统一办理； 2001年12月，实施基本医疗保险之后，实现了五险统一参保登记、五险同单征收，并于2001年上半年实现市本级与当时10区的社会保险业务信息系统联网，统一电脑信息系统，统一业务操作规范，大大提升了全市社保业务服务水平。

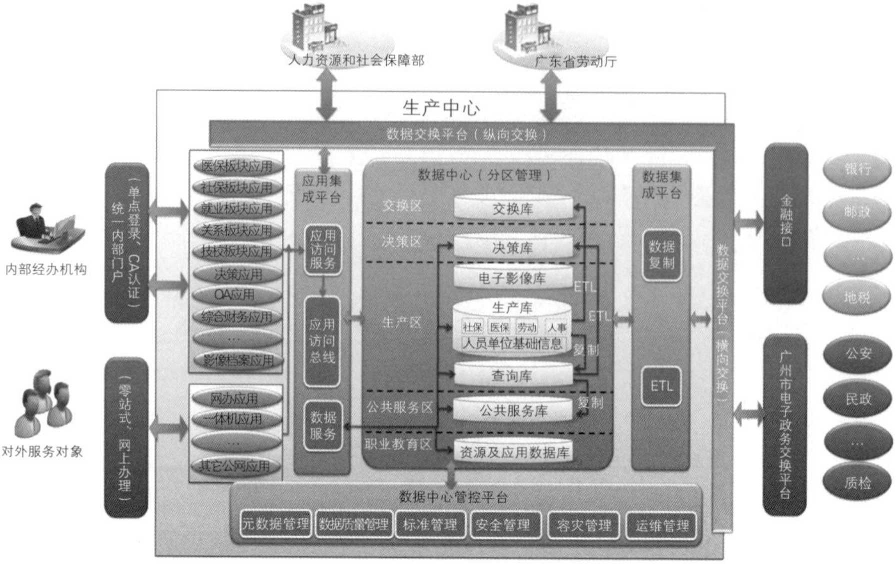

社保业务信息流程图

3. 扩面行动与养老金社会化发放。

1999—2000年，广州市实施扩大社会保险覆盖面的工作，提出了“奋战四五六，实现全覆盖”的口号，实行了分工包干制度，每位工作人员承担近400户企业的扩面任务，共发出3万多份催办通知，同时逐户企业打电话催办。为了将被动服务转为主动服务，采取了走下去办公的工作方法，工作人员每天穿梭于大街小巷逐户上门宣传，实行“地毯式”社会保险登记。在扩面高峰期，工作人员中午经常不休息，星期六、日也加班加点，努力克服人手不足的困难，发扬连续作战的精神，夜以继日地加班将参保职工的个人资料输入电脑，最终打了个漂亮的扩面战役。至2000年，全市参加社会保险的企业有106685家，比1985年的962家增长了109.8倍；参保人数增加到152.07万，比1985年的45.1万增长了237.7%；参加失业保险的有178.86万人，参加工伤保险的有106.24万人，参加生育保险的有68.88万人。

1999年，广州市各级社会保险经办机构积极响应国家“两个确保”号召，克服种种困难，在半年的时间里，为市属企业近30万离退休人员建立了养老金专用存折，改变了几十年来由企业发放养老金的方式，并在2000

20世纪90年代荔湾区社会保险宣传栏

年5月前为全广州43万离退休人员建立起基本养老金的社会化发放方式，在省会城市中率先实现养老金100%的社会化发放。国家劳动和社会保障部对广州基本养老金的社会化发放工作进行评估检查时，给予了“认识到位，措施得力，管理规范，成效显著”的高度评价。

四、广州市社会保险制度改革的意义与影响

社会保险制度的建立，是社会主义发展的必然结果。在我国的发展历程上，社会保障起初是在20世纪八九十年代伴随着改革开放的推进而进行，为广州市的改革开放提供了强有力的保障，促进了计划经济体制向市场经济体制的转变；进入21世纪，社会重心从经济发展逐步调整为民生谋幸福，社会保险脱离配角的角色，全面完善制度体系，为全体人民提供周全的保障，成为我国重要的基本制度。

（一）社会保险为改革开放保驾护航

改革开放的核心内容是建立市场经济体制，逐步使我国从计划经济体制转变成市场经济体制。要完成这种转变，需要对市场经济体制的各项基本要素建立良好的配置机制，包括企业、资产、人才、消费、投资等，而

社会保险在解放企业活力、促进人才流动、拉动消费行为等方面起着重要的作用。

1. 解放企业活力。主要有3个方面内容：一是减轻企业的负担，降低成本。社会保险制度的建立，使职工的权益保障从“单位保障”走向“社会化保障”，企业只需要履行缴纳社保费的义务，不再需要承担职工的保险待遇支出，职工的各项保险待遇支出由社会保险基金负责承担，减轻了企业在社会保险方面的负担，解决了后顾之忧。二是解放企业管理者，提高企业效益。在原来劳动保险制度下，职工的生老病死都由企业承担，企业需要安排大量的人员负责这一方面的管理和服务，社会保险制度建立后，大量业务由社会保险经办机构和社会组织完成，企业管理者可以将更多的精力与时间投入到经营、生产与决策中，充分发挥能动性，提高企业效益。企业不但成本降低，效率也提高。三是创造企业公平竞争的社会环境。社会保险制度建立之前，国有、集体企业负责的退休人员多，企业负担重；而外资企业与新成立的各类私营企业，负责的退休人员少或根本没有退休人员，企业负担轻。决定企业竞争能力的重要因素不是产品的先进与否、管理水平的高低等核心内容，而是退休人员数量多与少。社会保险制度建立后，企业之间的公平竞争环境建立了，广州市的国有集体企业有能力与外资、私营企业竞争，能在改革开放的大潮中屹立。

2. 促进人才流动。计划经济时代，职工的生老病死都需要企业负担，职工个人以及家属都需要依附于企业，与企业之间的关系紧密，这严重阻碍了人才的流动，不利于社会整体效率的提高。社会保险制度的建立，解放了职工与企业之间的关系，二者仅剩劳动关系，其他社会保障交由社会负责，这大大促进了人才在企业之间的流动，使市场经济中最为重要的要素——“人”得到了最高效率的配置使用，为市场经济体制的建立奠定了基础。

而且社会保险制度逐步建立了跨地区的转移衔接机制，明确职工在不同地区就业时，各地的社会保险可以转移接续，缴费年限合并计算，保障职工的社会保险权益。

3. 拉动消费、促进经济。社会保险对促进消费、拉动经济发展有积极作用。从预期角度看社会保险对消费的拉动作用，社会保险可以降低民众的不确定性，启动人们的消费预期，间接促进消费行为的发生，从而拉动经济发展[①]。而广州市处于改革开放的前沿阵地，经济发展较好，为较高的社会保险待遇提供了保障，2015年底，全市企业退休人员月人均养老金已达3200元。

在广州的每一个早晨，可以发现在各大酒楼食肆喝早茶、看报纸的多数是退休老人家，如果有人上前询问为何每天都来喝早茶，他会拍拍口袋回答，怕什么，每个月的养老金足够消费的。这正是社会保险的促进消费、拉动经济作用的最直接体现了。

（二）社会保险制度在广州的确立

随着改革开放的深化，我国更加重视提高人民群众的社会保障水平，提升人民群众的民生幸福。在配合推进改革开放的同时，社会保险更加注重自身的制度建设，完善服务水平，在维护社会稳定、提供全方位保障、缩小贫富差距等方面发挥更加重要的作用。

广州市社会保险制度体系已创立完成，包含养老、医疗、失业、工伤和生育五大险种，为参保人提供从出生到死亡的一系列周全保障；覆盖面持续扩大，参保人数持续迅速增长；基金规模不断扩大，制度的物质基础更加坚实；社保待遇水平稳步提高，人人分享社会经济发展成果；服务水平持续提高，便利快捷服务理念深入民心。

但也应该看到，社会保险在公平性、可持续性方面仍有深化改革的空间。人口老龄化是世界性趋势，我国也在2000年前后开始步入老龄化社会，中华人民共和国成立后的短短60多年里，我国的人口年龄结构已走完了从年轻型到成年型、再到老年型的发展历程。历次全国人口普查和中国统计年鉴提供的数据显示：65岁以上人口在总人口中所占的比重，1964年为3.53%，1982年为4.91%，1990年为5.57%，2000年为7.1%。联合国也对我国2000—2100年的老龄化情况进行了预测。

① 吴敬琏：《中国社会保障改革体制改革脉络》，载《经济论坛》，1998年。

联合国对中国人口的预测（中方案，2000—2100年）①

年份	65岁以上人口数/万人	65岁以上人口比重/%	年份	65岁以上人口数/万人	65岁以上人口比重/%
2000	8796	6.9	2055	36261	26.9
2005	10113	7.7	2060	36885	28.1
2010	11354	8.4	2065	35287	27.6
2015	13245	9.5	2070	33461	27
2020	16769	11.7	2075	32445	26.9
2025	19560	13.5	2080	32232	27.5
2030	23508	16.2	2085	32041	28
2035	28193	19.5	2090	31614	28.1
2040	31672	22.1	2095	31108	28.2
2045	32195	22.8	2100	30608	28.2
2050	33131	23.9	—	—	—

关于社会保险制度，中共广州市委原书记朱小丹同志有过精准的评价："民生之本、公平之器、和谐之基、稳定之策、发展之原"。我国的人口老龄化出现在经济与社会发展的较早阶段，属于典型的"未富先老"，经济社会对老龄化的承受能力较弱，所以，建立公平、多层次、可持续发展的社会保险制度还任重道远。

（作者单位：广州市人力资源和社会保障局）

① 联合国秘书处经济和社会事务部人口司：《世界人口展望（2012年版）》，2013年。

广州市妇联为妇女儿童服务的探索之路（1980—2002年）

■ 彭东红

党的十一届三中全会做出改革开放的战略部署，全国妇联要求妇女工作紧跟全党工作重点，转移到全面贯彻以生产建设为中心的妇女工作方针和新时期妇女工作任务上，为妇女提供参与改革开放的新机遇。广州市各级妇联组织围绕造福妇女儿童、服务社会的宗旨，通过建阵地办实体，拓宽了妇联组织参与经济建设的途径，增强了妇联组织的活力、实力和凝聚力。

一、市妇联建阵地办实体的发展历程

随着改革开放的深入发展和社会主义市场经济体系的建立完善，广州市妇联在市委、市政府和社会各界的关心支持下，以经济建设为中心，从自身职能和特点出发，积极创办一大批为妇女儿童服务的阵地和实体，并号召全市各级妇联通过创建阵地、举办经济实体，组建妇女儿童服务网络，取得了良好的社会效应。在企事业单位职能分化后，妇联顺利转型为妇女儿童及家庭服务的公益性实体。

（一）起步阶段（1980—1983年）

1980年，广东省妇联召开地（市）妇联主任会议，研究妇女工作如何贯彻以生产为中心的工作方针，强调城市妇联要积极参与经济活动，协同有关部门广开生产门路，为发展生产作努力[①]。广州市妇联认真贯彻广东省地（市）妇联主任会议精神，一方面积极发动妇女投身改革开放和经济建设，指导基层创办便民利民服务网点，另一方面解决妇女学习工作和生活上的后顾之忧，尝试兴办经济实体。同年越秀区解放中街妇联为解决待业青年的就业问题，办起两个服务点。1981年，郊区芳村街（今荔湾区花地街）妇联办起了三八小食店和米制品厂，解决了附近居民吃早餐和部分妇女就业问题，同时还为妇女工作的开展积累资金，解决街妇联活动经费不足问题。同年，市妇联在举办车缝技术培训班的基础上办起了市妇女儿童服装厂，解决了部分待业青年的就业问题。1983年荔湾区妇联在全市率先开办了第一间家务劳动服务公司，受到社会的好评，它被赞为"解愁之花""妇女的好娘家"。广州市副市长罗培元在一份介绍该公司事迹的简报上批示："精神文明建设中一支绚丽之花"，同年该公司被国家劳动部等6个部门评为"全国发展城镇集体经济先进单位"。自此，广州各级妇联抓住改革开放的机遇，开始建阵地办实体，探索为妇女儿童服务之路。

（二）发展阶段（1984—1991年）

广州是中国改革开放前沿地，广州市妇联凭借"先行一步"的政策优势和毗邻港澳的地域优势，建阵地办实体工作走在了全国妇联系统的前列。1984年，全国妇联在广东召开了省、自治区、直辖市妇联主任工作会议（以下简称全国妇工会议），组织与会人员参观广州地区的专业村及部分经济联合体，会议要求各级妇联大力兴办为妇女儿童服务的经济实体，并把它列为开展妇女儿童工作首先抓好的3项工作之一。[②]这次会议激励推动妇联干部解放思想，对体制和工作改革做进一步探索。广州市妇联认真传达贯彻全国妇工会议精神，总结推广妇联系统办实体的成功经验，大力推动全市各级妇联组织建阵地办实体的工作。同时确定了妇联兴办实体的方向和原则，就是必须做到"三个坚持"：一是坚持为妇女儿童服务的

① 市妇联：《闪光的足迹》，1993年内部发行，广州市妇联档案永久卷总144号第155页。

② 张帼英：《锐意改革，创造性地开展妇女工作——在省、市、自治区妇联主任工作会议上的讲话》（1984），载《妇女工作》1984年第8期。

方向，把社会效益放在首位；二是坚持抓好管理；三是坚持所办实体与妇联机关脱钩，按章纳税，所得收入全部用于发展妇女儿童事业。市妇联以此为方向，带头实践，做出示范，1984年8月开办了广州婚姻家庭服务中心，9月成立了广州市妇女儿童服务公司（后改称为广州市妇女儿童服务总公司）。同年，市妇联开始着手发动各界捐款，筹建广州市儿童活动中心和广州市儿童福利会幼儿园。

根据全国妇联〔1981〕19号文的指示，妇联要把优生优育、培养和教育儿童和少年作为工作的重点，多为妇女儿童做好事、做实事[①]。而广州市儿童活动场所少，与广大妇女儿童的需求不匹配，与广州作为华南政治、经济、文化中心的地位不相称。市妇联在指导全市各级妇联兴办为妇女儿童服务的阵地和实体时，鼓励各级妇联大力兴建儿童活动中心，为全市儿童创建更多校外活动场所。同时，市妇联为各级妇联牵线搭桥，争取政策，争取各级领导支持，把发展为妇女儿童服务的实体纳入当地政府为群众办好事做实事之列。在全市各级妇联形成了要建设儿童活动阵地的共识，部分区（县、县级市）妇联积极争取政府支持，把建设妇女儿童活动阵地纳入城建规划，如从化市（今从化区）妇联和天河区妇联；部分区（县、县级市）妇联发挥优势，与有关单位联办，如越秀区妇联；也有部分区（县、县级市）妇联利用已建成的活动阵地，开设各种项目，多角度地服务于少年儿童，如增城市（今增城区）妇联和花都市（今花都区）妇联；其他区（县、县级市）妇联争相效仿，克服困难，逐步建立多种形式的妇女儿童活动阵地。各级妇联的努力使家长们在寒暑假期，有更多选择，同时更便于孩子们接受规范的校外教育，促进德、智、体、美、劳全面发展。

20世纪80年代初，广州各级妇联缺乏建设资金和建设经验，筹集资金很困难。在兴建市儿童活动中心时，市妇联经济条件并不好，但市妇联领导班子认识到，改革开放为妇联创建服务妇女儿童阵地提供了机遇和条件，一定要抓住机遇，动员全体妇联干部积极参与，把市儿童活动中心建

① 《关于建设广州市妇女儿童活动中心、市妇联办公地点和落实女青年会会所地点政策问题的请示报告》，穗妇发〔1983〕12号。

设好，才能更好地服务于妇女儿童事业。市妇联干部跑征地，为筹款组织义演、义卖、上门募捐等活动，克服了很多困难，筹集资金1500多万元，加上政府拨款1040万元，用了3年时间终于建成了面积达1万多平方米的儿童活动中心。市妇联在《南方日报》《广州日报》等大型报刊登报征集市儿童活动中心门前市政路名称，最后将其命名为“童心路”。市儿童活动中心作为市妇联直属的公益型教育事业单位，于1985年奠基，1987年11月向全市儿童正式开放，是全国妇联系统创办较早的儿童校外教育活动基地之一。现在广州市儿童活动中心每年开设文艺、美术、科技等各类培训班达800个，培训学员超过1.5万人。主办或承办羊城“小市长”评选、艺术支教、“小主人”论坛、“爱孩子”讲堂等公益活动，每年吸引近60万人次儿童与家长参与。其中，羊城“小市长”评选活动更是被誉为“广州少年儿童工作的金字招牌”，此项活动一直受到广州市领导的高度重视和关注，得到社会各界的充分肯定。市儿童活动中心曾获得广州市群众文化先进单位、广州市文明窗口、广州市垃圾分类贡献单位、广东省少儿教育先进单位、广东省青少年科技教育基地、全国小公民道德建设教育基地、全国儿童活动中心先进单位、全国少儿美术教育杰出贡献单位等多项荣誉。

1985年，广州市儿童活动中心奠基仪式

1987年刚建成的广州市儿童活动中心

1979—1989年，广州市妇联受市政府委托代管托幼工作，市妇联从开发儿童智力方面着手，指导地区家庭托幼园所开展引导儿童德、智、体、美全面发展的教育，代替“老奶奶哄孩子”的传统的、分散的、不科学的家庭寄托形式。市妇联为协助市政府解决社会“入好园难”“入全托幼儿园难”问题，在1984年向全市发出了筹建广州市儿童福利会幼儿园的倡议，呼吁社会各界都来关心儿童们的健康成长，为儿童做好事、办实事。倡议发出后，得到国内外各界热心人士的大力支持和资助，筹集了人民币75万元。在东山烟墩路烟墩新街20号兴建的广州市儿童福利会幼儿园，建筑面积2400平方米，设有音乐室、活动室、睡室、盥洗室、备课室、洗衣房等，是一所环境优雅，设备比较齐全的寄宿制幼儿园。幼儿园有保教人员40多人，于1988年9月开始招生，共招7个班，其中寄宿制6个班，每年入读儿童200多名。同时，市妇联通过复办、新办公立幼儿园，改、扩建街道民办幼儿园，扶持街道居委会和私立托幼园所，推动机关幼儿园向社会开放等多种措施，缓解“入托难”问题。截至1988年底，全市有托儿所2170所，在托幼儿63327人，入托率20.5%；有幼儿园1335所，在园幼儿14.77万人，入园率43%（其中四个老城区达97.1%）。[①]

① 《1989年托幼工作总结》，广州市妇联档案室资料。

1988年12月中共广州市委召开工、青、妇工作会议，要求工、青、妇组织努力办好文化福利和经济事业。会议指出："工、青、妇组织可以充分利用自身的组织优势和人才优势，利用群众组织在国内外的经济技术交流渠道，适当举办一些为职工、青年、妇女服务，为社会服务的文化福利事业和生产性、服务性、教育性的实体"①。此次会议为妇联建阵地办实体创造了良好环境和政策条件。市妇联乘势而上，加快了办实体的步伐，截至1991年底，广州市妇联相继建成开放的阵地实体有市儿童活动中心、登月酒店、穗花山庄、市儿福会幼儿园、市妇女培训中心、市婚姻家庭服务中心等，这些阵地和实体都取得了较好的社会效益和经济效益，为妇女儿童事业发展壮大奠定了物质基础。

（三）深化阶段（1992—2001年）

1992年，邓小平南方谈话和党的十四大之后，全国妇联六届五次执委会提出："必须以建设有中国特色社会主义的理论为指导，坚持党的'一个中心、两个基本点'的基本路线，使妇联组织和妇女工作适应加强社会主义两个文明建设和建立社会主义市场经济体制等国家政策的需要。"在党的十四大精神鼓舞下，市妇联于1992年12月的广州市第八次妇女代表大会上提出了市妇联以兴建广州市妇女儿童事业发展中心为龙头，形成骨干系列的具体目标②。从妇女儿童和妇女工作发展的需要出发，探索建阵地办实体与服务妇女儿童事业的最佳结合面。

1. 找准时机，加快建阵地办实体步伐。

广州市的经济建设和改革开放不断取得新的成就，市妇联加快了发展第三产业的步伐，在原有实体的基础上，围绕着服务妇女、儿童、家庭的工作职责，创造条件新办了一些项目：1992年，成立广州市妇女儿童事业发展中心，筹备成立广州市妇女儿童发展基金会，推动从化、花县（今花都区）、东山（2005年已并入越秀区）、荔湾、海珠、天河、增城新塘镇、黄埔区黄埔街等区、街重点开拓托幼事业。1993年，成立

① 广州市妇联：《闪光的足迹》，第157—158页。

② 市妇联档案室1992年长期52［7］《抓住机遇 乘势而上 大力发展妇联第三产业》。

广州市妇女旅行社、广州市律师事务所妇联办事处、《现代育儿报》等服务阵地。截至1995年底，市妇联直属的企事业单位已发展到28个（含自办、联办、中外合作、分支机构等）。此外，区县和基层妇联的建阵地办实体工作也取得新的进展，从化、花县、东山等区、街自办幼儿园得到不断的巩固和发展。区、县级市以上妇联共办有阵地和实体65个，挂靠企业202个。个别县级市妇联固定资产达到2190万元，绝大部分区（市）妇联拥有了本单位工作用车。区（市）妇联收入达10万元以上的有8个，占同级妇联组织总数的66.7%[①]。各级妇联的工作环境和条件也有了很大改善，如荔湾区沙面街第四居委会联同居委妇代会年创收12万元以上，他们用这些钱为居委会添置了电脑等设备和资助社区各项活动，使妇女工作开展得十分活跃。各级妇联都建立起为妇女儿童服务的阵地和实体，通过阵地和实体开办服务妇女儿童项目，使各级妇联组织摘掉"穷妇联"帽子，大大增强了妇联组织的服务妇女儿童的能力，妇联建阵地办实体成为服务妇女儿童事业的重要组成部分。广州市到区（县）以至街（镇）各级妇联的建阵地办实体工作初具规模，妇联系统正在逐步形成妇女儿童服务的网络。

2. 大力发展商贸工作，鼓励下岗女工创业就业。

1993年，市妇联和市劳动局联办广州市经济体制改革与女性就业信息发布会。会议公布对进行经营机制转换的30家国有企业的调查结果，在其富余的1612个职工中，女性为828人，占51.4%。女性就业出现了一些亟待解决的新问题。一是大龄女职工转岗困难；二是一部分老工人收入减少；三是女职工文化水平滞后[②]。为了缓解下岗女工就业问题，市妇联与广东南天商贸公司合作，在中山八路建成占地1800平方米的商场，向下岗妇女提供租金廉价的商业档位，帮助她们实现创业就业。市妇联开办了集货仓、批发、零售于一体的广州市妇女儿童事业发展中心货仓商场，开展以市妇女儿童发展中心为龙头的商贸工作，发挥其妇联网络的优势，举办大型咨询、集市、博览会活动，邀请了厂、商家为群众提供物美价廉的妇女

① 市妇联档案室1996年长期《1996年市妇联发展部工作总结》。
② 《广州市经济体制改革与女性就业信息发布会》，《广州年鉴（1994）》。

儿童用品，多渠道搞活妇女儿童用品市场，联系企业商家，为更多下岗转岗女工搭建就业创业的平台。其中1995年的“新一代婴孩儿童用品博览会”还邀请了黎子流、黄伟宁、郭焕之、王守初等市领导出席开幕剪彩仪式，多家外商参加博览会。市妇联还因地制宜，利用荔湾区是商贸发达地区的特点，指导荔湾区妇联鼓励下岗妇女创造条件当个体户，并为她们提供服务和指导，如帮助她们联系劳动、工商、税务部门，办营业执照、税务登记等。仅1995年，荔湾区就有750多名下岗女工办起商品零售店、美容院等个体经济726个①。

3. 发展服务妇女儿童事业经济新项目。

1995年，广州市企业实行全员劳动合同制后，富余劳动力大幅度增加，其中，离岗、下岗、待岗妇女达富余人员的61%②。针对经济结构调整和企业深化改革带来的妇女再就业尤其是中年下岗女性再就业问题，市妇联配合政府推进“再就业工程”，先后进行5次大型的调查研究，召开3次研讨会并相应向政府和社会有关部门提出解决这一问题的系列政策建议。同年，市妇联抽调专人成立“金凤计划”办公室，明确其主要工作任务是组织开展再就业培训，帮助城市下岗、待岗、转岗妇女再就业和帮助农村贫困地区妇女脱贫致富。各级妇女干部清楚意识到，帮助下岗妇女再就业是促进改革发展、社会稳定和妇女进步的需要，是作为重要社会支柱和妇女“娘家”的妇联组织责无旁贷的责任。

市、区妇联自办服务实体，帮助妇女实现再就业。市妇联以市妇女儿童事业发展中心货仓商场为基点，建立起妇女儿童事业发展中心连锁店总部和以商品销售为主，集旅游报名、报刊发行、职业介绍、中介咨询、家务劳动服务、婚姻介绍于一体的姐妹连锁店，并推广到基层。兴办家务劳动服务实体，利用市妇联婚姻家庭服务中心和各区、街家务劳动服务中心联网，在坚持开展家庭保姆介绍服务的基础上，又开设了钟点工服务。不少区、街建立起家庭服务队，为群众开设清洗高层建筑住房水池、洗衣、护理病人等服务项目。1995年，市妇联筹办广州市

① 广州市妇联：《开展社区服务 促进下岗女工再就业》，广州市妇联档案室资料，1996年。

② 同①。

妇女职业介绍所（以下简称职介所），对下岗妇女进行摸查、登记、再培训，无偿为下岗、离岗妇女再就业提供服务，推动下岗女工再就业。1995年3—11月，职介所共介绍家庭服务员700多人、钟点工80多人上岗，外省劳工500多人分别到天河、黄埔等工厂工作[①]。至1995年底，市妇联直属的社区服务实体有18个，区、县级市妇联自办的社区服务实体62个，街道妇联和居委妇代会也办起了社区服务经济实体，吸纳下岗女工500人[②]。

4. 探索经济实体管理办法。

主要包括两个方面：

第一，建立健全规章制度。经过多年的建阵地办实体工作，市妇联意识到行政干扰太大的做法不能达到帮助基层排忧解难和发挥搞活经济带头人的作用。因此市妇联制定《市妇联关于加强属下企事业管理，理顺关系的若干规定》，逐步明确职责，理顺市妇联属下各实体的关系，建立和健全必要的规章制度。以定期召开董事会会议的方式，解决各实体重大问题；同时，注意加强原有实体的管理，按市场经济规律运作进一步完善有关规章制度，推行经济目标责任制管理，逐步完善了对中外合作企业的监督机制，提高了实体的社会效益、经济效益，并取得一定的成效。1995年，广州婚姻家庭服务中心被评为广州市文明单位，市妇联办实体和开展建功活动经验被省妇联选为先进典型材料并进行推广。组织开展区、县（市）妇联及部分街、镇妇联办实体情况调查，及时把握基层妇联办实体的情况并进行指导，带动全市各级妇联适应社会主义市场经济体制的建立，加强自身建设和改革，更好地服务于妇女儿童事业。

第二，推行经济目标责任制管理。市妇联尝试按不同工作性质分类承包，对妇女儿童阵地和实体进行管理。对穗花山庄、奥斯卡（广州）装修有限公司、棠溪综合大楼、婚姻家庭服务中心、增城永和光裕种鸽场、合兴城市信用社、妇女儿童事业发展中心等七个经济实体推行了经济目标责任制管理，分解指标、任务到人，从而推动这些实体为确保经济指标的

① 《1995年市妇联发展部总结》，广州市妇联档案室资料。

② 广州市妇联：《开展社区服务　促进下岗女工再就业》，广州市妇联档案室资料，1996年。

完成，进一步发挥潜力，不断拓展业务。确保这些实体均完成或超额完成年初所定的经济指标。1998年1—3月，高华里商场盈利为负数，收不抵支，市妇联及时转变商场经营方式，鼓励干部走出商场，深入机关、企业等单位进行促销，形成了集团长期供销经营网络，使商场盈利由每月毛利不到500元到每月纯利润5000多元。在广州市妇女旅行社建立健全奖惩、考勤制度，把原工资仅作为档案工资，尝试实际工资与当月效益挂钩，上不封顶，下不保底，彻底打破大锅饭的模式，充分调动员工积极性。

第三，改变工作思维模式，拓宽妇女儿童事业工作面。市妇联与《信息时报》合作，在该报星期五版的“服务小姐”栏目上刊登征婚启事；与广东国讯电话信息有限公司合作，开设了“电话红娘”栏目；与广州电视台合办“屏中缘”栏目，不定期举办大型相亲交友活动，推动业务的开展，婚姻介绍业绩有了较大的突破；与广州日报社合办《现代育儿报》，1993年1月7日正式创刊，全国公开发行，为学龄前儿童及其家长服务，向学龄前儿童家长宣传“三优”（优生、优育、优教）知识，提高育儿文化品位，帮助家长掌握婴幼儿身心健康教育知识，普及和提高科学育儿水平。此周刊1993年的平均期发行量为9万份，1994年达13.2277万份，1999年过15万份。

第四，将建阵地办实体与妇联的中心工作紧密结合。1999年，妇联系统的经济实体面临了前所未有的严峻挑战。在市场疲软的大环境下，阵地实体面临的困难增大，市妇联要求提高各阵地实体工作人员理论水平、管理能力和决策能力，以妇女儿童为工作立足点，围绕“妇儿家”三字，创出自己的品牌和名优产品的要求，并加强对基层经济工作的宏观指导和支持，将建阵地办实体与妇联的中心工作紧密相结合，以巾帼建功、双学双比为切入点，发动妇女参与广州市经济发展。编印《如何开展羊城巾帼建功活动》等辅导材料，发至基层。在城镇女职工中开展了“一专（职）多能”学习竞赛活动、“科技创新业，争当巾帼科技状元”活动，1996年对全市22个区、局（总公司），直属大厂统计显示，女职工普遍接受一次以上的培训，其中有48.9%的女职工掌握了两门以上的技能。这些活动极大地激发了广大妇女的学习热情，及技术改革、科技攻关的积极性与创造性，有效地促进了城镇妇女综合素质的提高和各类妇女人才的成长。在行政部门、执法部门、窗口行业女职工中开展“巾帼文明岗”活动，大力推进岗位技能进步和全面提高素质，促使广大妇女尽快适应发展市场经济的需要。1999年，广州市创建“巾帼文明岗”116个，活动逐步扩大到企事业单位生产岗位、工作岗位，全市涌现出大批先进妇女典型。如市女企业家协会会长、天河区杨箕村党支部书记张建好带领支委、村委班子对杨箕村进行了3次大改革，实现了3次创业，成为了远近闻名的广东第一个“亿元村”，张建好也获得了省、市“三八”红旗标兵、“全国三八红旗手”、“全国劳动模范”等光荣称号。据2000年对市女企业家协会200多名会员进行统计的情况，共有62人从企业副职提为正职；15人提为局、集团公司领导；138人次成为全国、省、市女企业家、“三八”红旗手、劳动模范；1人被评为全国“十大女杰”[①]。农村妇女工作中，市妇联开展“绿色证书工程”和新农科技的培训学习，帮助6%的女农民获技术员资格证书；90%的女劳动者掌握了两门以上的新技术[②]。市妇联以天河区长湴村为点创办农村妇女业余学校，并逐步推广，截至1999年底，全市已办有各类妇女学校1068间，办班8301期，4万妇女参加学习。引导农村妇女发展二、三产业和质量效益型农业，使“双学双比”活动从种养扩大到流通、加工领域。重视质量、品种、效益，使妇女的收入显著提高，女专业户年纯收入超过10万元以上的有1176户。天河区建立了农业示范基地——荔枝园，番禺市建立了花卉基地，带动农村种养女能手走致富道路。

二、随着体制改革的深化，市妇联创办实体的经济职能淡化，服务功能不断加强

作为在中国特定历史背景下产生的妇联，在其产生以来的60多年间，一直处于不断的发展变化之中。尤其是改革开放以后，逐步调整自身的职

① 《市妇联宣传部工作总结》，2000年。
② 《市妇联工作汇报——彭佩云1999.9.10来穗调研》，广州市妇联档案室资料，1999年。

能定位，促使组织功能逐渐回归组织本位，强化代表和维护妇女权益、为妇女儿童服务的职能[①]。随着城市体制改革的逐步深化，城市社区发展对现代城市良性运行的促进作用越来越明显，社区作为社会基层组织的作用显著增加。2002年6月，市妇女儿童事业发展中心从经营性工商企业转为服务性事业单位，标志着妇联的工作方式、工作机制开始发生变化。面对机构改革、市场竞争给妇联建阵地办实体带来的困难，广州市妇联根据妇联工作特点，围绕“家”和“妇”找准切入点，继续把妇女工作的触角向社区延伸，推进实施“巾帼社区服务工程”，依托社区构建新型的组织网络和服务体系。

（一）进社区开展健康服务活动

企业改革进一步深化，“单位所有制”开始弱化，部分企业的社会服务职能逐步分离回归到社会，交由社区这个载体来承担。市妇联依据政策、法规、条例的指导，及时调整工作思路，制定妇女儿童事业发展目标，以应对市场和机构改革的变化。市妇联坚持探索、巩固和发展经济合作项目，对原有的合作项目，本着互利互惠的精神，加强合作沟通，积极为企业解决问题，巩固合作项目，加强对物业的管理，保证妇联物业收益。同时做好原有的劳务集市、农副产品配送中心、校园管理等传统项目，不断完善家政、保健、养老、托幼等服务体系。发展新项目，联合社会企业开展服务性活动，建阵地办实体工作开始侧重于拓展公益性的社区服务。如：2001年市妇联与雅芳公司合作，为下岗失业和山区困难妇女开展义诊、咨询，免费进行红外线乳腺检查；为下岗和山区困难女性免费做摘除白内障手术，使全市3000多名妇女受惠；在12个区（市）开展名优产品推介活动，受到妇女群众的欢迎，为妇女儿童事业发展基金筹集了20万元资金。

① 马炎：《妇联组织职能定位及其功能的演变轨迹》，载《妇女研究论丛》2009年9月第5期（总第95期）。

（二）以社区服务为重点，推进下岗妇女再就业

根据广州市政府下达的《广州市妇联1999年再就业工程目标责任》的要求，广州市妇联开展了以社区服务为重点，全方位推介妇女就业的方针。广州市妇联对全市下岗妇女进行问卷调查，对下岗妇女进行抽样调查，从下岗妇女心态、要求及全市妇联系统的再就业工作现状进行全面深入的研究，形成调查报告，并举行“实施再就业工程，重塑女性自我”——广州市下岗妇女再就业工作交流会。广州市妇联坚持每年与劳动局联合举办“下岗妇女家政服务培训班”，参加培训的下岗妇女60%以上被聘用，得到广州市领导的肯定和下岗女工的欢迎。广州市妇联组织各区（县级市）妇联开展调研，摸清本地区下岗女工情况，动员本地区下岗女工参加专业训练，举办下岗女工“三八”劳务集市、再就业展示会和座谈会等，促进下岗女工再就业。坚持“社区服务大有可为”的策略，活动方式逐步从行政化转向群众化。广州市妇联针对家政服务市场供求矛盾突出的情况，配合巾帼社区服务工程，拓宽下岗妇女再就业渠道，成立了家政服务连锁中心。以社区为服务阵地，拓展社区服务项目，以家政服务中心为龙头，不断拓展家政服务连锁中心网络，吸纳和安置了大批下岗妇女的再就业。在广州市妇联的带动下，基层妇联纷纷响应，荔湾、越秀、东山、海珠、黄埔、增城等区（县级市）妇联，在辖区街道成立以广州市妇联连锁中心为龙头的家政服务连锁服务点。1999年，仅广州市妇联家政及千福家政服务中心推荐的下岗女工从事家政服务人数就达1300多人①。同时，广州市妇联定期对基层的家政连锁点给予毫无保留的业务指导和具体示范，并每月组织各连锁点参与广州市妇联的劳务集市，及时互通服务员及客户的信息。截至2002年，基层妇联的家政服务连锁点已发展到162个②（如图），既为社区服务增添了活力，又为下岗女工开辟了再就业岗位。“巾帼社区服务工程”得到了很好的贯彻和落实。

① 《广州市婚姻家庭服务中心工作总结》，广州市妇联档案室资料，1999年。

② 《广州市妇联实施“巾帼社区服务工程”概况》，广州市妇联档案室资料，2002年。

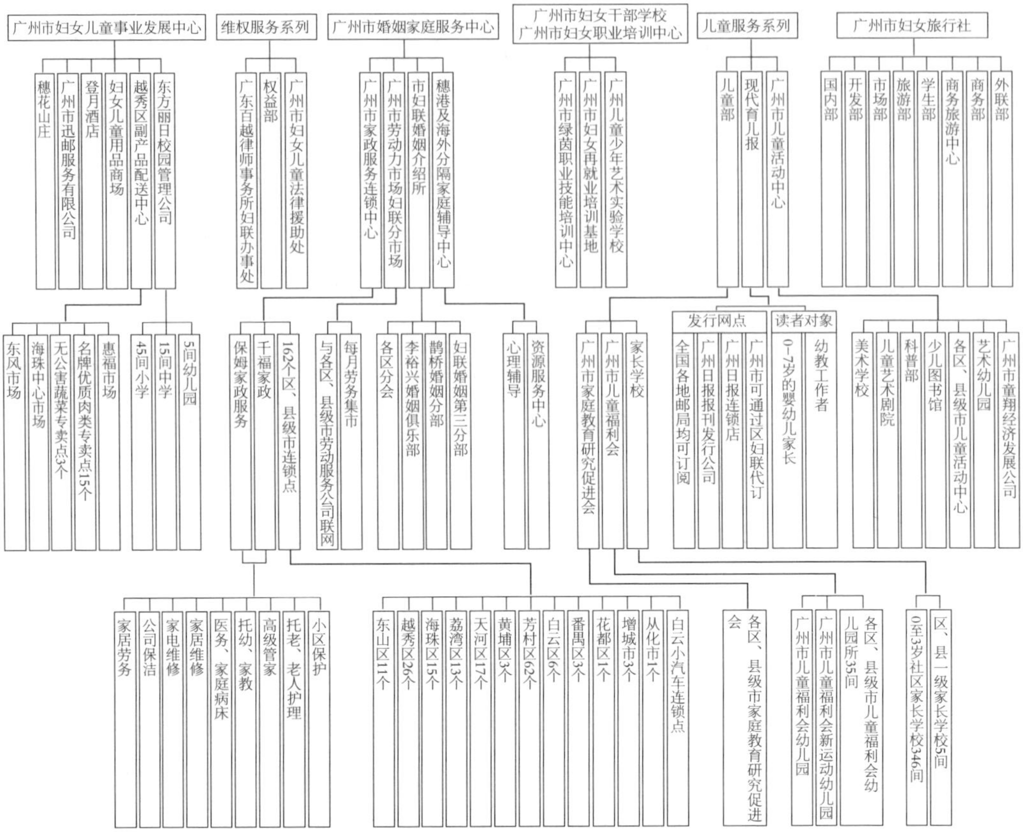

■ 广州市妇联系统社区服务网络图

（三）成立公益性人力资源服务机构

2001年2月，广州市妇联成立的具有女性特色的公益性人力资源服务机构——广州市劳动力市场妇联分市场，成为广州市承担妇女就业工作的主要阵地。市场按照国家劳动力市场标准结合广州市妇女实际建立，是以女性为主要服务对象，为用人单位输送劳动力资源的公益性服务机构，集就业指导、岗位信息发布及查询、职业介绍、就业政策咨询、女性就业维权、专业培训、技能培训和实操训练等服务功能于一体。它以促进大龄、失业妇女就业和满足用户需求为宗旨，通过岗位开发、观念引导、专业培训、推荐上岗、加强管理、服务跟踪等形式大力发展家政服务业，形成了与全市就业工作相衔接、适应市场经济需求、符合妇女特点的广州市妇女就业创业工作的服务体系，突出了女性特色劳动就业服务的品牌和效应。

2001年，广州市妇联成立了广州市劳动力市场妇联分市场

2002年，劳动力市场妇联分市场共推荐岗位数2.24万个，工种1974个；推荐就业人数达1.11万人，其中成功录用945人。[①]

三、广州市妇联系统置办经济实体的成效及经验

在改革开放大潮中，广州市妇联经过多年的艰苦创业，相继建有婚姻家庭服务中心、妇联培训中心、儿童活动中心、登月酒店、穗花山庄、现代育儿报社、妇女旅行社等阵地和实体，广州市妇联在自身带头创办实体的同时，积极推动、指导各级妇联扬长避短，因地制宜，量力而行地创办实体，开展便民利民服务项目。广州市各级妇联所办的阵地实体也越来越符合服务妇女儿童实际需求。

（一）广州市妇联置办经济实体的经验及体会

1. 解决部分妇女群众的就业问题。广州市妇联通过开办广州市婚姻

① 《市劳动力市场妇联分市场2002年工作总结》，广州市妇联档案室资料。

家庭服务中心、广州市妇女职业介绍所、广州市劳动力市场妇联分市场等服务机构，打造承担妇女就业工作的业务部门和主要阵地，并与人力资源和社会保障部门进行沟通和联系，争取支持和帮助，形成就业工作合力，为妇女就业创业营造环境、争取资源、创造条件、提供服务，构筑女性就业工作新平台，并逐渐形成了场地设备良好，专业种类较齐全，能适应失业妇女要求，且具备示范和辐射作用的妇女劳动就业训练基地，为用人单位，下岗、失业人员和求职者提供及时、便捷、有效的就业和保障服务。根据社会发展开创更多服务岗位，依据供需情况设定就业岗位，为特殊人群尤其女性开设专场招聘服务。鼓励妇女参与公益性社区服务就业，为广大下岗失业人员再就业提供更广泛的空间。

2. 缓解部分家庭的后顾之忧。妇联作为党开展群众工作的助手，主动积极联系服务群众、服务市民，开创受家庭欢迎的高端家政服务项目，并协助政府做好行业的管理、监督和规范化建设，获得群众的认同，形成更强的吸引力和凝聚力，推动行业的更快更好发展。在广州市妇联的带动下，妇联系统自上而下形成了庞大的家政服务网络，并致力于托幼事业，帮助职业女性从家庭束缚中解放出来，将更多精力投入到生产工作中去。如：广州市妇联成立农副产品配送中心、千福家政服务中心、东方丽日校园管理公司等；基层妇联有增城的天恩幼儿园、学校，芳村的儿福幼（托），花都的幼儿园，番禺的萍姐学生服务站等。这些阵地实体的建立，不断拓宽了社区服务领域，为下岗妇女提供再就业机会，为广大群众解决后顾之忧，深受群众的欢迎和喜爱。

3. 丰富和活跃妇女儿童文化生活。在创办实体的过程中，广州市妇联十分关注妇女儿童的文化生活需求，结合精神文明建设，开办了现代育儿报社、广州市妇女干部学校、绿茵文化技术学校、广州市儿童活动中心、广州市妇女旅行社等实体，举办“美好家庭”及“穗城新家风标兵户”等评选活动。开展家庭美德演讲大赛、家庭读书、“写给年轻妈妈”读书报告会等活动。组织妇女干部、幼儿园教师、保育员等人员参加各种类型培训班，成立奥林健美俱乐部、曾氏女子健美中心等。颂扬积极向上、健康发展的家庭文化生活，创造条件提高妇女儿童的生活质量，倡导健康文明的生活新风尚。

4．为活跃妇联工作奠定了物质基础。妇联建阵地办实体工作在注重社会效益的同时，取得了较好的经济效益。在1992年初，广州市妇联有6个阵地和实体，利润总额100多万元；此后逐年上升，截至2002年，广州市妇联拥有固定资产3930万元（按2002年物价水平估值），年营业总额1000多万元，纯收入近80万元。广州市妇联结合自身的职能，带头发展为生产和生活服务的部门，筹措活动经费，为妇联顺利开展服务妇女儿童事业奠定了坚实的基础。各级妇联的工作环境和条件也有了很大改善。通过大办经济实体，各级妇联组织摘掉"穷妇联"帽子，大大增强妇联组织服务妇女儿童的能力，对提高妇女儿童的科学文化水平和居民素质，对国家经济建设做出了积极贡献。

5．培养锻炼了一批懂经济、会管理的妇联干部。广州市妇联通过举办经济实体工作研讨会、经验交流会，认真总结推广经济实体管理经验，并对各阵地实地工作人员进行专题培训，实地参与管理，努力提高从事经济工作的妇联干部的综合素质，着力培养懂经济、会管理的妇联干部。1993年，还采取自荐、推荐和组织需要相结合的原则和方法，从妇联机关干部职工中抽调22人充实到各实体中去，大力培养锻炼干部，促进干部快速成长。

（二）在探索建阵地办实体的实践中，广州市妇联和各级妇联积累的经验和体会

1．建阵地办实体是妇联不断适应改革开放和现代化建设需要的重要措施和工作内容。随着改革开放的深入，人民群众生活水平的提高，广大妇女群众对物质文化和家务劳动社会化提出了新的要求，渴望作为妇女"娘家"的妇联能提供相应的服务。当时，广州市妇联上无片瓦、下无寸地，办公地方是借用的，为妇女儿童服务仅靠一张嘴、两条腿，靠财政拨款的经费也十分有限，这与妇女群众的需要产生了突出的矛盾。因此，广州市妇联把创办为妇女儿童服务的阵地和经济实体作为整个妇联工作改革的重要内容来抓，开始了创办阵地实体的艰苦探索和实践，从而逐步有了为妇女儿童服务的载体——阵地，积累了为妇女儿童服务的资金，不断适应了妇女儿童日益增长的物质文化需求，广州市妇联与海外妇女联系的需要。

2. 坚持服务社会，造福妇女儿童是妇联举办实体的指导思想和坚定不移的方向。妇联历来是中国共产党联系各族各界妇女的桥梁。维护妇女儿童权益，造福妇女儿童，造福社会是妇联工作的出发点。在具体开展工作上，广州市妇联从妇女儿童急需服务而社会又服务不足的问题入手，将所办的阵地和实体与社区服务有机地结合起来。如，在改革开放的新形势下，妇女面临的“事业与家庭”的矛盾越来越突出，要求缓解后顾之忧的呼声越来越高。因此，广州市妇联创办了“婚姻家庭服务中心”。荔湾区妇联开办了家务劳动服务公司，并鼓励一些街道妇联开办小学生午餐服务点。虽然经济效益不高，但各级妇联始终坚持办下去，而且根据群众的要求，增设新项目，组建服务网络。广州市妇联婚姻家庭服务中心增开了“华人家庭服务中心”，免费为分隔内地及香港、海外的人士或家庭提供社会服务，由“香港国际社会服务社”的注册社会工作员定期来穗为社会人士进行心理及法律辅导，协助他们及时排解家庭矛盾冲突；对家庭婚姻出现障碍及其子女的教育等问题进行指导服务；为社会大众提供寻找亲人、办理遗产认领、出入境手续和移居海外前咨询服务。中心充分利用社区资源，分门别类地到各区开展讲座及小组活动，为分隔两地家庭提供免费的社会福利、劳工、保障等资料咨询。把党和政府对群众的关怀，把“娘家”对亲人的温暖送到广大家庭及众多姐妹心坎上。

3. 从实际出发，因地制宜，自力更生是妇联建阵地办实体坚持的原则和道路。各区、县（市）、街、镇的经济发展情况不同，各自条件不同，妇女儿童急需社会提供服务的要求也不尽相同，因此，在创办实体和阵地时，只有根据各自条件，从实际出发，充分发挥自己的优势，灵活多样地去创办，才能取得较好的社会效益。广州市儿童活动中心兴建时，广州市妇联机关办公的条件很差，广州市妇联领导班子认识到，正是因为穷，才要努力改变，发动全体干部投入艰苦的筹建工作，组织一场又一场的义演、义卖、上门募捐活动，没有下班的钟点，没有节假日的休息，熬过了无数个日日夜夜，战胜了一个个困难，终于筹集到资金，用了3年时间建成了广州市儿童活动中心。

4. 党政领导的关心重视和社会各方的支持，是妇联办好实体的重要条件。广州市妇联筹建广州市儿童活动中心时，得到中共广州市委、广州市政府的重视，由市领导和有关部门负责同志组成筹委会指导筹建工作。市领导亲自带头捐款和发动社会有关方面人士募捐，使筹款工作顺利进行。广州市政府在财政不很富裕的情况下，拨款1040万元支持广州市儿童活动中心的兴建。该中心奠基时，中共广州市委书记许士杰、市长朱森林等领导，香港知名人士霍英东、澳门知名人士陶开裕、邱成章等出席了奠基仪式。广州市儿童活动中心的建成凝聚着党和政府以及社会各界的关怀，倾注着千百万群众对儿童公益事业的一片炽热爱心。

5. 善于总结、加强管理是妇联办好实体的重要环节。广州市妇联既重视创业，又重视创业后的管理和提高。每办起一个实体都制定各项规章制度并使之不断健全完善，加强财务审计和监督，理顺好广州市妇联与实体之间的责、权、利关系，逐步推行承包责任制，充分调动全体员工办好实体的创造性和积极性。为了更好地总结广州市妇联系统交流建实体办实业的经验，广州市妇联从1990年起，每年都会召开“广州市妇联系统建阵地办实体工作交流会”，将全市各级妇联系统经济实体负责人召集到一起，总结交流经验，研究解决新问题，促使全市妇联系统建阵地办实体工作持续发展。

（作者单位：广州市妇女联合会）

广州志愿服务的发展历程

■ 许嘉琪　邝帼智　连　莎

广州是中国改革开放前沿阵地，也是我国志愿服务事业起步最早、发展最快、规模最大的城市之一。早在1987年，广州市开通了全国最早的专业志愿服务热线电话——中学生心声热线，成为广州志愿服务开创的首个“全国第一”，也成为全国志愿服务的雏形。经过30年的培育，广州志愿服务打造出了“中学生心声热线”“大拇指行动”“志愿礼”“志愿时”“志愿服务广州交流会”等一批志愿服务品牌项目，涌现出钟南山、赵广军、李森等一批为志愿服务事业倾注心血、荣获全国奖项的志愿达人。截至2017年1月，广州注册志愿者137万，服务时长3327万小时，社区义工（志愿者）66万多，在平台登记的志愿服务组织9924个，社区义工队伍近6000支，注册志愿者（义工）占常住人口的比例为15%[①]。志愿服务已经成为广州市参与面最广、参与度最高、影响力最大的公益事业。

一、酝酿阶段（1949—1986年）

1949年，中华人民共和国成立后，国家百废待兴，青少年建设祖国的热情十分高涨，共青团广州市（工）委围绕党政中心工作，组织发动各界青年积极参加义务劳动。20世纪五六十年代，广州广泛发动青年参与市内

① 广州志愿服务30周年座谈会召开，http：//news.cyol.com/content/2017-03/01/content_15685223.htm

各大市政工程建设，广州越秀山体育场和荔湾、越秀、东山湖、麓湖等公园以及一些企业的兴建都留下了当年青年们义务劳动的身影。20世纪50年代，广州各工矿企业青年在各级团组织的带领下，积极开展青年“班、组、岗、队、手”活动，为实现国家工业化建功立业。广大青年农民也积极参加青年突击队、各种种植、饲养能手活动，在活动中奉献青春和力量。

1963年3月5日，《人民日报》《光明日报》《中国青年报》等报纸同时刊登了毛泽东“向雷锋同志学习”的亲笔题词，雷锋成为全国人民学习的榜样，广州亦掀起了“学雷锋”活动的热潮。雷锋精神中所包含的友爱互助、无私奉献精神，与志愿服务所倡导的“奉献、友爱、互助、进步”的精神理念是一致的。“学雷锋”活动的广泛开展为广州志愿服务的发展打下了坚实的群众基础。

20世纪70年代末80年代初，雷锋精神和无私奉献、“五讲、四美、三热爱”成为时代的主旋律，义务劳动、见义勇为进一步被整个社会所接受和推崇。在1972年复刊的《广州日报》上，每年3月份都涌现大量普通广州人“学雷锋”故事的报道。报纸上还会专门开辟出“向雷锋同志学习”和“学雷锋，树新风”的专版和专栏，从活泼的小学生、风华正茂的小伙子到活跃在单位里的学雷锋小组再到热心的街坊大姐，无数平凡的名字被记者记录并登上报纸，广州城里处处洋溢着拾金不昧、互相关爱、助人为乐的温馨。1983年，在部队期间，连年被评为“学雷锋积极分子”的优秀义务兵安珂为救同学与歹徒搏斗而牺牲。他的英勇故事成为广州人至今难忘的“活雷锋”教材，人们从这个小伙子身上学到的是，雷锋精神给人生带来的强大力量。①

1981年2月，共青团中央发文倡议在青少年中开展“讲文明、讲礼貌、讲卫生、讲秩序、讲道德”和“语言美、心灵美、行为美、环境美”为主要内容的“五讲四美”文明礼貌活动。随着活动的深入，20世纪80年代，广州市各个基层团组织结合群众的需求，组织团员青年，在节假日摆起“为您服务集市”，集中在一个地方为市民免费服务。此外，各行业

① 志愿者就是今日活雷锋，http：//news.sina.com.cn/o/2012-03-02/040524044459.shtml。

系统也会不定期举行“服务集市”，成为当年广州义务服务的一个“品牌”，受到了社会各界的广泛好评。在“为您服务集市”，青年人或为市民提供各种咨询，或为市民修自行车、修煤气炉。不少市民家里有电器坏了，要专门等到“集市”开张的那天，请热心青年帮忙维修。此外，1981年，广州开展了以治理“脏、乱、差”为重点，以整顿市容卫生为突破口的群众性活动，团市委组织70万青少年走上街头学雷锋、做好事，突击清除城区不卫生死角，取得了明显效果。全市学雷锋小组、青年服务队、送温暖小组由1981年的1.4万多个发展到1982年的6.8万多个，100万青少年参加了“党的温暖送万家”活动，为老工人、老干部、“五保户”做好事1万余件。“为您服务集市”这一形式打突破了单位的围墙，整合了各基层团组织的资源，同时吸收社会青年等自发组织服务队伍参加活动，直接服务市民。“为您服务集市”此后延续了多年，20世纪90年代还一度制度化、阵地化，在海珠区滨江路设立“广州市共青团为民服务街”，由各基层团组织轮流组织青年服务队每周末到服务街为市民提供各种服务。团中央第一书记宋德福专门致信祝贺和赞扬“共青团为民服务街”是“一个创造”。

与现代志愿服务活动相比，由于受国家政治、经济环境的影响，相关的活动本身不可避免地带着那个时代特定的烙印，主要表现为具有比较强的政治动员和运动色彩，学雷锋活动可以说是社会主义建设时期最具有志愿服务色彩的行动。然而，进入20世纪80年代，改革开放中各种思潮涌动，每年3月5日，各行各业纷纷开展“向雷锋学习”纪念活动，虽然在引导社会风尚方面起到积极作用，但是由于过于集中，缺乏持续集成的组织机制，因此引起人们的感叹“雷锋叔叔没户口，三月里来四月走”。到了20世纪90年代，广州、深圳等地开始借鉴国际社会对公益活动的通用表述——“义工（志愿）服务”，开始探索建立志愿服务工作机制。

二、探索阶段（1987—1994年）

改革开放初期，凭借毗邻港澳的地缘优势，共青团中共广州市委开始尝试与港澳青年社团进行接触。1985年，“穗港澳青年大联欢”活动在广州举行，与港澳青年社团的接触打开了广州共青人引领社会风尚，服务广大青少年成长需要的视野，开始志愿服务事业的探索。

1. 开通“中学生心声热线”电话，标志着 “学雷锋、做好事”向现代志愿服务模式转型。面对改革开放后中学生中出现的新问题、新动向和新需求，广州市广大共青团干部进行了孜孜不倦的探索。据曾参与中学生“心声”热线电话（以下简称“心声”热线）筹建及服务的郑红斌回忆：“1987年四五月间，团市委、市教育局团委对青少年出现的问题作研究讨论，我们都有这样的共识：新时期共青团工作必须适应新时期的要求，积极改革探索，有针对性地开展思想教育工作，才能更好地团结和教育学生，更好地贯彻落实党的教育方针，更有效地帮助中学生健康成长。我们也谈到了香港等地开设的热线电话这一服务社会的模式。受其启发，我们几乎是一拍即合，决定携手合作，联合开办广州市中学生‘心声’热线电话。让教育工作者放下老师的身段，以知心哥哥姐姐平等的身份，与中学生进行交流、解惑，在传统的学校和共青团组织的教育之间搭建一个崭新的心灵沟通的平台。”当时，这种面向社会的电话咨询模式，在中国内地还没有先例，是一件新生事物，也受到一些人的质疑。在质疑中，“心声”热线得到了团市委书记朱小丹、副书记易佐永和市教育局党委主管共青团工作的副书记陈万鹏的肯定、支持和指导，他们多次参加有关会议和活动，使这一新生事物健康成长。1987年6月9日，由当时设在团市委的广州市青少年教育办公室、广州市学生联合会和广州市教育局团委共同主办“心声”热线电话开通，并由这3个单位的负责人组成工作小组。“心声”热线电话的号码是330564，是取其谐音“心中情你尽诉”。它的服务宗旨是：倾听您的声音，了解您的心意，沟通您的心灵。活动的初衷就是要在学校和共青团组织的常规性教育外，开辟新的教育平台；就是要在传统的教育方式方法外，探讨更多的与中学生平等对话，心灵沟通的教育途径，为中学生的健康成长服务。“心声”热线电话的咨询员队伍，以市属中学共青团专职干部为主，每天利用午休时间开展咨询服务。为了拉近与学生的距离，所有咨询员在接听电话时都隐去真名，另起简单易记的代名，并以“哥哥”“姐姐”自称。“心声”热线电话的服务时间，初期是每星期的周二、周三、周五的中午12:30至下午2:30，后来增加到每星期一至六的中午，咨询员从初期的16人扩展到30人。

为了更好地宣传“心声”热线电话，1988年5月在“心声”热线电话开办1周年之际，团市委策划了“名人心声热线电话周”活动，请了《羊城晚报》资深评论员微音、广州白云山制药厂厂长贝兆汉、广州著名演员张悦楷等社会知名人士与咨询员一起接听电话。为了满足不少中学生希望与接线员见面的要求，“心声”热线还举办了与中学生同乐大型现场咨询活动，例如在麓湖聚芳园举办的一周年庆祝活动，在文化公园举办的两周年庆祝活动等。每次都有大批中学生到场。

“心声”热线电话开通后，受到了广大中学生的欢迎。据第一年的统计，从6月至12月的7个月共160多小时中，已接听了630多个电话。学生在电话中提出的问题，包括交友、与异性交往、学业和就业、师生关系、家庭关系、青春期生理卫生等。“心声”热线电话的影响力还辐射到其他城市，有来自西安、武汉、黑龙江、江门、中山、东莞、佛山、汕头等地的长途电话。此后，接线员把部分学生在来电中提出的问题整理成专辑，作为内部资料提供给有关部门，为改革开放新时期有针对性地开展中学生思想教育工作提供了第一手材料。

随着“心声”热线社会知名度的提高，其组织工作也日趋完善。1988年，制订了《广州市中学生“心声”热线电话咨询工作大纲》，进一步明确了“心声”热线电话的宗旨、工作方式和内容，咨询员的条件和岗位责任。还制订了《咨询员工作手则》《电话接听工作规程》等规章制度。成为了有完善的组织机构、明确的服务宗旨、基本固定的服务人员的义务服务团体。

“心声”热线的开通也引起了家长、学校以及社会各界的反响和关注。《人民日报》、中央电视台、中央人民广播电台、《南方日报》、广东电视台、《羊城晚报》、广州电视台、《广州日报》以及《香港文汇报》、《澳门日报》、美联社（驻香港记者）等境内外各大新闻媒体，分别从不同的角度作了采访和报道。在开办的第一年，被列为1987年广州市“精神文明建设十件大事”的20个候选项目之一，获提名奖。第二年，又在由省电台和团省委联合主办的评选活动中被评为1987年“全省最受公众关注的十大青年事件”之一。中学生“心声”热线创办，成为我国最早的

1987年6月开通的“中学生心声热线”电话，图为工作人员正在解答问题

专业化的志愿服务热线，创建了中国第一支专业青少年教育志愿服务队伍，标志着带有时代特点的“学雷锋、做好事”向现代志愿服务模式转型的开始。

2. 开展“微笑的广州”活动，将志愿服务与社会道德文明建设相结合。20世纪80年代，团中央提出在全国青少年中开展“五讲、四美、三热爱”活动，团中共广州市委积极响应，开展了一系列主题活动。适逢1987年11月第六届全国运动会在广州召开，团市委的团干们一直在思考怎样把全运会的宣传工作与“五讲、四美、三热爱”活动有机结合起来。时任团市委书记朱小丹提出：团中央开展“五讲、四美、三热爱”活动的指导思想，是希望把对青年进行共产主义理想教育的理论变成实际的行动。而那时候的宣传工作往往是空泛的，应该开展一系列具体、好操作、能够带动起广大青年的活动，这样才能更进一步地搞活“五讲、四美、三热爱”活动。随后，朱小丹又提出可以借助六运会的契机，在广大青年中开展“微笑的广州”活动，以一张张微笑的脸庞迎接四方宾朋，让全国各地的运动员、宾客感受到广州人的友善好客。[①]1987年元旦，共青团中共广州市委员会、少先队广州市工作委员会发起了“微笑的广州”活动，全称是“微笑在广州青少年建设精神文明系列活动”，内容包括宣传职业道德，坚持优质服务，推广“友爱”活动，热心造福社会，开展便民服务，丰富文化生活，倡导移风易俗。两个可爱的卡通人物——“微微”和“笑笑”出现在羊城的大街小巷，发出“微笑”的善意邀请。举办服务竞赛、“微笑大使”评选、“微笑行动周”青年岗组规范服务大赛，在个体户中倡导“微笑服务一条街”“微笑的广州”活动贯穿了整个1987年，100万青少年积极参与。“微笑在广州”活动逐步让组织者和市民认识到，志愿服务是将“微笑在广州”具体化、常态化，并进而发动群众、共同参与及推动社会主义道德文明建设的有效载体。

3. 以六运会为契机，为大型运动会提供志愿服务。为迎接将于1987年11月20日至12月5日在广东省举行的第六届全运会。中共广州市委提出“树立社会新风，优质服务迎全运”的口号，团市委开展“微笑在广州”等青少年精神文明建设系列活动，在羊城形成兴文明之风、做文明之人的社会舆论。为六运会而成立的广州青少年六运服务总队，虽然没有明确使用志愿者服务的称呼，但在六运会上为运动员、观众、记者提供了热情周到的义务服务，受到广泛的好评。广大青少年的义务服务感动了运动员和市民，展现了祖国南大门的文明形象。在六运会上，李鹏、万里、李铁映、薄一波等国家领导人均对广东的组织工作作出高度评价。

4. 学习借鉴港澳地区“义工”经验，成立广州共青团义工服务总队。1992年3月，第三届全国残疾人运动会将在广州举行，这是广州第一次承办残疾人运动会。残疾人运动会对志愿服务工作有特殊的要求，团中共广州市委承担了这次残运会志愿服务的组织协调工作，学习借鉴港澳地区“义工”组织的成功经验和做法，在全市各级团组织中采取组织推荐和自愿报名相结合的方法，招募了250名团员青年组成广州共青团义工服务总队，由团市委副书记刘日知担任总队长。在活动期间，广州共青团义工

① 孟霞：《踏着青春的脚步——回忆20世纪80年代团市委的工作》，载《亲历改革开放3：广州改革开放口述史》，广州出版社2015年版，第167页。

服务总队的16支义工分队250名共青团员投入到赛会服务工作之中。在华泰宾馆、天河宾馆等赛会接待宾馆，在机场、火车站，在残运会比赛场馆，活跃着统一佩戴印有“爱心满羊城”和“团徽闪耀五羊城”绶带的义工队员。他们挥洒汗水，为参加这次运动会的残疾人运动员提供生活服务、信息传递、秩序维护、观众组织以及搬运器材等义务工作。这次大型活动上，组织者采用了招募形式组建了共青团义工服务总队，中央及地方媒体给予了广泛报道和积极的评价，亦得到了全国残联主席邓朴方的充分肯定。广州共青团义工服务总队成为内地大型体育赛事志愿服务的雏形，为后来的大型体育赛事，特别是为1994年北京“远东及南太平洋残疾人运动会”的组织提供了工作的思路和案例。广州共青团义工服务总队不仅在中国残疾人体育史上书写了浓墨重彩的一笔，而且书写了“爱心满花城”的志愿服务精神，有力地推动了广州市精神文明建设。

这一时期各地服务活动以“学雷锋活动”为主要形式，广州市的志愿服务探索富有灵活性、创新性。各种大型服务以“学雷锋集市”的名称出现，开始突破纯单位组织参加这一模式，吸收以家庭成员为单位或自发组成的小组等社会力量参与活动，参与活动的群体开始多样化。特别是在第三届残疾人运动会上，主办方采用了招募的形式，通过社会招募寻找与志愿服务项目要求匹配的义工。志愿服务工作的理念也不仅仅停留在一般性的做好人好事，奉献一份爱心上，而是将奉献一份爱心与分担社会工作责任相结合。团市委与香港义务工作者交流，学习其承担公共事务的经验，为志愿服务开阔了视野，也为中国青年志愿服务的探索创造了有益的经验。此外，大型体育赛事志愿服务能很好地宣传志愿服务工作理念，树立起志愿者的良好精神风貌，使得越来越多的市民开始认识、接受并参与其中，乐在其中，为志愿服务的后续发展铺垫了良好的社会基础。

三、发展阶段（1995—2000年）

1994年12月5日，在团中央指导下，中国青年志愿者协会成立，并自上而下推动青年志愿者组织的建立，标志着青年志愿服务工作迈开社会化、规范化、事业化发展的步伐。1995年6月6日，广州青年志愿者协会成立，成为广东省第一个市级青年志愿者协会。随着协会活动的发展，广州民间志愿者力量逐渐成长，也逐步树立了以项目为创立品牌的发展理念，志愿服务内容也紧密围绕社会需求，关注环保、青年成长、应急救灾、安全守护等各个领域。

1. 在志愿者队伍培育上，尝试机关单位和民间力量相结合。广州青年志愿者协会成立后，不断健全志愿服务项目运行机制，主要包括领导协调机制、资金筹措机制、项目招募机制、培训机制、项目管理机制、参与机制、培养机制、项目评选机制等八大机制。该协会针对当时的志愿服务的弊端和困难，在调查研究的基础上，着重开展了加强规范管理的工作，积极探索促进志愿服务事业良性循环的机制，为大型的活动的志愿者招募、培训、管理、调配等提供指导。[①]在培育志愿者队伍时，广州采取有别于内地的组织动员模式，除了发动机团单位参与外，还特别以“挂靠”形式，吸纳民间人士成立组织参与。广州青年志愿者协会成立后，以“挂靠”方式组建了“启智服务总队”“松柏服务总队”“手拉手服务总队”“助残服务总队”“医疗服务总队” 共五支直属总队。这5支具有“民间发起”“挂靠群团”“自主发展”“统筹引导”等典型特征志愿服务总队，保持着旺盛的生命力，不断发展壮大，受到社会的广泛关注，成为广州市志愿事业的亮丽品牌。

2. 结合青少年需求，开展“真情在广州”系列活动。1997年，广州团市委组织开展“真情在广州”系列活动，活动包括实施青少年社区志愿者服务工程、青年文明号工程、金雁计划、金穗计划、大中学生社区援助工程、手拉手计划、扶孤助学工程、金不换工程、青年人才工程、雏鹰齐飞计划等10项工程，其中，青少年社区志愿者服务工程、金雁计划、大中学生社区援助工程、扶孤助学工程、金不换工程、青年人才工程等6项工程主要是在青少年社会服务体系中对推动志愿服务做了一些探索。这期间，团市委推动建立了广州市青少年发展基金会等14家服务机构及广州青年志愿者社区服务总队等8家服务队伍。依托这些服务机构和服务队伍，

① 李自根：《志愿服务二十年》，广州出版社2007年版，第138页。

初步建立起具有广州特色的青少年社会服务体系，促进青年工作与社会公益事业的有机结合，为日后广州青少年社会服务公益体系的不断发展打下了坚实的基础。

3. 贴近民生需求，开展“护花行动”。广州是“花城”，每年春节前后，会张灯结彩摆花街，市民素有买花、摆花、逛花市的习惯。然而，春节过后，室外常常会堆积待清理的年桔年花、废弃花盆，给城市的清洁卫生、环境保护造成一定的压力。根据这种实际情况，从2001年起，每年的农历大年初一，团市委、广州青年志愿者协会联合发起广州青年志愿者“护花行动”，配合各区花市指挥部的工作，组织青年志愿者在花市开展导游导购、维护秩序、派发宣传单张等志愿服务，劝阻花农不要打烂销售不出去的花盆，不要随意遗弃剩余的花草，而是整理后捐献到福利机构、贫困家庭。过节后，还组织志愿者将市民扔弃的年花进行分类处理，收集花农捐赠出来的花卉，送往老人院、福利院，在社会福利机构营造温馨、祥和的节日氛围。这一全国首创的“护花行动”受到群众支持，连续开展10余年，每年平均回收3万多盆花卉，减少5万吨垃圾。活动也扭转了市民的观念，自觉提高了回收节后花草的积极性，为建设节约型社会提供了范本。

4. 在重点领域，开展安全保障服务。到20世纪90年代中期，为了让志愿服务深入人心，为大众所接受，团市委策划了“情暖珠江——失窃单车回家”活动。团市委积极协调中共广州市委、广州市公安局，调动各方力量，组织5000余名青年志愿者利用业余时间寻找、查对、返还和清洗失窃自行车。两个月时间里，共找回失窃单车5万多辆，查到失主2万多人，将8000多辆失窃单车送还到失主手中，赢得了广大市民的赞誉。该项活动在1996年广东省青年志愿者行动表彰大会上获“特别奖”。1996—1997年，5万多人次青年志愿者参与广州整治“脏”“乱”活动。1998年，组织300多名具有医护专业知识的青年志愿者奔赴长江抗洪抢险第一线，并为灾区群众送去26万元募捐款。

5. 服务中心工作，开展广交会志愿服务。广交会每年春秋两季在广州举办，是中国规模最大、到会客商最多的综合性国际贸易盛会，需要大量的工作人员。为缓解广交会期间工作人员人手紧张状况，在20世纪90年代，在团市委等组织的协调下，广州青年志愿者协会组织志愿者服务广交会，配合展会工作人员，在展会各个出口，负责交易会场馆道路指引、秩序维持工作等。志愿者的队伍随着广交会的规模扩大而扩大，服务的内容也随之增加，外语志愿者成为一道风景线。

这个时期服务内容多样化，志愿者活动的范围和空间从党政的任务延展到市民社会生活的各个方面，市民可以根据自己的专长有选择性地参加志愿服务活动。在大型活动特别是体育赛事中，志愿服务工作的不可或缺性也受到主办方的重视，成为组织框架中的一部分。除了传统的志愿服务类型，在突发事件中服务，如广州青年志愿者参加抗洪抢险等活动，展示了广州青年志愿者的良好形象。这一时期，广州青年志愿者协会完善组织体系，开始根据服务对象有针对性地对志愿者进行服务技能培训。

四、规范阶段（2001—2006年）

联合国将2001年确定为"国际志愿者年"，中国也成立以时任中共中央政治局候补委员、国务委员吴仪为主席的"中国2001国际志愿者年委员会"，为中国2001国际志愿者年相关工作的规划、指导和协调机构，协调和指导全国各级、各类志愿者组织开展工作，加强国际交流，全面推进中国志愿服务事业的发展。[①]广州市志愿服务的发展，不仅引起国内及各省市的重视，而且引起国际组织的关注。联合国志愿人员组织委托编写的第一本《志愿精神在中国》专门分析和介绍广州的情况，其中提到："通过广州市各级共青团组织的积极推动和共同努力，青年志愿者活动有了一个良好的开端，从青年的参与、社会的发动及其产生的社会影响方面，都呈现出良好的发展趋势，在中国大陆地区起到了一定的示范作用。"

1. 重大赛会及应急救援志愿服务使志愿者精神逐渐深入人心。2001年，广州举办第九届全国运动会，广州市青年志愿者协会组织5.4万名志愿者，在36个宾馆、32个场馆及近100个旅游商业网点建立309个志愿者服

① 李小鲁：《志愿服务之城——广州志愿服务实践创新研究》，广东教育出版社2014年版，第40页。

务站，为2万多名运动员、来宾及有关部门提供服务。[①]志愿者分工较细，建立了共青团综治队、交通辅警队、宾馆服务队、导游导购队、环境整治队、部门服务队、文明啦啦队、志愿讲解员等队伍，以“微笑迎嘉宾，真情献九运”为主题，为九运会提供周到、细致的服务。志愿者以饱满的热情，大力弘扬“奉献、友爱、互助、进步”的志愿者精神，创造了良好的社会效益和声誉。当时志愿服务的“青蛙装”也成了赛会一道靓丽的风景线。从2001年开始，九运会、留交会、博览会、国际体育赛事等国际及国内重大赛事上，超过10万名广州青年志愿者为赛事提供了优质服务。2003年抗击“非典”期间，广州团市委、广州青年志愿者协会在全市发起“关心、爱心、信心”行动，围绕抗击“非典”开展预防宣传、清洁卫生、防毒消毒等活动，活动入选全国精神文明创建工作案例。2006年广东北部遭遇洪灾，团市委组织大批志愿者前往提供医疗、卫生、建设等方面的服务。在“非典”、洪灾面前，志愿者临危不乱，乐于奉献的精神，有效激发了市民同心协力共同面对灾难的勇气，同时也加深了志愿者在市民心中的认可度。

2. 建立志愿者注册机制开启志愿服务管理规范化进程。2003年，经广州市编办批准，广州市青年志愿者行动指导中心成立，负责本地区青年志愿者行动的规划、组织、协调、指导、考核工作。2003年以来，结合广州创建全国文明城市的契机，广州全面推进青年志愿者注册登记工作，大力推动志愿服务工作的规范化发展。同时，广州青年志愿者协会又通过社会化运作模式，研发了一套志愿者注册登记电子管理系统，开通了志愿者登记管理的专门网站，为志愿者网上注册、信息反馈、活动交流等提供平台，同时在全市全面铺开志愿者电子注册登记工作。注册成功的志愿者将获得“广州青年志愿者卡”，志愿者可凭卡完成年度注册、信息查询、志愿者服务记载等，彻底弥补了过往青年志愿者信息交互方式落后的缺陷，基本实现广州市青年志愿者信息的电子化管理。这是对志愿者劳动的承认和肯定，有利于提高志愿者的积极性；对整个社会也具有积极的示范、榜

① 李自根：《志愿服务二十年》，广州出版社2007年版，第104页。

样作用，公众看到的不再是“无数的”无名氏、好心人，而是看得见、摸得着、有名有姓的普通人。

3. 服务领域不断拓宽，服务水平不断提升。春运期间，广州青年志愿者“青春暖流”温馨服务在广州火车站启动，“青春暖流”春运志愿者分批在广州火车站、火车东站、省市汽车站等全市13个主要交通站场，为各位求助的旅客提供乘搭市内交通或火车班次的方向指引、车票咨询、扶老携幼、帮提行李等帮助，方便务工人员顺利平安返乡过年，欢度春节。中秋节前，广州青年志愿者协会组织全市超过1万名的青年志愿者通过组成小分队挨门别户、集体探访等方式将所收到的捐赠月饼、小灯笼送到社区孤寡困难人士、老人院的老人、福利院的小朋友、少管所的青少年、救助站的流浪儿童等“最有需要的人”手中。2002年，针对广州采石场环境破坏较严重的问题，共青团中共广州市委员会、广州青年志愿者协会等单位联合向全社会发出倡议——“让采石场秃山全部复绿”，并组织上万青年志愿者到广州各采石场开展“广州市石场复绿青少年志愿者行动”，以“抚平20世纪广州留给大自然的伤痕”的活动。同年，在广州成人宣誓日当天开展的“整治珠江——青年志愿者环保行动”，数千名宣誓步入成年人行列的18岁青年集体参与打捞珠江垃圾、回收废旧电池、清除非法张贴物、街头环保宣传等内容丰富、形式多样的环保志愿服务活动。

2001年春运期间，志愿者为旅客开展问询服务活动

这一阶段，广州青年志愿者队伍不断壮大，服务领域不断拓宽，活动不断规范。在大型活动志愿服务方面，数10万青年志愿者为九运会、留交会、博览会、国际体育赛事等提供了优质服务，树立了广州青年的良好形象。同时，成立广州市青年志愿者行动指导中心，着力推动建立志愿者注册制度，志愿者管理机制逐步完善，初步建立了具有广州特色的志愿服务工作体系。

五、提升阶段（2007—2010年）

2006年11月26日，第十六届亚运会组委会在广州中山纪念堂举行2010年亚运会会徽发布仪式。亚运会的日益临近，让广州经历一次志愿服务的考验。2007年，被团市委定为“志愿服务年”。为更好承接第十六届亚运会志愿者组织工作，团市委希望用3年的时间推动志愿服务事业的整体提升。同时，广州首次踏上创建全国文明城市的征程，也对志愿服务的开展提出了更高的要求。这些都促进了广州志愿服务工作的发展。

1. 成立广州市发展志愿服务事业指导委员会，有效整合力量。2008年7月3日，由全市29个成员单位组成的广州市发展志愿服务事业指导委员会成立，统筹、协调、指导全市志愿服务工作，办公室设在市文明办、团市委，成立市级、各区（市）志愿者行动指导中心和广州志愿者协会，负责具体组织实施有关发展志愿服务事业的决策部署。同时，充分发挥各级民政部门、共青团、妇联等部门的作用，倡导社会各界积极参与，各职能单位密切配合，形成市、区（县级市）、街（镇）、社区（村）四级协同联动，广州青年志愿者协会、妇女志愿者协会、红十字会等各类志愿服务团体、志愿服务组织参与实施，各展所长、各负其责的志愿服务工作格局。2008年11月，广州市志愿者行动指导中心成立，主要任务是负责广州志愿者行动重大项目的策划、组织和实施，开展志愿者组织的交流活动。中心的成立，推动广州志愿服务向事业性发展方向再进一步。2009年3月5日，《广州市志愿服务条例》颁布，明确要求市、区（县级市）人民政府将志愿服务事业纳入国民经济和社会发展规划，强化了志愿服务的体制保障。2009年12月18日，广州市羊城志愿服务基金会成立，财政每年拨付一定资金用于支持广州志愿服务项目运作。2010年10月8日，全国首家由政府主导兴办的志愿者学校——广州志愿者学院，在广州市团校复办30周年校庆之际正式挂牌成立，成为一所培养各类志愿者骨干、规范志愿者培训行业的专业机构。

2. 亚运会成功举办激发市民参与志愿服务热情。2009年4月21日，亚运会志愿者招募工作启动。广州亚组委向社会发布招募公告，公开招募6万亚运会赛会志愿者、3万亚残运会赛会志愿者、50万城市志愿者服务盛会。截至2009年6月1日，仅亚运会城市志愿者报名就超过10万人。赛会期间，全市6万名亚运会志愿者，2.5万名亚残运会赛会志愿者，50万名亚运城市志愿者，80多万名社会治安志愿者，2200多支城市文明志愿服务队伍，活跃在102个亚运场馆（团队）、600个亚运城市志愿服务站、7912个专项岗位和城市的各个角落，不辞辛劳、全情投入，累积服务时数1.28亿小时。[①] 这个阶段，广州围绕迎亚运，先后推出了“大拇指行动”“亚运志愿信使”“乐羊羊迎亚运”“传说亚洲”“传说广州”“金雁服务”“唱响云山”等志愿服务，市民们热情参与。中共中央政治局委员、广东省委书记汪洋称赞亚运志愿者“代表了广东的形象、中国的形象，成为赶超羊城八景的靓丽风景线”。

2010年，广州亚运志愿者在上岗誓师大会上合影

① 梁雄文、吴俊：《广州志愿服务的发展进程》《广州志愿服务发展报告（2014）》，社会科学文献出版社。

3. 广州创建全国文明城市志愿服务推动城市文明新风尚。同一阶段，广州创建全国文明城市工作也如火如荼进行着。从2009年起，全市各级团组织、志愿者组织积极响应市委、市政府号召，开展了“大拇指行动”，响亮地提出了“文明礼让，你很棒”的口号，在市民群众中引起了热潮。据团市委统计，仅2009年至2010年期间，参与“大拇指行动”行动志愿者达到32.2万人次，市民参与超过100万人次。[①]志愿者走进社区开展垃圾分类宣传、街面清洗、垃圾捡拾、牛皮癣清除、流动摊贩文明劝导、文明创建宣讲以及在22个窗口行业开展微笑行动，为广州创文工作凝聚了巨大的社会力量。

4. “志愿服务年”的设立孕育了广州独特的志愿服务文化。2007年以来，广州青年志愿者协会先后推出钟南山、丁磊等形象大使，面向全社会提出了“我志愿、我健康，我志愿、我成长，我志愿、我美丽，我志愿、我快乐，我志愿、我成就”等志愿服务理念口号，设计了广州志愿者虚拟代言人——卡通人物“扬扬”。同时，还开展志愿者系列歌曲、宣传口号征集等主题活动，推出并在全市范围内广泛传唱志愿者歌曲《一起走》，同时依托媒体力量对志愿服务进行宣传，全面推广志愿服务精神和志愿文化。同年，广州开始实施新入会志愿者宣誓活动，致力倡导“参与就是成功”的志愿服务态度，使志愿者对志愿服务的认同进一步增强，使市民能够进一步体验志愿服务的文化魅力。

这一阶段，广州以举办亚运会、创建全国文明城市为契机，围绕实现“从以青年志愿者为主转变为广大市民积极参与志愿服务、从服务于临时性活动志愿服务转变为长期性志愿服务、从松散型志愿服务转变为有严密组织性和纪律性志愿服务”的“三个转变”，着力加强志愿服务组织、项目、机制、文化建设。志愿服务成为了广州城市名片，广州志愿服务的城市精神逐步建立，整个城市志愿服务也有了整体提升。

（作者单位：共青团中共广州市委）

① 李小鲁：《志愿服务之城——广州志愿服务实践创新研究》，广东教育出版社2014年版，第45页。

报警服务台的开通与平安广州建设

■ 曹红斌

1986年1月10日，广州市公安局在全国率先开通110电话报警服务台。30多年来，110电话报警服务台从单一的信息传递平台逐步发展成为综合性战斗实体平台，并带动警务工作的改革创新，为平安广州建设增光添彩，成为广州公安乃至广州市的一张亮丽名片。

一、广州110电话报警服务台建立背景

设立110电话报警台是根据改革开放后广州公安工作面临新情况、新问题的实际，为掌握工作主动权而采取的加强和改革公安工作的举措之一。

（一）公安科技发展和应用理念增强，公安装备得到改善，设立110电话报警服务台有一定基础

1977年12月，第17次全国公安工作会议提出“向公安科学技术现代化进军”的口号，要求各地公安机关加强对科学技术工作的领导和管理，并结合本地实际开展科研工作。1980年4月，公安部在北京召开全国公安通讯工作会议，部署在全国各级公安机关建立公安有线专用通讯网的工作，拉开了各级公安机关进行通讯现代化建设的序幕，也推进了广州公安通讯机构和业务的建立和发展。1980年10月，经公安部和省、市委批准，广州市公安局进口了200多台无线电台，装备治安、交通等业务部门。1981年3月，因通讯业务繁忙，专门增设了通讯机构。1984年10月，成立了科学技

术处，加强包括通信在内的公安科学技术工作的组织管理。1985年，公安部将广州、上海、天津、武汉等四大城市作为公安通讯建设重点城市，在政策和专项设备，特别是进口通讯设备方面给予政策倾斜。广州市公安局以此为契机，扩建电话总机，增设1200门纵横制交换机。1985年，市公安局在给公安部、广东省公安厅和市委、市政府的专题调研报告《广州市对外开放及经济体制改革后公安工作遇到的新问题和采取的对策与措施》中提出“建立通讯联络网。在原有通讯设备的基础上，争取在1985年内增添一批无线电机台，基本上解决全市（含八县）公安基层单位使用无线电讯的需要。同时，筹建市区内的公安专线通讯网”①。这些理念和举措为110电话报警服务台的设立奠定了组织和物质基础。

（二）广州公安工作面临治安形势新压力，主动改革应变，势在必行

广州市毗邻港澳，是祖国的南大门，也是华南地区重要的交通枢纽和政治、经济、文化中心。随着对外开放、对内搞活经济政策的实行，广州地区经济活跃，市场繁荣，外事活动频繁，流动人口激增，人财物大量流动，社会治安情况日益复杂，刑事犯罪活动出现了一些新特点。犯罪分子越来越多地利用现代化技术和工具作案、流窜作案，对广州的社会治安构成严重威胁，也给公安保卫工作提出新课题。公安机关要适应迅速发展的新形势，加强同刑事犯罪作斗争，及时处理各种事故，就必须充分运用各种现代化技术手段，使自己耳聪目明，以快制快，开办电话报警服务就是一个重要手段。建立电话报警台，可以完善广州市公安机关的通讯指挥和联络系统，及时收集和反馈各种社会治安信息，增强反应能力，争取时间，掌握主动权。中华人民共和国成立以后，市公安局曾设立过“00”盗警电话，起过一定作用。但由于电信局线路陈旧，故障较多，经常出现串线、错号、断线等问题，加上电话单机线路接听缓慢，没有设立专门机

① 广州市公安局：《广州市对外开放及经济体制改革后公安工作遇到的新问题和采取的对策与措施》，广州市公安档案馆档案，1985年永久卷61号。

构及专人值班接听等原因，盗警电话已停止使用多年[①]。广州市公安局在20世纪80年代初期已经认识到开办电话报警服务台的必要性。在有关单位进行大量的调查研究和可行性分析的基础上，市公安局党委多次召开会议进行专门研究，并指定市公安局科技处负责此项工作，并明确规定了报警台工作的指导思想是“适应形势，促进改革，面向群众，面向社会，沟通社会与公安保卫工作、群众与警察的联系，形成一个信息汇集、反馈处理系统和指挥中心，以加强对社会面的控制，为市民提供多种多样的安全服务”[②]。设计思路是“进一步完善我局通讯指挥系统，市民报警是其中一个内容，作为信息传递和提供线索的重要手段之一，所以决定恢复110报警台并使该系统具有多种功能：市内电话、公安警备电话、专线电话、无线电台转接和录音”[③]。

二、广州110电话报警服务台开通过程

（一）开通前的准备

广州110电话报警服务台在1985年进行安装调试，同步启动软件、硬件上的准备工作。

1．人员培训。主要是培训接线员。报警工作不仅牵涉到公安系统的刑事侦查、治安管理、内部保卫、消防和交通管理等部门，还牵涉公安系统以外的许多单位。在硬件安装调试的同时，1985年10月起开始收集积累全市各大医院、抢修拯救部门、交通运输、航运航空部门的地址、电话等资料。与此同时对报警台工作人员进行了如何接报、处理各类报警事项的全面培训，使他们能熟练掌握报警系统的机器性能和操作要领，初步掌握接报警的处理程序和原则，熟悉全市各主要街道、交通路口、繁华地段、城乡结合部以及各区管辖辖区、各重点保护单位、公共娱乐场所、全市8

① 广州市公安局：《广州市对外开放及经济体制改革后公安工作遇到的新问题和采取的对策与措施》，广州市公安档案馆档案，1985年永久卷61号。

② 同①。

③ 广州市公安局科学技术处：《关于110报警台启用的报告》，广州市公安档案馆档案，1985年长期199号。

个区公安分局、200多个派出所的所在位置，20多个维修、抢救、拯救、监理部门的职责、工作范围等。“对报警事项做到‘八知’（知报警人姓名、单位或住址、所使用的电话号码、报警的原因、时间、地点、过程和结果）。实行交接班制，对报警事项要尽可能做到事事有着落，件件有回音；当班处理不了的事要详细向下一班交代，对实在无法处理的事情要注明原因。经过三个多月的培训，报警台工作人员操作熟练，业务熟练，接到报警后能迅速做出反应，按规定做出处理，而且尽职尽责，工作效率比较高，差错较少”①。

2. 定制个性化设备。110报警台的设备原是江苏省镇江市有线电厂生产的报警电话汇接台。它可分清哪个电话响，并且具有有线复接到基层战斗单位、接录音机等功能。当时造价每台约1万元。

由于广州市电话报警台系统设计需求复杂，因此，广州市公安局专门派技术人员到江苏省镇江有线电厂协调改进。这套电话报警系统在江苏镇江有线电厂、镇江东方电子装备厂的大力协助和广州市电信局的支持下，经过一年多的设计和试验切割，于1985年12月底基本就绪。它采用可复接形式的台面电话集中处理汇接终端机结构，将以前的单线电话机改为24路电话线路汇集系统，改变了以往用多个电话单机受理时的杂乱局面，平时可由一个同时受理多路电话报警。小巧灵活并可多台复接，方便设置在不同的地点。既可互不干扰地工作，又可互相监视受理情况，减少了重接和漏接事故，提高了工作效率，也减少了平时值班人员数。

3. 运行机制的内外协调。关于调动警力的职责问题：“由局领导召开处、分局长会议宣布或由办公室发通知各单位配合做好接报警。”②关于请求市其他部门出面处理的问题：“凡事情紧急，涉及面不广，动员力量不多的，则由总台以市局总值班室名义直接与有关部门联系派员处理；凡属涉及面比较大，动员力量比较多的，先请示值班局长决定后，由总值班室出面与有关方面联系。为便于取得各有关部门的支持，需请市政府办

① 广州市公安局科学技术处：《关于110报警台启用的报告》，广州市公安档案馆档案，1985年长期199号。

② 广州市公安局：《关于110报警台启用的报告》，广州市公安档案馆档案，1985年长期199号。

110报警服务台荣获“改革开放30周年广东省公安系统荣誉集体”称号

公厅出面，召集供水、供电、卫生、环卫、城建、航运、交运、民政、园林、三防指挥部、防委和各区府办公室等单位，开一次联席会议，商定有关救灾抢险的联系制度。”[①]关于请新闻媒体向群众宣传的问题：“请报社、电台、电视台等新闻单位发消息，向群众宣传110报警电话的使用方法和注意事项，使群众懂得如何使用和配合做好此项工作。”[②]

（二）110电话报警服务台正式开通

1985年12月20日，广州市公安局科学技术处正式向广州市公安局局长提交报告：“我局110报警台的建设，经各方努力，设备运行基本正常，电信局的线路虽然仍有错号现象，但可以投入使用。值班人员已作了专业培训，已掌握了机台的操作技术，初步懂得了如何接报警电话前往处理的知识。经过半个月的试用，已先后接报警5次，都分别通知有关部门前往现场处理或告知报警人到那个派出所直接报案等，效果较好。因此，我们建议在一九八六年一月一日向社会公布，正式启用”[③]。经过广州市公安

① 广州市公安局：《关于110报警台启用的报告》，广州市公安档案馆档案，1985年长期199号。
② 同①。
③ 同①。

局党委研究，1986年1月4日，市公安局以当年1号文印发《关于认真受理110电话报警的通知》：“市局决定从1月10日起，开通110电话报警服务台（以下简称110报警台）。110报警台的设立，是运用通信工具，加强同犯罪分子斗争和及时处理各种治安事件的重要手段；又是方便群众，为市民提供安全服务的重要措施。此项业务涉及面广，各级公安机关和全市干警，要共同努力，协同作战，紧密配合，认真受理110电话报警事项。110报警台设在市局办公大楼的指挥室内，由专人日夜值班，受理的报警业务，包括刑事、治安案件，治安事件，交通事故及其他治安灾害事故、水上遇难，以及市民遇险需公安机关帮助解决的问题等（火灾事故仍用119台）。”[①]同时对110电话报警服务台的职责、先期处理现场的任务、电话报警案件和事件的后期处理、统计方法等事项进行规范。该文同时抄报市人民政府、市委政法委和省公安厅，要求全局各单位在1月10日前传达到全体干警，遵照执行。

1986年1月10日零时广州110电话报警台正式运作。第一天就接到群众的报警电话24起。

1996年3月，经广东省人民政府社会经济发展研究中心初审，国务院发展研究中心市场经济研究所复审，“广州市公安局全国首家开通110电

1986年1月10日开通的110电话报警服务台

① 广州市公安局：《关于认真受理110电话报警的通知》，广州市公安档案馆档案，1986年长期99号。

话报警服务台”被正式确认，载入“中华之最”荣誉大典，并纳入“名城之光——广州之最”。

（三）宣传同步，扩大效应

广州110电话报警服务台从开通之日起就注意到：市民报警意识的增强与宣传工作的加强有很大关系。因此，从一开始就通过报刊、电视、广播、宣传橱窗等进行了大量的专题宣传报道，使110报警台家喻户晓。开通使用一段时间后，又抓住典型案例、事件广泛宣传。《羊城晚报》先后刊登了《热线卫士110》《遇难者的救星》《110报警须知》等文章；《广州日报》报道《积极为民排忧解难》；《南方日报》登载《110在行动》；香港《文汇报》刊登《110广州的报警电话》。广东电视台播放了市公安局专题节目《110真灵》。新华社两次发专稿并在《人民日报·海外版》登出。为使社会各界和广大市民更加理解和支持110电话报警服务工作，进一步增强“广州110”的品牌效应。广州市110报警服务台每年1月10日都组织110建台周年宣传活动。其中宣传工作力度最大、范围最广、效果最好的一次是2012年1月10日上午，110报警服务台联同广州市社会服务联合行动主要成员单位，举办以“服务为本、精益求精，你我的110”为主题的广州市社会服务联合行动暨110报警服务台爱民实践咨询日活动。通过微博、网络互动、走访宣传、电话咨询等方式向广大人民群众介绍广州110台的历史和工作情况以及日常生活中防盗、防抢、防骗等小常识，使群众了解哪些情况下可以拨打110求助，如何正确拨打110，如何用短信方式报警等知识。

通过不断宣传，扩大了110电话报警台在社会上的影响，电话报警数量逐步增加。“一个月来，110报警台共接到市民的报警电话282宗，其中刑事案件76宗，治安案件63宗，自然灾害事故3宗，交通事故和交通阻塞72宗，拾遗寻找失物16宗，其他52宗”。[①]“开通五个月来（至六月十日），共接到群众的报警电话1333起，其中刑事案件364起，治安案件243

① 广州市公安局：《我局110报警台一月来工作情况报告》，广州市公安档案馆档案，1986年长期99号。

起，治安、自然灾害事故22起，交通事故和交通堵塞225起，拾遗及寻找失物182起，寻人113起，其他184起”[①]。

开通一年，共接到报警电话2228起，其中刑事案件560起，治安案件和事故439起，交通事故和交通堵塞331起，拾遗及寻人寻物500起，其他398起。平均每天接报警6起，高峰期20起。

广州“110”，报警一一灵

妇婴保平安 多亏“110”

一一〇，急救星

报警服务台建立八年功劳显赫

幸亏及时报了110 煤气罐才没变炸弹

110报警台解决三宗放煤气自杀事件

110一拨通就灵 四劫匪三分钟落网

报纸刊登的有关110新闻报道

（四）全国示范作用

广州110电话报警台作为当时加速公安工作技术手段现代化的新鲜事物，很快引起全国各地公安机关以及公安部的高度关注。1986年5月，江苏省南京市公安局刑警大队专门致函广州市公安局了解报警台的设备制造及案件管辖等问题。1986年3月17日—26日，根据公安部领导的指示，公安部治安局副局长牟新生率工作组专程到广州蹲点，就110电话报警服务台的性能、作用和工作制度等，从技术、业务、应用效果等不同角度进行了实地调查。并约见了《羊城晚报》《致富之友》杂志社的记者，向他们了解社会各阶层对报警服务台的反映。公安部赴广州工作组与报警服务台的工作人员同食同住，了解真实的110电话报警台运作情况，边调查研究边提出改进意见。1987年4月16日，工作组专门向公安部提交了《关于广

① 广州市公安局：《我局110报警台开通使用一年来在快速处置案件、事故等方面作用显著》，广州市公安档案馆档案，1987年长期113号。

州市110 报警服务台的调查报告》。6月9日，公安部向全国各省、自治区、直辖市公安厅、局下发《关于大中城市公安局普遍建立110报警服务台的通知》，通知指出“当前公安机关面临的一个重要课题是，如何建立健全现代化的报警系统和指挥系统，以提高整体作战、快速反应的能力，更加及时有力地打击严重暴力犯罪和其他犯罪活动，有效地处置突发性的刑事案件、治安案件和灾害事故，保护国家和人民群众的利益。广州等市公安局的经验证明，建立110报警服务台，是一个有效的办法。各大中城市公安局都应当根据市区规模、人口密度、治安状况和实际可能，积极稳妥地采用这一办法”①。通知还附上公安部赴广州工作组的专题调研报告，正式向全国推广了广州110电话报警服务台的工作模式。此后，全国各地110电话报警服务台如雨后春笋般涌现。河南省郑州市公安局和陕西省西安市公安局纷纷来函了解110电话报警台的运作模式。1996年7月至8月，公安部、广东省公安厅分别在福建省漳州市、广东省佛山市召开“全国、全省公安机关110报警服务台建设”现场会，进一步推动了包括广州110报警服务台在内的全国各地110报警服务台的规范化建设。

新的110接处警大厅

三、110电话报警服务台在平安广州建设中的作用

广州110电话报警服务台开通后，报警方式从单一的电话报警转向短信、网络等立体方式报警，接报警处理方法从人工手段逐步迈向使用计算机等现代化工具，接报警后的警务运作机制不断优化、完善。

110报警服务台既拓宽了群众与公安机关的信息沟通渠道，也在及时处

① 广州市公安部：《关于大中城市公安局普遍建立110报警服务台的通知》，广州市公安档案馆档案，1987年长期1号卷。

置各种案件、事故，提升快速反应能力等，平安广州建设中日益发挥作用。

（一）警情引导，跨区域指挥调度，快速反应，合成作战，提高动态环境下的破案率和打击犯罪的效果

1. 提升快速反应能力。以快制快是适应社会治安动态化的必然选择。在未设110电话报警服务台之前，报警基本是靠“人”动（或亲自到公安机关或向路边民警报警等），警情处置存在局限性。110电话报警服务台开通后，受理的报警电话中，开始约半数属于刑事或治安案件、事故案件等。对这类报警，各公安业务部门接到报警台的通知后，都能按局规定，就近调动警力、巡逻警车赶赴现场做先期处理，突出一个“快”字。对刑事案件，快速反应能抓获来不及逃离现场或逃离不远的犯罪嫌疑人，也能更好地收集、固定证据，为后期侦查提供线索或依据。1986年4月20日上午，110电话报警台接到市政102施工队女值班员被杀的报警，案发地段虽属天河区公安分局管辖，但更靠近东山区。报警台本着就近处理的原则，通知东山公安分局赶赴现场，只花了半个小时就将嫌犯抓获。1986年11月3日下午，2名男青年持匕首和双管火药枪闯入广州宾馆604房，抢去许明等2人的人民币200多元及金链1条并将1名事主刺伤。报警台接报后，迅速通知附近公安人员赶赴现场，正碰上前来与许明接头倒卖黄金的3个嫌犯，从他们身上搜出人民币9万余元和1.9公斤黄金。经过侦察，将倒卖黄金案和抢劫案一起破获。“刑事破案约六成涉案人员在现行作案时被抓获，所破获的案件占破案总数的四成”。①

一些突出的治安案件，也由于迅速出动警力，事态的发展及时得到了制止。1986年1月15日晚，白云路草堂餐厅发生打群架事件，双方大打出手，座椅餐具横飞。当晚23时15分报警台接到报警后，立即通过无线电台通知附近巡逻的东山分局04号警车前往处理。警车在两分钟内赶到现场，当场抓获了斗殴肇事人员，制止了事态的发展。2002年2月20日10时许，110电话报警服务台接到群众举报，称有1辆蓝色东风大货车装载了大量的盗版

① 广州市公安局、广州市警察协会：《新时期城市警务的发展战略》，载《城市社会治安探索——广州公安优秀论文集》（1996—1997），第160页。

广州市公安局110报警服务台成立12周年暨爱民月咨询活动

VCD（激光压缩视盘），正由白云大道往黄石路方向行驶。接报后接警员立即通知白云区公安分局派员堵截。白云区公安分局巡警大队五中队快速反应，于10时51分在白云大道广州外语学院路段成功截获该车，并从车上查获57.4万张盗版VCD，其中淫秽VCD 13.5万张。为此，广州市"扫黄打非"办公室专门致函市公安局表示感谢，并建议对110报警服务台的杰出表现给予表彰。

广州市公安局科技处在给市局局长提交的《我局110报警台一个月来工作情况报告》中写道："从开通一个月来的工作情况看，其中属刑事、治安案件的报警有139宗，占总数46.8%。在处理这些案件时，由于启用了现代化的通讯工具，及时与有关业务单位取得联系，共同努力，紧密配合，赢得了时间，使案件能够及时、迅速、准确地得到先期处理，为案件的侦破和查实打下基础"。①

2. 提升合成作战能力。110电话报警台从技术角度看，具有各种通讯手段，具有指挥调度的先天条件。但是由于公安体制、机制原因，接到报警后，110电话报警台不可能当即派员现场处理，因此，从开通之日就确

① 广州市公安局科学技术处：《我局110报警台一个月来工作情况报告》，广州市公安档案馆档案，1986年长期99号。

立指挥调度、合成作战的理念。市公安局1986年1号文件《关于认真受理110电话报警的通知》第一条“110报警台的职责”就明确说明：“110报警台负责接听群众报警电话，弄清报警内容后，区别情况，立即用电台、电话通知有关处、分局或科、所队受理；如需要局外单位解决的问题，则另通知有关部门处理。各单位受理报警按如下原则执行……”[①]实战中，这种指挥调度、合成作战的效果显著。1986年2月7日晚上9时12分，广州市出租车公司女司机高××打电话报警：当晚9时在东山区新河浦附近她被2名持刀案犯抢去一辆红色皇冠牌出租车及人民币200多元、外汇券10多元、驾驶证等财物。报警台接到报警后，一面询问被抢车辆的特征、车号，并迅速通过无线总台告知各交通岗亭、路口注意查找、发现，一面详细询问事主被抢的经过，同时将情况报告局总值班室及辖区东山分局，而后按照局领导的指示，迅速通报刑侦、治安部门，各区、县公安机关及公路沿线有关单位，展开全市范围的查缉堵截，撒下了一张大网。在东山辖区内，民警在路上发现了该车，但未能截住，被其逃脱。及时堵截追捕，迫使案犯弃车而逃。至晚上10时15分，天河分局车陂派出所在广州油脂化工厂附近查找到被抢走的出租小汽车。随后，经东山分局侦察，抓获了案犯赵文佳、任剑雄，破获了4宗抢劫小汽车财物案。

1986年至2015年，广州110电话报警服务台共受理报警求助8200多万宗；指挥基层公安机关抓获违法犯罪嫌疑人21万名；截获、查获涉案机动车1.9万辆。

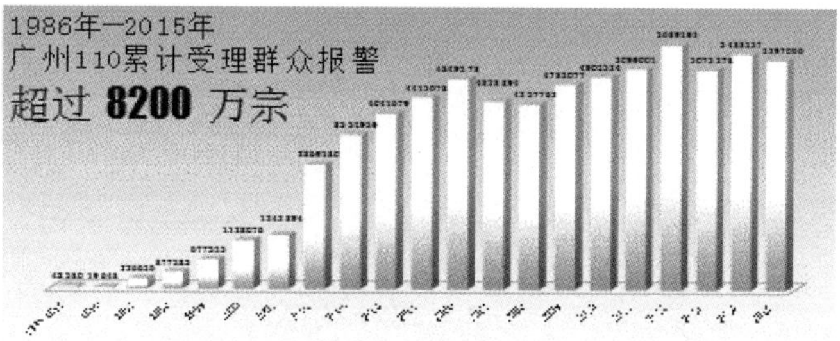

① 广州市公安局：《关于认真受理110电话报警的通知》，广州市公安档案馆档案，1986年长期99号。

（二）为民排忧解难，应急联动，及时处理各种突发事件

1. 为民排忧解难，构建和谐警民关系。据110电话报警服务台开通5个月的统计，要求公安机关帮助处理纠纷、寻人、寻物、问路、查询等的求助电话479起，占报警总数的35.9%。对这类报警，报警台工作人员热心为民，凡能办到的事情一定尽力去办，积极为群众排忧解难。1986年2月8日（农历年三十）晚8时，报警台接到香港同胞伍少标先生来电，称自己回穗探亲当晚乘一部红色出租小车时，不慎将装有身份证件、衣物的行李袋遗落在车上，请求帮助寻找。报警台工作人员急人所急，立即通过各种渠道帮助查找。经过一天一夜的努力，终于在2月9日（农历年初一）下午帮伍先生找到了失物。伍先生十分感动，在领取失物时，特向报警台赠送一面“热心为民、精神可嘉”的锦旗。由于报警台认真受理报警电话，各单位及时迅速处理好报警台转办的事情，因此群众十分满意，称其为“热线卫士”“遇险者的救星”，并说“110真灵”。[1]

2. 应急联动，扩大110电话报警服务台的辐射力。据110电话报警服

2006年1月10日，广州市公安局举行110报警服务台建立20周年宣传咨询活动

① 广州市公安局：《真情服务二十年 广州110》，广州出版社2005年版，第77页。

务台开通后最初的五个月的统计，有关自然灾害事故等的报警电话247起，占18.5%。对这些事故，报警台都能及时迅速通知有关单位处理，消除不安全因素。如1986年1月13日晚，北京路与大南路口的高压电箱发生爆炸，引起电线着火。报警台接报后，立即通过无线电台调动消防车、警车赶赴现场，控制火势，维护秩序。同时，电告市供电局线路急修班抢修，防止了火灾和伤亡事故的发生。

1998年8月，根据国务院关于开展社会服务联合行动工作的要求，广州市政府牵头组织协调20多个政府职能部门，正式启动以110报警服务台为龙头的应急联动网络。在对世界多个城市紧急救助中心进行考察的基础上，广州市公安局提出了“打破旧有格局，建设一个适应社会主义市场经济发展的110应急联动中心”的构想，于2001年4月完成项目立项编制工作。2002年4月完成总体方案设计工作。2003年4月，市发展计划委员会批准广州市110应急联动系统工程立项建设。2003年7月1日新的110接处警系统建成开通试运行。广州市110应急联动指挥系统重要指挥调度区域分为应急防控指挥区和日常防控区两大部分。应急防控指挥区，即城市应急联动决策指挥中心，建筑面积600平方米，主决策台和辅决策台共有68个席位，可供20多个应急联动单位同时使用。当城市发生重大灾害、灾难事件时，省、市领导和各有关部门领导可以立即进驻，进行统一决策，合成指挥。该区域还建有图像中心系统，实现与广州治安监控和路面监控点的互联互控，能动态实时显示固定监控图像、现场图像和卫星电视图像及重要现场的重要信息，做到与现场指挥员的可视对讲，实现移动指挥。日常防控区以110台日常接处警大厅为核心，设重大警情指挥室、综合处警区、总值班室等功能室。110台日常接处警大厅主要负责接听所有110、119、122报警求助电话。系统设计处于全国领先水平①。

（三）受理警务投诉，监察警务效能

110报警服务台设立之初，对警务监督只定位于“信息反馈”。1990年8

① 广州市公安局：《真情服务二十年 广州110》，广州出版社2005年版，第39页。

月，市公安局设立局长专线电话“3347347”，专门受理群众的投诉。1996年，省公安厅向全省推广佛山市公安局将警务投诉纳入110报警服务台工作范畴的做法后，2000年3月，市公安局局长专线电话移交110报警服务台。2000年全国公安厅局长会议提出，赋予110受理群众投诉公安机关和民警违法违纪问题的新职能。2000年2月16日，公安部向全国发出关于认真做好110报警电话服务台受理人民群众电话投诉工作通知，并明确110报警服务台受理投诉的范围、工作原则、工作职责、处理流程以及公安机关各业务部门协作配合要求等。全国统一启动的时间是2000年3月1日。2000年3月8日，市公安局指挥、监察、督查等部门会签，向全局下发《关于认真做好110报警电话服务台受理人民群众电话投诉工作的通知》。2005年5月19日，广州市公安局向全局下发110报警服务台受理群众警务投诉工作规范的试行通知，规定了“受理范围、接受电话投诉、如实填写登记表” 等5项工作职责、4项受理程序和10条投诉情景的处置办法①。

（四）发动群众有奖举报，齐灭罪案

为激发广大群众参与维护社会治安的积极性，2003年12月，经过长时间酝酿和相应准备，广州市公安局向市政府提出《关于施行广州市公安局举报违法犯罪奖励试行办法的报告》（以下简称《报告》）。报告事先征求了市财政局、市法制局的意见，得到了支持和认可，原计划在2004年年初向社会公布实施。2006年4月，经批准，市公安局向社会推出“齐心灭罪案，有奖举报”有奖举报违法犯罪措施。有奖举报依托110报警服务台设立。为进一步明确线索层级查办、线索反馈和责任督办机制，市公安局还制订了《举报违法犯罪案件奖励发放标准》等一系列规范性文件。奖励实行首报奖励和一案一奖制度。奖金纳入财政预算。奖励等次分为1万元以下、1万元至10万元、10万元以上3个等级。支付奖励金时必须有两名经办人见证。市、区、县三级公安机关主要领导挂帅成立“群众有奖举报”工作领导小组。活动推出之初，市公安局广泛宣传。110报警台在开展“广

① 广州市公安局：《真情服务二十年 广州110》，广州出版社2005年版，第39页。

州110回访千名报警群众系列活动”中近距离向群众宣传。对群众举报的违法犯罪线索，各级公安机关坚持快侦快破和及时兑现奖励的处理方法。110报警服务台专门刻制“广州市公安局举报中心”印章，用于群众举报线索转办及群众举报违法犯罪奖励资金发放审批。110报警服务台每个班次均指定专人负责群众举报的处理工作，详细记录群众举报的有关内容，对于每条举报线索均制作《群众举报违法犯罪线索登记表》进行转办，并根据举报线索内容限期查处单位回复，安排专人对各类转办举报线索进行登记、跟踪、监督，切实落实奖金发放工作。2007年8月开始，简化奖励金发放审批程序，将110报警服务台受理的每宗奖励金在人民币500元以下的举报兑奖审批权下放。2013年4月，市公安局整合毒品犯罪举报奖励、涉枪涉爆违法犯罪举报奖励、外国人违法犯罪举报奖励、制止电信诈骗银行工作人员奖励等多方面奖励，重新按举报案情类别调整奖励标准及审批权限。至今为止，共受理群众举报线索7万多条，破获案件2100宗，抓获违法犯罪嫌疑人41000名，奖励有功群众12000人，累计发放奖励金1100多万元。

（五）设立反电信诈骗专线，专项打击电信诈骗

2015 年4月1日，在全国率先依托110报警服务台开设24小时全天候运作的反电信诈骗专线，集中受理涉电信网络诈骗报警、举报、咨询。110报警服务台反电信诈骗专线先后与工商银行等金融机构建立了涉案账户“点对点”快速查询冻结绿色通道和数据共享、风险警示机制。2015年10月15日，110报警服务台通过启动“点对点”机制，成功对涉及一起涉案金额达2000万元的电信诈骗案件的6家银行4级11个账户进行了紧急冻结，成功拦截事主被骗资金1990万元。2016年9月20日，按照国务院、广东省、广州市打击治理电信网络新型违法犯罪联席会议工作要求，在市政府的支持下，市公安局牵头协调工商银行等9家金融机构和广州3家电信运营商派人带资源和权限进驻110报警服务台，合署办公，挂牌成立广州市打击治理电信网络新型违法犯罪中心，简称市反诈中心。将其打造成为“涉案资金快速止付，诈骗电话快速拦截，资金流信息流查询，案件研判串并和组织侦查打击”一体化运作的常态机构。只要群众报警及时，涉案资金未被犯罪分子转（取）走，90%以上涉案资金在反诈中心民警帮助下都能及时拦截或挽回。

四、创新升级中的广州110电话报警服务台

110电话报警服务台自创建以来，为平安广州建设做出了重大贡献。广州公安机关进入全面深化改革时期后，110报警服务台继往开来，锐意创新，继续发挥其在平安广州建设中的新效能。

（一）规范警情信息查询

110报警服务台警情信息是平安广州建设中的重要信息资源库，为进一步规范警情信息查询工作，2012年8月，市公安局出台110报警服务台警情信息查询规定，规范了本局各单位和外市公安机关、非公安机关查询110报警服务台信息的手续、流程、传递方式和保管、使用范围等。

（二）规范接警用语

根据广州市公安局《关于大力加强执法规范化建设突出问题整改工作的通知》要求，为树立广州110报警服务台良好形象，2013年7月，市公安局制定《110报警服务台接警规范用语》，规定“问候、应答、询问、指引、致歉、致谢、警告”7方面53条基本用语和20条服务禁语。要求110接警员做到说话和气，语言文明，报警电话振铃立即接听，至少询问3次仍无人应答后方能挂机等。

2008年3月27日，广州市公安局成功实现110、119、122“三台合一”

（三）数字化指挥调度

2012年，为进一步加强社会面防控工作，充分发挥市、区两级110台在打击犯罪、维护稳定、管理社会、服务群众等方面的综合效能。广州市公安局启动110接处警数字化指挥调度工作模式，该模式主要内容：一是通过110报警服务台接处警系统搭建“集中接警、统一指挥、快速反应、资源共享”的数字化指挥调度平台，实现电台语音、短信文字、网络系统相结合的多元指挥调度模式；二是按照“区分大事、小事”原则，明确警情等级、分类处置程序、任务和流程，通过110接处警“数字化、扁平化”指挥调度机制，实现对重大警情一级接警、一级处警，减少层级和环节，实现重大警情处置“提速、提效”。

（四）启动区域性等级勤务响应工作机制

为精确指导社会治安防控工作，2012年，广州市公安局开始制订社会治安防控等级勤务响应机制工作方案，将社会治安防控等级勤务响应分为全市性启动和区域性启动两类，其中区域性等级勤务响应等级依据110报警台警情变化趋势决定并发布。2013年4月1日，广州在全省首先推行区域性治安防控等级勤务响应机制，每周一根据社会面整体防控的每周警情监测情况（本周警情同比上升数），确定各区、县级市启动区性勤务响应的级别警力随110案件警情集约投放，得到广东省副省长、公安厅厅长李春生肯定，并作为4项创新机制之一在全省公安机关推广。

（五）六位一体立体化防控

2014年，广州市公安局推行“情报、指挥、巡逻、视频、卡口、网络”六位一体社会治安巡逻防控机制，启动指挥、宣传、网警、消防、交警等警种的常态化联勤指挥，进一步提升合成作战、快速反应能力，成为全国社会面治安防控体系建设的先驱。110电话报警服务台既是情报信息的主要来源，又是指挥调度中枢。

（作者单位：广州市公安局）

后记

按照中央政治局委员、中央书记处书记、中央办公厅主任栗战书对党史工作提出的“一突出、两跟进”的任务、要求，全国党史系统加强了对开创和发展中国特色社会主义时间段的研究，中共广州市委党史研究室于2013年底启动《广州改革开放实录》的征集研究工作，于2016年6月推出《广州改革开放实录（第一辑）》。经过一年多的努力，第二辑也即将顺利面世。

《广州改革开放实录》的编研工作一直得到历任分管党史工作的市委领导的高度重视和大力支持。中共广州市委常委、组织部部长王世彤亲自审核《广州改革开放实录（第二辑）》专题目录，并要求市有关单位给予配合。中共广州市委副书记欧阳卫民分管党史工作之后，欣然同意担任编委会主任，并对《广州改革开放实录》的编研工作提出“出精品、存信史”的要求。领导的关心和支持，既为我们开展《广州改革开放实录》的编撰工作提供了基本保障，也极大地坚定了我们做好工作的信心和决心，这也是《广州改革开放实录》第一辑、第二辑能够顺利出版的前提条件。

为将《广州改革开放实录》打造成代表广州党史研究水平的精品力作，自2016年8月开始，我们先后举办7期广州党史学术沙龙，对每篇文章的写作与修改进行充分的讨论和研究，每次讨论都非常热烈，从文章的思想观点、谋篇布局、内在逻辑、材料辅证、叙述表达等全方位、多层次提出修改意见，迸发思想的火花。通过这种以改代培、以审促学的形式，不但保证了每篇文章的质量，也提高了每位写作者的学术水平。2016年底，文稿的写作工作初步完成，进入统稿阶段。2017年4月，召开了《广州改革开放实录（第二辑）》审稿会，作者之间相互提出意见并修改自己的作品。在此基础上，5月，召开了审稿专家座谈会，根据专家们的意见对全书进行最后的修改。至此，本书的研究写作工作顺利完成。

《广州改革开放实录（第二辑）》以20世纪90年代广州经济、社会、文化、科技以及城市变化为主体进行研究写作，全书共29个专题，分为改革事业的深入与创新、各项事业改革的亮点与特色、特色行业及品牌的繁荣、改革大潮中的文化与科技、日新月异的城市建设、迅速腾飞的区域经济6个部分。

参加《广州改革开放实录（第二辑）》研究与工作的，有中共广州市委党史研究室的研究人员，还有中共越秀区委党史研究室、中共荔湾区委党史研究室、中共海珠区委党史研究室、中共白云区委党史研究室、中共黄埔区委党史研究室、中共南沙区委党史研究室、中共番禺区委党史研究室、中共花都区委党史研究室、中共增城区委党史研究室、中共从化区委党史研究室和广州开发区工委组织部等单位的研究人员。另外，还有广州市人民政府地方志办公室、广州市公安局、广州市教育研究院、广州市人力资源和社会保障局、共青团中共广州市委、广州市妇女联合会、广州日报报业集团、孙中山大元帅府纪念馆、国家统计局广州调查队等单位的研究人员。中共广州市委办公厅、广州市城市管理委员会、广州市农业局、广州市档案局、广州地铁集团有限公司为本书的写作研究提供了大量的档案资料，在此一一表示感谢。

《广州改革开放实录（第二辑）》的征研和编辑由中共广州市委党史研究室组织协调。主任李汉强全程参与本书的编纂工作，指导本书的构思与写作，主持审定了书稿，并就书稿的修改、完善提出了意见与建议；副主任陈穗雄积极推动征研工作的开展，并参与书稿的策划与审定工作；副主任廖惠霞、征集研究处调研员欧阳湘多次参加学术沙龙活动，对本书提出不少中肯的修改意见。本书由周艳红担任主编，余宏檩、王刚协助，贺红卫、张书英、和孟、陈英纳、黄滢参与本书的编辑工作。中共广东省委党史研究室原副巡视员、研究员卢荻，中共广州市委党史研究室原副巡视员、副研究员杨苗丽，南方医科大学人文与管理学院原院长、教授林雄辉，广东外语外贸大学马克思主义学院院长、教授谢迪斌，广东省仲恺农业工程学院党委宣传部副部长、教授唐明勇为本书的修改提供了指导和帮助。本书的出版得到中共党史出版社、广州出版社的大力支持。

由于时间仓促、资料所限，加上编撰者研究水平有限，本书难免有疏漏与不足之处，敬请读者批评指正。

编　者

2017年7月